D0588393

L'idole d'un peuple

MAURICE RICHARD

Couverture
- Maquette:
MICHEL BÉRARD

- Illustration:
JACK TREMBLAY

Maquette intérieure
- Conception graphique:
MICHEL-GÉRALD BOUTET

DISTRIBUTEURS EXCLUSIFS:

- Pour le Canada
AGENCE DE DISTRIBUTION POPULAIRE INC.,
955, rue Amherst, Montréal H2L 3K4, (514/523-1182)
    Filiale du groupe Sogides Ltée

- Pour l'Europe (Belgique, France, Portugal, Suisse,
Yougoslavie et pays de l'Est)

- OYEZ S.A.   Muntstraat, 10 — 3000 Louvain, Belgique
                tél.: 016/220421 (3 lignes)

- Ventes aux libraires
PARIS: 4, rue de Fleurus; tél.: 548 40 92
BRUXELLES: 21, rue Defacqz; tél.: 538 69 73

- Pour tout autre pays
DÉPARTEMENT INTERNATIONAL HACHETTE
79, boul. Saint-Germain, Paris 6e, France; tél.: 325.22.11

Jean-Marie Pellerin

L'idole d'un peuple
MAURICE RICHARD

LES ÉDITIONS DE L'HOMME*

CANADA: 955, rue Amherst, Montréal 132
EUROPE: 21, rue Defacqz — 1050 Bruxelles, Belgique

* Filiale du groupe Sogides Ltée

© 1976 LES ÉDITIONS DE L'HOMME LTÉE

tous droits réservés

Bibliothèque nationale du Québec
Dépôt légal — 4e trimestre 1976

ISBN-0-7759-0508-9

Remerciements

Remerciements à la Ligue nationale de hockey et à M. Ron Andrews pour m'avoir permis de fouiller dans les archives de la Ligue afin d'obtenir les statistiques nécessaires à la rédaction de cet ouvrage.

Grands remerciements à mes enfants et à mon épouse pour m'avoir soutenu pendant la rédaction de ce livre.

À ma mère, à mon père et à tous les
Québécois qui sont animés par la flamme
de l'espoir !

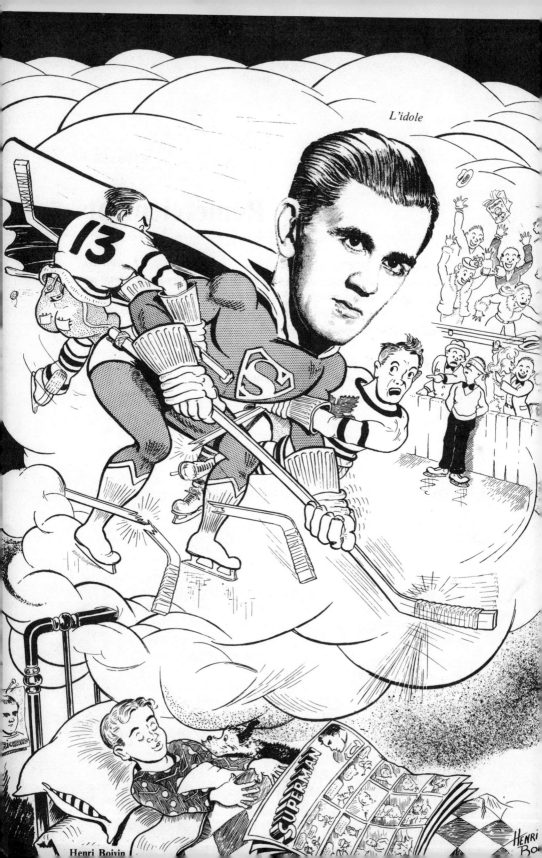

L'idole

Henri Boivin

Préface

Au cours de sa carrière de hockeyeur, Maurice Richard a été attaqué physiquement, mais peut-être encore davantage verbalement et moralement. Il a souvent été dénigré par des anglophones, c'est vrai, mais combien de fois a-t-il été descendu par des gens de sa race ! Trop souvent, hélas ! Comment pouvait-on abaisser un jour celui qu'on avait porté aux nues la veille ?

C'était toujours la même vieille histoire qui se répétait, qui se répète et qui se répètera encore longtemps. Victimes de notre condition de peuple dominé, écrasé et exploité, nous sommes incapables d'apprécier pleinement et sans restriction un compatriote qui a bien réussi. À la moindre défaillance, nous sautons sur l'occasion pour le ramener à notre niveau. Nous sommes comme des enfants pauvres et affamés à qui l'on donne du chocolat : nous regardons notre voisin et nous ne voudrions pas qu'il ait une plus grosse portion que la nôtre. C'est pourquoi l'esprit de solidarité existait peu à l'époque de la carrière de Richard et il n'est pas des plus forts aujourd'hui encore. Une expression populaire, que tous les Canadiens français connaissent bien, rend adéquatement cette idée : « Nous nous mangeons entre nous. »

Les loups possèdent un arrangement social qui se rapproche beaucoup de celui de l'homme : ils ne s'entretuent jamais en période d'abondance. Mais affamés par des conditions de vie difficiles, ils s'attaquent entre eux et les plus faibles sont dévorés.

Tels des loups, nous sommes un peuple affamé d'autonomie, de fierté et de liberté. Depuis trois siècles, nous nous entre-dévorons pour survivre. Il n'est pas étonnant que, dans ces conditions, nous soyons incapables de nous aider et de nous défendre mutuellement dans les moments critiques.

Maurice Richard devait donc se débattre seul, noyé qu'il était dans cette mer anglophone qu'est la Ligue nationale de hockey. Petit à petit, il comprit qu'il ne pourrait pas compter sur les siens, trop occupés qu'ils étaient à ramasser les miettes de gâteau que voulaient bien leur jeter ceux qui présidaient au banquet de la Confédération. Il était seul à se battre ! Rarement célébrité aura été autant humiliée ! C'est le prix qu'a dû payer Richard parce qu'il était Canadien français. Il rongeait son frein, il prenait le tout avec un stoïcisme remarquable et lorsqu'il n'en pouvait plus, d'un magistral crochet du droit et plus souvent encore, par une étourdissante performance, il clouait le bec à ses tourmenteurs . . . et chaque Canadien français grandissait d'un pouce, se redressait un peu en se disant : « Bien fait, Maurice, envoie Maurice ! Donne-z-y . . . Et Maurice qui comprenait, qui vivait, qui incarnait les aspirations de son peuple, oui, disons-le, de son peuple, ne s'est pas arrêté avant d'être arrivé au sommet . . . avant d'être devenu, lui, le « French Canadian Bastard », le roi incontesté de l'univers du hockey !

Par sa grandeur, par sa noblesse, par sa fierté, Maurice Richard a aidé les siens à redresser l'échine. Il a permis à toute une nation de retrouver sa fierté et de prendre un peu de place au soleil . . . à une époque qu'on a qualifiée depuis de « grande noirceur ».

Jean-Marie Pellerin.

Chapitre premier
Un Gaspésien à Montréal...

Au Québec, dans les années 20, les jeunes désertaient de plus en plus les fermes pour aller gagner leur vie en ville ; ils voulaient vivre autrement qu'avaient vécu leurs pères. Ils ressentaient au plus profond de leur être un grand désir de changement : ils voulaient améliorer leur sort. À cette époque, la population était encore dans une certaine mesure rurale. Les Québécois étaient très attachés à leurs traditions et retranchés derrière la religion. La famille était la raison d'être, le cœur de la vie. Les enfants étaient nombreux et on devait trimer dur. Les Québécois étaient prisonniers de ces hivers trop longs et trop rigoureux, symbole de leur condition de vie. Et malgré tout, ils aimaient rire, chanter, danser ; ils aimaient s'amuser ; ils aimaient la vie intensément.

L'économie était contrôlée dans sa presque totalité par les anglophones. C'était leur chasse gardée. Seule, une petite minorité de Canadiens français recevait, par l'intermédiaire des collèges classiques, puis pour quelques-uns d'une inaccessible université, une instruction qui ferait d'eux des notaires, des avocats, des médecins ou des prêtres. Ils constituaient notre petite bourgeoisie. Cette bourgeoisie se faisait trop souvent complice de l'asservissement de son propre peuple. En effet, ces quelques professions, qu'on dit libérales, ne menaçaient en rien l'empire anglo-saxon...

9

Maurice, à sept mois, entouré de son père et sa mère.

Commença alors pour le Québécois une longue et pénible marche pour la reconquête de son identité, de son autonomie. Il ne voulait plus être un citoyen de deuxième ordre, un colonisé. Il ne voulait plus être « Menaud maître-draveur », « maître-bûcheron » ou « porteur d'eau ».

Il voulait crier bien haut ce que l'on avait si souvent foulé aux pieds au cours de siècles d'asservissement et d'écrasement parfois subtils et trop souvent grossièrement déguisés : *son honneur, sa fierté !* Il voulait afficher bien haut cette fierté et cet honneur qu'il avait su garder saufs à l'intérieur de lui-même.

C'est dans ce climat rude, ce pays magnifique, que Joseph-Henri-Maurice Richard prit racine, le 4 août 1921. Il est l'aîné d'une famille qui comptera huit enfants : trois filles et cinq garçons.

Son père Onésime et sa mère Alice avaient quitté leur Gaspésie natale pour venir s'établir à Montréal. Ils habitèrent rue Laurier, dans le quartier Saint-Denis, puis rue Mentana près du boulevard

10

À quatre ans, avec sa soeur Georgette.

du Mont-Royal. Peu après la naissance de Maurice, ils déménagèrent à Bordeaux, et vinrent s'installer rue Bois-de-Boulogne, dans le nord de Montréal, tout près de la rivière des Prairies.

Monsieur Richard, lui-même très bon sportif, excellait au hockey et surtout au baseball. Il travaillait comme menuisier pour la Canadian Pacific Railway[1]. Plus tard, Maurice vint lui prêter main-forte pour subvenir aux besoins de cette famille toujours grandissante. Les parents étaient pauvres et ils devaient travailler ferme pour joindre les deux bouts. Maurice apprit tôt les règles de l'économie. Plus tard, pour aller à son travail, à la Crane Co. Ltd., il dut pédaler sur une distance de quinze milles, soir et matin...

C'était l'époque merveilleuse des chevaux, des traîneaux, des « quat'roues », comme disaient les vieux. Le matin, dans les rues de Montréal comme partout en province, on pouvait entendre le bruit, tout à fait unique, des sabots des chevaux contre le pavé. À ce bruit s'ajoutait celui des pintes de lait qui s'entrechoquaient les unes contre les autres, dans un joyeux tintamarre. C'était un va-et-vient continuel: tantôt le pâtissier, tantôt le laitier, le livreur de glace, ou encore les ouvriers de la ville qui nettoyaient les rues. Ce spectacle faisait la joie des enfants ... et des parents.

---

1. Il est significatif de constater qu'à cette époque tous les noms de compagnie étaient en anglais seulement.

11

En hiver, ces « quat'roues » étaient remplacés par des traîneaux qui transformaient les rues en surfaces dures et gelées où les enfants aimaient jouer au hockey ou patiner.

Maurice reçut dès l'âge de quatre ans sa première paire de patins. On peut dire que ses patins ne le quittèrent plus. L'hiver, il passait ses journées à patiner soit sur les surfaces gelées de la rivière des Prairies, soit sur la petite patinoire familiale ou encore sur celle de l'école Saint-François-de-Laval. Il ne rentrait à la maison que pour prendre une bouchée et suppliait sa mère de lui permettre de garder ses patins pendant le repas. Ses amis et lui parcouraient le trajet de la maison à l'école en patins. Grâce à cette pratique constante, son coup de patin devenait de plus en plus puissant, la musculature de ses jambes de plus en plus forte. Ce qui lui permettra d'atteindre plus tard, en trois enjambées seulement, la vitesse de trente milles à l'heure.

Il finit sa neuvième année à l'école Saint-François-de-Laval pour qui il joua ses premières parties de hockey organisées, soit pour les ligues pee-wee, midget et bantam. Pendant ses vacances d'été, il pratiquait un peu de tous les sports. Il aimait également « cadder » au golf, ce qui lui permettait de se faire un peu d'argent de poche. En fait, il excellait dans toutes les disciplines sportives auxquelles il s'adonnait. La natation l'intéressait beaucoup et, là encore, la rivière des Prairies se prêtait agréablement à ses jeux. Maurice aimait les difficultés, il aimait se battre contre une nature parfois dangereuse. Cette rivière n'avait plus de secret pour lui. Il l'avait dominée, apprivoisée. Il y plongeait d'une hauteur de plus de trente pieds, c'est-à-dire du haut du pont du Canadian National Railway. Déjà ses qualités de fougue, de témérité, de persévérance et de courage se dessinaient.

Ses idoles d'alors étaient Aurèle Joliat, Howie Morenz et Toe Blake. Comme à peu près tous les petits Québécois de son âge, il suivait à la radio tous les matchs du Canadien. Il aimait particulièrement entendre l'annonceur crier : «Blake lance et compte ! »

Le jeune Richard ne joua pas longtemps dans les « petites ligues ». Il passa rapidement au « gros » club de l'endroit qui évidemment portait le nom de ce secteur de la ville, c'est-à-dire le Bordeaux. Il y fit la connaissance de Georges Norchet avec qui il se lia

Troisième à droite, il joue pour le Bordeaux. M. Boucher, le premier à gauche, en est l'instructeur et au centre, M. de Sèves, le gérant.

d'amitié. Maurice jouait avec des garçons beaucoup plus âgés que lui et cela s'avéra une excellente école pour apprendre les rudiments du hockey. Entre temps, il se dirigea vers l'École technique de Montréal où il devint machiniste. Pendant deux ans, il joua pour l'équipe de l'École, tout en continuant à faire partie du Bordeaux. Son copain Georges le présenta à M. Paul-Emile Paquette, un amateur de sports qui s'occupait d'un club juvénile dans la Ligue des parcs de Montréal. M. Paquette prit le jeune Richard sous sa tutelle.

Gérer un club de hockey à cette époque était une entreprise difficile. Il en coûtait à M. Paquette tout près de $500 par saison, une petite fortune en ce temps-là, pour faire marcher son club de hockey. Il possédait une voiture Ford « Panel » 1936 dans laquelle il transportait ses joueurs avant et après les parties. Il avait même la bonne fortune d'avoir un médecin attaché à son équipe. Un de ses bons amis, le Dr Réal Bouthier, soignait ses joueurs bénévolement.

Maurice était donc entre bonnes mains. Voilà comment le tout s'est passé, selon les souvenirs de M. Paul-Emile Paquette :

> « Notre équipe était la meilleure dans les rangs juvéniles, mais nous songions toujours à la renforcer. Un jour, Georges Norchet est venu me voir pour me présenter un jeune athlète de 16 ans qui s'appe-

13

La Ligue des parcs ; Paul Stuart, premier à gauche, troisième rangée, en est le gérant. Maurice s'aligne avec le Paquette.

lait Maurice Richard. Ce dernier paraissait très robuste. Norchet m'a fait les éloges de ce jeune homme, à tel point que j'acceptai d'aller le voir jouer avec le club Bordeaux, le soir même.

« En ce temps-là, le nom de Maurice Richard ne m'était pas plus familier que celui de Polowski, mais je pouvais reconnaître un bon joueur de hockey lorsque j'en voyais un. Richard fut immédiatement invité à jouer pour notre club, le Paquette, et, à sa première joute avec nous, il a marqué six buts.

« Avec Richard dans notre équipe, nous avons remporté le championnat juvénile de la Ligue de hockey Dave-Rochon pendant trois années consécutives. Au cours de la saison 1938-1939, nous avons également gagné le trophée « La Presse » pour avoir décroché le championnat de la Ligue des parcs.

« Nous jouions toutes nos parties au parc La Fontaine. Pour démontrer que Richard était à ce moment-là un marqueur naturel, aussi prolifique qu'aujourd'hui je vous donnerai le record de Richard.

« En 1938-1939, le Paquette a joué 46 parties, remporté 43 victoires, joué deux parties nulles et perdu une fois. Le club a marqué 144 points et sur ce total, Maurice en a marqué 133.

« Nous avions l'habitude de gagner nos parties par 10 à 0 ou 12 à 0 et Richard marquait à lui seul huit ou dix buts. On misait toujours sur lui pour enregistrer les trois quarts de nos points.

« Maurice Richard jouait à l'aile gauche avec notre club. Il possédait le même lancer qu'aujourd'hui. Il avait des bras d'acier et lançait des deux côtés. »

14

Comme le faisait remarquer M. Paquette, Maurice avait acquis des bras d'acier, mais aussi une endurance à toute épreuve. Pendant ces trois années dans la Ligue des parcs, Maurice jouait jusqu'à deux parties par soir et quatre parties en fin de semaine. Il suffisait alors de changer de nom. Il s'entraînait de longues heures, en compagnie de son père dont il avait hérité les qualités sportives et qui l'encourageait sans cesse de sa présence. Maurice formait une ligne d'attaque pour le Paquette avec des joueurs aussi colorés que leurs noms : Grégoire et « Ti-Bé » Aimé St-Onge.

À cette époque, il y avait un jeune Canadien français particulièrement intéressé à promouvoir chez ses compatriotes l'essor du hockey. C'était Paul Stuart, gérant de 38 clubs de hockey au parc La Fontaine. Il était en plus instructeur du club Paquette. C'est lui qui incita Maurice à prendre des leçons de boxe de Harry Hurst, boxeur bien connu à ce moment-là. Maurice se présenta aux « Golden Gloves » et y fit très bonne figure. On peut affirmer sans se tromper que ces leçons de boxe lui furent d'un grand secours dans sa carrière de joueur de hockey professionnel.

Paul Stuart fut un instructeur si talentueux que la direction du club Canadien ne fut pas longue à lui offrir le poste d'instructeur du Canadien Senior. Paul, toujours désireux d'encourager les siens, exigea des conditions qui auraient favorisé le développement de joueurs canadiens français. Le Forum refusa... Paul continua de diriger les destinées du Paquette et devint plus tard également chroniqueur sportif.

Ces deux hommes, messieurs Paquette et Stuart, eurent donc une influence prépondérante sur l'orientation du jeune Richard. Ils ne voulaient pas que le talent de leur protégé restât inexploité. Il fallait absolument que Maurice fasse partie de l'organisation des Canadiens si l'on voulait qu'il devienne un jour joueur de hockey professionnel.

Ils rencontrèrent à cet effet Arthur Therrien, instructeur du Verdun Junior, club-école du Canadien. Messieurs Paquette et Stuart vantèrent si bien les talents de Maurice à Arthur que ce dernier se déplaça expressément pour le voir à l'oeuvre.

Arthur ne s'était pas dérangé pour rien. Il vit tout de suite que ce jeune homme avait tout le potentiel voulu pour devenir un excellent joueur, sans pour autant soupçonner qu'il atteindrait de si hauts sommets.

« J'avais à ce moment-là une haute opinion de Maurice, mais je ne croyais jamais qu'il deviendrait, quelques années plus tard, le plus fameux joueur de tous les temps », de dire Arthur.

Écoutons Paul Stuart nous raconter comment s'est faite l'entrée du futur Rocket au Forum de Montréal :

> « Le centre étoile du Paquette, car il jouait à ce poste avant son entrée au Forum, a remporté le championnat des marqueurs de la Ligue junior du parc La Fontaine en 1938-1939. Richard a eu une moyenne formidable de six buts. Hé oui, six buts par partie ! Arthur Therrien fut ni plus ni moins obligé de prendre Maurice Richard. Arthur alignait plusieurs étoiles et de peur que nous passions ledit Richard aux clubs adversaires, il l'avait accepté dans son club. Selon moi, c'est un hasard, et Dieu merci ! Maurice fut même l'un des derniers de la vingtaine de joueurs que nous avons fait embaucher par le club junior du forum de Verdun, qui était dans le temps le club ferme officiel du Tricolore. Par la suite, Maurice, sous le nom de Rochon, joua un certain nombre de parties pour aider la cause du Paquette et lorsque la pression fut trop forte, il laissa le club Paquette que nous avions le bonheur de gérer. Maurice, qui, au début de mars 1941, jouait encore avec le Paquette, s'y fit valoir, et comment ! Cette étoile, qui possédait le feu sacré du hockey, joua trois parties pour le club Paquette en fin de saison contre le patronnage Jean-Provost, le club de la Banque canadienne nationale, à l'auditorium de Verdun de la défunte ligue Métropolitaine, et finalement contre l'académie Roussin. Ce dernier club était champion provincial des clubs non affiliés à la « Quebec Hockey Amateur Association ». Incroyable mais vrai, Maurice participa à 15 des 17 buts du club Paquette au cours de ces trois parties. »[1]

Maurice avait 18 ans lorsqu'il fut invité par Arthur Therrien à participer à son premier camp d'entraînement dans les rangs Junior A. En cet automne de 1939, 126 joueurs s'étaient présentés au Verdun Junior avec l'espoir de se mériter une place dans ce club ferme du Bleu-Blanc-Rouge. Comme on peut le constater, le talent ne faisait pas défaut, contrairement à ce que certains journalistes ont parfois laisser croire.

Ce premier exercice, Arthur ne l'oubliera jamais à cause d'un bolide jaune et vert qui sillonnait la patinoire... En effet, Maurice

---

1. Stuart, Paul, *Nouvelles sportives,* 28 avril 1956.

Au début de la saison 39-40, Maurice passe au Verdun de M. Therrien.

portait un chandail jaune et vert, un peu défraîchi, avec dans le dos l'inscription « Marvelube » (nom d'une compagnie d'essence).

Au dire de Paquette et Stuart, Maurice était le meilleur manieur de bâton du parc La Fontaine. Le jeune Richard ne les fit pas mentir : au cours de deux montées spectaculaires, il déjoua tout ce qui se présenta devant lui pour loger le disque dans le but à deux reprises. Maurice monta donc avec le Verdun.

L'instructeur du Verdun reconnaissait qu'à ce moment-là il avait dans son équipe des joueurs supérieurs au jeune Richard. Par contre, s'il a aidé Maurice à devenir un grand joueur de hockey, il ne s'en est jamais attribué le mérite ; il a toujours reconnu que Maurice s'était formé pratiquement seul.

Au cours de cette saison, le futur numéro 9 ne joua pas toujours régulièrement. Puis, les séries éliminatoires laissèrent entrevoir ce que le Rocket nous réservait dans toutes ces fabuleuses séries de fin de saison qu'il allait si dramatiquement dominer au cours de sa carrière. Il termina premier marqueur et contribua à disposer du Royal. Au niveau de la province, le Verdun fut reconnu comme le champion Junior et ne fut éliminé que par les puissants Generals d'Oshawa qui réussissaient à obtenir la crème des joueurs de l'Ontario grâce à l'industrie automobile de l'endroit. Cette performance valut au jeune Richard une invitation pour le camp d'entraînement du Canadien Senior de l'automne suivant. L'avenir s'annonçait plein de promesses pour lui.

C'est sur cette note des plus encourageantes que se termina l'adolescence de Maurice. Il demeure qu'à ce moment-là, même si le jeune Richard adorait le hockey, il ne pensait pas pouvoir faire carrière dans ce sport. Cela lui paraissait encore inaccessible. Mais déjà, à sa façon, sans faire de bruit, calmement, il apprenait le rude métier de hockeyeur et ses conséquences parfois pénibles...

Maurice, qui avait fait la pluie et le beau temps dans les rangs juvéniles et juniors, vit en effet ses chances de devenir « pro » drôlement compromises, sinon anéanties...: Il subit pendant trois saisons d'affilées trois fractures majeures...

À l'automne 1940, à sa première partie avec le Canadien Senior, Maurice avait déjà marqué deux buts après deux périodes de jeu. La troisième période venait à peine de débuter que la catastrophe se produisit : dans une de ses montées fulgurantes, il perdit l'équilibre et alla s'écraser avec force dans le coin de la patinoire. Son patin se coinça dans la bande et sa cheville gauche céda sous l'impact... Pour Maurice, cette saison était déjà terminée.

Rétabli de cette blessure vers le mois de mars 1941, il fit un retour au jeu et termina la saison en jouant quelques parties pour le club Paquette qui était devenu un club de calibre senior.

La saison suivante, Paul Haynes, le fameux dépisteur du Canadien, était le nouveau *coach* du Canadien Senior. Sur les instances répétées du futur « Rocket », il le transforma en ailier droit.

Après vingt parties, tout allait pour le mieux pour le jeune Richard lorsque la fatalité le frappa à nouveau... Il subit une deuxième fracture majeure. Cette fois-ci, ce fut le poignet gauche qui céda. Il ne se découragea pourtant pas et se remit à temps pour les éliminatoires. Il marqua six buts en quatre parties... Maurice Richard était prêt... Il était prêt à faire partie de cette formation de rêve, le club de hockey Canadien !

À l'aube de cette carrière professionnelle, Maurice avait tous les atouts physiques et moraux qu'il lui fallait pour réussir. De ses parents, il avait reçu un héritage magnifique qu'il allait pouvoir mettre

Maurice et Lucille lors de leurs fréquentations.

à profit : indomptable, courageux, persévérant, honnête, sauvage et fier, tel était Richard, telle était la Gaspésie, pays si cher à son cœur et terre de ses origines. De plus, pour l'accompagner au cours de ce long et difficile périple, Maurice était appuyé par une jeune femme qui le comprenait et qui l'aimait tendrement.

Malchanceux au jeu, chanceux en amour, comme dit le proverbe ! Pendant toutes ces années, une jeune admiratrice n'avait pas manqué une des parties de hockey où Maurice devait évoluer. Même sous des températures sibériennes, Lucille Norchet, les pieds souvent gelés, encourageait Maurice de toute son énergie. Elle continua pendant toute la carrière professionnelle de celui-ci. De tous les matches disputés au Forum, elle ne manqua que deux, et ce, sur dix-huit saisons de hockey !

Maurice devint de plus en plus amoureux de cette rousse aux yeux bleus. Après les parties du Paquette, Georges Norchet invitait chez lui les gars du club. Ils roulaient le tapis du salon pour danser et s'amuser. Maurice avait 17 ans et Lucille, 13 ans. Malgré son jeune âge, Lucille avait tout de suite aimé ce grand brun timide à l'allure de jeune fauve. Mais elle n'aimait pas sa façon de se peigner. Après quelques rencontres, prétextant un jeu, elle lui fit une raie sur le côté. Depuis, il ne s'est jamais peigné autrement.

Lucille avait 17 ans et Maurice 21 ans lorsqu'ils firent part à leurs parents de leur intention de se marier. Ces derniers en furent estomaqués... Mais leur décision avait été prise avec beaucoup de sérieux. Maurice gagnait alors $20 par semaine comme machiniste dans la même usine que son père. Tous deux avaient foi en leur étoile. Lucille et Maurice s'unirent le 12 septembre 1942.

Sur le vieux continent, la guerre faisait toujours rage. En 1941,

Septembre 1942, Maurice épouse Lucille Norchet.

Maurice s'était porté volontaire pour l'armée canadienne, mais il avait été refusé à cause de la fracture qu'il avait subie à la cheville précédemment. En 1943, il essayera à nouveau, mais il sera refusé une deuxième fois pour les mêmes motifs. Cette destinée étrange et exceptionnelle se poursuivait. Mais le long tunnel que Maurice Richard avait parcouru depuis sa naissance s'ouvrirait inéluctablement sur une carrière de hockeyeur professionnel. Il en fera un tremplin prestigieux pour ce qui fut la préoccupation de toute sa vie : redonner à son peuple la nourriture nécessaire à sa survie, c'est-à-dire la Fierté.

Chapitre deuxième
Une étoile s'éteint...
une autre naît

Fort de la performance de Richard lors des dernières séries éliminatoires du Canadien Senior, Paul Haynes n'eut pas trop de mal à convaincre le gérant général des Canadiens, Tommy Gorman, de ses qualités de hockeyeur. « Big Tom » accepta aussitôt d'inviter ce jeune Canadien français au prochain camp d'entraînement du Canadien ; il connaissait la perspicacité de Haynes qui, la saison précédente, avait recruté trois jeunes joueurs très prometteurs : Elmer Lach, Kenny Reardon et Glen Harmon.

Quant au très direct Dick Irvin, il faillit provoquer une syncope chez Paul Haynes quand ce dernier lui demanda ce qu'il pensait du jeune Richard : « J'ai bien peur que ce garçon au visage pâle n'ait pas le physique pour le hockey de la Ligue nationale », de dire Dick.

Paul n'en revenait pas, jusqu'au moment où il comprit que Dick avait confondu le préposé aux bâtons de hockey avec Maurice !

Au cours de l'entraînement, Irvin et Gorman furent tout de suite impressionnés par l'esprit de Richard, son désir de vaincre et son habileté à terminer les jeux par des buts. L'enthousiasme de Dick augmentait avec chaque partie hors-concours. Après l'une des parties contre Boston, durant laquelle Maurice marqua un but et joua de façon colossale, Dick déclara à Gorman : « Ce garçon-là est un naturel. Il ne peut que réussir. »

Maurice commence sa carrière profes-
sionnelle avec le Canadien Senior.

Tommy répliqua : « Je suis d'accord, c'est la seule recrue qui vaut la peine d'être mise sous contrat. »

Lors de rétrospectives sur la carrière de Maurice Richard, des journalistes déclarèrent souvent que Maurice avait passé avec l'équipe des Canadiens à l'automne 1942, à cause d'une pénurie de bons joueurs due à la guerre. Maurice a aussi affirmé la même chose, sûrement par modestie.

Il y a sans doute une part de vérité dans cette affirmation, mais cela serait vraiment sous-estimer Tommy Gorman et l'instructeur Dick Irvin que de croire qu'ils ont fait signer un contrat de deux ans à Maurice parce qu'il n'y avait personne d'autre... Même s'il avait été malchanceux durant deux saisons avec les Seniors, Maurice avait quand même démontré des aptitudes explosives pendant son hockey juvénile et junior et à sa deuxième année sénior, lors des séries finales. Cela, Arthur Therrien, Paul Haynes, Dick Irvin et Gorman le savaient. Ce qui effrayait vraiment Dick Irvin et Gorman, c'était la

Tommy Gorman, gérant des Canadiens de Montréal. Ce dernier fait signer un contrat de 2 ans au futur Rocket.

Grignon

supposée fragilité de Maurice. Gorman le croyait vraiment trop fragile pour les durs-à-cuire de la Ligue nationale. Dick Irvin pensait à peu près la même chose mais il avait tout de suite aimé la fougue et l'impétuosité dont Maurice avait fait preuve au camp d'entraînement, et il décida d'être patient.

Bien leur en prit, car on sait qu'à cette époque le Canadien n'avait pas la faveur du public. L'assistance était plutôt maigre. En 1940, le club avait terminé au septième rang, remportant seulement dix victoires. La saison suivante, Dick Irvin prit l'équipe en main. Le Canadien termina quand même en sixième position avec 38 points. La saison 1942 fut tout aussi désastreuse : sixième position avec 39 points.

Maurice Richard signa son premier contrat professionnel le 29 octobre 1942. Il n'en croyait pas ses yeux : il venait enfin de réaliser le rêve qu'il chérissait secrètement . . .

À son premier match, Maurice forma avec Elmer Lach et Tony Demers une ligne qu'on surnomma, avec raison, la « ligne ambulance » à cause des nombreuses blessures que subirent ces trois joueurs. L'immortel Aurèle Joliat, qui agissait comme juge de ligne, fut très impressionné par cette jeune recrue. Il fit remarquer à des amis que ce Richard avait de grandes possibilités.

Le Canadien triompha du Boston 3 à 2. Maurice assista Demers sur un de ses deux buts. Tous les spectateurs ne parlaient plus que de Demers qui avait « volé le show » à l'ex-joueur du Maple Leaf, Gordon Drillon. En effet, l'as ailier droit du Toronto appartenait

23

maintenant au Tricolore. Comme il avait été hué par ses propres partisans lors des séries de la dernière coupe Stanley, la direction des Leafs avait préféré l'échanger au Canadien. Les amateurs de hockey espéraient donc beaucoup de ce joueur. Mais ce soir-là, ils ne parlaient que de Demers. Par contre, Dick ne parlait que de Richard : « Dans les circonstances, le jeune a joué une excellente partie, murmura-t-il joyeusement. Il était évidemment nerveux et il a commis des erreurs, mais je crois que nous avons la recrue de l'année. »

À leur partie suivante, au Madison Square Garden de New York, les Canadiens perdirent aux mains des Rangers par le score de 4 à 3. Durant ces heures de guerre, les frontières entre le Canada et les États-Unis étaient étroitement surveillées et les joueurs de hockey devaient obtenir un laissez-passer des douanes américaines pour pouvoir jouer outre-frontière. Maurice Richard, Ken Reardon et « Butch » Bouchard n'avaient pu en obtenir et le Canadien avait été battu.

À la visite des Rangers au Forum, le Tricolore prit sa revanche et infligea une raclée de 10-4 aux New-Yorkais... C'était le 8 novembre 1942. Maurice donna un aperçu de ce que seraient les dix-huit prochaines saisons. À un moment donné, il s'empara de la rondelle près des buts de Paul Bibeault, partit en trombe, traversa la patinoire d'un bout à l'autre en déjouant chacun des Rangers pour parvenir seul devant Steve Buzenski qu'il déjoua d'un puissant lancer du revers dans le coin supérieur du filet. Les spectateurs applaudirent à tout rompre cette performance qui leur rappelait les beaux jours de Morenz.

L'extraordinaire destinée de Maurice Richard s'accomplissait. Déjà, ce premier but dans la L.N.H., le cinquième du Canadien, donnait la victoire aux siens. C'était la première des innombrables victoires qu'il allait procurer à ses partisans...

Le grand « Newsy » Lalonde, qui était sur la passerelle des journalistes, en fut émerveillé. Il prédit alors que Maurice Richard deviendrait une étoile de la Ligue nationale. Selon lui, c'était le meilleur joueur d'avenir qui se présentait depuis dix ans et, avec un peu de chance, il serait sûrement choisi comme la recrue de l'année.

Tony Demers s'enrôla dans l'armée et Maurice forma une ligne avec Buddy O'Connor et Gordon Drillon. Il jouait alors à l'aile gauche. Tout de suite cette nouvelle formation connut le succès et devint le fer de lance du Canadien. Plusieurs journalistes avaient maintenant baptisé Richard « la Comète » à cause de ses accélérations fulgurantes. Déjà, on le comparait au grand Howie Morenz.

En entrant dans la chambre des joueurs après une partie contre les Rangers, Maurice visiblement heureux, montra la rondelle aux joueurs : « Je la garde car elle m'appartient. » Le lendemain, dans une édition du 23 novembre d'un journal du matin, on pouvait lire : « Les Rangers triomphent contre Maurice Richard, 5-3. » La Comète venait de réussir son premier « tour du chapeau ».

Maurice passa son premier Noël avec le Canadien. Il croyait rêver ! Le soir du 27 décembre, il signa une performance qui assomma les Bruins. En deuxième période, il marqua un but et en prépara deux autres. La troisième reprise débuta et Jack Crawford le ramena brutalement à la réalité par une dure mise en échec : Maurice tomba et se fractura la cheville, la droite cette fois-ci.

Fait étrange, la même scène, au même endroit, s'était produite quelques années auparavant, le 28 janvier 1937 : Howie Morenz s'écroulait pour ne plus se relever... Là où une fulgurante carrière avait si dramatiquement pris fin, une autre naissait de façon tout aussi dramatique.

Après seize parties, il avait accumulé 11 points : soit cinq buts et six assistances. Blake se rappelle que dans le train qui les menait à Chicago, il a entendu Dick Irvin déclarer : « Maurice est probablement trop fragile et ne pourra faire la Ligue nationale. »

Ce n'était pas tellement la fragilité de Maurice qui était en cause, mais son style de jeu : à ce sujet, voici comment un journaliste rapportait les propos de Richard dans *La Patrie* du 30 janvier 1944 :

> « Il attribue ses nombreux accidents de hockey premièrement à la pure malchance et deuxièmement à son style naturel de hockey. Comme tout joueur débutant, il a d'abord manqué d'expérience en jouant tête baissée, se transformant ainsi en une cible facile pour les coups des adversaires. Mais les faiblesses d'un style naturel ne sont pas faciles à corriger malgré les bons conseils de plusieurs et ce n'est que récemment que Maurice a commencé à s'améliorer de ce côté-là.
>
> « Il refuse de changer son style de patinage pour ne pas affecter son excessive rapidité, mais il se promet bien de mieux se protéger contre les coups rivaux à l'avenir, comme il l'a d'ailleurs fait depuis plusieurs semaines ; sans quoi, dit Maurice en badinant : « Je ne pourrai

jamais terminer une saison ou je deviendrai un cas permanent d'hôpital. » Il insiste pour garder son style particulier. Il attribue sa grande rapidité comme patineur à de longues heures d'exercices sur patins et son style de jeu, à jouer avec les plus grands « car, quand on est jeune, dit-il, c'est la seule façon d'en apprendre beaucoup dans le hockey. »

Son impétuosité, sa fougue, ses charges endiablées faisaient de lui ce que les Anglais appellent un « accident-prone » : un individu enclin aux accidents. Son médecin lui conseilla de prendre une bouteille de bière par jour, afin, disait-il, de renforcer ses os. Après chaque partie, Maurice prenait donc lentement sa petite bouteille de bière. Il conservera cette habitude durant toute sa carrière.

Très peu de joueurs, avaient réussi l'exploit de revenir au jeu avec toute leur efficacité après une fracture. Un seul autre joueur, Sprague Cleghorn, des anciens Wanderers de Montréal, a atteint un tel niveau dans le hockey majeur, après une fracture des deux jambes.

Maurice était donc totalement découragé et croyait que jamais la malchance ne le laisserait. Déjà, au cours de cette première saison, il se trouvait des journalistes « experts » pour le dénigrer. C'était peut-être là un signe avant-coureur des sommets qu'il allait atteindre, car on n'aurait sûrement pas attaqué aussi durement un joueur banal.

Voici comment Bill Roche, rédacteur sportif, avait alors perçu le futur Rocket : « Selon toute apparence, le Canadien a fait l'acquisition d'un citron, et d'un citron facile à meurtrir. Si jamais il terminait au premier rang, ce serait au premier rang des blessés. »

De pareilles remarques n'étaient pas de nature à encourager un jeune joueur nouvellement arrivé dans un circuit professionnel. Par souci d'honnêteté envers ses employeurs, Maurice songea à accrocher ses patins, mais heureusement il ne réussit à convaincre ni Tommy Gorman ni Dick Irvin.

La nature de Maurice eut tôt fait de reprendre le dessus. Son grand désir de vaincre l'adversité était toujours là, bien vivant. Son moral à la hausse, Maurice se remit à l'œuvre et, au camp d'entraînement de la saison suivante, bien fin celui qui aurait pu dire que le numéro 15 avait subi une fracture à chaque cheville et une autre au poignet. C'était un « citron » coriace...

Chapitre troisième
Le Rocket en orbite !

Tommy Gorman essayait, sans succès, de convaincre un gardien de but de signer avec le Canadien. Le grand Bill Durnan, à 27 ans, se trouvait beaucoup trop vieux pour commencer une carrière professionnelle de hockey. Bill avait aussi peur de jouer comme deuxième violon. Gorman qui avait plus d'un tour dans son sac finit par le convaincre de venir le rencontrer avant la joute d'ouverture. À bout de ressources, Tom brisa sa résistance avec ce dernier argument : « Il n'en tient qu'à toi de commencer cette partie, Bill. » Il ne restait plus que quelques minutes avant le début du match... Bill signa en vitesse et courut jusqu'au vestiaire des joueurs. Dick, prévenu par Gorman, lui dit : « Passe ton équipement, mon gars, nous t'attendons. »

La foule, prise par surprise, lui réserva une froide réception... Les partisans du Forum s'attendaient tous à voir Paul Bibeault dans les buts du Canadien. Ils regardaient d'un oeil hostile ce grand gardien dégingandé. Bill ne fut pas long à les conquérir par ses arrêts spectaculaires. La foule, à la fin de la partie, ne lui ménagea pas son approbation : Bill fut applaudit à tout rompre... Ce n'était que le début d'une longue histoire d'amour !

Cette saison-là les amateurs de hockey du Forum durent applaudir Durnan et le Canadien plus qu'ils n'auraient jamais osé l'espérer : en 25 parties, le Tricolore gagna 22 fois et annula trois fois. Bill Durnan se mérita son premier trophée Vézina avec la formidable moyenne de 2.18 buts marqués contre lui en 50 parties. Ses plus proches rivaux, soit Paul Bibeault, Mike Karakas et Connie Dion, avaient accordé respectivement 3, 3.04 et 3.08 buts en moyenne par partie. Au cours d'une carrière de sept saisons, Bill se mérita le trophée Vézina à six reprises, dont quatre consécutives ... Quelle fiche impressionnante !

C'était le début de la saison 1943-1944. Déjà, le vitriolique Dick Irvin prédisait : « Maurice ne se contentera pas de devenir une étoile, il deviendra la plus grande étoile du hockey » ! Mais les espoirs de Dick Irvin ne semblaient pas vouloir se confirmer : Maurice se disloqua une épaule dès le début de la saison. Même s'il revint au jeu rapidement, il fut incommodé jusqu'aux fêtes. *Bones,* comme la Presse anglaise aimait le surnommer en souvenir de ses fractures, ne marqua que neuf buts en 28 parties.

La « main invisible », comme le disait si souvent Irvin, allait à nouveau se manifester. Le 27 octobre 1943, Madame Richard donnait naissance à Huguette, un joli poupon de neuf livres.

Maurice demanda à Dick s'il pouvait changer son numéro 15 en numéro 9 en l'honneur de sa fille. Dick accepta.

Irvin, qui devait remplacer Charlie Sands comme ailier droit de la ligne Lach et Blake, se souvenait que Maurice avait joué à droite chez les Seniors. Il était convaincu que Lach était le parfait centre pour Maurice et que Blake « The Old Lamplighter » était l'homme tout indiqué à l'aile gauche :

> « Ma grande chance, je l'ai eue quand Irvin a décidé de m'envoyer à la place de Charlie Sands aux côtés de Blake et d'Elmer Lach. Lach, je ne le connaissais pas trop malgré que je l'avais rencontré au camp d'entraînement l'année précédente. Mais faire partie de la même formation que Blake me procurait certainement la plus grande satisfaction de ma vie. »

Une autre très grande satisfaction dans la vie de Maurice a été celle d'être père ! Maurice était fou de joie. Et pour saluer l'heureux événement, il promit de marquer deux buts, un pour Lucille et un pour Huguette.

La partie suivante, le Canadien défit Boston 3 à 2. Maurice avait marqué deux fois ... La « ligne du Punch » venait de prendre son

Quelques années plus tard, Hugette et « Rocket » Maurice Junior se sont joints à la famille.

envol.

Maurice Richard, joueur gaucher, était maintenant devenu le « Numéro 9 », et l'ailier droit du plus prestigieux trio de hockey sur glace de tous les temps : la « ligne du Punch »... il ne manquait qu'un élément avant que ne débute vraiment la légende ; la « main invisible » s'en chargea.

Pendant les exercices, les joueurs d'une même équipe ont évidemment l'occasion de jouer les uns contre les autres. Ray Getliffe trouvait Maurice tellement rapide qu'il le baptisa le « Rocket ». Voici comment Maurice raconte l'anecdote.

> « C'était au cours d'un exercice. Toe, Elmer et moi-même comptions des buts à en faire enrager les autres. La plupart du temps, c'était contre le trio Watson, Murph Chamberlain et Ray Getliffe que nous contournions à une telle vitesse qu'ils en restaient abasourdis. En ce temps-là, j'y allais à fond de train. Un jour que je passais à pleine vapeur, l'un d'eux a dit : « Attention, voilà le rocket. » Ils ont tous adopté l'expression. Chaque fois que je prenais la rondelle, ils criaient : attention, voilà le « Rocket ».
>
> « Les journalistes présents à l'exercice, ont entendu Watson, Chamberlain et Getliffe m'appeler le « Rocket ». Ils l'ont rapporté dans les journaux le lendemain ; le surnom m'est toujours resté. »

La « main invisible » s'étant manifestée, c'était au tour de Maurice « Rocket » Richard et de la « Punch Line » de jouer. Et de quelle magistrale façon il jouèrent, ces trois mousquetaires du hockey !

Ce fut le début de la légende ... Le 31 décembre 1943, Maurice Richard enregistra son premier « tour du chapeau » de cette saison contre Détroit lors d'une victoire de 8-3.

Deux mois plus tard, le 17 février, il marqua les trois buts de son club en 2 minutes et 23 secondes à la troisième période pour changer une défaite certaine en une victoire de 3 à 2 ... *He beat Detroit last night 3-2.* (Il a battu Détroit 3-2 hier soir), pouvait-on lire dans le *Montreal Herald* le lendemain. Il réussira le « tour du chapeau » 33 fois au cours de sa carrière ; ce record n'est pas encore près d'être menacé.

C'est à ce moment qu'Aurèle Joliat déclara que Maurice était le plus rapide patineur de la Ligue de hockey nationale. Effectivement, le Rocket avait fait le tour de la patinoire du Forum en un temps record de 11 secondes et 4/5, tout en transportant la rondelle.

À partir du 31 décembre, Maurice, qui n'était plus incommodé par sa blessure à l'épaule, put donner toute sa mesure et atteindre le statut de *super-star*. En 22 parties, il enregistra 23 buts, pour terminer au quinzième rang des pointeurs[1] et au sixième rang des compteurs de francs buts. Seuls, Joe Malone, « Newsy » Lalonde et Howie Morenz avaient marqué plus de 30 buts en une saison dans l'histoire des Canadiens. Avec ses 32 buts, Maurice Richard venait d'accomplir cet exploit alors qu'il était une recrue. Toutefois, selon les règlements de la L.N.H., ou plutôt l'absence de règlement, comme Maurice avait participé à seize parties la saison précédente, il n'était pas éligible au titre de recrue. Pourtant, un peu plus tard, la L.N.H. stipula qu'un joueur pouvait être considéré comme une recrue s'il avait joué moins de 20 parties à sa première saison. Par exemple, en 1952, « Boum Boum » (Bernard) Geoffrion était nommé recrue de l'année même s'il avait participé à 18 parties en 1951.

Les Canadiens terminèrent au sommet du classement en saison régulière et se méritèrent le trophée Prince-de-Galles pour la première fois depuis 19 ans, c'est-à-dire depuis la saison 1924-1925.

En 1942-1943, avec sensiblement la même équipe et avec des étoiles comme Blake, Lach, Drillon, O'Connor, Benoît, Harmon,

---

1. La Ligue nationale désigne comme son champion *compteur* celui qui accumule le plus grand total de buts et d'assistances au cours d'une saison.

Bouchard, Reardon, Lamoureux et Getliffe, les Canadiens se classèrent difficilement au quatrième rang de la L.N.H. avec 50 points, un point devant le Chicago. Arrivèrent Richard et Durnan, et hop ! les Canadiens se retrouvèrent en première place. Ceci démontre, hors de doute, l'utilité de Maurice Richard et de Bill Durnan pour le Canadien.

Le jeune Rocket continua sa formidable poussée dans les séries éliminatoires marquant douze buts et cinq assistances en neuf parties. La coupe Stanley revint à Montréal après treize ans d'absence et, avec elle, les adeptes du hockey revinrent également remplir le Forum.

Le 23 mars 1944, Maurice allait devenir l'auteur de la plus belle performance de l'histoire de la Ligue nationale : Maurice marqua les cinq buts de son équipe... et cela pendant les séries éliminatoires pour la coupe Stanley !

À la première partie de la série semi-finale, Toronto prit le Canadien par surprise et gagna la partie 3-1. Maurice avait été tenu continuellement en échec. On lui avait assigné un des meilleurs ailiers défensifs, Bob Davidson ; joueur dur mais franc, Davidson n'utilisait jamais de mauvais coups pour mettre un joueur en échec, et dans ce domaine, il était dans une classe à part.

À la fin de cette partie, Maurice se dirigea vers Paul Bibeault qui gardait maintenant les buts du Toronto et lui dit : « Paul, ça ne se passera pas comme ça la prochaine fois... »

Le manège sembla vouloir se répéter à la deuxième partie. On était à la première période : Davidson surveillait étroitement le Rocket. Cette période se termina 0-0. Au deuxième vingt, Maurice échappa à Davidson et marqua deux fois. Il était déchaîné ! Plus rien ne pouvait l'arrêter ! Il compléta le pointage avec un « tour du chapeau » dans la troisième période. Ce fut alors le délire ! Les applaudissements n'en finissaient plus. Encore sous l'effet de cette piqûre d'enthousiasme, les Canadiens relâchèrent leur défensive et Toronto en profita pour enregistrer son seul point du match. C'est après cette fameuse partie que Happy Day, l'instructeur du Toronto, baptisa le Rocket « V5 » : le « V » faisait allusion aux puissantes fusées V2 des nazis et le « 5 », aux cinq buts que le Rocket venait de marquer contre les Leafs. Day avait raison de baptiser ainsi Richard,

car Maurice avait obtenu ses cinq buts avec cinq lancers.

De l'autre côté de la patinoire dans la chambre du Canadien, Maurice Richard acceptait les félicitations de tous avec son calme habituel. Toujours un peu embarrassé devant les hommages, Maurice y coupa court en montrant le bâton qui lui avait servi à marquer tous ses buts. Il expliqua : « Il appartient à Lamoureux. Il me l'a donné au début de la deuxième période et j'ai obtenu tous mes buts avec. Wow ! C'est tout un bâton ! Je ne laisserai certainement pas ce petit bijou m'échapper. »

Les trois étoiles de ce match mémorable du 23 mars 1944 furent distribuées comme suit par Charles Mayer, de la « ligue du Vieux Poêle » : [1]

Première étoile :	Maurice Richard
Deuxième étoile :	Maurice Richard
Troisième étoile :	Maurice Richard

---

1. Ligue du Vieux Poêle : Pour le bénéfice des auditeurs de la radio, Charles Mayer et d'autres commentateurs sportifs se réunissaient entre les périodes pour analyser la partie en cours. Ils baptisèrent cette réunion la « ligue du Vieux Poêle ». Plus tard, lorsque la Télévision fit son apparition, la tradition fut conservée pendant quelques années encore. Ils discutaient alors des derniers jeux, assis autour d'un « vieux poêle ». À la fin de chaque match, c'étaient eux qui décernaient les trois étoiles de la partie.

Laurent Marsan

Les Canadiens remportent le trophée Prince de Galles en 1944, pour la première fois depuis 19 ans.

Le lendemain matin, plusieurs en-têtes de journaux se lisaient comme suit : « Richard 5, Toronto 1 ».

Aussi incroyable que cela puisse paraître. Maurice réédita cet exploit. Le 4 avril le Rocket marquait à nouveau *tous* les points de son club dans une victoire de 3-1 contre Chicago.

À nouveau, Bill Durnan perdit son blanchissage dans les dernières minutes de la partie. En entrant dans le vestiaire, les joueurs avaient tous la mine déconfite d'avoir laissé aller un si beau blanchissage, même s'ils venaient de remporter une importante victoire. Bill, avec son excellent esprit d'équipe, mit tout le monde de bonne humeur en lançant : « Oubliez-ça les gars ! Ils payent pour les victoires et non pour les blanchissages ! »

Dans le train qui les ramenait à Montréal, après cette fameuse partie, « Toe » Blake se plaisait à taquiner les joueurs et Murph Chamberlain en particulier : « Je te plains, Murph, disait Toe ; tu devrais jouer dans le même alignement que le Rocket. Ce gars-là m'aidera à jouer une autre dizaine d'années. » Murph se contenta de sourire en regardant Toe de travers.

La dernière partie de cette série finale contre Chicago, c'était le 13 avril 1944, demeurera sûrement une des parties les plus spectacu-

Teppen

*Le 23 mars 1944, lors de la partie fi-
nale où les Canadiens remportent la
victoire sur Toronto 5 à 1, Maurice
compte son cinquième but contre
Paul Bibeault.*

laires, les plus imprévues et les plus dramatiques des annales de la
Ligue nationale.

Les Canadiens menaient la série 3-0. Pour une fois, tous les
amateurs, les experts et même les journalistes s'accordaient sur un
point : la série se terminerait en quatre parties.

La troisième période débuta avec un décompte de 4 à 1 en faveur du Chicago qui, fort de cet avantage, jouait un jeu défensif des
plus serrés. Au milieu de cette dernière période, le décompte était
toujours le même ; la foule, déçue et convaincue de la défaite du
Tricolore, ne manifestait plus. On avait tant espéré cette coupe Stanley qu'on attendait depuis treize ans.

Tout à coup, quelques spectateurs cyniques se mirent à crier :
« Fake ! Fake ! Fake ! » Cette foule déçue se prit au jeu, répétant le
mot et le scandant bien, cette fois-ci : « Fake ! Fake ! Fake ! »

Ce que les spectateurs laissaient entendre, c'est que les joueurs
du Canadien voulaient allonger la série afin de gagner plus d'argent.
Ce sous-entendu, la « Punch Line » l'avait saisie. Au milieu de cette
dernière période, ils étaient sans doute les seuls à ne pas avoir jeté
l'éponge. Tommy Gorman avait même fait ranger la coupe Stanley,
de même que le champagne et la nourriture dans le bureau des directeurs.

Cette insulte mit la « ligne du Punch » en ébullition ! Ils ne dirent pas un mot et se regardèrent... c'était suffisant. Tel un ouragan, ils prirent possession de la glace et jamais la « ligne du Punch » n'illustra si bien son nom. Les spectateurs, journalistes inclus, en étaient littéralement sidérés... Elmer Lach défonça la résistance du Chicago et pratiquement le « net » avec un boulet qui faillit séparer la tête des épaules de Mike Karakas.

L'état d'ébullition du Rocket avait maintenant atteint son point maximum ! Il éclata à deux reprises : il décocha un vicieux lancer du revers qui laissa Karakas sans mouvement ! La foule manifestait toujours lorsque Blake, placé derrière les buts et voyant Maurice venir en trombe, lui passa rapidement la rondelle en avant du but. Le Rocket laissa partir un puissant lancer frappé ! Personne ne vit cette rondelle pénétrer dans le filet encore moins Karakas. Mais en même temps que Blake esquissait son geste, les spectateurs savaient déjà que ça y était ! Grâce à Maurice, il y avait donc surtemps ! Gorman sortit à nouveau coupe Stanley, champagne et nourriture...

L'agressivité démontrée par les Canadiens dans la dernière moitié de la troisième période se manifesta dès le début de la période supplémentaire. Les « Flying French men » étaient souvent qualifiés de « brigade d'incendie » parce qu'ils étaient partout à la fois ; ce soir-là, jamais pompiers ne furent si rapides : la « ligne du Punch » était toujours en effervescence ! Neuf minutes s'étaient écoulées en surtemps, lorsque le grand « Butch » Bouchard déclencha une attaque. Il fit une superbe passe à Toe Blake ; Toe mit le point final. La foule était hystérique ! Les gens criaient, chantaient, chahutaient ! Les objets s'amoncelaient sur la glace.

En entrant dans le vestiaire, tous les joueurs se ruèrent sur Maurice pour le féliciter. Maurice très timide, souriait à ses compagnons, ne sachant trop quelle attitude prendre devant cette démonstration d'admiration. Fernand Majeau répétait sans arrêt, tout en serrant la main de Maurice : « Un nouveau Morenz. »

Dick Irvin était radieux et comblé : il avait ramené la coupe Stanley à Montréal après treize ans d'absence. Il avait écrit au tableau : *Thanks a million.* Dick fit remarquer : « Je n'ai jamais dirigé une équipe meilleure que celle des Canadiens de la présente saison. » C'était là les paroles d'un instructeur qui avait déjà quinze ans d'expérience dans la Ligue nationale. Il ajouta : « Vraiment, je n'ai

Maurice Richard   *Elmer Lach*   *Toe Blake*

La fameuse Punch Line.

jamais eu affaire à un groupe de joueurs d'une telle valeur. »

Bill Tobin, le président des Black Hawks, partageait entièrement cette opinion : « C'est une machine parfaite qui fonctionne à merveille et qui est conduite par un ingénieur expert. Les Canadiens constituent mieux qu'une équipe : il s'agit de la perfection dans le hockey. » Et ça, c'était du hockey en temps de guerre !

Dans le bureau des directeurs, le champagne coulait. Le sénateur Donat Raymond trinquait avec les invités lorsque, levant son verre, il s'aperçut qu'il trinquait avec un gai clochard de la rue Sainte-Catherine ! Dans cette euphorie, ce dernier avait réussi à s'introduire auprès des « Gentils » du Forum !

Après treize ans d'absence, « la ligne du Punch » présentait à son public et la coupe et la victoire. Elle fut responsable des cinq buts du Canadien. Bill Durnan, qui avait joué un rôle de premier plan durant la saison régulière, fut tout aussi efficace au cours de ces séries.

Democracy, romped, rampant after great Canuck finale. (« Manifestation déchaînée de la foule après cette grande finale des Canucks ».) C'était le titre de la chronique d'Andy O'Brien au lendemain de cette grande victoire.

« Les Canadiens sont là ! » Tel était le gros titre de l'article de fond de Charles Mayer, consacré à cette cinquième conquête de la coupe Stanley, dans *Le Petit Journal* du 16 avril 1944. En sous-titre, on pouvait lire : « Richard et Blake, deux Canadiens français, les grands responsables des succès du Canadien dans la saison et dans les séries de la coupe. »

> « Montréal vit depuis jeudi ses plus belles heures sportives dans l'histoire du hockey et même du sport en général. Jamais, en effet, un club comme le Canadien de 1943-1944, n'a procuré autant de plaisir, de joies, de gloire et de triomphe ! » écrivait M. Mayer.

Puis il mentionnait que le valeureux capitaine du Canadien, « Toe » Blake, qui était avec les Habitants[1] depuis 1935, avait terminé la classique en tête des marqueurs avec 18 points. De plus, il avait participé à tous les points de son club dans deux parties : il avait assisté Maurice sur ses cinq buts contre Toronto et, à la dernière partie contre Chicago, il s'était mérité quatre assistances ainsi que le but victorieux . . .

Mayer louangea également l'autre héros de ces séries :

> « Maurice Richard s'est gagné une place dans le cœur des amateurs de hockey montréalais, place qui rappelle celle qu'avaient occupée si largement Howie Morenz et Aurèle Joliat. De fait, nous l'avons dit, Richard rappelle Morenz et Joliat, le premier par la vitesse, le second par son habileté à éviter les coups comme à tourner sur une pièce de dix sous, comme il l'a si bien fait, jeudi, lors de son premier but, le troisième de la joute. (Partie qui a été gagnée au compte de 5-4 par le but de Toe Blake en supplémentaire).
>
> « Richard, en enregistrant douze buts dans les séries, a établi un record qu'il sera fort difficile d'atteindre ou de dépasser. Huit de ces buts ont été marqués en deux joutes. Dans chaque cas, il s'agissait de tous les buts du club. On pourrait même dire, en exagérant un peu si l'on veut, que Richard a gagné deux des huit victoires à lui seul ou à peu près.

1. Les Canadiens étaient également surnommés les « Habitants ».

« Vraiment, répétons-le, Richard et Blake ont rappelé les plus beaux jours des plus fameux Canadiens français qui ont fait partie de l'équipe des Canadiens, les Joliat, Lalonde, Vézina, Lépine, Leduc, les deux Mantha et autres. »

Charles Mayer avait donc raison de saluer particulièrement le travail de ces deux Canadiens français, car ils s'étaient illustrés au plus haut point. Mais il n'avait pas, pour autant, oublié l'apport du troisième mousquetaire, Elmer Lach. Comment l'aurait-il pu ? Tous trois avaient terminé en tête des marqueurs : Blake était au premier rang. Il avait même établi un record, atteignant le plus haut total de points pour une série de la coupe Stanley, soit 18 points, avec sept buts et onze passes. Suivait Maurice avec douze buts et cinq passes. Ces douze buts furent enregistrés en neuf parties, pour un record qui tient toujours. Elmer Lach venait au troisième rang avec deux buts et onze assistances.

Ce trio établit toutes sortes de marques. C'était incontestablement le trio le plus spectaculaire, le plus haut en couleur et le plus chaleureusement discuté.

Au cours de ces séries éliminatoires, la « ligne du Punch » avait marqué 21 des 39 buts du Tricolore en seulement neuf parties. Jamais formation n'avait si bien porté son nom, jamais formation n'avait si bien personnifié les « Flying Frenchmen ». Ils s'affirmèrent ensemble comme l'une des lignes d'attaque les plus meurtrières du hockey professionnel.

Le plus dangereux des trois était incontestablement « Rocket » Richard. En l'espace d'un peu plus d'une saison, le Rocket avait atteint la stratosphère des grandes vedettes. Il est évident que ses deux compagnons de ligne avaient contribué à ses succès, ce que Maurice a toujours reconnu d'ailleurs, mais auraient-ils eux-mêmes connu autant de succès et obtenu une telle renommée avec un autre ailier droit que Maurice Richard ? Un bref retour en arrière nous permet d'en douter.

Bien entendu, Toe Blake était une valeur sûre bien avant l'arrivée de Lach et de Richard. Il avait débuté avec les Canadiens de Montréal en 1935-1936. Il était tout de suite devenu un favori des partisans de Montréal et une des grandes étoiles du circuit de la L.N.H. À sa quatrième saison avec le Bleu-Blanc-Rouge, il se hissa au premier rang des marqueurs. Par la suite, il réussira toujours à se classer parmi les dix meilleurs marqueurs de la Ligue, à l'exception de la saison 1940-1941 où il termina la campagne au vingt-troisième rang.

Quant à Lach, c'est lors de la saison 1940-1941 qu'il revêtit l'uniforme du Tricolore pour la première fois. Il se révéla vraiment un joueur hors pair lorsque Dick Irvin l'unit à Toe Blake, en 1942-1943. Mais la consécration véritable de ces dieux de la vitesse en super-vedettes coïncida avec l'arrivée de Maurice Richard sur la scène du hockey.

Voici quelques faits qui peuvent en témoigner : on vient tout juste de voir que, dès les séries de fin de saison 1943-1944, la « ligne du Punch » termina en tête des marqueurs (Blake, Richard et Lach, dans cet ordre). Elle répéta l'exploit la saison suivante, mais après cinquante parties en saison régulière, ce qui grandit l'exploit d'autant. Cette fois-ci, l'ordre des marqueurs était le suivant : Lach, Richard et Blake. En 45-46, Blake se classa troisième, Richard, cinquième et Lach, huitième, pour la saison régulière. Lors des séries éliminatoires de cette saison-là, ils obtinrent à nouveau les trois premiers rangs des compteurs. Cette fois-là, l'ordre se lisait : Lach, Blake et Richard.

Pour illustrer davantage encore la valeur de Richard, mentionnons que, pendant ces trois séries de la coupe Stanley, soit en 1944, 1945 et 1946, la ligne Blake, Lach et Richard enregistra cinquante buts en 24 parties et que le Rocket en obtint 25 à lui seul... Tout un *punch,* n'est-ce pas ?

Enfin, on doit reconnaître que le retour du trophée Prince-de-Galles et celui de la coupe Stanley à Montréal ont coïncidé avec l'arrivée de Richard chez les Canadiens. Les partisans de Montréal n'avaient pas eu la joie d'acclamer la coupe Stanley, ce symbole de la suprématie au hockey professionnel, depuis 1931... Quant au trophée Prince-de-Galles, on doit reculer plus loin encore, soit en 1925, pour y retrouver une victoire du Tricolore. Et voilà qu'au printemps de 1944 Richard, par sa formidable poussée de 23 buts en 22 parties, propulse son club au premier rang de la ligue pour rapatrier ainsi le trophée Prince-de-Galles après une absence de 19 ans ! Au cours des séries de fin de saison qui s'ensuivirent, il poursuivit sa charge avec douze buts en neuf parties et la coupe Stanley revint à

Montréal.

Ces quelques faits démontrent bien que Maurice Richard était le véritable catalyseur du Canadien. C'est lui qui a su sortir le Bleu-Blanc-Rouge du bourbier dans lequel il croupissait depuis de nombreuses années. Tous ces succès n'étaient pas dûs au hasard ... Mais les experts, ou plutôt certains experts, ne voyaient pas les choses de cette façon. Ils aimaient prétendre que Richard devait ses succès surtout à Blake et Lach et à la faible opposition du temps de guerre. Pourtant, l'opposition était la même pour tous les joueurs, et les étoiles de l'avant-guerre n'avaient pu réussir les exploits de Richard. De plus, les quelques faits et statistiques dont nous venons de prendre connaissance étaient connus de tous et disponibles pour tous. Plus tard, Richard prouvera qu'il était un «super-joueur» même avec des partenaires moins prestigieux et, plus souvent qu'autrement, ses compagnons de ligne ont toujours bénéficié de ses talents de compteur.

Cette reconnaissance du talent du Rocket ne lui sera jamais complètement accordée par ces supposés experts. Certains la lui accorderont pour la lui retirer ensuite. D'autres la lui refuseront jusqu'à ce qu'ils soient forcés de dire un petit « oui » étouffé devant l'évidence même, car Maurice Richard détiendra alors à peu près tous les records individuels de la L.N.H.

Cette saison 1943-1944 est un exemple qui illustre bien ce point de vue : après avoir connu une deuxième moitié de saison exceptionnelle et des séries éliminatoires plus sensationnelles encore, quel honneur cette jeune recrue a-t-elle obtenu ? Maurice fut choisi pour la deuxième équipe d'étoiles de la L.N.H. Pour la première, on lui préféra Lorne Carr, du Toronto, qui présentait une fiche de 36 buts et 36 assistances en 50 parties. Qu'avait fait M. Carr dans les séries ? Zéro but et une assistance en cinq parties ...

C'était là le genre de frustrations que Maurice Richard allait vivre au cours des quatorze saisons suivantes. Pour s'en convaincre, écoutons ce que disait le chroniqueur sportif Baz O'Meara, du Montreal Star, dans sa chronique du 18 février 1944 :

> « Les gars qui passent beaucoup de temps à déterminer qui est le joueur le plus utile de son équipe dans la L.N.H. font mieux de ne pas oublier Maurice Richard du Canadien. »

Premier club de balle-molle des Canadiens. De gauche à droite, Buddy O'Connor, Glen Harmon, Elmer Lach, un inconnu, Léo Lamoureux, Maurice Richard, Fernand Majeau, Emile Bouchard et Phil Watson.

Ils l'ont sûrement oublié en 43-44 et ils l'oublièrent aussi en 44-45, même si O'Meara avait déclaré à peu près la même chose l'année suivante, mais sans plus de résultats...

Comment en 1945, alors que Richard présentait une fiche de cinquante buts en cinquante parties, ont-ils pu lui préférer Elmer Lach qui, pour le même nombre de parties, n'avait marqué que 26 buts ? Cela demeure encore une énigme. Même si Lach présentait une fiche de sept points de plus que Maurice, c'était une raison insuffisante pour lui octroyer le trophée Hart.[1]

Voici d'ailleurs ce que Dink Carroll écrivait dans *The Gazette* à

1. Trophée décerné au « joueur le plus utile à son club ».

41

la fin de la saison de 1944, le 7 mars plus exactement. Il citait alors « Newsy » Lalonde qui donnait son appréciation sur Maurice Richard :

> « Il est merveilleux et il peut faire n'importe quoi. Il patine et manie bien le bâton et il est capable de mettre la rondelle dans le but. Il est aussi un joueur plein de couleur et de classe. Bon Dieu, il est intéressant même lorsqu'il tombe ! »

Et M. Carroll de conclure : « Actuellement, il n'y a aucun autre avant dans la ligue qui soit plus efficace ou plus spectaculaire... »

Après cette fructueuse saison, le volubile Phil Watson forma une équipe de balle molle avec les joueurs du Canadien. Ils allèrent un peu partout disputer des parties hors-concours avec les meilleurs représentants de ce sport dans la province.

Les joueurs du Canadien étaient tout aussi redoutables à la balle molle qu'au hockey ! Maurice Richard qui, à ses débuts, affectionnait particulièrement le base-ball, peut-être encore plus que le hockey, y excellait tout comme son père, Onésime.

Joueur de champ ou de troisième but, Maurice était un frappeur puissant. Lors d'une de ces parties hors-concours, à Sorel, il frappa en lieu sûr trois fois en quatre apparitions au bâton, dont un coup de circuit.

Cette heureuse initiative, hautement appréciée du public, fut répétée pendant plusieurs étés. Cela contribuait beaucoup à renforcer les liens d'amitié entre les joueurs et, partant, développait le fort esprit d'équipe qui a été la caractéristique du Tricolore par la suite.

Notons que c'est au début de cette saison 43-44 que d'importants changements eurent lieu quant à la disposition des lignes sur la patinoire : la ligne rouge fit alors son apparition au centre de la patinoire. On traça dans chaque coin de la patinoire et au milieu, des cercles de 10 pieds de diamètre avec un point au centre pour la mise au jeu. La ligne des buts fut prolongée de chaque côté, des buts du gardien jusqu'à la bande, ceci afin de réglementer le déblaiement abusif de la zone défensive.

La ligne du centre empêchait les très longues passes et forçait souvent le défenseur à sortir de sa zone pour faire une passe de l'autre côté de la ligne rouge. Autrement dit, cela rendait le jeu plus rapide et empêchait les ailiers de se coller à la ligne bleue adverse pour attendre une passe. L'ère du « hockey moderne » débuta sur cette transformation.

Chapitre quatrième
Le début d'une légende

Si la saison 1943-1944 a été sans aucun doute celle du départ de la légende, la suivante est celle qui l'a confirmée.

Dès le début de cette fabuleuse saison, Maurice réussit un exploit peu ordinaire, ce genre d'exploit qui nous laisse perplexe. On se demande si c'est bien vrai, si on n'a pas rêvé. Aussi incroyable que cela puisse paraître, Maurice transporta littéralement sur ses épaules le joueur de défense « Babe » Earl Seibert, 225 livres, de la ligne bleue au but adverse pour marquer un but qui n'avait rien de chanceux.

Seibert qui jouait jusque-là pour Chicago avait été l'objet d'un échange, cette saison-là, avec l'équipe de Détroit. Il ne restait plus que lui entre Maurice et les buts. C'est à ce moment que le Rocket passa en troisième vitesse avec la fougue qu'on lui connaît et décida de déjouer Seibert avec sa tactique favorite : il fonça droit sur le défenseur pour ensuite le contourner sur la droite et l'éloigner de son bras gauche tout en contrôlant le disque de sa main droite.

Seibert, prévoyant qu'il allait se faire déjouer, lança son bras autour du cou de Maurice pour l'arrêter. L'élan du Rocket souleva Seibert qui, se voyant toujours en mouvement, s'agrippa de son autre main afin de s'appuyer de tout son poids contre Maurice qui se sentit enfoncer dans la glace mais, dans un effort incroyable, continua jusqu'au but pour déjouer Lumly.

Toe Blake qui était sur la glace à ce moment-là n'en croyait pas ses yeux : « Je me suis arrêté tout simplement et j'étais là, bouche bée, à regarder comme le fait un touriste de la campagne arrivant dans une grande ville : Maurice s'en allait à toute vitesse avec Seibert sur son dos, les deux patins traînant derrière. Jusqu'à mes derniers jours, je n'oublierai jamais le but qu'il a marqué. Je vous assure que ce n'était pas une rondelle poussée : le Rocket attira Lumly en dehors du but et lança comme si Seibert n'était pas là pour la promenade. »

Voici comment le journal *Sports Illustrated* décrivit ce but fantastique :

> « Earl Seibert, un puissant défenseur qui jouait pour Détroit cette saison-là, se rua sur Richard qui s'en venait seul dans la zone du Détroit. Parfois, Maurice penchait sa tête et son cou très bas lorsqu'il voulait déjouer un défenseur adverse. C'est ce qu'il fit sur ce jeu. Les deux se frappèrent avec un bruit sourd. En se redressant, Maurice était toujours là sur ses patins, contrôlant la rondelle, et bien accroché à ses épaules était le gros Seibert. Maurice ne transporta pas seulement Seibert jusqu'au filet, ce qui est un tour de force en soi, mais avec ce supplément d'effort dont il est capable, il feinta le gardien qui sortit de ses buts et, de sa main libre, réussit à lancer la rondelle dans le coin opposé de la cage. »[1]

Le président de la Ligue nationale de l'époque, « Red » Dutton raconte qu'il n'oubliera jamais ce but : « Maurice chargea le défenseur étoile sur ses épaules et le transporta de la ligne bleue jusqu'au filet, marquant un de ces buts impossibles ! »

Il en résulta envers Maurice, un énorme respect de la part des joueurs adverses : lorsque Seibert entra dans la chambre des joueurs, après la partie, Jack Adams le regarda dédaigneusement et lui dit : « Espèce de Hollandais stupide, pourquoi as-tu laissé aller ce Richard ? » Mais Seibert l'interrompit brusquement et lui lança : « Écoutez, M. Adams, que faire contre un gars qui peut me transporter sur une distance de soixante pieds pour ensuite marquer un but ? Vous et moi devons nous incliner... »

Jack Adams, réalisant tout à coup l'exploit, ne répliqua pas. Il baissa la tête et sortit sans faire de bruit.

---

1. Warren Wind, Hubert, *Sport Illustrated,* décembre 1954.

Quelques minutes plus tard, le gros Bill Seibert monta sur la balance : « 226 livres, fit-il avec admiration en se tournant vers Lumly, et il a tiré ça ! »

Et Lumly de répliquer : « Et moi, de quoi ai-je l'air, il m'a déjoué d'une seule main ! »

Cet exploit ne fut pas le jeu du hasard : comme on l'a vu précédemment, Maurice avait acquis cette puissante musculature par un entraînement intensif et sans relâche. Il était un des rares joueurs de hockey à patiner après les exercices. Souvent, avec son fils le « petit Rocket » perché sur ses épaules, il patinait à fond de train jusqu'à trente minutes après que tous les autres eussent quitté la glace.

C'est cette pratique constante, doublée d'un désir de compter à nul autre comparable, qui lui permit de marquer autant de buts, tout aussi dramatiques les uns que les autres, tout au long de sa fulgurante carrière.

À partir de ce moment, la supposée fragilité de Maurice fut très sérieusement mise en doute. Peu de temps après, « Killer » (Bob) Dill trouva que cette « fragilité » était fracassante à plus d'un point de vue.

Dill, qui avait été banni de la Ligue américaine pour ses tactiques destructives, arrivait donc dans la L.N.H. avec la réputation d'un dur-à-cuire. On avait fait beaucoup de publicité sur ses qualités de boxeur et sur son entraînement de pugiliste. Ses oncles, Mike et Tom Gibbons, étaient deux fameux boxeurs qui lui avaient enseigné les secrets du noble art.

Entre temps, Maurice fonçait à la formidable moyenne de plus d'un but par partie. Les instructeurs en étaient facilement venus à la conclusion que, pour arrêter les Canadiens, il fallait à tout prix arrêter Richard. Et c'est effectivement ce que chaque équipe faisait par tous les moyens légaux et illégaux. Évidemment, la tactique courante était d'envoyer contre lui un joueur de troisième ordre pour le provoquer jusqu'à ce qu'il sorte de ses gonds, afin de lui faire prendre des punitions coûteuses et souvent fatales aux Canadiens.

À ce sujet, Tommy Gorman avait fait parvenir au président de la L.N.H., « Red » (Murvyn) Dutton, des protestations officielles : « Il est bien évident que des joueurs sont envoyés dans la mêlée afin d' « enfarger », d'accrocher, de bousculer, en un mot d'arrêter Richard par tous les moyens. Richard peut se défendre tout seul dans une bataille individuelle, mais on a formé un *Wreck Richard Club* ce qu'on peut traduire par le « Club de démolition de Richard » et nous ne les laisserons pas s'en tirer aussi facilement. Richard doit être protégé et nous demandons que les arbitres lui accordent cette protection. »

Cette plainte allait être formulée lorsque Dill goûta à la « médecine » du Rocket.

Charles Mayer fit remarquer dans sa chronique du *Petit Journal* :

> « La leçon qu'il a servie à Bob Dill sera probablement plus efficace que la démarche que Tommy Gorman entend faire auprès de « Red » (Murvyn) Dutton, afin de demander la protection nécessaire pour Richard. »

La partie du 17 décembre à New York venait à peine de commencer que, déjà, Dill cherchait noise à Maurice. La foule se délectait à l'idée de voir son nouveau policier servir une bonne leçon de boxe au trop fameux Rocket.

Richard avait réussi à éviter Dill au cours de la première période. Mais « Killer » s'en prit finalement à Blake et Lach et, lorsqu'il traita Maurice de « maudit Canadien », c'en fut trop ! Maurice le mit K.O.

Voici comment Paul Parizeau racontait l' « accident », le lendemain dans *Le Canada* :

> « RICHARD A SERVI UNE VRAIE LEÇON DE BOXE À BOB DILL. New York, le 17. Spécial pour le Canada —
> Nous croyions bien assister à un seul combat de boxe en venant à New York pour voir Johnny Greco et Bobby Ruffin aux prises ; mais nous fûmes comblés car il nous a été donné d'assister à un sanglant combat aussi enlevant ici, ce soir, quand Maurice Richard a « knock-outé » le rude Bob Dill, des Rangers, avec un crochet on ne peut plus parfait durant la joute qui a vu les Canadiens l'emporter 4 à 1 sur les Rangers.
>
> « De l'avis des vétérans rédacteurs qui ont assisté à la joute, ce fut une bataille comme on n'en a pas vu dans la Ligue nationale depuis des années et même depuis que Murray Armstrong, des Américains de New York, a knock-outé le célèbre Eddy Shore, des Bruins de Boston, il y a déjà longtemps.
>
> « Voici comment la scène s'est présentée ce soir. Une bagarre éclata entre Scherza et Dill contre Blake et Lach derrière les buts des Rangers au milieu de la seconde période. Les quatre joueurs en question se cha-

maillèrent à qui mieux mieux durant quelques minutes, mais il semblait que l'arbitre et les joueurs avaient réussi à mettre fin à la bagarre quand Richard, qui en avait assez de Dill qui l'avait poursuivi depuis le début de la rencontre, s'amena dans le tas et porta à Dill un direct du droit (à la Jos Louis) qui knock-outa Dill de la plus belle manière. Tout ce qu'on vit fut l'ami Dill volant dans les airs, puis gisant sur la patinoire.

« Les deux joueurs furent envoyés au cachot, mais Dill s'avisa alors de reprendre le combat. Richard ne dit rien tout d'abord, mais quand il vit que Dill persistait, il décida d'en finir pour de bon, et notre pauvre ami Dill reçut alors une seconde leçon de boxe qui ne laissa aucun doute chez les amateurs quant à la supériorité de Richard. Dill, de fait, se fit couper assez sérieusement au-dessus d'un œil par les poings de Richard, qui est un type tranquille mais qui n'aime pas se laisser « manger la laine sur le dos ».[1]

Pour sa part, Joseph C. Nichols nous décrit ainsi la bagarre dans son style tout à fait particulier :

« Dill, le neveu de deux des meilleurs boxeurs de la dernière génération, Mike et Tommy Gibbons, a tout de suite été choisi comme favori dans la lutte qui l'opposait au bouillant et agressif *Frenchman*. Mais les joueurs des Rangers furent surpris de constater que leur favori a été projeté sur la glace sous l'impact d'une solide droite à la mâchoire.

« Les officiels accompagnèrent les belligérants au cachot, où Dill exigea un match revanche. Richard, obligeant, s'exécuta immédiatement et gagna le deuxième round en appliquant une solide droite sur l'œil gauche de Dill. »[2]

C'en était fait du policier des Rangers et Frank Boucher, l'instructeur des New-Yorkais, fut tout aussi touché dans son orgueil que son défenseur. Irrité, Boucher confia à Dink Carroll : « S'il n'apprend pas à contrôler son caractère, ce fou de Richard tuera quelqu'un, un de ces jours. » Plus calme, il ajouta pensivement : « C'est vrai qu'il a une seule idée en tête, mettre la rondelle dans le but... C'est loin d'être une mauvaise idée. Je souhaiterais bien que certains de mes joueurs l'aient aussi ! »

Cette performance de Maurice intrigua les rédacteurs sportifs de New York. On s'accordait à reconnaître que Maurice possédait la plus belle combinaison de *punch* depuis Louis : « En plus d'étendre deux fois son adversaire de façon décisive, écrivait un rédacteur sportif, il a gagné aux points. »

---

1. Paul Parizeau, *Le Canada,* lundi 18 décembre 1944.
2. Nichols, Joseph C., *The New-York Times,* 18 décembre 1944.

Lester Rice, dans un article qu'il intitula *Rough on Rangers,* rapporta l'incident de la façon suivante :

> «Les champions ne se contentèrent pas de jouer avec les «Blue Shirt » comme un chat avec une souris ; de plus, leur Maurice Richard, le joueur le plus affamé de la ligue, a administré un impressionnant direct à l'œil de Bob Dill, dans le plus beau combat qu'il nous a été donné de voir dans l'arène locale, depuis que Phil Watson s'est réformé. (...) Qui a commencé la bagarre, personne ne semble le savoir, mais l'orgueil de Dill en a pris un coup qui a fait beaucoup plus mal que la puissante droite dont s'est servi le « Frenchman » pour le « knocker ».

Il ne faisait plus aucun doute que Richard s'était conquis une place spéciale au firmament du hockey. Hy Turkin, du *Daily News,* de New York, le surnomma *The Brunet Bullit.*

Un autre chroniqueur du *Daily News,* Jim McCulley, appelait les Canadiens : « Richard et Cie ». Don Parker, du *New York Mirror,* parlait de l'incident comme du *Dill Pickling* dans un jeu de mots évident.

« Il a de bonnes chances de devenir l'un des plus grands joueurs de tous les temps », écrivait le rédacteur sportif Joe King.

Maurice avait, en plus de cette exhibition de boxe, compté le but égalisateur, son dix-neuvième en 19 parties, et cela, devant 15 321 New-Yorkais.

Après la partie, quelle ne fut pas la surprise de Maurice de voir de l'autre côté de la 49e nul autre que l'ami Dill qui l'attendait à la porte de l'hôtel *Belvedere*... Maurice se prépara au pire, mais Dill s'avança vers lui en souriant. Il lui affirma ne pas lui en vouloir et lui confessa qu'il n'avait jamais été frappé aussi durement. Maurice l'invita à souper. Dill, tout en se tâtant la mâchoire, accepta ... pour une autre fois.

Aujourd'hui, « Killer » (Bob) Dill se fait une gloire d'avoir été « knocké » par le Rocket.

Maurice continuait d'accumuler coups d'éclat sur coups d'éclat. Onze jours après cette mémorable bagarre, il allait de nouveau s'illustrer de la plus haute façon.

Ce jeudi-là, le 28 décembre 1944, Maurice devait déménager du troisième étage d'un immeuble de la rue des Érables, à un deuxième de la rue Papineau.

En entrant dans le vestiaire des joueurs, Maurice se traîna vers la table de massage. Ses équipiers curieux et inquiets s'approchèrent. Et Maurice, de déclarer : « Cet après-midi, j'ai déménagé. Mon frère et moi avons tout transporté à bout de bras. Alors, comptez pas trop sur moi, les gars, je suis complètement vidé !»

Pour un homme vidé, Richard ne devait pas mal se comporter : il établit ce soir-là un record du hockey moderne. Dans une étourdissante exhibition, il marqua cinq buts et se mérita trois assistances, et son club écrasa les Red Wings de Jack Adams, dans une victoire de 9 à 1. C'était l'hystérie collective au Forum ! Stupéfiée, émerveillée, les yeux écarquillés, la foule fut témoin d'une des plus grandes soirées richardiennes : Maurice marqua chacun de ses cinq buts de façon différente : sur une jambe, par l'arrière, pratiquement à plat ventre, etc., mais jamais de façon normale. Chaque but était empreint de spectaculaire, de brio. Rappelons qu'il marqua deux buts à un intervalle de huit secondes. Et cette explosion n'eut pas lieu contre n'importe quelle équipe, mais bien contre l'équipe championne du Détroit, qui était en deuxième place au classement et contre Harry Lumly, ce fameux gardien qui était alors au deuxième rang des gardiens de but du circuit. Jamais performance ne fut plus spectaculaire. « Étincelante poussée de Maurice Richard, prenant part à 8 points », c'est ainsi qu'Horace Lavigne intitula son reportage :

« Le dynamique ailier du Canadien a survolé la glace pendant tout le temps qu'il a passé au jeu. Il s'est joué de toute opposition, et sa rapidité autant que son astuce lui ont permis de « semer » ses adversaires à la ligne bleue et de se rendre jusqu'au filet où son habileté consommée a mis le gardien de but Lumly à sa merci.

« Tous ces points ont été ciselés avec beaucoup d'art. Dès qu'il y avait une ouverture, Richard la saisissait et traversait la glace à une allure de météore pour se défaire de deux, de trois et même, en deux ou trois occasions, de quatre adversaires. Arrivé devant le filet ou dans le côté du treillis, il simulait un lancer qui faisait se déplacer le cerbère des Wings. La rondelle s'encageait alors et l'assistance, en délire, acclamait le jeune héros pendant que ses copains de ligne étaient confondus dans les mêmes manifestations.

« Affichant autant de perfection dans sa technique que dans son exécution, Richard s'est ri constamment des Red Wings qui n'ont pas été capables de l'immobiliser. Maurice marqua le premier point au bout d'une minute et sept secondes de jeu sur un long lancer bien dirigé de

Léo Lamoureux, alors que l'ailier tricolore prit le retour de la rondelle et la logea dans la cage du jeune cerbère des Wings.

« Un quart d'heure plus tard, Blake encageait le caoutchouc sur des passes de Richard et Lamoureux, ce dernier ayant encore été l'ébaucheur de ce second but. La période finit donc par le compte de 2 à 0 en faveur des champions.

« Puis à la reprise, Richard jeta la foule dans une jubilation débordante et ses adversaires dans une consternation facile à réaliser lorsqu'il marqua à deux reprises dans l'espace de . . . huit secondes. Son premier point eut comme collaborateur Lach et il fut enregistré au bout d'une minute et dix-neuf secondes. Son second fut le fruit d'une mise au jeu qui vit la rondelle voltiger de Lach à Blake et à Richard dont le lancer s'enfonça derrière Lumly, abasourdi devant tant de maîtrise.

« Quelques minutes s'écoulèrent avant que les Habitants ne reprissent leur orgie. Hystériquement, ils assaillirent la forteresse de Jack Adams et la firent succomber à trois autres reprises. Un lancer en bolide de Lach, sur une passe de Richard, produisit la quatrième unité du pointage de la soirée, au bout de huit minutes et trois secondes. Puis à trois minutes de la fin de la période médiane, Richard, sur des passes de Lach et Hadles, prit pour la quatrième fois le malheureux Lumly en défaut. O'Connor porta le compte à 7 à 0 juste quelques secondes avant le cri de la sirène, Hiller lui ayant fourni une passe en arrière du filet, devant la tribune des « millionnaires ».

« Vers le milieu de la troisième période, Richard fit soudain une descente vers le but des Wings, après avoir habilement enlevé la rondelle à Grosso. Il arriva devant Lumly qu'il fit sortir de sa cage pour marquer.

« Quatre minutes plus tard, les visiteurs échappaient au blanchissage lorsque Howe pinça la rondelle, passée de derrière les buts par Grosso à qui Mud Brunetteau avait fait une passe dans la zone tricolore. Durnan n'eut pas la moindre chance puisque Howe était campé devant lui comme un « sniper ».

« À treize secondes de la fin du conflit, Richard obtint une mention pour le second point de Lach auquel Blake collabora aussi, et cet effort porta à huit le nombre des unités auxquelles la « comète » prit part. Le Forum faillit crouler lorsque l'annonceur, Michel Normandin, fit part à l'assistance du fait que Richard venait d'établir un record. Le Canadien dominait du tout au tout, et les Red Wings s'étaient rarement montrés dangereux. Les Champions eurent 34 lancers au but contre 19 seulement des Wings vers le filet du Tricolore. Luttant en grande vitesse et affichant un jeu de cohésion parfait, tout en recourant à une mise en échec constante, les Habitants ont déclassé, éreinté l'équipe de Ford City qui n'a gagné aucune partie contre les Canadiens ni l'hiver dernier, ni cet hiver. »[1]

1. Mayer, Charles, *Le Petit Journal,* 31 décembre 1944.

Cet exploit fut encore grandi par la déclaration que fit Jack Adams sur sa stratégie pour l'emporter sur le Canadien : « Il y a chez les Canadiens, la grosse ligne, il y a Richard sur cette ligne. Notre grosse ligne n'a pas à s'inquiéter, Richard peut être retenu, mis en échec ou plutôt arrêté. »

On sait ce qui est arrivé non seulement dans le cas de Richard, mais également dans celui de toute la ligne qui a accumulé un total de 17 points. Richard, on le sait, a battu le record de 7 points pour une partie ; il en a inscrit un autre en enregistrant deux buts en huit secondes. Sa ligne a établi un record de saison en obtenant 17 points dans la partie, et enfin le Canadien a égalisé un record par le total des buts marqués contre le Détroit en deux saisons.

Dès la saison précédente, Charles Mayer avait comparé Maurice à Howie Morenz. Il n'était pas le premier rédacteur sportif à faire cette comparaison ; quand on analysait les qualités de hockeyeur de Maurice, il était difficile de ne pas le comparer à Howie Morenz. Toutefois, Charles Mayer avait été le premier à parler de Richard comme d'une combinaison qui se rapprochait de plus en plus de la perfection de Morenz et de Joliat. Je crois que c'est là un très grand hommage rendu à Maurice, d'autant plus qu'il arrivait de si bonne heure dans sa carrière.

Après cette performance unique, Charles Mayer déclara :

« IL FERA ENCORE MIEUX — Aujourd'hui, nous irons encore plus loin en déclarant que Richard n'est pas rendu à son apogée. Nous prévoyons qu'il sera encore plus fameux au cours de l'hiver et surtout plus fameux l'hiver prochain. Il se peut que Richard ne marque plus cinq buts dans une joute, il se peut qu'il n'obtienne pas 8 points dans une partie, il se peut aussi qu'il en vienne à marquer cinq, six, sept, huit buts dans une partie. Ce qui est certain, toutefois, à notre avis, c'est que Richard s'améliorera encore, que dis-je s'améliorera, atteindra une perfection encore plus grande, un brio plus parfait. Et n'oubliez pas cette déclaration. »[1]

« Maurice Richard est le meilleur joueur de hockey que j'aie vu depuis vingt ans. » Ce sont là les paroles que Jack Adams a prononcées devant les journalistes après cette partie qui demeurera historique dans les annales de la L.N.H. Elmer Ferguson lui fit alors

---

1. Lavigne, Horace, *La Presse,* Montréal, 29 décembre 1944.

remarquer que, depuis vingt ans, il y avait eu de fameux joueurs : Morenz, Joliat, Apps, Bill Cook, Frank Boucher, Schmidt, Aurie Lewis : « Je sais tout cela, répondit Adams, je répète ce que j'ai dit après mûre réflexion. »

> « Je déclare que Richard est meilleur que Syl Apps, que j'ai déjà qualifié de plus grand centre de tous les temps, parce qu'il est plus dur aux coups, parce qu'il est plus durable. Apps a brillé dans les sommets, puis il a perdu de sa valeur. Il ne pouvait encaisser les coups de la mise en échec. Ce Richard rebondit comme une balle de caoutchouc ; d'autre part, il est de fer et physiquement très fort et très puissant.
>
> « Morenz évidemment a été merveilleux. C'est toujours à lui qu'on pense quand on parle du meilleur joueur de tous les temps, mais je me demande s'il a été plus rapide d'une seconde, je me demande s'il pouvait garder la rondelle comme ce Richard. De même, la façon dont Richard se dirige avec furie sur une rondelle libre, la façon dont il acquiert sa vitesse en un ou deux coups de patins, la façon dont il combat autour des filets, la versatilité de ses tactiques pour enregistrer des buts, oui, tout est merveilleux . . .
>
> « Boucher était souple mais n'avait ni la vitesse ni l'impétuosité de Richard. Il n'était pas aussi agressif. Bill Cook, le fameux ailier droit n'avait ni la vitesse de Richard, ni son habileté à prendre possession d'une rondelle libre, ni son contrôle. Enfin, Richard a plus de feu que Schmidt. Encore une fois, je réitère ma déclaration : Richard est le plus fameux joueur que j'aie vu depuis vingt ans. »[1]

À un journaliste qui faisait remarquer à Jack Adams que Maurice Richard pourrait s'illustrer davantage encore si on l'accrochait moins, Adams répliqua : « C'est dommage que Maurice soit ainsi traité, mais si on ne l'arrêtait pas par tous les moyens légaux et illégaux, il pourrait vaincre toutes les équipes de la Ligue nationale, une main dans le dos ! »

Andy O'Brien, émerveillé intitula sa chronique : *You can have your "greats", I'll still take Richard* (« Gardez vos grands, si vous voulez, moi, je garde Richard. »

> « Voilà que la célébrité, la notoriété de ce jeune homme sont rendues à un point où nous nous demandons s'il est un mortel ou non — et ça, à sa deuxième saison de hockey dans la L.N.H. ! Son exploit, jeudi soir, fut accompli contre une équipe qui se trouve en deuxième position du circuit, contre le gardien qui a la deuxième meilleure moyenne et contre une défensive qui n'a rien à envier à une autre époque : celle de

---

1. Mayer, Charles, *Le Petit Journal,* dimanche 31 décembre 1944.

MM. Hollet et Simon. L'année dernière, pendant les séries finales de la coupe Stanley, Maurice établit un record mondial des séries avec cinq buts spectaculaires en une partie, alors que Davidson, du Toronto, le meilleur ailier défensif de la Ligue le surveillait comme un aigle. Ses douze buts dans les séries furent un autre record de tous les temps. En moins de deux saisons, il marqua un nombre incroyable de deux et trois buts par partie.

« Après le match de jeudi, les hommes, les femmes et les enfants envahirent les corridors pour obtenir son autographe, manifestant cet enthousiasme des foules pour leur héros, enthousiasme habituellement réservé aux victoires de la coupe Stanley. Dans le vestiaire, les joueurs gambadaient, s'ébattaient comme des enfants d'école et lui lancèrent trois vigoureux « Hourra ! » Timide et un peu embarrassé, il réagit avec son étonnement habituel : « Qu'est-ce que j'ai fait ?

« On doit reconnaître le mérite du grand Toe Blake et du fabricant de jeu, Elmer Lach, qui ont contribué à bâtir cette idole, mais quand vient le temps de mettre la rondelle dans le but, c'est Richard, et lui seul, qui doit faire le reste. Il y a une foule de fameux joueurs qui ratent des occasions de marquer qui leur sont présentées sur un plateau d'argent, mais combien de fois voyez-vous Richard en rater ?

« Il a une force de frappe que même Morenz, Joliat ou Nighbor n'avaient pas, et il l'utilise de façon dévastatrice. Il n'a pas développé de «recette» pour marquer. Chacun des cinq buts de jeudi furent marqués de façon différente. Il lance aussi bien du revers. Il aime ce sport avec le zèle fanatique de ces jeunes étoiles de nos quartiers. Tout ce qu'il fait lui attire invariablement les manchettes des journaux — Quand « Killer » Dill essaya de le bousculer, à New York, Richard le refroidit d'un seul coup et quelques minutes plus tard, il le couchait à nouveau au sol dans la boîte de punitions.

« À ceux qui déclarent que Maurice n'a pas l'opposition qu'ont connue Morenz et les autres, je suggérerais d'être justes. Eddie Shore et Sprague Cleghorn et tous les autres puissants défenseurs appartiennent à une autre époque et il n'est pas du tout certain qu'ils seraient tout aussi efficaces de nos jours, même à leur meilleur, dans le hockey moderne, avec ces « super-charges » où la mise en échec doit jouer un rôle de deuxième violon après celui de la course à la rondelle. Et quand on y songe sérieusement, la guerre n'affecte en rien l'opposition défensive qu'on fait à Maurice. Si Davidson n'a pu l'empêcher de marquer, personne dans l'histoire du hockey ne l'aurait pu.

« Finalement, il y a un dernier facteur : les grandes étoiles, dans tous les sports, se révèlent selon les circonstances. *Si Maurice rencontrait une opposition plus forte qu'elle ne l'est maintenant, il deviendrait encore une plus grande étoile.* » [1]

---

1. O'Brien, Andy, *The Standard*, 29 décembre 1944.

Au milieu de toute cette gloire, de cette adulation, Maurice demeurait toujours lui-même : très modeste, il savait toujours reconnaître le mérite de ses coéquipiers. « Aucun joueur, dans l'histoire du hockey, n'a accepté avec autant de détachement les honneurs qui retombaient sur lui », notait un journaliste.

Cette modestie, cette réserve naturelle furent souvent prises par les journalistes pour de la mauvaise humeur ; on le disait aussi taciturne. Il est vrai que, lorsque son club perdait ou qu'il ne comptait pas, il était difficile de l'approcher. Il était devenu surtout très méfiant envers les journalistes qui *interprétaient mal ses paroles.*

Mais il y avait beaucoup plus que cela ! Maurice, à son arrivée chez les Canadiens, ne parlait pas un mot d'anglais. Cette difficulté à s'exprimer dans la langue de Shakespeare lui donnait cet air taciturne, car il préférait se retirer dans le mutisme plutôt que de s'expliquer par de longues tirades et devoir subir les sourires entendus que faisaient naître son accent ou sa façon de s'exprimer. Il fut souvent victime de cette situation.

Un jour, il se promenait dans les rues de Toronto, avant une partie, lorsqu'il vit un salon de coiffeur. Cela tombait pile parce qu'il avait justement besoin d'une coupe. Il entra et s'assit sur une chaise sans dire un mot, de crainte de devoir s'exprimer en anglais. Mais lorsque venu le temps de payer cela lui en coûta quatre dollars cinquante, il n'en crut pas ses oreilles et se jura bien d'apprendre l'anglais. Il devint parfaitement bilingue et perdit son air taciturne, excepté dans la défaite.

Un fait demeure : il est resté méfiant envers les journalistes... Ayant été échaudé plusieurs fois, il était toujours un peu réticent, et ceux qui ne rapportaient pas les faits de façon véridique avaient à subir le poids de son regard la fois suivante et étaient rayés de sa liste. Par contre, ceux-là qui savaient mériter sa confiance voyaient sa porte grande ouverte avec toute la simplicité et l'hospitalité que lui connaissaient ses intimes.

Entre temps, les buts s'accumulaient. Maurice continuait de compter et compter. Il égala le record moderne de 43 buts de Connie Weiland établi en 1929-1930, puis celui de 44 buts de Joe Malone, réalisé en 1917-1918, et termina la saison avec la fantastique moyenne d'un but par partie. Lorsqu'il s'agit de décrire pareils exploits, les qualificatifs se font rares et apparaissent plus ou moins comme des clichés usés. Je citerai un fait qui donnera une idée de la valeur de Maurice : Vers la mi-décembre de cette même saison, Conny Smythe, gérant du Toronto, avait offert 25 000 dollars au Tricolore pour les services de Maurice Richard, « un autre Morenz », au dire de Smythe. Même si 25 000 dollars représentaient une énorme somme d'argent à cette époque, l'offre fut prise avec un grain de sel par Tommy Gorman, le gérant du Canadien, qui disait de Maurice : *Over the blue line, he is the greatest hockey player ever produced* (« Au-delà de la ligne bleue, il est le plus grand joueur que le hockey ait jamais produit »).

Tout cela était en quelque sorte confirmé par Lloyd McGowan, du *Sporting News,* qui concluait : *Undoubtedly, Richard is the most expensive piece of hockey material on skates or off them* (« Sans aucun doute, Richard est, avec ou sans patins, ce que le hockey possède de plus dispendieux »).

Avec seulement une saison et demie de *Big Time hockey*[1] derrière lui, Maurice Richard donnait raison à tous et justifiait pleinement tous ces titres de gloire. Le 10 février 1945, il égala le record de 43 buts de « Cooney » Weiland. Il marqua ses 42e et 43e buts de la saison et, de ce fait, contribua largement à la victoire de 5-2 du Canadien sur le Détroit et ce, devant 13 198 témoins.

Richard avait marqué ses 43 buts en 38 parties, ce qui déjà est assez extraordinaire, mais pas pour le « Rocket ». En égalant ce record vieux de quinze ans, il en établissait un autre : il avait marqué au moins un but à chacune de ses neuf dernières parties.

Le lendemain de ce 10 février, le journal *La Presse* rapportait l'exploit comme suit :

> « Trois minutes et dix secondes après le début du troisième engagement, Maurice Richard, avec un bel effort individuel quasi incroyable, parvint à déjouer Lumly malgré les efforts de trois ou quatre adversaires qui tentaient de le retenir ou de lui barrer la route. Les joueurs de Jack Adams concertèrent leurs efforts après ce point pour repousser et couvrir Richard qui tentait de s'attaquer au record de Joe Malone, après avoir égalé celui de Weiland ! »

Cet exploit n'avait pas été réalisé contre un club qui pataugeait

---

1. Expression utilisée par les journalistes anglais dans le sens de « hockey majeur ou professionnel ».

Harry Hall (Evening Telegram)

Ce montage paraît le 4 janvier 1945 dans The Evening Telegram *de Toronto.*

dans la cave du classement. Il avait été réalisé contre le Détroit qui détenait la deuxième position du circuit. Néanmoins, les Canadiens avaient une fiche plus que reluisante contre les protégés de Jack Adams : depuis le 14 février 1943, soit depuis presque deux années complètes, ils étaient demeurés invincibles contre les joueurs du Détroit. Sur vingt parties disputées entre ces deux clubs, le Tricolore en gagna dix-huit tandis que les deux autres furent nulles.

Le 17 février 1945, Maurice égala le record de Joe Malone, à Toronto. Ce 44e but décida du sort de la joute et pulvérisa en même temps le record du hockey moderne de Ralph « Cooney » Weiland. Même si l'annonceur du Maple Leaf Garden n'eut pas l'obligeance d'annoncer que ce 44e but égalait et éclipsait deux records, la foule applaudit chaleureusement le Rocket.

L'arbitre King Clancy prouva son tact en gardant cette rondelle-souvenir et la présenta officiellement à Maurice Richard, lors de la partie suivante des Canadiens à Toronto. L'honneur des Torontois en fut sauf...

Au Forum, le soir du 25 février 1945, les joueurs du Maple Leaf ne voulaient donc pas que le record de 45 buts en une saison soit de nouveau établi contre leur club. Ils tentèrent donc de l'en empêcher pendant toute la partie. À certains moments, les joueurs des Leafs étaient jusqu'à trois pour mettre Maurice en échec. Ils y réussirent presque : Nick Metz et Bob Davidson, deux des meilleurs ailiers défensifs gauches de la Ligue, se relayèrent continuellement pour le surveiller.

La tension nerveuse était des plus fortes et King Clancy dut distribuer dix-huit punitions. On assista à six batailles et, par trois fois, il s'en fallut de peu qu'une bagarre générale n'éclatât parmi les joueurs. À un moment donné, Babe Pratt s'approcha de King Clancy : « As-tu peur de ces Canadiens français ? » La réponse de King ne se fit pas attendre et avec tout le mordant qu'on lui connaît il répondit : « Pas la moitié autant que toi ; tu sembles effrayé par eux. »

Les Leafs s'acharnèrent tellement à couvrir Maurice que ses coéquipiers n'eurent pas trop de difficulté à marquer. Blake, Lach, O'Connor et Bouchard enregistrèrent chacun un but.

Maurice travaillait comme un démon. Grâce à sa rapidité, à sa détermination et à sa force, il arrivait à se détacher de ses opposants qui étaient littéralement collés à lui. Il arrivait même à percer la défensive, mais Frankie McCool était à son meilleur et ne voulait pas céder. À un moment, il y eut jusqu'à trois joueurs, et même quatre, qui ne lâchaient pas Maurice d'un pouce.

Dick Irvin qui a toujours eu un sens inné du spectaculaire dosait bien les apparitions de Maurice. Plus la partie avançait, plus la tension augmentait. C'était devenu pratiquement insoutenable. Et Maurice, loin de ralentir, redoublait ses efforts, ce qui augmentait la tension. Baz O'Meara fit cette judicieuse observation : « Qu'il augmente son effort au fur et à mesure que la partie approche de la fin est une indication de la valeur de cet homme. »

Maurice, qui avait essayé jusqu'à ce moment-là de se frayer un chemin pour aller porter la rondelle dans le but adverse, était maintenant complètement épuisé. Il changea soudainement de tactique, cherchant plutôt l'occation de marquer.

Il restait à peine trois minutes à jouer lorsque Blake décocha une passe à Maurice qui, sans perdre une seconde, la lança dans le filet selon un angle des plus difficiles. McCool, pris par surprise, ne vit rien tant le lancer était puissant et précis.

« Une foule délirante, un vacarme infernal, une ovation terrifiante, une pluie de projectiles de toutes sortes : caoutchouc, programmes, bouteilles ; voilà ce qui a salué Maurice Richard, le sensationnel ailier droit des champions du monde, qui venait d'établir un nouveau record mondial en comptant son 45e but de la saison, hier soir, devant un Forum rempli à pleine capacité. Les 13 961 spectateurs qui avaient assisté à la partie la plus violente disputée au Forum depuis des années et qui souhaitaient, depuis 55 minutes, un but pour Richard trépignaient de joie, gesticulaient, criaient devant le coup de théâtre de Richard qui venait d'abaisser le record mondial de Joe Malone, vieux de 27 ans, en plus de porter le décompte final de 5 à 2 en faveur de son club.

« Malone, lui-même détenteur de l'ancien record de 44 buts depuis 1918 et maintenant couvert de cheveux blancs, fut l'un des premiers à le féliciter et ce fut une scène bien émouvante lorsque, devant la bruyante assistance, il présenta la rondelle qui avait pénétré dans le filet de McCool pour placer le nom de Maurice Richard en évidence et le nom de Joe Malone dans le domaine du passé. »[1]

Après une description des plus colorées de cette incroyable partie, Elmer W. Ferguson concluait :

« C'est ainsi que se passa la plus belle partie de hockey disputée au Forum et cela vaut pour les triomphales parties de la coupe Stanley entre les Maroons et les Canadiens, alors que cette rivalité était à son sommet, avec tout ce que cela comporte. Il n'y a jamais eu une pareille soirée, jamais un moment aussi propice pour un drame. Et le drame se déroula soudainement avec un impact terrifiant lorsque Maurice Richard décocha ce lancer foudroyant qui marquait un nouveau record de tous les temps, avec moins de trois minutes à jouer dans la partie.

« Hier soir, Richard s'est affirmé comme un des vrais grands du hockey en brisant le record. »[2]

Michel Normandin attendit que le silence soit total pour annoncer ce nouveau record de Richard : les amateurs lui firent alors une ovation délirante. Dick Irvin se pencha et lui serra la main. Toe Blake plongea dans le but de McCool pour en retirer la rondelle et la remettre à Dick Irvin. Dick la remit à Joe Malone qui la présenta à Maurice sous un tonnerre d'applaudissements.

Cette ovation dura près de dix minutes et dépassa en importance tout ce qui avait été vu jusqu'alors au Forum. Plus grande même que l'ovation de la saison précédente, lors de la conquête de la coupe Stanley.

1. *La Presse,* Montréal 26 février 1945.

2. Ferguson, E.W., *The Herald,* Montréal, 26 février 1945.

Trop déçus et peut-être un peu abasourdis, les joueurs des Leafs ne félicitèrent pas Maurice pour sa prouesse sur la patinoire. Après la partie, ils reprirent leurs esprits et, du premier au dernier, tous les membres du club visiteur semblèrent partager l'opinion de Dave Schriner, lui-même roi des marqueurs de la L.N.H. pendant des années. C'était un concert d'éloges à l'adresse du joueur du Canadien : « Vous avez beau faire tout ce que vous pouvez pour l'empêcher de marquer, il réussit toujours à s'échapper et à aller porter la rondelle dans le filet. Nous étions trois accrochés à lui et, pourtant, il a marqué. Il est réellement merveilleux ! » déclara le vétéran « Sweeny » (Dave) Schriner dans le vestiaire des joueurs du Toronto.

Babe Pratt, l'as-défenseur des Leafs, abondait dans le même sens : « J'ai essayé d'arrêter bien des gars depuis que je joue au hockey, mais ce Rocket est dans une classe à part. Je considère que je suis pas mal fort, mais ce gars-là est sûrement un cousin de Samson. Il nous transporte tout simplement avec lui. »

Dans le vestiaire des joueurs du Canadien, c'était l'euphorie : tous voulaient féliciter Maurice. Celui-ci acceptait le tout avec sa modestie habituelle et était plutôt gêné de ces chaleureuses manifestations. Il démontra sa grandeur d'âme lorsqu'il déclara : « J'avais l'impression que tout le monde espérait ce but et j'aurais été réellement peiné si je les avais désappointés. »

Cette partie avait suscité tant d'intérêt que la direction du Forum calcula qu'elle aurait pu vendre entre 35 et 40 000 billets au lieu des 13 ou 14 000 habituels. Cette foule était venue de tous les coins de la province et du pays pour voir Maurice marquer ce fameux but.

Le lendemain, dans un journal de Montréal, Joe Malone rendit un vibrant hommage à Maurice. L'hommage était d'autant plus grand qu'il venait d'un joueur de hockey ; c'est-à-dire que son évaluation n'était pas seulement basée sur l'observation et la déduction mais aussi sur l'expérience. C'était le jugement de quelqu'un qui avait vécu les mêmes situations et qui savait combien il est difficile de marquer des buts. Le titre de l'article se lisait comme suit :

PRAISE FROM ATTICA. JOE MALONE LAUDS RICHARD ON BREAKING OLD RECORD (« Hommage d'Attica. Joe Malone louange Richard qui a brisé son ancien record »), par Joe Malone.

«J'ai écrit une lettre de félicitations à ce merveilleux jeune homme

Richard Shatters Old Recor

PRICE THREE CE

See Page

Maurice vient de marquer son 45e but et bat ainsi le record de Joe Malone.

The Herald

THE NEW CHAMPION — Left, Maurice Richard, grinning happily, skated to the Canadien bench at the Forum, last night, after scoring goal No. 45 for a new National Hockey League record, while a crowd of 14,000 went delirious. Right, a scene in the Canadien dressing-room, manager Dick Irvin on the left (it's a soft drink he's holding) and players crowding around Richard, congratulating the Rocket on his mighty feat.

(News Picture for The Herald)

qu'est Maurice Richard, du Canadien, le félicitant de son exploit qui a effacé mon ancien record de 44 buts accompli en 1917-1918. Je crois que ce fut un grand moment pour nous deux quand il a établi ce nouveau record.

« Il n'est pas impossible de concevoir qu'avec les séries éliminatoires, il marquera soixante buts, ce qui lui donnera plus de cinquante buts et une moyenne d'un but par partie. Il est jeune et il pourra probablement inscrire un nouveau record pour le total des buts, comparable à celui de Babe Ruth dans le baseball avec ses nombreux circuits.

« Même si je n'ai pas vu beaucoup de ses parties avant celle d'hier, je l'ai continuellement suivi à la radio pour savoir comment il progressait. Ce garçon aurait été un excellent joueur à n'importe quelle époque du hockey ; il possède toutes les qualités requises. Il a beaucoup de force, il sait prendre les occasions qui s'offrent à lui et il bataille fort pour la possession du disque.

« Bien entendu, il a d'excellents coéquipiers de ligne mais je crois qu'il aiderait même deux assistants médiocres. Il n'y a aucun doute sur sa classe. Il est un de ces athlètes qui surviennent une seule fois par génération et j'espère qu'il atteindra des sommets encore plus élevés.

« Je suis heureux que mon record ait été abaissé par un si bon joueur. Ils disent que c'est un garçon qui mène une vie exemplaire et qui se garde toujours en bonne condition physique.

« C'est un grand athlète et il mérite toutes les bonnes choses qu'on a dites de lui. »

Pendant cette fameuse partie, Joe Malone était assis au banc des punitions, un endroit qu'il avait peu fréquenté durant sa carrière, avec un des doyens des rédacteurs sportifs de Montréal, Elmer Ferguson. Ils parlèrent naturellement de Richard. Voici comment Ferguson rapporte l'entretien :

« C'est une honte dans un sens, dit Malone, que ce garçon ait eu tant de publicité au sujet de mon record. Regarde ce qu'ils lui font. Son ailier ne fait aucun effort pour marquer. Il colle à Richard comme une sangsue afin de l'empêcher de marquer.

« Ce Richard est un grand joueur de hockey », commenta Joe, alors que Maurice tentait désespérément de semer ses poursuivants et d'enregistrer ce but qui briserait le record. « Il est rapide, il n'a peur de rien et il est puissant, vraiment fort. Regarde comment il affronte ses couvreurs, leur échappe et combat pour la rondelle. Je te le dis, Richard serait un grand joueur de hockey à n'importe quelle époque et dans n'importe quelle ligne et il ne fait que commencer. Qui sait, il sera peut-être encore meilleur dans deux ans . . .

« Je crois qu'ils font bien de mettre Richard, un gaucher, à l'aile droite. S'il marque, tu verras, il fera un virage pour lancer. Un gaucher qui lance de l'aile droite a toutes les chances pour lui. Le gardien ne sait pas exactement d'où partira le lancer et le joueur peut y mettre plus de force. J'étais un gaucher moi-même, mais je patrouillais du côté droit. Souvent, on me plaçait au centre afin de me donner plus de possibilités pour virer à gauche ou à droite tout en lançant. Jack Derragh, Tom Phillipp, de grands ailiers droits, étaient tous des gauchers. »

« Finalement Maurice brisa le record de Joe Malone, et celui-ci, qui était un des plus grands sportifs que nous ayons rencontrés dans n'importe quel sport, avait un sourire rayonnant ; il se leva, serra la main à cette merveille moderne et lui présenta la rondelle. Richard sourit aussi et regarda ce vétéran avec tout le respect dû à un gars qui peut compter 44 buts en 22 parties. »[1]

L'attitude de Joe Malone en ce moment historique compensa largement pour la campagne de dénigrement qui faisait rage, dans le but de minimiser les exploits du jeune Rocket.

Maurice avait à peine traversé le cap des quarante buts qu'aussitôt plusieurs « experts » se mirent à clamer qu'il obtenait ses buts à la faveur de la faible opposition de ce temps de guerre et que même s'il égalait les marques de Conney Weiland et Joe Malone, cela ne signifierait rien parce que ces records n'étaient pas comparables.

Il est évident qu'en dehors du Québec les supporters de Richard étaient en minorité. Cependant, les journalistes de Montréal répliquèrent aussitôt.

Lorsque Maurice obtint son 41e but, le vétéran chroniqueur sportif Elmer W. Ferguson écrivit : « Richard obtient son 41e but ; une première depuis 15 saisons. » Il faisait de plus remarquer que : « Conney Weiland marqua ses 43 buts pour les Bruins de Boston en 1929-1930, alors que le jeu était si ouvert que les gouverneurs se sont vite réunis afin de changer les règlements. »[2]

Les avants pouvaient précéder le porteur du disque en traversant la ligne bleue adverse. Les scores étaient si élevés que les gouverneurs abandonnèrent ces règlements à la mi-saison. « Weiland marqua au moins vingt buts, à l'automne de 1929, lorsque le règlement connu sous l'appellation de « tout est permis » était en vigueur », révéla Baz O'Meara[3]

1. Ferguson, E.W., *The Herald,* 26 février 1945.
2. E. Ferguson, *The Herald,* 9 février 1945.
3. O'Meara Baz, *Montreal Star,* 19 février 1945.

En retournant en arrière, on constate que Ferguson et O'Meara avaient entièrement raison. Par exemple, Cooney Weiland enregistra 43 buts en 1929-1930, comparativement à 11 buts en 1928-1929, pour une saison de même durée, soit 44 parties. Dit Clapper marqua 41 buts, Howie Morenz 40, Nels Stewart 39, et Frank Boucher 26 en 1929-1930, comparativement à 9, 17, 21 et 10 buts respectivement en 1928-1929.

Si les supposés « experts » avaient mis le même empressement à consulter ces statistiques qu'ils en avaient mis à crier « haro sur le Rocket », ils en seraient arrivés aux mêmes conclusions que MM. Ferguson et O'Meara.

Mais c'était beaucoup trop demander à ces « coupeurs de tête »... Aussi, lorsque Maurice éclipsa et le record de Weiland et celui de Malone, les récriminations reprirent de plus belle et à nouveau les journalistes de la métropole époussetèrent leurs livres des records pour démontrer que l'année où Malone avait accompli son exploit, en 1917-1918, la L.N.H. en était à ses premiers pas, plus précisément à sa première année... Conséquemment, le hockey ne pouvait pas être aussi bien structuré qu'en 1945 : il n'y avait que trois équipes qui concouraient dans la Ligue cette saison-là, car le stade des Wanderers fut rasé par les flammes et ces derniers ne jouèrent que six parties sur vingt-quatre. De plus, les règlements de l'époque, complètement différents de ceux d'aujourd'hui, favorisaient les hauts scores. Les seuls joueurs dans toute l'histoire de la L.N.H. qui ont pu obtenir une moyenne d'un but et plus par partie au cours d'une saison sont des joueurs qui ont évolué entre les années 1917-1918 et 1924-1925... à l'exception de Maurice Richard, en 1945.

> « Lorsqu'on regarde les statistiques des parties de cette époque, on est impressionné par les scores élevés. La première joute de l'histoire de la L.N.H. se termina par la marque de 10 à 9. Il arrivait assez régulièrement que le vainqueur réussît des parties de dix ou onze buts », commentait Elmer Ferguson.[1]

Enfin, les dénigreurs avaient sans doute oublié que 1917-1918 était également une année de guerre. Baz O'Meara se chargea de le leur rappeler :

---

1. Ferguson, E.W., *The Herald*, Montréal, 20 février 1945.

> « Le record de Malone fut aussi établi durant une année de guerre, alors que les effectifs des équipes étaient pas mal démunis et que la ligue ne comptait que trois clubs cette saison-là. À tout considérer, ces records sont comparables et le dernier homme à ridiculiser Richard serait le vieux détenteur du record lui-même. »[1]

Baz ne pouvait dire plus juste. À cette époque, le hockey se jouait à sept joueurs et ceux-ci demeuraient sur la glace pendant la majorité de la partie, soit entre quarante-cinq et cinquante minutes, parfois même soixante. Au cours de cette saison de 1944-1945, Maurice joua en moyenne vingt-deux minutes par partie. Il compta son 45e but en 42 parties, alors que Joe Malone avait pris 22 parties pour 44 buts. On peut donc en conclure que les deux joueurs ont passé un temps à peu près égal sur glace.

Non content de minimiser ses exploits offensifs, on tentait de dénigrer également son jeu défensif. Mais Irvin répondit à ces attaques de toute la force de son artillerie lourde :

> « Où est-ce qu'ils vont chercher tout ça ! s'exclamait-il, visiblement en colère. Combien de buts ont été marqués au cours de la saison par les ailiers opposés à Richard ? Si les gens connaissaient ces chiffres, ils ne seraient pas si rapides à critiquer ce qu'ils appellent faussement son manque de jeu défensif (*backchecker*).

> « Les faits démontrent que les ailiers gauches qui font face à Richard n'ont marqué que six buts en 39 parties... Comment trouvez-vous ça comme jeu défensif ? »

« Peut-être que les opposants de Richard n'essayaient pas de compter, mais simplement de l'arrêter », de suggérer un journaliste présent.

> « Je suis heureux que vous mentionniez cela, s'esclaffa joyeusement M. Irvin. J'imaginais que quelqu'un allait sortir quelque chose de semblable. Et bien, si l'on accepte le fait que tous les ailiers gauches qui faisaient face à Richard se limitaient simplement à l'empêcher de marquer, qu'est-ce que cela fait de Maurice ! Cela le grandit doublement. Parce que cela signifie qu'il a, jusqu'à aujourd'hui enregistré 43 buts contre des ailiers qui jouaient strictement du jeu défensif. Il a aussi marqué des buts avec trois hommes sur son dos... »

Pour compléter ce tableau, mentionnons que Maurice a marqué un but tous les 4,69 lancers cette saison-là, ce qui démontre une fois de plus son incroyable habileté et sa précision. Il n'est pas étonnant qu'il ait été sur la glace pour 68 buts des siens, soit près du tiers de

---

1. O'Meara Baz, *The Star,* Montréal, 19 février 1945.

toute la production des Canadiens.

La controverse, loin de s'apaiser, s'envenimait au fur et à mesure que Maurice s'approchait de son record de cinquante buts. Évidemment, les journalistes entretenaient le brasier...

Le *Niagara Falls Evening Revue* interviewa le vétéran Ray Getliffe, du Canadien. Ce dernier affirma que Maurice pouvait se comparer à n'importe quel grand du hockey de n'importe quelle époque. Selon lui, le Rocket pouvait marquer plus de buts dans des positions plus difficiles que n'importe quel joueur qu'il ait jamais connu. Et, avec impatience, il ajouta :

> « Qu'est-ce qu'un joueur doit faire pour se faire remarquer ? Ce garçon-là est très rapide, il peut lancer, il peut prendre soin de lui-même et s'il y a un meilleur joueur que lui de la ligne bleue au but, je n'ai jamais eu la bonne fortune de voir une telle personne, et ce n'est pas la saison dernière que j'ai commencé à me promener dans les pâturages du hockey majeur. »[1]

Une chose est certaine, Maurice Richard ne laissait personne indifférent. Finalement, ce que Joe Malone, Paul Parizeau, Dick Irvin, Charles Mayer, entre autres, avaient prédit se réalisa. Maurice continua sa formidable poussée et termina cette saison avec cinquante buts en cinquante parties.

À la dernière partie jouée au Forum de Montréal cette saison-là, le Canadien rencontrait Chicago. Maurice, anxieux de compter ce cinquantième but, était très contracté et manqua des occasions qu'en d'autres temps il n'aurait pas ratées.

Dans la période finale, Maurice éclata, sans crier gare, comme à l'accoutumée. Il s'échappa pour parvenir seul devant Stevenson qu'il tenait à sa merci, mais Wilf Field, qui voulait à tout prix empêcher un but, le mit en échec illégalement. Un lancer de punition fut accordé. Maurice, très nerveux, rata cette occasion.

Le mardi ou le jeudi suivant, à Boston, Maurice réussit ce fameux cinquantième but. Au cours de ces deux dernières joutes, Toe et Elmer affichèrent un bel esprit sportif en passant sans arrêt la rondelle à Maurice afin qu'il établisse ce nouveau record. À ce propos, ces « trois amis » battirent par un point le record de ligne établi l'année précédente, par le trio des Black Hawks de Chicago : Bentley,

---

1. *Niagara Falls Evening Revue,* 20 février 1945.

Mosienko et Smith. Ils marquèrent 220 points contre 219 pour le trio des Hawks.

À la fin de cette partie, le Club des millionnaires[1] qui était bruyamment représenté à Boston remit à son idole un trophée afin de commémorer ce cinquantième but. Son enthousiasme et sa chaleureuse démonstration firent oublier à Maurice l'atmosphère du Forum. Ce geste, il se le rappellera longtemps ; il tient une place tout à fait particulière dans son cœur.

Le 13 avril 1945, Maurice devint père pour la deuxième fois. L'infirmière de l'hôpital lui présenta le poupon : « Voici un autre petit « Rocket », M. Richard ». Depuis, dans la famille des Richard, il n'y a qu'un seul « Rocket », et c'est Maurice junior.

Peu de temps après cet événement, le soir du 29 avril, Maurice fut à nouveau comblé : Paul Paquette, Dan Murray et Paul Stuart organisèrent la première soirée Richard, à la salle Montcalm. Maurice se rappellera toujours cette fête, car il était honoré par ses amis... et ils étaient tous là. Le propriétaire du Canadien, Léo Dandurand, offrit un trophée à Maurice en souvenir de ses cinquante buts. Ses amis et admirateurs lui présentèrent une bourse de 700 dollars et près de cinq cents cadeaux.

Pourtant, même si Maurice avait connu une saison exceptionnelle et sans doute les plus fortes émotions de sa jeune carrière lors de ses 45e et 50e buts, il était déçu et malheureux en quelque sorte. Il ne digérait pas l'élimination subie en série éliminatoire aux mains du Toronto.

Le Canadien, qui avait tout balayé durant la saison régulière, fut à nouveau victime de la « main invisible »... Blessés, Reardon, Bouchard, Lach, O'Connor et d'autres ne purent jouer.

Le Toronto élimina ce club des Canadiens décimé par les blessures en six parties. Maurice conserva quand même sa moyenne d'un but par partie. Il en marqua six et se mérita quatre assis-

1. Ce Club des millionnaires se composait des amateurs les plus fidèles, les plus enthousiastes et les plus hauts en couleurs ! Ils portaient des tuques aux couleurs les plus brillantes et le fameux gilet des « Habitants ». Ils s'entassaient dans la section du Forum qui portait ironiquement le nom de « Club des millionnaires » et où les billets se vendaient seulement $1.25, $1.50 ou $2. Après la guerre, ce club disparut malheureusement.

tances, en dépit de la brutalité déployée par les Leafs de Toronto pour le neutraliser. A. Rufiange rapporte ainsi ses propos :

> « Ma plus forte émotion, dit-il, fut de marquer mes 45e et 50e. J'étais heureux de l'avoir fait pour tous mes compatriotes qui m'avaient témoigné, la saison durant, une sympatique amitié. Quant à ma plus forte déception, ce fut de perdre la coupe Stanley l'an dernier et particulièrement d'être éliminé par « ce » club Toronto que je n'ai pas en amitié, loin de là. Ma femme pourra vous l'attester, je n'en dormais pas durant l'été et j'ai passé de nombreuses nuits blanches rien qu'à y penser ! »

> « Nous comprenons parfaitement l'opinion de Richard envers le club Toronto qui a fait tout en son pouvoir, la saison dernière, pour le blesser et pour diminuer son mérite aux yeux du public. »[1]

Ceci démontre bien l'esprit d'équipe que Maurice manifestera toujours au cours de sa carrière. Ses succès personnels passaient après ceux de l'équipe. Peu de joueurs se seraient ainsi tourmentés durant la saison estivale après une saison de 50 francs buts . . .

C'est ce qui a fait de lui un homme et un joueur de hockey exceptionnels. En deux saisons complètes seulement, si on fait abstraction des seize parties de la saison 1942-1943, Maurice s'était affirmé comme l'un des plus grands joueurs de hockey de tous les temps.

À tous les sceptiques qui déclaraient que si Maurice avait compté tant de buts, c'était à cause des circonstances dues à la guerre, on aurait pu répliquer ceci: Si, comme Ted Lindsay l'avait affirmé, il était plus facile de marquer pendant les années de guerre, pourquoi lui-même, Syd Howe, Bentley, Mosienko, Lach, Blake, Cowley, Di Marco, Kennedy, pour ne nommer que ceux-là, ne marquaient-ils pas à profusion comme Maurice ? Il est étonnant de noter que Maurice avait deux fois plus de buts que chacun de ces joueurs pourtant classés comme excellents.

De plus, les équipes de la L.N.H. étaient à ce moment-là, beaucoup plus fortes que certains voulaient bien le laisser croire. Dick Irvin, sans doute l'un des plus fins connaisseurs du hockey du *Big Time,* créa toute une commotion dans le monde du hockey lorsque, vers la fin de cette campagne, il déclara : « Seulement cinq joueurs des Canadiens de 1930 pourraient jouer avec les Canadiens de 1945, soit : Howie Morenz, Aurèle Joliat, Pit Lépine, Johnny Gagnon et Sylvio Mantha. »

---

1. Rufiange, André, *le Front ouvrier,* 9 mars 1946.

Admettons que Dick ait eu quelques préjugés envers son propre club, il n'en demeure pas moins que si un homme pouvait faire une telle déclaration sans parler à travers son chapeau, c'était bien « Old Dick ». Et pour étayer son point de vue, Dick fit remarquer que la « ligne du Punch » n'avait été prise en défaut que 17 fois :

> « Seulement 17 buts ont été marqués contre la ligne Lach-Blake-Richard en 39 parties, ce qui est assez extraordinaire, si vous me demandez mon avis. De tels chiffres devraient faire réfléchir ceux qui ont cherché à diminuer les prouesses défensives de cette grande, merveilleuse et, en fait, magnifique ligne d'avant ; la plus grande que le hockey ait jamais vue, ou peut-être suis-je trop modeste ? Oui, je vous le dis, c'est une grande ligne. Je n'ai trouvé ni dans les statistiques, ni dans les observations des personnes averties qui sont complètement vendues à la magie du « bon vieux temps », quoi que ce fût qui aurait pu me faire changer d'opinion, à savoir que seulement cinq Canadiens de 1930 feraient l'affaire avec les Canadiens d'aujourd'hui. » Pensivement, Irvin ajouta : « Peut-être bien ai-je été trop généreux en en nommant cinq !»

Comme pour donner raison à son instructeur, on sait que ce trio établit un record de 220 points en une saison.

Le Canadien terminait cette campagne avec une fiche de 38 victoires, 4 parties nulles et 8 défaites seulement. Cinq de ses joueurs furent sélectionnés pour la première équipe d'étoiles, soit : « Butch » Bouchard, Bill Durnan et la « ligne du Punch » au complet. Ce trio fut d'ailleurs la première formation à être choisie intégralement pour la première équipe d'étoiles, dans toute l'histoire de la L.N.H.

Elmer Lach finit premier marqueur de la ligne avec 80 points, dont 26 buts et 54 assistances. Le Rocket termina deuxième, avec 50 buts en 50 parties et 23 assistances. Toe suivit en troisième position avec 67 points, soit 29 buts et 38 assistances. Ensemble, ils avaient produit 105 des 228 buts du Canadien. Ce *punch* à trois saveurs avait donc fait des ravages dans les buts ennemis.

Dick Irvin eut le mot de la fin et, cette fois-ci, personne ne rouspéta : « la plus grande équipe de hockey depuis 20 ans ».

Une seule anicroche au tableau : le rideau tombait sur cette saison des Mille et Une Nuits . . . sans qu'ait été honoré officiellement son joueur le plus fabuleux, Maurice Richard, lui qui, tout comme Morenz, avait su attirer les amateurs de hockey dans tous les stades du circuit par la seule magie de son nom.

Pourtant, le 27 décembre 1945, Maurice fut choisi comme le

Paul Stuart et Paul Paquette organisent la première soirée Richard après sa fabuleuse saison de 50 buts en 50 parties. Léo Dandurand, propriétaire des Canadiens, remet un trophée à Maurice. Michel Normandin agit comme animateur.

La Presse

meilleur joueur de hockey pour l'année 1945 par une association de rédacteurs sportifs *américains*. On lui remit une magnifique médaille en souvenir de son exploit. C'est John Polick, instructeur et joueur des Monarchs de Los Angeles, qui reçut la médaille au nom de Richard, au cours d'une manifestation organisée par le *Los Angeles Time,* à l'hôtel *Biltmore Bowl* de Los Angeles. On ne s'accordait donc pas entre journalistes . . .[1]

---

1. La L.N.H. sélectionnait un nombre égal de journalistes dans chacune des six villes du circuit et ces derniers déterminaient, par un système de points préétabli, les récipiendaires des trophées Hart (joueur le plus utile à son club), Lady-Byng (pour celui qui était le plus gentilhomme tout en étant le plus efficace), Calder (la recrue de l'année), James-Norris (le meilleur joueur de défense), de même que la 1ère et la 2e équipe d'étoiles. Chaque équipe était composée d'une ligne d'avants, d'une paire de défenseurs et d'un gardien de but.

Chapitre cinquième
La rançon de la gloire !

« UN JOUEUR QUI A LA VITESSE DE HOWIE MORENZ — Depuis les beaux jours de Howie Morenz, depuis les années où Joe Malone établissait records sur records, depuis le temps où Aurèle Joliat était à son meilleur, on avait prédit que, jamais dans le monde du hockey, dans les années à venir, un joueur ne pourrait surpasser ni même égaler les qualités sensationnelles de ces trois fameux as : eh bien ! depuis deux ans, toutes les prédictions ont été déjouées par un joueur en qui sont réunis les atouts respectifs de ces trois magnifiques athlètes, un joueur qui a la vitesse de Howie Morenz, le don de marquer de Joe Malone et l'habileté à manier le bâton d'Aurèle Joliat. Et cet athlète est un des nôtres, un Canadien français qui nous fait honneur dans le sport ; le prolifique marqueur du Canadien, l'unique Maurice Richard. »[1]

Après un pareil hommage, on serait tenté de croire que tout allait sur des roulettes pour le Rocket. Mais tel n'était pas le cas. Cette saison 1945-1946[2] fut difficile pour Maurice : même après deux ans

---

1. Rufiange, André, *Le Front ouvrier,* 9 mars 1946.

2. On apporta une autre transformation importante au cours de cette saison-là : à la lumière rouge derrière les buts, on juxtaposa une lumière verte qui est reliée à la sirène que le chronométreur actionne pour annoncer la fin d'une période. Lorsqu'il y a but, le juge de but confirme ce but en allumant la lumière rouge. Quant à la lumière verte, elle ne s'allume que lorsque la sirène se fait entendre. Le mécanisme empêche la lumière rouge de s'allumer quand la verte l'est déjà, même si le juge de but actionne le commutateur. Du coup, les discussions à savoir si un but a été marqué avant ou après la fin de la partie sont éliminées.

d'exploits quasi impossibles, on allait essayer de le discréditer de toutes les façons... Maurice payait la rançon de la gloire. Les critiques se faisaient plus nombreuses et plus acerbes. Son moral en était affecté. Hypersensible, ces attaques lui faisaient mal, particulièrement si elles venaient de compatriotes.

Après deux siècles de frustrations, le peuple québécois venait de trouver un héros qui les vengeait de bien des humiliations. Il venait de trouver un chevalier qui, sans peur et sans reproche, dans doute la force du terme, portait bien haut l'étendard de son honneur et de sa fierté, dans cette bataille très symbolique que se livraient anglophones et francophones sur des surfaces gelées.

Maurice avait été consacré dieu... et les défaillances propres aux humains ne lui seraient pas pardonnées. Une saison qui aurait été qualifiée de formidable pour un autre était considérée comme désastreuse pour le Rocket : en effet, marquer entre vingt et trente buts à cette époque de l'histoire du hockey constituait un exploit remarquable.

Dès le début de la nouvelle saison, Maurice se blessa à un genou. Cette blessure l'incommoda toute la saison, mais il n'en souffla mot à personne si ce n'est au soigneur de son équipe. Car Maurice était de ces athlètes qui ne cherchent jamais d'excuse. Souvent, l'amateur, le profane du sport, n'accepte pas et surtout ne comprend pas qu'une blessure, même légère, puisse empêcher un joueur de donner son plein rendement, et faire pencher la balance du côté de la défaite plutôt que de la victoire. Mais celui qui a déjà pratiqué un sport sait pertinemment qu'une égratignure peut être un handicap suffisant pour empêcher l'athlète de donner toute sa mesure.

Maurice termina cette saison avec 27 buts, c'est-à-dire au quatrième rang des marqueurs de francs buts et au cinquième des pointeurs avec 21 assistances, pour un total de 48 points. Mais ce n'était pas assez. Ses détracteurs sautèrent sur l'occasion pour tenter de le diminuer. Certains allèrent jusqu'à dire qu'il était fini...

Malgré ces détracteurs, Maurice continuait à fasciner et à attirer les foules par son côté spectaculaire. Il s'en prenait aux plus gros et aux plus rudes s'il le fallait. Il se bagarra avec « Muzz » (Murry) Patrick, ex-champion poids lourd du Canada. Puis ce fut au tour du gigantesque Reg Hamilton... La bataille dura trois minutes : les arbitres les laissèrent se battre jusqu'à ce qu'ils fussent complètement épuisés.

Le Canadien décrocha à nouveau le championnat. Bill Durnan se mérita le trophée Vézina pour une troisième saison d'affilée et Blake, le trophée Lady-Byng pour le joueur à la fois le plus gentil-homme et le plus efficace. Toe faisait maintenant partie du très sélect « Club des 200 ». Il avait marqué cet important but, lui ouvrant les portes de ce club, sur une passe du Rocket.

Puis vinrent les séries. Toronto qui avait gagné la coupe Stanley pour la saison 1944-1945 fut éliminé. Les Canadiens éliminèrent les Black Hawks de Chicago en semi-finale, puis les Bruins de Boston en finale et reconquérirent la coupe Stanley.

Maurice s'avéra encore le marqueur des grandes occasions, en obtenant deux buts en supplémentaire. Il réussit sept buts dans les séries, tout comme Blake. Elmer Lach compta cinq fois.

Comme Toronto l'année précédente, lors des séries, Chicago tenta de démolir le Rocket... Les rudes Johnny Mariucci et Don Grosso étaient cette fois-ci les tueurs à gages. Mais rien n'y fit. Chicago fut éliminé en quatre parties et le rude Mariucci fit connaissance avec les « battoirs » de Maurice... C'était au cours de la deuxième partie, que Canadien gagna par la marque de 5 à 1. Mariucci et Maurice en vinrent aux coups et ils furent envoyés au cachot. À cette époque, les joueurs punis prenaient place sur le même banc dans la boîte de punition. Ils n'étaient séparés que par le marqueur officiel. Maurice venait à peine de s'asseoir lorsqu'il entendit le verdict : une majeure de cinq minutes pour lui et une mineure de deux minutes pour Mariucci. Cette injustice le révolta et, furieux, il décida que, tant qu'à avoir une punition majeure, aussi bien la mériter vraiment. D'un bond, il fut sur Johnny et lui décrocha une série de crochets au visage : Mariucci en ressortit avec le visage tuméfié et Maurice avec un dix minutes de mauvaise conduite. L'injustice n'était peut-être pas réparée, mais cette fois-ci la punition était justifiée.

Le lendemain dans sa chronique, Elmer Ferguson faisait la remarque suivante de la rudesse excessive deployée contre Maurice :

« Dans ces séries, Richard est un homme marqué au propre comme au figuré. Il a un œil au beurre noir et il est coupé au-dessus de chaque arcade sourcilière. Il a été bousculé, il a été frappé, il a été étroitement surveillé et, pour chaque but marqué, il a dû se battre pouce par pouce ! »

Le no 6, Toe Blake, marque son 200e but sur une passe du Rocket.

Bill Roche, lui, ne croyait plus que Richard était un « citron » ... :

> « Jamais un joueur de hockey n'a aussi souvent été harcelé et attaqué illégalement par autant d'opposants et d'ombres que le « Rocket » Richard. Pas étonnant qu'il sorte de ses gonds. Maurice doit être un expert de la lutte professionnelle, car il a sur la glace à peu près toutes les variétés de prises : prise de tête, ciseau de bras et autres, et si l'on mettait côte à côte les bâtons qui l'ont atteint à la tête, on aurait une forêt. »

Comme l'avait prévu le journaliste de Chicago, John P. Carmichael, dans sa chronique *The Barber Shop*, ces tactiques de démolition n'arrêtèrent pas le Rocket... pas plus qu'elles n'avaient su l'arrêter au cours de la saison.

Lors d'une partie contre les Hawks, un peu avant la fin de la saison régulière, Maurice compta deux buts, frappa quatre fois les poteaux du filet et fut arrêté deux fois à l'entrée des buts.

À la partie suivante, Red Hamill, capitaine des Hawks, déclara : « Je vais m'occuper de ce gars-là ce soir ! » Le Rocket compta trois fois. Après la partie, Red expliqua : « Il m'échappe à notre ligne bleue. Je peux le couvrir jusque-là, mais après, ses échappées sont trop rapides. »

L'instructeur du Chicago, Paul Thompson, pensa à une tactique pour mettre Richard en échec. Il eut alors l'idée de coincer Richard entre Hamill et Mariucci : « Tu restes avec lui jusqu'à la ligne bleue, dit-il à Red, et à partir de là, c'est Johnny (Mariucci) qui s'en charge. » Maurice compta deux buts et eut deux assistances.

À la rencontre suivante des joueurs, qui précède toujours la partie, tout le monde était plutôt mal à l'aise. Red Hamill lança : « Je sais maintenant comment nous l'arrêterons ! Nous l'attacherons à un

lampadaire et nous lui passerons dessus avec un camion « Mack » !
Carmichael conclut : « La Comète pourrait survivre même à cette
tactique... » Et Maurice survécut !

Après que le Chicago ait été défait en quatre parties, ce fut au
tour du Boston de s'incliner devant les « Habitants », et ce, en cinq
parties. La « ligne Choucroute » (« Kraut Line »), proclamée la
meilleure du circuit, dut baisser pavillon devant la « ligne du
Punch » qui s'avéra supérieure. Pourtant la guerre était finie et Dumart, Bauer et Schmidt étaient réunis à nouveau.

Au cours de cette série de 1946, la « ligne Choucroute » enregistra onze buts et réussit onze assistances pour un total de 22 points.
Quant à la « ligne du Punch », elle amassa 19 buts et 22 assistances,
soit 41 points, presque le double. Maurice Richard contribua à ce total avec sept buts et quatre assistances. À la première partie de ce
« 4 de 7 », Maurice donna la victoire aux siens en période supplémentaire... Il marqua après neuf minutes et huit secondes de jeu.
C'est à ce moment-là que les journalistes commencèrent à utiliser
l'expression : « Comme va Richard, ainsi va le Canadien ».

Ce dicton s'avéra on ne peut plus vrai à la quatrième partie,
alors que le numéro 9 des Canadiens provoqua le temps supplémentaire en marquant les deux buts des siens. Mais cette fois-ci, ce fut
Boston qui marqua le point vainqueur et le Canadien perdit 3 à 2.

Pour tous les supporteurs du Rocket, c'était là la preuve que la
« ligne du Punch » avec son plus spectaculaire marqueur, « Rocket »
Richard, ne se composait pas de « joueurs de guerre » et qu'elle pouvait rivaliser avec les plus grands joueurs de l'avant-guerre... Dit
Clapper, instructeur des Bruins, avait prétendu le contraire au début
de la série et il dut ravaler ses paroles.

Lester Patrick estimait que Richard valait bien 100 000 dollars.
C'est ce qu'il offrit aux Canadiens et il justifia son offre en disant :

> « C'est le plus grand joueur de hockey. Regardez les scores des
> dernières années et vous allez voir pourquoi les Canadiens peuvent re-
> mercier Richard pour avoir gagné par la marge d'un seul point, 80 pour
> cent du temps. »

Ce qui était pas mal coûteux, pour un joueur de guerre !

Les attaques que Maurice avait subies s'avérèrent quand même
bénéfiques, du moins pour sa carrière. Car cette saison 1945-1946 en

Les supporteurs du CANADIEN trouveront ici un peu de réconfort, en se rappelant les jours de 1946, où leur club décrochait la coupe Stanley.

1946. La coupe Stanley revient à Montréal après deux ans d'absence.

fut une de transition. Petit à petit, Maurice comprit, accepta et assuma le rôle que ses compatriotes lui avaient assigné. Il était leur porte-drapeau. La transformation s'opéra graduellement et, dès l'automne suivant, il était prêt à combattre farouchement, pour le meilleur et pour le pire. Le pire se présenta souvent, mais Richard ne fit jamais faux bond à ses partisans. Il voua aux siens une indéfectible loyauté, et ceci tout au long de sa carrière.

La vieille rivalité entre Toronto et le Canadien reprit de plus belle, plus féroce que jamais. Le gérant général, « Con » Smythe, ne se gêna pas pour déclarer que Frank Selke, son ex-assistant, avait été responsable de la piètre saison des Leafs qui n'avaient pu se mériter une place dans les séries de fin de saison. Il oubliait volontairement que ces mêmes Leafs avaient gagné la coupe Stanley l'année précédente. Ironie du sort, Frank Selke était maintenant passé au Canadien. Il avait remplacé Tommy Gorman comme gérant général.

En effet, celui qui avait contribué à faire des Leafs une machine dangereuse se retrouva, en 1946-1947, avec le Canadien qui allait connaître ses heures les plus glorieuses sous sa judicieuse et habile diretion.

C'est à cause d'une transaction concernant les Canadiens que le tout se produisit : Frank Selke, alors assistant de Conny Smythe, avait échangé Frank Eddoll, un défenseur, contre le joueur Ted Kennedy qui appartenait aux Canadiens. Pressé par les événements, il n'avait pu consulter Smythe qui était alors outre-mer. Smythe ne lui pardonna pas. Pourtant Kennedy allait être le cauchemar du Canadien pendant de nombreuses années. Il devint un merveilleux joueur de hockey et fut même nommé au Temple de la Renommée.

Selke remplaça donc Gorman et se mit à l'œuvre. Il bâtit la plus puissante dynastie de l'histoire du hockey.

Le 6 février 1947, la rivalité entre le Canadien et le club de Toronto allait atteindre son sommet. Elmer Lach fut sauvagement mis en échec par Don Metz. Frappé dans le dos, Lach fut projeté contre la glace et subit une fracture du crâne qui le mit au rancart pour le reste de la saison. La plus terrible des bagarres s'ensuivit. La bataille se poursuivit d'ailleurs en dehors de la patinoire. Chacune des deux directions rejetait le blâme sur l'autre.

Pourtant ce malheureux accident contribua à prouver ce que Joe Malone avait affirmé en 1945, à savoir que Maurice pouvait produire sans son centre étoile. Maurice termina cette saison 1946-1947 avec 45 buts et 26 assistances... Joe Malone avait donc vu juste. Maurice pouvait produire avec des joueurs de moindre calibre. Il le prouvera d'ailleurs de façon non équivoque après le départ de Toe et d'Elmer.

Bien décidé à connaître une autre saison de cinquante buts, Maurice y allait à fond de train. Il semblait bien se diriger vers un nouveau record de buts en une saison. Tous reconnaissaient que son rendement était d'autant plus éclatant (étonnant pour certains), qu'Elmer Lach n'était pas là. Maurice, toujours aussi stimulé par les défis, démontrait plus d'agressivité et d'impétuosité que jamais.

Andy O'Brien écrivait :

> « Dans ce monde tumultueux du hockey moderne professionnel, un joueur de 25 ans et de 181 livres, de la Ligue des parcs de Montréal, émerge dramatiquement suprême. Le jeu endiablé de Maurice « Rocket » Richard, ce chasseur de rondelles et ce fou de la vitesse, a propulsé les Canadiens vers trois championnats consécutifs de la L.N.H. et vers deux coupes Stanley. »[1]

---

1. O'Brien, Andy *The Standard,* 9 novembre 1946.

Pour ce journaliste à l'esprit particulièrement alerte et sagace, la grandeur du Rocket ne faisait plus de doute.

À la mi-décembre 1946, Maurice était à la tête du peloton des marqueurs, buts et assistances inclus. Et sans Lach, il manifestait toujours ses qualités de hockeyeur explosif. En trois matchs il enregistra six buts, dont le but gagnant, contre les Leafs de Toronto, deux buts et deux assistances contre les Rangers de New York, et le 28 décembre, il réalisa le « tour du chapeau » contre Chicago. Puis, le volcan se tut aussi soudainement qu'il avait éclaté... Pendant cinq matchs, le Rocket ne marqua pas. Les Canadiens ne gagnèrent pas une seule de ces cinq parties. Mais aussitôt que le volcan se remit en activité, le Tricolore reprit le chemin de la victoire.

C'est alors que fut popularisé le dicton « Quand Richard compte, le Canadien gagne ». D'autres journalistes utilisaient une variante : « Ainsi va Richard, ainsi va le Canadien ! » C'était en somme une vérité de La Palice...

Les Torontois, qui avaient eu un aperçu du jeu excitant et spectaculaire de Maurice lorsqu'il avait égalé le record de Joe Malone avec son 44e but, eurent enfin le privilège et le bonheur de pouvoir constater et apprécier toute la grandeur du Rocket.

Le 15 février 1947, Maurice marqua trois buts, fournit la passe du quatrième et sauva son club de la défaite en annulant 4 à 4.

Le journaliste Red Burnett et le photographe Nat Turofsky, du *Toronto Star,* entrèrent dans la chambre du Canadien pour photographier le héros de cet exploit. Red Burnett utilisa toute sa psychologie pour essayer de faire sourire l'ailier droit pour la photo, mais en vain... « Pourquoi sourire ? de maugréer Maurice, nous n'avons pas gagné. Nous n'avons qu'annulé. Et annuler contre les Leafs, ça ne me dit rien. »

— Allons, Maurice, souris et embrasse ton bâton, insista gentiment Turofsky.

— Embrasse-le toi-même, de répliquer vivement Maurice.

— Quel compétiteur !, admira Burnett. Photographie-le tel quel.

Turofsky s'exécuta. Plus tard, Red Burnette expliqua :

« Maintenant je comprend mieux ce gars-là. Même s'il obtient trois buts, il est enragé parce que son équipe n'a pas gagné. Un gars comme ça ne peut être que grand. »

L'opinion de Burnett et O'Brien était de plus en plus partagée à travers le circuit. Est-il besoin de mentionner que, dans la province de Québec, « la grandeur du Rocket » était un fait acquis depuis longtemps.

La popularité de Richard dans les six villes du circuit était alors incroyable. Où il jouait, les enceintes étaient pleines à craquer. On se déplaçait pour voir le fougueux *French-Canadian*.

Open the door, tel était le titre d'une chanson populaire du temps. Les New-Yorkais, qui raffolaient des batailles et qui avaient été témoins de quelques-unes des plus éclatantes bagarres du Rocket, se mettaient à chanter en chœur *Open the door, Richard !* chaque fois que le Rocket se dirigeait vers le banc des punitions ; ce qui signifiait « Ouvrez la porte des punitions, voici venir Richard ! » . . . La foule s'amusait ferme ! Cette pratique se propagea vite aux quatre coins du circuit.

Mais bientôt l'expression *Open the door, Richard !* prit une autre signification : la foule entonnait également la chanson lorsque Maurice comptait un but. C'est alors que des banderolles portant l'inscription : *Open the door, Richard* firent leur apparition un peu partout dans les stades du circuit lorsque les Canadiens rencontraient les autres clubs.

Maurice « Rocket » Richard était quelqu'un de tout à fait « spécial » et on le traitait comme tel . . .

À la fin de la saison régulière de 1946-1947, le numéro 9 des Habitants avait enregistré 45 buts, dont quatre « tours du chapeau ». N'était-ce pas là un record fantastique pour un temps de paix ?

Même si Maurice ne battit pas sa propre marque de cinquante buts, plusieurs observateurs considéraient sa fiche d'alors comme supérieure à celle de 1945, parce que l'opposition en 1946-1947 était plus forte, que le Rocket avait été incommodé tout au long de la saison par une blessure au genou et, enfin, qu'il n'avait pas eu l'aide précieuse de son centre, Elmer Lach.

Le Canadien décrocha le championnat de la saison pour une quatrième année consécutive. Maurice se mérita, pour la première et la seule fois, le trophée Hart accordé « au joueur le plus utile à son club ». Il était temps !

Mais ce ne fut pas suffisant pour obtenir le seul trophée pourtant si souvent mérité et qui lui a toujours échappé : le trophée Art-

Ross du meilleur marqueur ! Il s'était classé deuxième, derrière Max Bentley ; il avait pourtant seize buts de plus à son actif.

Et voilà, dans toute sa splendeur, la stupidité du système des marqueurs de la L.N.H. ! Il est difficile d'expliquer comment un tel système a pu subsister si longtemps dans un sport de calibre professionnel.

Dans la course au championnat des compteurs, les joueurs étaient souvent à la merci du marqueur officiel qui pouvait « oublier » volontairement de donner une assistance au joueur visiteur ou qui accordait une « deuxième assistance » douteuse au joueur local, afin qu'il se mérite le trophée Art-Ross et la bourse qui l'accompagne.

C'est ce qui arriva cette saison-là ! Le Rocket considérera toujours que c'était lui qui aurait obtenu le trophée Ross si on lui avait accordé toutes ses assistances.

Par exemple, la même chose faillit arriver à Elmer Lach au cours de la saison 1948. Laissons plutôt parler Frank Selke :

> « Boucher et compagnie voulaient voir Buddy O'Connor, alors avec les Rangers de New York, remporter le championnat des marqueurs et il s'en est passé de belles. Maurice a compté quatre fois et le marqueur officiel n'a pas donné une seule assistance à Elmer Lach qui menaçait de devancer O'Connor. Et pourtant Lach avait aidé quatre fois . . . »[1]

C'est déjà là une histoire en soi qui démontre bien la faiblesse du sytème de décompte de la L.N.H.

Quant à Maurice Richard, avec cette fierté qui le caractérisait, il n'a jamais rien quémandé, encore moins des assistances. Il ne voulait pas jouer le jeu de « l'à-plat-ventrisme » de ceux qui braillaient devant les arbitres ou devant le marqueur officiel pour obtenir des assistances souvent non méritées. Le Rocket prenait ce qu'on lui donnait : *Point and Case* comme disent les Américains !

Chicago qui avait terminé en troisième position en 1946 se retrouva au dernier rang du classement en 1947, avec seulement 42 points à son actif. Ses possibilités de se classer pour les séries de la coupe Stanley disparurent très tôt, vers la fin de cette saison 1947. La préoccupation première des joueurs du Chicago se limitait donc à

---

1. La Patrie du Dimanche, *Sport-O-Scope*, 21 novembre 1948.

La Presse

1947. M. Clarence Campbell remet le trophée Hart à Maurice.

grossir leur total de buts et d'assistances.

Une des plus chaudes controverses de l'histoire du hockey s'engagea alors entre Montréal et Chicago. Un journaliste de Montréal écrivait que les frères Bentley, Max et Doug, n'étaient dans la course au championnat des marqueurs qu'à cause du « système synthétique des assistances qui prévaut à Chicago ». Et pour bien illustrer sa thèse, il commenta en exagérant un peu : « Les Bentley obtiennent des assistances sur les buts marqués à Chicago, même lorsqu'ils sont assis sur le banc. » Il restait au Rocket trois parties à jouer dans cette saison 1947, et Max Bentley avait un total de 68 points comparativement à 65 pour Richard.

La première de ces trois parties se jouait à Toronto et, à nouveau, Richard éblouit les Torontois par sa performance. Il marqua deux buts et assista Blake sur un autre. C'est à ce moment-là qu'il perdit le championnat des marqueurs. L'assistance sur le but de Blake lui fut refusée. Et qui, croyez-vous, lui refusa ce point ? Son « ennemi », Ed Chadwick...

C'était donc 68 à 67 points en faveur de Max Bentley lorsque eut lieu la deuxième partie au Forum contre Chicago. Maurice marqua deux buts et Max eut deux assistances. L'écart était toujours d'un point.

La dernière partie du Canadien avait lieu à Boston et celle du Chicago à New York, contre les Rangers. Cette controverse avait fait couler tellement d'encre que les résultats de ces deux parties étaient continuellement communiqués à la foule.

Dès la première période, les Canadiens prirent une avance de 2-1 sur Boston, et Maurice marqua un but et eut une assistance sur l'autre. Il avait maintenant une avance d'un point sur Bentley.

La troisième période débuta, Maurice avait toujours 71 points contre 70 pour Max Bentley. Un peu avant que cette dernière période en saison régulière ne se terminât, on annonça que Max Bentley venait de réussir une assistance et un but... Richard était évidemment déçu et on le comprend. Ne pas être reconnu comme le meilleur marqueur avec une avance de seize francs buts, c'est plutôt frustrant...

Malgré tout, Maurice aurait quand même pu terminer au premier rang des marqueurs. Au cours de la saison, un but lui avait été alloué alors que c'était Buddy O'Conner qui l'avait marqué. Maurice insista auprès de l'arbitre et du marqueur officiel pour qu'on remette le but à O'Connor. Ce qui fut fait. Maurice, en se taisant, aurait gagné ce trophée. Cependant, pour lui, l'esprit d'équipe passait avant les succès personnels. Les joueurs du Canadien aimaient et respectaient Maurice à cause de cette loyauté et de cette franchise.

1947 rappellera toujours à Maurice un souvenir particulièrement amer... On sait maintenant qu'il se classa deuxième marqueur avec 45 buts et 26 assistances, comparativement à 29 buts et 43 assistances pour Max Bentley, soit un point de moins. Si cet exemple n'illustre pas tout le ridicule de ce championnat des *marqueurs* de la L.N.H., alors il n'y a plus rien à espérer.[1]

---

1. Le hockey est le seul sport que je connaisse qui donne une valeur égale à un but et à une passe. C'est-à-dire qu'un *but ou une passe équivalent à un point et que la plus grande accumulation de points détermine le meilleur marqueur.* Qui plus est, on donne également un point pour une passe précédant celle qui a résulté en un *but*... C'est insensé !

Qu'on donne une mention d'assistance sur un but, d'accord ; mais qu'on fasse l'addition des buts et des assistances pour établir le meilleur marqueur, ça ne marche plus. D'ailleurs, cette lacune a déjà été relevée à maintes reprises. Il semble évident que *le meilleur marqueur est celui qui a enregistré le plus de buts.* Et on pourrait donner un deuxième trophée pour le meilleur « passeur » à celui qui a le plus d'assistances ayant *permis des buts.* On devrait donc se limiter à une mention d'assistance.

À cause de ce système, qui persiste toujours, le Rocket, proclamé alors le plus grand marqueur de tous les temps, n'aura jamais pu obtenir, pas même une fois, le symbole de cette suprématie, le trophée Art-Ross... Quelle farce monumentale !

Par contre, l'amateur de hockey, celui qui paye et qui maintient ce sport professionnel, même s'il s'est senti lésé face à cette situation, ne l'a jamais dénoncée avec vigueur, pas plus que ses porte-parole, les journalistes, à quelques exceptions près.

Voici ce qu'en disait Paul Parizeau à cette époque dans son article intitulé DU SOIR AU LENDEMAIN.

> « Le présent système par lequel une assistance donne un point aussi bien qu'un but nous semble désuet. C'est d'ailleurs une opinion partagée par plusieurs. Il est vrai que le hockey est un sport d'équipe dont le plus grand atout est la cohérence. Un joueur qui participe à un but mérite un certain crédit, mais il nous semble que celui qui fait allumer la lumière rouge doit raisonnablement en avoir davantage.
>
> « C'est grâce à son fort total d'assistances que Max Bentley a une chance de devancer Richard dans la course au championnat de cette année. Le plus proche rival de notre étoile a pourtant quinze francs buts de moins au moment où nous écrivons ces lignes. Nous considérons l'exploit de Richard cette année comme supérieur à son record de cinquante buts en autant de parties dans les circonstances. Richard a perdu la collaboration de Lach depuis le milieu de la saison.
>
> « Pas un joueur n'a été aussi étroitement surveillé, mais cela ne l'a pas empêché de conduire les Canadiens à plusieurs victoires. *Open the door, Richard* est devenu une expression populaire. Ici même à New York, on la voit affichée à plusieurs endroits. On considère Richard comme le Babe Ruth du hockey et il est partout grandement respecté. Pas de doute qu'il sera choisi sur l'équipe d'étoiles. C'est en fait le seul joueur qui soit assuré de cet honneur chez les Canadiens, bien que trois autres soient vraisemblablement nommés, soit Durnan, Bouchard et Reardon. »

En effet, Maurice Richard figurait dans la première équipe d'étoiles pour une quatrième année consécutive. Il se mérita également la « première étoile » du concours annuel des « trois étoiles » organisé par Paul Parizeau du journal *Le Canada*. Par vote, « Butch » Emile Bouchard fut choisi par les amateurs comme deuxième étoile et Bill Durnan reçut la troisième.

Jim Coleman rendit alors un vibrant hommage au Rocket, lui prédisant même avec quinze ans d'avance le « Hall of Fame ! »

Richard Arless

Maurice reçoit le trophée Trois Étoiles du journal Le Canada ; *il s'est mérité ce trophée à cinq ou six reprises.*

« Le Capitaine James T. Sutherland devrait commencer dès maintenant à tailler une nouvelle niche au « Hockey Hall of Fame », à Kingston. Il peut aussi commencer à graver sur une belle plaque l'inscription « Maurice Richard ». À ce moment même, Monsieur Richard est très occupé à réécrire le livre de records du hockey et, avant qu'il ait fini d'accomplir sa tâche, il est plus que probable qu'il sera reconnu comme la plus grande vedette individuelle que le hockey ait connue. »

Il expliqua par la suite qu'il croyait toujours que Lach avait beaucoup contribué à faire de Maurice le grand joueur qu'il était à ce moment-là ; il ajouta cependant :

« Mais nous avons maintenant vu Richard sans Lach et nous l'avons vu sans Buddy O'Connor et nous sommes convaincus qu'il continuerait à marquer des buts même si c'était Tim Daly[1] qui préparait les jeux pour lui ! (. . .)

« Il lui aura fallu moins de cinq saisons pour enregistrer l'incroyable total de 157 buts. Le record de buts de tous les temps est détenu par Nelson Stewart qui enfila 324 buts au cours de sa carrière de quinze sai-

_____
1. Un reporter.

sons dans la Ligue nationale de hockey. Richard qui est jeune, fort et tempérant devrait pouvoir effacer cette marque sans aucune difficulté.

« Les performances de Richard ont été d'autant plus remarquables qu'il a été poursuivi, frappé du coude, bousculé, harcelé depuis que les équipes opposées ont réalisé qu'il était une menace. Nous ne nous souvenons pas d'avoir jamais vu un joueur qui a été l'objet d'autant de surveillance sur la glace. Maintenant, à la veille des éliminatoires, les Bruins de Boston ont demandé à Woody Dumart de se consacrer à une seule chose : mettre Richard en échec.

« Le Rocket est une merveille physique. Il n'a pas un très gros gabarit, mais il est massif et ses jambes et ses bras donnent l'impression d'être d'acier. Il peut lancer avec une force terrifiante de n'importe quel angle et, en fait, il a marqué plusieurs buts alors qu'il était tellement incliné qu'il aurait pu écrire son nom sur la glace avec le bout de son nez.

« Il n'a pas la rapidité de Cyclone Taylor ; il n'a pas la grâce de Howie Morenz ; il n'a pas le spectaculaire lancer de Charlie Conacher — mais il est quelque chose d'entièrement nouveau dans le hockey et on écrira encore sur sa carrière dans quarante ou cinquante ans.

« Tommy Gorman et Dick Irvin ont commencé à clamer la valeur de Richard il y a quatre ans.

« Ils auraient pu épargner leurs cordes vocales. Le Rocket lui-même a convaincu tous et chacun qu'il est fantastique. »[1]

Ce n'est pas tout ! Maurice Richard fut reconnu comme « l'athlète canadien-français qui s'est le plus distingué au cours de l'année » par les journalistes francophones. Il lui fut alors remis le trophée Cattarinich, symbole de cette suprématie.

La voix de *Hockey Nights in Canada,* Foster Hewitt, se fit aussi entendre :

« Richard c'est le *showman* du trio, le chahuteur, celui qui a le panache, qui attire les bravos et les huées. Pratiquement tous les buts qu'il obtient (et aucun joueur n'en a obtenu autant en si peu de temps) sont ciselés avec la touche de l'inhabituel. Il se jette sur la rondelle comme un goéland affamé qui fond sur une croûte flottante. Il contourne les défenseurs sur un patin, lance dans des angles impossibles et dirige la rondelle d'une seule main à travers la défensive. Son lancer est lourd et rapide ; son revers est le meilleur de la Ligue. Il est sans aucun doute le plus rapide patineur du hockey professionnel. »

Ces éloges, Maurice les recevait d'un individu qui avait vu pratiquement tous les grands de ce sport et qui voyait régulièrement tous les joueurs du circuit à l'œuvre.

---

1. Coleman, Jim, *The Globe and Mail,* 2 mars 1947.

C'est sur ces nombreux honneurs que prenait fin la saison régulière pour l'idole des Canadiens français. Beaucoup d'encre avait coulé pour décrire ses exploits ... Mais c'était très peu si l'on considère l'encre qu'il fera couler au cours des mémorables séries éliminatoires de 1947.

Puni pour 44 minutes, expulsé pour un match et suspendu pour un autre, le Rocket *termina* quand même premier marqueur des séries avec six buts et cinq assistances. C'était une véritable dynamo sur patin.

Art Ross, l'instructeur du Boston, qui n'avait pas su, lui non plus, comment arrêter ce « Rocket » au cours de la saison régulière, décida de dissoudre sa « Kraut Line » un peu avant les séries, afin de pouvoir contrer cette menace offensive. C'était là, selon Irvin, une des plus grandes marques de respect et d'estime qu'on pouvait démontrer à ce grand joueur.

Peine perdue ! Les Canadiens éliminèrent Boston en semi-finale, quatre parties à une pour faire face ensuite à l'équipe de démolition de Conny Smythe, les Maple Leafs de Toronto. Cette série finale de 1947 fut des plus violentes ...

Pour la première fois peut-être, Dick commit une erreur de stratégie. Voulant stimuler ses joueurs et lancer des flèches aux journalistes de Toronto, il déclara : « La Providence est de notre côté et si nous gagnons la série, cela prouvera que la blessure à Lach était préméditée. Si nous perdons, cela prouvera que c'était un accident. » Vous pouvez imaginer la tempête que ces paroles déclenchèrent à Toronto. Des journalistes de la Ville Reine se demandèrent si Irvin avait toute sa raison.

Mais après la première partie, Irvin jubilait. Les Champions avaient infligé une raclée de 6 à 0 aux Torontois.

Les journalistes interviewèrent les joueurs du Canadien et l'un d'entre eux rapporta dans un journal de Toronto, les supposées paroles de Bill Durnan : « Comment se fait-il que ces gars-là soient rendus dans les séries. »

Cette fois-ci, c'était le comble. Les paroles de Bill, même s'il a toujours nié les avoir dites, et celles de Dick Irvin eurent l'effet d'un coup de fouet ... Elles galvanisèrent les joueurs du Toronto et, à leur tour, ils humilièrent les Habitants par une défaite de 4 à 0.

C'est lors de cette partie désormais « historique » que Maurice Richard reçut une punition majeure, puis une de match, pour s'être battu à coups de bâton avec Vic Lynn et Bill Ezinicki. Résultat de ce fracas : douze points de suture pour les deux Leafs et pour Richard, suspension d'une partie et 250 dollars d'amende, le tout imposé par le président de la L.N.H., M. Clarence Campbell.

Après son expulsion, Maurice se changea silencieusement et attendit ses coéquipiers dans le vestiaire. Il avait l'air plutôt déconfit parce qu'il se sentait un peu responsable de cette défaite. Mais les joueurs ne l'accablèrent point. Loin de là, ils se demandaient comment il se faisait que Maurice n'avait pas explosé plus tôt...

Un journaliste du *Star* arriva et demanda à Maurice ce qui avait causé ce fracas. « Je me suis choqué, c'est tout, de répondre Maurice. J'ai été blessé au genou dans la première période et je ne pouvais plus rien faire, mais ils me mettaient toujours en échec, me poussaient, me frappaient. Finalement, je me suis choqué. » Il ajouta qu'il avait frappé Ezinicki lorsque ce dernier l'avait insulté.

Sans leur ailier droit, les Canadiens perdirent la troisième partie. Pour le quatrième match, le Garden était rempli à craquer. Tous savaient que le Rocket était de retour et on voulait le voir à l'œuvre... Les billets se vendaient jusqu'à 50 dollars sur le marché noir.

Les Leafs avec deux victoires consécutives en main avaient le vent dans les voiles et, appuyés par leurs partisans, arrachèrent finalement cette quatrième partie, après 16 minutes et 36 secondes de jeu en période supplémentaire.

Les Canadiens faisaient ainsi face à l'élimination... Mais Richard n'avait pas dit son dernier mot. Il eut la surprise de sa vie lorsqu'un groupe de partisans lui présenta avant la cinquième partie une somme d'argent ; ils s'étaient cotisés pour amasser les 250 dollars de l'amende imposée par Campbell. Par ce geste, ils voulaient surtout démontrer qu'ils appuyaient à fond leur héros.

Maurice remercia ses supporteurs à sa façon. Avec deux buts, il procura une précieuse victoire aux siens et les relança dans la course. La sixième partie, jouée sur la patinoire des Leafs, devenait le point tournant de la série, une deuxième fois pour le club Canadien et une première fois pour le club de Toronto.

Après 25 secondes de jeu, les Leafs ouvrirent le décompte. — Puis, plus un seul but ne fut compté, jusqu'à la troisième période. On en était à quatorze minutes et le jeu était des plus serrés, comme seuls les Canadiens et les Leafs pouvaient le jouer. Puis Richard jeta une douche froide sur le Garden en égalant le décompte. Il fallait à nouveau aller en supplémentaire. Mais, brusquement, les espoirs des Canadiens s'envolèrent lorsque le jeune Howie Meker marqua pour les Leafs.

Si cette défaite était dure à avaler pour les joueurs du Canadien, elle était particulièrement amère pour Dick Irvin. La Providence venait de lui enlever la coupe Stanley et donnait raison aux Leafs...

Les performances du Rocket, au cours de ces séries, inspirèrent à Conny Smythe, grand admirateur de Maurice, une de ses plus belles envolées oratoires ; elle mérite d'être rapportée :

> « C'est le Babe Ruth de la Ligue nationale de hockey. Richard est actuellement le plus grand joueur de hockey. Il est les « trois mousquetaires » de la L.N.H. Il est à la fois Aramis, Porthos et Athos... »

Après cette envolée, Conny ferma les yeux et continua à roupiller sous les chauds rayons du soleil de la Floride. Soyez assurés qu'il n'aurait pas fait cette déclaration après la deuxième partie disputée au Forum de Montréal.

Mais que s'était-il donc passé au juste, lors de cette deuxième partie ? Est-ce que Maurice Richard avait perdu la tête comme les journaux de Toronto le laissaient entendre ? *Richard goes berserk in stick swinging on two Leaf players* (» Richard devient fou furieux et frappe de son bâton deux joueurs des Leafs. »)

Ces termes donnaient un avant-goût du reportage de George Laughlin. Après avoir décrit le déroulement de la partie, il en vint au duel. Son premier sous-titre se lisait comme suit :

RICHARD ON RAMPAGE (« RICHARD DÉCHAINÉ »)

> « Après que les Leafs se furent donné cette avance, les Canadiens semblaient une équipe battue et, avec l'équipe du Toronto qui jouait du hockey rude et agressif et *qui prêtait une attention toute spéciale à Maurice « Rocket » Richard,* tout a sauté, à la deuxième période. Bill Ezinicki a ébranlé Richard avec quelques coups d'épaule[1] solides mais francs dans la première période et l'as de Montréal fut pourchassé étroitement par Wilson, Lynn, Klukay et tout autre Leaf qui se trouvait près de lui.

---

1. Coups d'épaules : « bodychecks ».

Richard était continuellement couvert mais sans rudesse excessive. Incapable de se démarquer, le Rocket n'acceptait pas cette attention particulière et il sembla perdre complètement la tête.

« Vic Lynn fut victime de la première attaque de Richard au moment où il tournait pour se replier avec lui. Harmon portait la rondelle et il avait dépassé Lynn et Richard dans sa montée. Lynn couvrait Richard et tout à coup l'ailier droit releva brusquement son bâton, attrapant Lynn en pleine figure. L'angle du bâton atteignit Lynn sur l'arcade sourcilière gauche et il s'écroula sur la glace, le sang giclant de sa blessure.

« On en était à six minutes et vingt secondes de la deuxième période. Maurice reçut une punition majeure.

Le deuxième sous-titre était intitulé : *Attaque surprise* Après avoir subi cette punition, le Rocket ne retourna pas sur la glace immédiatement.

« Toutefois, à son premier retour sur la glace, il se battit avec Bill Ezinicki près des buts des Leafs et ils continuèrent leur duel à coups de bâtons tout en se dirigeant vers la ligne bleue où l'arbitre Bill Chadwick se mit rapidement entre eux pour les séparer. La bagarre semblait terminée lorsque soudain Richard s'étira au-dessus de l'épaule de Chadwick et attrapa Ezinicki sur la tête avec son bâton. Le bâton atteignit le côté de la tête d'Ezinicki et glissa sur son épaule, et à nouveau le sang gicla ! »[1]

Ce sont là les faits tels que racontés par un journaliste de Toronto. Regardons-les sous un autre angle. Dans la première altercation, Lynn fut victime de son zèle. Car le règlement stipule bien qu'un joueur qui ne possède pas la rondelle ne peut être l'objet d'une interférence. Et c'était un journaliste torontois qui déclarait que «Richard était continuellement couvert » (et par tous les joueurs du Toronto ... il prenait même la peine de les nommer) mais « sans rudesse excessive ... » Autrement dit, on pouvait manquer ouvertement aux règlements en couvrant Richard, en autant qu'on n'utilisait pas une « *rudesse excessive* ».

Quant à la deuxième altercation, le geste du Rocket n'est pas excusable, mais il s'explique. Tout d'abord, il n'était pas le seul à se *battre à coups de bâtons* et si le hasard avait voulu que ce fût lui la victime d'Ezinicki, comme il le fut et comme il le sera souvent au cours de sa carrière, est-ce qu'on aurait utilisé le mot *berserk* pour

1. Laughlin, G., *The Evening Telegram,* Toronto, 11 avril 1947.

l'ami Ezinicki ? Il est permis d'en douter !

Après cette affaire, la guerre entre Montréal et Toronto continua, plus acerbe que jamais... excepté pour M. R.W. Hewitson, de Toronto, et M. Clarence Campbell, lui de Montréal. Eux, il s'entendaient à merveille. Bill Chadwick[1] qui arbitra la partie en question s'était royalement fourvoyé lorsqu'il donna une punition de match à Maurice, après que ce dernier eut frappé Ezinicki.

L'éminence grise de la L.N.H. essaya tant bien que mal, et plutôt mal que bien, de justifier la décision de Chadwick lors d'une conversation téléphonique qu'il eut avec M. R.W. Hewitson, rédacteur en chef des pages sportives du *Evening Telegram* de Toronto, conversation que M. Hewitson rapporta dans son journal. Celui-ci il faut le dire, seconda superbement M. Campbell dans cette tentative de justification.

M. Campbell déclara que le tout était très clair, parce que couvert par le règlement 49 intitulé « Blessure délibérée à un adversaire ». Il se lit comme suit :

> « Une punition de match doit être imposée à un joueur qui blesse délibérément un adversaire. Une punition de match doit être imposée à tout joueur qui blesse délibérément et si gravement un adversaire par un « cross check », en le poussant, le chargeant, le dardant, lui donnant un coup d'épaule ou en le jetant contre les buts, les poteaux des buts ou toute autre partie des buts, que *ce joueur ne puisse plus continuer à jouer dans la partie.*

Suit une note qui dit :

> « Avant d'appliquer cette punition, l'arbitre doit consulter le gérant ou l'instructeur et *s'assurer* que le joueur blessé ne retournera pas dans la partie ! »[2]

Comme le disait si bien M. Campbell à son ami H. Hewitson, ce règlement ne pouvait être plus clair.

1. — M. Chadwick pouvait donner une punition de match si le joueur blessé ne pouvait revenir dans la partie.

2. — Avant de donner cette punition, Chadwick devait consulter le gérant (peut-être était-il en Floride ?) ou l'instructeur pour s'assurer qu'Ezinicki ne reviendrait pas au jeu.

3. — Chadwick n'a pas consulté le gérant ou l'instructeur !

---

1. Chadwick : traduction : « individu qui déteste les Canadiens français ».
2. *The Evening Telegram,* 11 avril 1947, p. 22.

4. – Ezinicki est revenu au jeu !

5. – Chadwick aurait dû apprendre ces règlements, il n'aurait pas mis son président dans l'embarras...

Et M. Campbell interpréta ce règlement d'une façon farfelue : il soutint que l'arbitre n'étant pas un médecin, ne pouvait pas savoir si le joueur était en mesure ou non de revenir au jeu. Très juste ! C'est même pourquoi le règlement exige que l'arbitre consulte le gérant ou l'instructeur. Donc, si le raisonnement de M. Campbell était exact, Chadwick, médecin et arbitre, savait que « Ezi » ne reviendrait pas et il imposa alors une punition de match. Hélas « Ezi » est revenu...

M. Hewitson, voyant que M. Campbell était un peu embrouillé, vint à son secours en lui mettant les paroles dans la bouche : *In other words, it's the act and not the extent of the injury that determines the sentence ?* (« En d'autres mots, c'est l'acte qui détermine la sentence et non pas la gravité de la blessure ? »)

Dans un grand soupir de soulagement, Campbell répondit : *That is right !*(Sans traduction...)

MM. Hewitson et Campbell venaient d'ajouter une nouvelle « note explicative » au règlement 49. Les satisfaisant eux-mêmes, ces explications allaient sûrement satisfaire la population de Toronto et des campagnes environnantes. Ils continuèrent de discourir sur la sentence à donner au coupable. Parce que Richard était déjà coupable... Ils s'entendaient bien, jugez-en vous-même :

> « Avez-vous une idée quelconque de ce que sera votre sentence en ce qui concerne Richard ?
> – A ce stade-ci, pas encore. Pas avant d'avoir parlé à Richard.[1]
> – Si nous essayons de deviner, pensez-vous que nous avons quelques chances de nous approcher de la vérité ?
> – Je pense que oui.
> – Eh bien, nous estimons que Richard recevra 100 dollars d'amende, qu'il sera dans le train quand les Canadiens se dirigeront vers Toronto cet après-midi et qu'il sera sur la glace demain soir au Maple Leafs Gardens. Ezinicki et Lynn y seront également. »[2]

C'est pas fantastique ça ! Quand on dit que la réalité dépasse la fiction ! L'expression ici n'est pas assez forte... Imaginez-vous, le

---

1. C'est gentil, tout de même !

2, Hewitson, R.W. *The Evening Telegram,* Toronto, 11 avril 1947, p. 22.

juge discutait tout bonnement avec un journaliste de la *sentence* de l'accusé... C'est donc dire qu'il le jugeait déjà coupable, sans l'avoir entendu... D'ailleurs le juge admettait carrément cette culpabilité : « Vous pouvez essayer, vous serez peut-être près de la vérité, » dit M. Campbell.

Comment qualifier une chose aussi écœurante ? C'est bien difficile ! C'était tellement aberrant... M. Campbell, du haut de sa grandeur, écrasait de sa botte anglaise Maurice Richard, et en celui-ci chaque Canadien français se sentait écrasé. Et la chose était menée de façon tellement grossière et éhontée par ce président qui n'était même pas capable de cacher son jeu ! C'était vraiment prendre les « colonisés » pour des imbéciles... Il est permis de croire que Campbell et Hewitson n'avaient pas complètement tort... Le journaliste André Rufiange a été l'un des rares qui dénoncèrent cette situation dégradante. Je suis sûr qu'il s'en est trouvé des centaines pour le ridiculiser en demandant pourquoi il se montrait si indigné. Hélas, il y en aura toujours trop de ces gens qui ont peur d'affirmer leurs convictions. Ils ont honte de leur père, de leur mère, de leur sœur. Ils ont honte de leurs amis. Ils ont honte de leur peuple, de leur pays. Ils traînent toute leur vie le terrible *boulet du respect humain.* Esclaves de leurs esprits, ces gens sont des esclaves qui s'ignorent...

Est-ce que c'était la première bataille à coup de bâton dans la Ligue nationale ? Non, de telles choses étaient monnaie courante... Est-ce que Metz et Juzda avaient été impliqués dans des histoires semblables pour avoir blessé *gravement* Lach et O'Connor ? Pas du tout... Est-ce que Lynn et Ezinicki étaient gravement blessés ? Pas assez pour les empêcher de revenir au jeu, et je cite à nouveau M. Laughlin, de Toronto :

Vic Lynn et Bill Ezinicki retournèrent « tous les deux » dans le feu de l'action après avoir été pansés. Chacun reçut six points de suture. »[1]

D'ailleurs, Maurice recevra le même genre de coup et de blessure de la part de Hal Laycoe en 1955, et M. Laycoe n'écopera ni amende ni suspension... Le coupable : Richard ! *Of course !*

---

1. *The Evening Telegram,* Toronto, vendredi 11 avril 1947, p. 22.

M. Hewitson avait fait du beau travail... Il avait bien aidé M. Campbell à prononcer sa sentence : oui, l'amende, c'était une bonne idée, mais Clarence y ajouta 150 dollars de plus... Oui Ezinicki et Lynn furent de la partie, mais pas Richard... Oui, Conny Smythe se frottait les mains. Maurice Richard suspendu, la coupe Stanley n'aura coûté à l'ami Smythe que douze points de suture...

La guerre des tranchées était terminée, celle de l'encre débuta : Smythe, tel un bon soldat, prit l'initiative des hostilités en déclarant que les Canadiens avaient été impliqués dans trois bagarres au cours de la saison et contre trois clubs différents, c'est-à-dire Boston, New York et Toronto. Selon lui, c'était suffisant pour indiquer le coupable : *That's definite proof of where the fault is.* Quel argument impressionnant! Le genre d'argument qui, à n'en pas douter, aurait fait autorité au tribunal du juge Campbell ! Sacré Connie, va ! Il faut se rappeler que Connie avait appris dans l'armée, la même que Campbell, que pour contre-attaquer, il fallait créer une diversion.

Frank Selke fit échec aux attaques de Smythe, en ces termes :

« Je dirai ceci. Je n'excuse pas l'action de Richard. Il a été toutefois l'objet de beaucoup de mises en échec cette saison — beaucoup de mises en échec illégales. En ce qui a trait à Ezinicki, je crois que les Maple Leafs de Toronto sont tout autant responsables que les Canadiens de ce qui est arrivé sur la glace du Forum hier soir. Ils sont responsables parce qu'ils ont dans leur club un joueur tel qu'Ezinicki qui cherche noise. »[1]

Ces paroles de Frank Selke n'étaient pas que du « chialage » après les faits. Car, juste un peu avant le début des séries, voici ce que nous rapportait Elmer Ferguson dans sa chronique « *The Gest and Jist of it* ».

« Si les Canadiens sont privés de la victoire de la coupe Stanley pour laquelle ils étaient considérés comme les grands favoris à un moment donné, vous pourrez attribuer leur écroulement aux accidents et aux blessures graves (crippling). »[2]

Dick Irvin était de cet avis. Il commentait alors la fracture que venait de subir Buddy O'Connor à l'os de la joue et qui était pratiquement une réplique de la blessure qu'avait subie Lach au début de la saison. On se rappelle que Lach avait été mis hors de combat

---

1. *The Evening Telegram*, Toronto, vendredi 11 avril 1947.
2. Ferguson, E., *The Herald*, Montréal, 18 mars 1947.

pour toute la saison à cause d'une fracture du crâne... Dick était ainsi dépossédé de ses deux meilleurs centres. Mais, selon lui, ce n'était pas des accidents ! Des blessures, oui ! mais pas des accidents. Il attribuait ces blessures à la trop grande mollesse des arbitres.

> « Ce n'est pas avant que la Ligue n'ait des arbitres qui séviront vivement avec une punition sévère pour les interférences aux joueurs qui ne sont pas en possession de la rondelle, que le jeu rude et les blessures infligées aux vedettes diminueront. »

Commentant l'attaque de Juzda sur O'Connor, il continuait :

> « C'est à se demander comment il se fait que Richard n'a pas été estropié pour la vie, lui aussi. Il faut qu'il soit drôlement costaud et résistant pour avoir supporté ce que les Rangers lui ont fait subir. Même quand il n'avait pas la rondelle, il a été mis en échec avec le bâton, frappé, bousculé, accroché et aucune punition n'a été donnée par l'arbitre Hayes pour ces infractions flagrantes aux règlements.
>
> « Cela a duré toute la saison et Richard doit être un marqueur hors pair pour avoir enregistré plus de quarante buts dans de telles conditions. Des mises en échec légales, personne ne s'en plaint. Cela fait partie du jeu. Mais devant la façon dont Richard a été traité à New York, c'est surprenant qu'il n'ait pas perdu son sang-froid et n'ait pas frappé en retour. Il a cependant tout accepté. O'Connor n'a jamais fait un mauvais coup durant sa carrière de hockeyeur. Il n'a jamais été impliqué dans une bataille. Il joue au hockey et s'occupe de ce qui le regarde, et c'est dur à accepter qu'un joueur comme Juzda, qui ne donne un franc « body-check » qu'une fois sur dix et qui se promène avec son bâton élevé, s'en prenne à O'Connor de cette façon-là. »

Dick Irvin fit ces déclarations trois semaines avant l'affaire Ezinicki-Richard-Lynn. Elles venaient donc confirmer les allégations de Frank Selke. Si Maurice Richard n'était pas excusable pour son geste, il l'était en raison du jeu rude et des interférences auxquels il était constamment soumis sans que les arbitres sévissent contre les joueurs qui avaient pour mission de l'arrêter par tous les moyens. Comme le mentionnait Irvin, il était encore heureux que Maurice n'ait pas perdu son sang-froid avant cela.

Il n'était pas le seul à penser ainsi. Harold Kease consacra un article à Maurice Richard pendant la semi-finale entre Boston et le Canadien. Il était loin de se douter de ce qui allait survenir quelques jours plus tard, car il intitula son article : *He usually explodes on ice* (« Il explose habituellement sur la glace »)... ou peut-être avait-il eu une prémonition...

« Richard est l'homme que tous ses adversaires essaient d'arrêter. S'il était un joueur de baseball, il recevrait des buts sur balle aussi souvent que Ted Williams. S'il était un joueur de football, toutes les tactiques de défense seraient façonnées dans le but de l'arrêter.

« Les Bruins aiment utiliser Kenny Smith ou Porky Dumart contre lui. Les Red Wings utilisent Ted Lindsay. Les Rangers utilisent Tony Leswick. Les Hawks utilisent Doug Bentley ou Alex Kaleta. C'est Lindsay qui me dérange le plus, déclare le Rocket. C'est Smith qui est le plus franc. Les autres me retiennent tous. »

Et Kease continua, propageant une idée fⁱusse qui était partagée par bien des gens, même si c'était en même temps un hommage rendu au Rocket :

« Il faut qu'ils le retiennent parce que, lorsqu'il s'échappe, Richard est une véritable bombe. À cause de sa vitesse et de sa force, Richard s'échappe souvent. Aucun joueur ne s'échappe aussi rapidement. Peu de joueurs lancent aussi bien ou sont aussi déroutants dans leurs feintes. »

M. Kease impliquait donc que tous ces accrochages, cette attention qu'on portait à Maurice était en somme un hommage rendu à ses qualités de joueur... D'accord! Mais, cette idée-là était par trop véhiculée par plusieurs journalistes. On disait alors à Maurice Richard qu'il pouvait être retenu et qu'il devait s'en accommoder... et aux autres joueurs qu'ils pouvaient retenir celui-ci, parce qu'il était un joueur exceptionnel...

De cette situation pourrie, de cette façon d'arbitrer qui punissait toujours celui qui se défendait, Maurice *devait* donc s'accommoder... et c'est exactement ce qu'il fit, jusqu'à ce qu'il éclate et qu'un joueur goûte à sa médecine !

Un autre qui partageait l'opinion de Selke, de Ferguson, d'Irvin et de Kease était Bill Cowley, le vétéran de treize saisons, alors champion marqueur de tous les temps, en buts et assistances. Selon lui, Maurice Richard avait été malmené depuis ses débuts dans la L.N.H. et cela était dû en grande partie aux instructeurs ; et c'était un joueur qui parlait. Selon lui, les Canadiens auraient littéralement valsé à travers cette série sans cette violence et sans ces blessures :

« On doit avoir de la compréhension envers Richard. Ce qui m'émerveille, c'est qu'il n'ait pas explosé longtemps avant ça. Depuis ses débuts, il a toujours été malmené. Ils ne font pas que le couvrir, ils l'assiègent. Quelques-uns de ces joueurs ne pourraient même pas tenir le bâton du Rocket, s'ils devaient jouer au hockey.

« Quant à moi, j'ai toujours admiré la maîtrise que Richard a démontrée en continuant à jouer sans exploser, comme il l'a fait avec Ezi-nicki. À mon avis, il ressemble beaucoup à Milt Schmidt. Dans mon « livre », ils sont les deux meilleurs avants de la Ligue. Tous les deux peuvent en prendre et en donner. Mais c'est toujours du hockey que vous les verrez jouer et ils sont supérieurs à tous ces joueurs, selon mon opinion. »

Comme je l'ai mentionné plus tôt, pour André Rufiange, jeune journaliste au journal *Le Front ouvrier,* l'affaire Richard était beaucoup plus qu'une bataille à coups de bâtons de hockey. Le titre de son article était sans équivoque :

« L'AFFAIRE RICHARD : QUESTION DE RACE ! Ce qui devait arriver un jour ou l'autre a eu lieu. Jeudi dernier, après 253 parties qui lui ont apporté toutes sortes d'injustices et dans lesquelles il n'avait répliqué que sagement, devant les attaques délibérées d'adversaires désireux de le blesser. Maurice Richard, la grande étoile du hockey moderne, a enfin mal contrôlé son tempérament et a abattu sur la tête d'une brute, Bill Ezinicki, son bâton de hockey. Cet acte lui valut une amende de 250 dollars et le bannissement pour une joute, sans compter une punition de match qui le força à passer vingt minutes au cachot.

« Sur cette « affaire Richard », on a fait couler beaucoup d'encre et dans tous les milieux sportifs on en entendait parler et discuter avec véhémence. De fait, la chose vaut la peine d'être discutée et il est grand temps que le favoritisme adverse et le favoritisme anglo-saxon dans le sport soient mis à jour. Oui, nous disons le *fanatisme,* le dégoûtant fanatisme que nous combattons avec acharnement depuis nos débuts dans le domaine du sport. Richard en est une victime évidente. »

« *On respecte les étoiles sauf les Canadiens français,* écrivait Rufiange en sous-titre, et il poursuivait :

« Dans n'importe quel sport on a habituellement beaucoup de respect pour les étoiles. Celles-ci sont estimées de tous les adversaires, on n'en est pas jaloux, on les admire même, mais ceci à une condition, c'est que ces étoiles ne soient pas des Canadiens français. On en a eu la preuve avec Jean-Pierre Roy, Stan Bréard, Paul Bibeault qui étaient tous des as, mais qui furent honteusement écartés de la circulation à cause de leur nationalité. Et maintenant nous voulons mettre à jour la façon révoltante avec laquelle on traite Maurice Richard.

« Richard est le plus grand athlète des temps modernes. On devrait alors le considérer avec respect, lui rendre ce qu'il est en droit d'obtenir. Mais le malheur (ou plutôt le bonheur !) veut que ce soit un Canadien français, *et contrairement* à la façon dont on a traité et dont on traite les as anglo-saxons du sport, on le jalouse par un fanatisme écœurant, on tâche depuis son entrée dans la Ligue nationale de le blesser afin que se termine le règne d'un Canadien français comme monarque du jeu de hockey. »

Selon André Rufiange, le grand responsable de tout ce fracas et des bagarres sur la glace : Clarence Campbell, le président de la Ligue « qui refuse de sévir contre les joueurs qui n'ont ni intelligence ni esprit, tel Bill Ezinicki ».

Tout aussi coupables : Conny Smythe, qui « aurait ordonné à Ezinicki, Lynn et Barilko de faire subir à Richard le même sort qu'à Lach » ; Bill Chadwick, « qui a arbitré la joute les yeux dans ses poches, le fanatisme en tête et l'intelligence dans les pieds et, évidemment, Ezinicki, Lynn et Barilko ! »

Et il terminait :

> « Quand aurons-nous notre part au banquet de la nation canadienne ? Quand serons-nous libérés de ces fanatiques qui, même s'ils sont le petit nombre, nuisent énormément à notre avancement aussi bien dans le domaine du sport que dans celui de la politique, du commerce ou de l'industrie ! *Tant que les nôtres seront bafoués de la sorte, nous ne pouvons espérer l'unité nationale.* »[1]

Pauvre Rufi ! Il y a pratiquement trente ans que ces lignes ont été écrites et si nous sommes encore invités au banquet de la nation canadienne, il n'y a toujours que neuf places à table, et nous devons ramasser les miettes du gâteau qu'on veut bien nous donner...

Il faut tirer sa révérence devant M. Rufiange qui, au risque de se faire taxer de chauvinisme devant l'intelligentsia de la « Belle Province » d'alors, a osé dire tout haut ce que pensaient ou disaient entre eux les Canadiens français... Si Maurice Richard avait toujours eu d'aussi ardents défenseurs, le racisme auquel il se heurtait aurait obligatoirement régressé. Clarence Campbell et compagnie auraient été obligés de mettre la pédale douce et d'y regarder de plus près avant de condamner.

Croyez-vous que Conny Smythe se contentait d'inciter son équipe de démolition à la bagarre ? Détrompez-vous, il y participait lui-même. Pendant que Maurice aiguisait son bâton sur la tête d'Ezinicki, Smythe s'en prenait à une spectatrice dans le Forum... S'il avait su à qui il avait affaire, il aurait changé de place, car c'est avec Lucille Richard, épouse du Rocket, qu'il eut un duel verbal ! Écoutons-la plutôt :

> « C'était le soir où Maurice frappa successivement Lynn et Ezinicki des Leafs pour se voir suspendu par Campbell. J'étais furieuse, car ces

---

1. Rufiange, André, *Le Front ouvrier*, 19 avril 1947.

deux-là persécutaient depuis longtemps mon mari. Mais ce qui me fit perdre les nerfs, ce fut quand M. Smythe se mit à crier après Maurice : *You Godamm French pea soup !* Je me retournai en lui montrant mon poing sous le nez, je ripostai *You dam yellow, why don't you stay in Toronto ?* — (« Toi, damné jaune, pourquoi ne restes-tu pas à Toronto ? »)

Smythe, qui avait la parole facile, resta pour une fois sans réplique... Il apprit par ses voisins qu'il avait devant lui Madame Maurice Richard ! Il se leva, enleva son chapeau et s'excusa de ses paroles en disant qu'il perdait parfois la tête dans l'excitation du jeu. Qu'est-ce que ça aurait été s'il avait été sur la glace ! Puis il tendit la main à Lucille en disant : « Madame Richard, je vous fais parvenir, dès demain, un chèque de 125 000 dollars à votre nom, si vous pouvez persuader votre mari de venir jouer pour mon club à Toronto... » Conny venait de retomber sur ses pieds...

Cette anecdote démontre encore une fois le genre d'abus verbaux que Maurice devait supporter et donne une petite idée de ce qui pouvait se passer sur la glace.

Bafoué, Maurice se replia dans un mutisme impénétrable... Certains journalistes qui n'avaient rien compris croyaient avoir fait une grande trouvaille : « Maurice souffrait d'un complexe de persécution ! » On aurait aimé voir leur comportement s'ils avaient été pris dans des situations semblables.

Tout ça pour dire qu'il est plus facile de parler que d'agir et que la persécution dont le Rocket était victime n'était pas le fruit de son imagination. Il en était encore tout meurtri, et ça ne faisait que commencer.

Chapitre sixième
Les vaches maigres

Comme on l'a vu au chapitre précédent, Maurice avait, en 1946-1947, cloué le bec à plus d'un de ses détracteurs par ses magnifiques performances et grâce à une saison exceptionnelle. Il avait même rallié certains journalistes qui lui étaient hostiles. Par exemple, le 31 décembre 1947, il fut choisi « Athlète de l'année au hockey » par la Helms Athletic Foundation de New York. Mais ses dénigreurs fanatiques qui rongeaient leur frein depuis un an allaient recommencer leur harcèlement, comme durant la saison 1945-1946.

Plusieurs facteurs contribuèrent à cette situation : Maurice connut une des pires léthargies de sa carrière. Parallèlement, les Canadiens furent durement frappés par les blessures, dont huit graves. La plus coûteuse fut sans aucun doute la double fracture que Toe Blake subit à une cheville. Ces blessures précipitèrent la chute du Canadien et mirent brusquement un point final à leur dynastie.

Selke commença à reconstruire l'équipe autour du noyau Durnan, Richard, Lach, Blake et Bouchard. Au tout début de la saison, il fit un échange avec les Rangers de New York. Il leur envoya Buddy O'Connor et Frankie Eddolls et reçut en retour trois joueurs des mineures, soit Joe Bell, Hal Laycoe et George Robertson.

Cette transaction a sans doute été une des rares erreurs que Frank Selke aura commises à la barre du Canadien. La presse le critiqua sévèrement. Un journaliste de Toronto écrivit : « Heureusement que nous savons que Selke et Irvin sont tempérants, car nous aurions pu croire que l'échange avait été fait, à la suite d'un long séjour à la taverne du coin ... »

Effectivement, O'Connor et Eddolls devinrent immédiatement des piliers du Rangers si bien que Buddy O'Connor et Elmer Lach se firent la lutte, toute la saison durant pour la première place des marqueurs. Quant aux trois joueurs que le Tricolore reçut, un seul, Laycoe, répondit aux espoirs de Selke. Ajoutez cette mauvaise transaction au tableau que nous avons dépeint plus haut, et vous comprendrez la piètre tenue du Canadien cette saison-là.

Dès le début de la saison 1947-1948, le numéro 9 ne put trouver le fond du filet régulièrement. Immédiatement, ses dénigreurs se mirent à l'œuvre. Certains allaient même jusqu'à le déclarer fini ... C'était une vieille rengaine.

Dick Irvin, qui avait vu son équipe dominer le circuit au cours des quatre années précédentes, ne savait plus où donner de la tête pour expliquer les insuccès de son club. Il s'attira les foudres de la population francophone du Québec lorsqu'il se tourna vers son as marqueur pour se tirer du pétrin. Il souleva un tollé de protestations lorsqu'il laissa entendre que Maurice se reposait sur ses lauriers ... C'était vraiment mal connaître le Rocket que de prétendre cela ; par contre, le « vieux Renard argenté » était parfaitement conscient qu'en faisant une telle déclaration il touchait à la corde la plus sensible du Rocket, sa fierté !

L'instructeur du Canadien n'avait pas complètement tort de pointer du doigt son ailier droit pour expliquer la piètre tenue de son équipe. De toute évidence, cela prouvait, une fois de plus, toute l'importance que prenait Richard dans les succès du Canadien. Mais dans son désir de stimuler Maurice par sa déclaration, il manqua de tact : « Il n'a pas du tout déployé son ardeur habituelle, dernièrement, de dire Irvin. Aussi, ses opposants ne le respectent plus comme auparavant. Les autres clubs utilisaient deux hommes pour le surveiller. Maintenant, ils donnent cette tâche à un seul joueur et celui-ci se tire bien d'affaire. »

Ces paroles n'eurent pas les effets escomptés. Maurice ne les prisa guère et la popularité de Dick Irvin, déjà à la baisse après l'échange O'Connor-Eddolls, chuta à nouveau auprès de la population francophone. De plus, le Forum laissait courir le bruit que d'autres vétérans seraient éventuellement échangés, ce qui était loin d'arranger les choses.

À la mi-novembre, Maurice se blessa à un genou dans une rencontre avec les Red Wings de Détroit. Cette blessure le mit au rancart pendant deux parties. Le Rocket était exaspéré à l'idée de ne pas pouvoir aider son club. Comme il le fera plusieurs fois au cours de sa carrière, Maurice recommença à jouer trop tôt. Il participa à deux parties avant de se rendre compte qu'il ne pouvait plus continuer. Il marqua quand même deux buts, un à chaque partie. Puis on le mit au repos forcé pour trois semaines et, cette fois-ci, il manqua cinq parties.

Lorsqu'il revint au jeu, sa blessure l'incommodait toujours. Il tomba alors dans une des pires léthargies de ses dix-huit ans de hockey. Le 4 décembre 1947, il réussit à sortir de cette crise avec l'aide de la petite Brenda Durnan, la fille de Bill. La jolie Brenda donna à Maurice une « patte de lapin » pour qu'elle lui porte chance. Maurice marqua un but et il reçut une ovation qui lui fit chaud au cœur. Elle était tout aussi retentissante que celle qu'il avait reçue lorsqu'il avait brisé le record de 44 buts de Joe Malone. Ses dénigreurs n'étaient sûrement pas parmi ces 11 183 spectateurs. Maurice réalisa, peut-être pour la première fois que, même si certains supposés experts continuaient à le harceler, ses véritables supporteurs, eux, lui démontraient leur indestructible loyauté. Le Rocket n'avait pas compté depuis le 27 octobre et c'était alors son troisième but de la saison.

Malheureusement, la « patte de lapin » n'eut pas un effet prolongé. Maurice retomba aussitôt en léthargie. On continua de l'attaquer de plus belle. Le club Canadien glissait rapidement vers la cave du classement. Jim Coleman, du *Globe and Mail* de Toronto, tenait Maurice pour le seul responsable de cette dégringolade.

« Les Misérables », c'était le nom que Paul Parizeau donnait maintenant aux Canadiens... et avec raison. Le Tricolore avait la plus basse fiche offensive du circuit, 70 buts en trente parties.

Il était devenu très difficile de contredire le dicton qui faisait les manchettes des journaux de l'année précédente : « Comme va Ri-

On fête la nuit de Noël, en attendant des jours meilleurs.

chard, ainsi va le Canadien ! » Maurice ne marquait pas, le Canadien ne gagnait pas ! De plus, l'autre moitié de l'équipe, Bill Durnan, ne pouvait donner sa mesure à cause de son genou droit qui lui causait des ennuis. Il avait été opéré dans ce genou au cours de l'été.

Lors d'une défaite de 5 à 2 contre Détroit, Bill fut hué par les fans du Forum. En entrant dans le vestiaire des joueurs, après la partie, il lança son hockey sur le plancher, s'affala dans son coin et fondit en larmes... Le grand Murph Chamberlain s'approcha et tenta de le réconforter : « Ne te laisse pas abattre par ça, Bill ! Ce qu'ils peuvent dire, c'est dur à prendre, mais ça a peu d'importance, car pour nous t'es toujours le meilleur gardien de but sur le marché. » Bill releva la tête et la secoua. Les yeux pleins de larmes, il répondit : « Non, Murph ! C'est fini ! je quitte l'équipe maintenant. Ils ne me détruiront pas. Je suis en bonne santé et je pars pendant que mes nerfs tiennent encore bon. » Heureusement, Frank Selke, persuasif, lui fit comprendre que c'était un très mauvais moment pour lâcher l'équipe et l'en dissuada.

Puis, comme si ce n'était pas suffisant, la guigne frappa à nouveau les Canadiens. Un peu plus d'un mois après le retour du Rocket, le 10 janvier 1948, la célèbre « brigade d'incendie » perdit un de ses plus illustres pompiers : Toe Blake, « The Old Lamplighter », subit une double fracture à la cheville droite lorsqu'il fut mis en échec par Bill Juzda. Toe annonça, optimiste : « Je serai de retour pour les séries. » Malheureusement, cette blessure mit fin à sa carrière...

Maurice était atterré : « J'étais un petit gars lorsque j'ai vu jouer « Toe » pour la première fois et j'ai toujours pensé qu'il était le meilleur de tous. » Maurice était conscient que Blake avait fait beaucoup pour lui et il ajouta : « Il me manquera sûrement. »

Rien n'allait plus pour les Habitants. La popularité de Dick Irvin en avait pris pour son rhume au cours de cette saison. À la fin de janvier 1948, un amateur menaça même de mettre le feu au Forum si Dick était encore derrière le banc le samedi soir suivant, lors d'une rencontre avec les Rangers.

Les Canadiens étaient à Toronto ce mercredi-là, lorsque la nouvelle leur en parvint. Les joueurs eurent alors l'idée de porter des casques rouges pour indiquer clairement qu'ils appuyaient leur instructeur. Au grand amusement des spectateurs, ils sautèrent tous sur la glace du Garden avec leurs chapeaux de pompiers. Mais cela ne fit qu'alimenter l'incendie... Les amateurs francophones réclamaient la tête de Irvin de plus belle et, dans une certaine mesure, avec raison. Dick s'acharnait à faire jouer certaines nullités de l'ouest du pays, démontrant un favoritisme évident envers l'élément anglophone. Par contre, il laissait pourrir plusieurs Canadiens français sur le banc.

Comme on le voit, ce n'est pas d'hier qu'a débuté cette vieille tradition chez les Canadiens... Il ne faut toutefois pas s'en prendre uniquement à l'instructeur lorsqu'un joueur peu talentueux a plus de présences sur la glace qu'il n'en mérite. Souvent il est protégé et gardé là par la direction du club.

Pourquoi des gars comme Bob Pépin, Gilles Dubé, Guy Rousseau et plusieurs autres ne réussirent-ils point à demeurer dans la L.N.H. ? « Quand on attaque la confiance qu'a en lui-même un joueur de hockey, de dire Bob Pépin du Saint-François de Sherbrooke, on détruit la moitié du joueur. » Selon le journal *les Sports* du 1er janvier 1953, Bob prétendit que les insuccès qu'ont connus Claude Robert, Tod Campeau et Jacques Locas dans la Ligue nationale étaient dus au peu de confiance que leur témoigna Dick Irvin en les laissant sur le banc.

En plus, le fait que Dick Irvin ne parlait pas français contribuait pour beaucoup à rendre ses rapports difficiles et tendus avec ses joueurs d'expression française. Certains jeunes joueurs, souvent timides et « introvertis », ont besoin de beaucoup plus de confiance et de compréhension de la part de leur instructeur que d'autres joueurs, si l'on veut qu'ils s'affirment dans un circuit professionnel.

Il existe des instructeurs qui ont ce don particulier de découvrir et de mettre à profit les talents encore non articulés de certains joueurs. Ils leur permettent ainsi de développer leur confiance en eux-mêmes et de se révéler. Ce fut là une des grandes qualités de Toe Blake, lorsqu'il devint instructeur du club Canadien pour la saison 1955-1956. On peut en dire tout autant du fameux Vince Lombardi, des Packers de Greenbay, au football américain.

C'était en somme ce que Bob Pépin et les amateurs francophones reprochaient à Dick Irvin : ne pas démontrer la même patience à l'endroit des jeunes joueurs francophones qu'envers les recrues anglophones. Pour les partisans francophones, cela signifiait un favoritisme envers l'élément anglophone du club, qu'il était difficile de lui pardonner, d'autant plus que la dégringolade du Tricolore semblait leur donner raison.

Quant à Dick Irvin, il prenait le tout avec un calme olympien qui surprenait tous ses amis. Avec son humour irrésistible, il expliquait :

> « Je n'ai pas changé de méthode, j'ouvre encore la porte de la main gauche pour laisser passer les joueurs. Quand l'autre équipe menait par un but, je n'avais qu'à dire à la « ligne du Punch » : Il me faut un but, et j'en avais un, parfois même deux. Mais maintenant, quand nous sommes dans le même cas, je dis à ce qui reste de la « ligne du Punch » : il me faut un but, et avec un peu de chance, je réussis à les rappeler avant que l'adversaire en compte un. L'an dernier, on me trouvait excellent, pourtant. Peut-être que je devrais me servir de mon autre main pour ouvrir la porte. »

Le Rocket, lui, ne parlait pas. Il se remettait tranquillement de sa blessure. Sa réponse à tout ce charabia fut des plus éloquentes : stimulé par la perte de son ami Toe et son genou allant beaucoup mieux, Maurice entreprit une poussée qui, si elle avait débuté plus tôt, aurait permis au Tricolore, au dire d'Irvin, de se glisser dans les séries de fin de saison. Il enregistra presque 25 buts dans la deuxième moitié du calendrier de cette saison 1947-1948. Au cours des treize dernières parties, le Rocket conserva la moyenne d'un but par match. « Arrêter Richard » était redevenu la hantise de tous les clubs de la Ligue. Si on parvenait à le tenir en échec, on réussissait souvent à anihiler l'offensive du Canadien. Maurice constituait à lui seul 25 pour cent de l'offensive du Bleu-blanc-rouge : *He was a real ball of fire !* (C'était un véritable météore !), de rapporter un journaliste.

Ce second souffle du Rocket inspira tellement les Habitants que, vers la fin de la saison, Irvin avança que son équipe était maintenant aussi bonne que n'importe quelle équipe de la L.N.H. Ce qui, en fait, rencontrait l'opinion de plusieurs observateurs du circuit et également celle du peu loquace Richard qui commenta : « Ils vont faire une grosse erreur s'ils essaient de faire trop de changements la prochaine saison. Nous allons très bien maintenant après avoir été très malchanceux. Comme elle est maintenant, c'est une très bonne équipe que nous avons. »

Hélas, ce fut quand même insuffisant : pour la première fois en dix-neuf ans, Dick Irvin ne réussit pas à conduire son équipe aux éliminatoires...

Maurice termina la saison avec 28 buts, ce qui lui conférait la troisième place des marqueurs de francs buts. Et avec 28 buts et 25 assistances, il n'était devancé que par six joueurs de la L.N.H. au classement des marqueurs.

Eh bien ! cette production était jugée insuffisante par ses fans et par les journalistes francophones qui exigeaient de lui des saisons de quarante buts et plus. Cependant, on ne tarissait pas d'éloges envers Ted Lindsay qui n'avait que cinq buts de plus à son actif. Pourtant, Ted, avec 33 buts et 19 assistances, ne s'était classé qu'au neuvième rang des marqueurs de la L.N.H., alors que Richard était au septième.

En fait, Maurice était devenu pour le hockey ce que Babe Ruth représentait pour le baseball. Une saison de 28 buts pour le Rocket était impensable selon ses fans, tout comme l'était une saison de 35 circuits pour le Babe...

Elmer Lach qui avait profité de l'extraordinaire poussée du Rocket avait accumulé 18 points en douze parties, pour devancer de justesse son ancien coéquipier Buddy O'Connor des Rangers par la marge d'un point. Elmer, avec sa fiche de 61 points, était le champion des marqueurs, alors que Maurice avec ses 53 points était considéré par certains comme « un bum ».

Ce genre d'attaques, ces tentatives de dépréciation faisaient mal à Maurice. D'autant plus qu'elles venaient de Canadiens français. Si, comme le faisait remarquer un journaliste, tout cela démontrait en quelque sorte la grandeur du Rocket, cela n'autorisait tout de même pas certains observateurs, supposément avertis, à remettre continuellement en question les qualités de hockeyeur du Rocket.

Le plus étrange de tout cela, ce fut le fait que Lindsay, « Ted the Terrible » lui-même, prit la défense du Rocket : « Qu'est-ce qu'ils veulent de plus de ce gars-là. Que j'obtienne 28 buts par saison et je serai satisfait. Une production de vingt buts est jugée comme excellente et Richard en a souvent réussi deux fois plus. Mais lorsqu'il tombe en léthargie (et ce ne sont pas de grosses léthargies) et qu'il ne produit plus autant, les amateurs de hockey ne sont pas satisfaits », d'expliquer Ted.

Ironiquement, cependant, Maurice fut nommé pour une quatrième année consécutive dans la première équipe d'étoiles, ce qui venait confirmer les avancés de Lindsay. Bill Durnan céda à Turck Broda, du Toronto, le trophée Vézina. Ce fut la seule fois que Bill perdit ce fameux trophée au cours de sa carrière. Tout comme le Rocket, Elmer Lach fut aussi choisi pour faire partie de la première équipe d'étoiles et il obtint évidemment le trophée Art-Ross. Une anecdote assez savoureuse est rattachée à la conquête de ce trophée en cette fin de saison.

La rivalité entre Frank Boucher, instructeur des Rangers de New York, et Dick Irvin était toujours à son point culminant. Or, dans une des dernières parties de la saison à New York, Boucher mit tout en œuvre afin que Buddy O'Connor terminât en tête des marqueurs. Le résultat de la partie avait peu d'importance puisque les Rangers s'étaient assurés la quatrième place au classement, juste devant le Bleu-Blanc-Rouge... Les Canadiens gagnèrent et on sait qu'Elmer Lach termina un point devant O'Connor même si, de l'avis de Frank Selke, il fut privé par le marqueur officiel de quatre assistances sur les quatre buts du Rocket.

Le côté étonnant et savoureux de toute cette histoire, c'est que le Rocket avait tout de même compté quatre buts, à savoir un but et un « tour du chapeau » ! Un « tour du chapeau » compté dans des filets vides... oui, des filets déserts. Écoutons Maurice :

« La deuxième période allait prendre fin lorsque New York retira son gardien. J'ai alors compté dans ce filet ouvert. Après dix minutes de jeu, à la fin de la troisième période, le gardien était retiré pour une deuxième fois. Dès la mise au jeu, je comptai à nouveau et comme la partie prenait fin, les Rangers retirèrent leur gardien une troisième fois et je comptai mon troisième but... »

C'est sur cette note humoristique que prit fin cette saison 1948 pour les Canadiens. C'est au moins un « tour du chapeau » où le Rocket n'a pas eu à se battre pour réussir et c'est aussi un « tour du chapeau » que le statisticien de la L.N.H. n'a pas su à quel gardien attribuer !

Au début de la saison 1947-1948, Maurice et « Butch » Bouchard avaient signé leur contrat dix minutes avant le début des activités. Cette fois-ci, pour la saison 1948-1949, Frank Selke n'eut pas ce genre de difficultés. Maurice accepta les conditions du gérant général dès le début du camp d'entraînement.

Tous ceux qui suivaient de près l'entraînement du Canadien s'entendaient pour prédire une excellente saison au Rocket. Maurice y allait à fond de train et, à le voir patiner, cette prédiction semblait vouloir se réaliser assez facilement. Jacques Beauchamp avait été le premier à tirer cette conclusion, je crois. Quand on connaît le succès de Jacques dans ses prédictions... Ce qui devait arriver arriva. Maurice connut la pire saison de sa carrière. Il enregistra vingt buts et dix-huit assistances et, toujours aussi bousculé et harcelé, il devint un des « vilains » du circuit. Il passa 110 minutes au cachot.

La campagne venait à peine de débuter que déjà l'« anti-Richardite » faisait rage...

Frank Boucher, instructeur des Rangers de New York, lui-même un des grands du hockey, était sans doute son adversaire le plus acharné. Il disait à qui voulait bien l'entendre que Maurice Richard s'était moqué de la défensive des pauvres clubs du temps de guerre, mais que maintenant il était dépassé par les puissantes défensives des clubs de la L.N.H., qui s'étaient tous renforcés. Mais voilà comment il termina son analyse : « Mais ne vous méprenez pas. Si le Canadien, par hasard, décidait de libérer Maurice Richard, je serais des plus heureux de l'accueillir avec mes Rangers... »

Quel étrange et contradictoire commentaire ! Pourquoi cet acharnement de la part de Boucher à ne point vouloir reconnaître Maurice Richard comme un des grands du hockey ? Vous trouverez la réponse dans l'avant-propos. Plus tard, beaucoup plus tard, Boucher deviendra un admirateur du Rocket.

Fidèle à son habitude et à son personnage, Maurice ne répondait ni ne commentait jamais ce genre d'attaque. C'est Frank Selke qui y répondit, le 21 novembre 1948, dans la colonne de Roger Meloche, « Sport-O-Scope » de *La Patrie* :

« Frank Boucher a perdu beaucoup de prestige par les paroles qu'il a prononcées. Il a fait preuve de beaucoup de préjugés et, quoi qu'il en dise, Richard est le plus grand joueur de la décennie. »

Ces paroles bien pesées, comme toujours, avaient été précédées d'une phrase non équivoque, quant à l'opinion qu'avait Frank Selke sur cette sortie de Boucher : « Boucher se croit très intelligent et il lui arrive quelquefois d'ouvrir la bouche pour dire des bêtises. »

Ce n'est là qu'une des nombreuses attaques auxquelles le Rocket devait faire face. S'il ne se défendait pas verbalement, il s'arrangeait toujours pour donner le « coup de grâce » à ses détracteurs par des K.O. retentissants !

Le 15 janvier 1949, à Montréal, le Canadien battait Chicago 7 à 1. Maurice Richard réussissait dans une électrisante performance le « tour du chapeau » et son 200e but sur une passe de son ami Kenny Mosdell.

En ce temps-là, réussir 200 buts dans la L.N.H. était une tâche ardue, même pour ceux qui avaient obtenu des moyennes de plus d'un but par partie au cours d'une saison. Tous les joueurs qui avaient atteint cette marque étaient d'avis qu'il était très difficile d'y arriver.

Pourtant, en l'espace de six saisons seulement (en cinq si l'on fait abstraction de la première et des parties manquées par suite de blessures), le Rocket avait réussi à faire partie du club très sélect des 200 buts. *Il était le premier à réaliser cet exploit en 308 parties.* Le grand Nelson Stewart était celui qui le talonnait de plus près, avec 340 parties. Quinze autres joueurs qui en faisaient partie avaient tous mis en majorité dix saisons et plus pour réussir ce 200e but... C'était sans doute le meilleur argument que Maurice pouvait présenter à ses dénigreurs et il en présentera longtemps de ce genre et tout aussi frappants...

Maurice, qui avait pris l'habitude de ne jamais faire les choses à moitié, avait accompli son exploit en réussissant le « tour du chapeau » ! Ses coéquipiers s'empressèrent de le féliciter. Bill Durnan qui voguait vers un cinquième trophée Vézina l'encouragea à sa façon : « Maurice continue de garder la rondelle dans les filets adverses et moi je vais la garder hors du nôtre. »

L'ami personnel de Maurice, M. Bill Chadwick en personne, lui remit la rondelle de ce 200e but...

Quant à Dick Irvin, l'homme aux déclarations percutantes, il loua le Rocket et fit des prédictions qui prouvèrent une fois de plus sa perspicacité :

> « Il est le meilleur compteur depuis que Stewart a quitté les rangs et je suis sûr qu'il va dépasser le record de ce colosse. Il est de la race de ceux qui s'améliorent avec les années. Tout comme Bill Cook, il aura quelques-unes de ses meilleures saisons après ses 30 ans. »

De l'autre côté du Forum, l'instructeur des Black Hawks de Chicago, « Chuck » Charlie Conacher, lui-même célèbre ailier droit, était interviewé par Jacques Beauchamp. Il déclara sans ambages :

> « Eh bien ! Je peux vous dire qu'il est le meilleur ailier droit que j'aie jamais vu à l'œuvre. »

Un autre grand du hockey, compagnon de ligne de Nelson Stewart, était persuadé, lui, que Richard était un *authentic great* (« un véritable grand du hockey »). Pourtant Hooley Smith n'avait pas la louange facile :

> « Je n'ai *jamais* vu quelqu'un qui pouvait mieux que lui, percer une défensive. C'est un « super-joueur », un des rares que j'aie vus depuis que j'ai quitté le hockey. »

Venant d'un individu tel que Hooley Smith, qui avait vu tous les « grands » de sa génération, je crois que ce fut là un des plus beaux hommages qu'ait jamais reçus Maurice, d'autant plus qu'il venait d'un joueur de hockey...

Cet hommage met en lumière le fameux cliché qui a été si populaire et qui a été utilisé maintes et maintes fois par les journalistes qui voulaient limiter le mérite du Rocket. On disait alors que le « Rocket était très efficace, très dangereux de la ligne bleue adverse jusqu'au but », en sous-entendant par là qu'il n'était pas aussi efficace défensivement.

Présenter cet argument de cette façon, même si ce n'était pas complètement erroné, c'était discréditer le Rocket. C'est aussi l'argument de quelqu'un qui n'a jamais joué au hockey.

Premièrement, les statistiques ont prouvé que Richard était très efficace défensivement. En second lieu, il était un excellent joueur d'équipe qui jouait très bien son *rôle* d'ailier droit.

Autrement dit, il était en avance sur son temps. À travers les années de formation qui avaient fait de lui un hockeyeur professionnel, Maurice avait compris le principe de la spécialisation qui sera appliqué sur une grande échelle dans tous les sports quinze ans plus tard... Par exemple, le baseball a son « frappeur d'urgence » ou son « lanceur de relève ». Souvent ces deux joueurs ne font que ça, ils ne jouent à aucune autre position. Le football a son « botteur de précision » et le hockey a son « tueur de punition ».

Le Rocket a développé sa technique et sa stratégie en fonction du but ultime du sport : la victoire ! Même s'il excellait partout, Richard s'est spécialisé dans la « finition des jeux », ce qui consiste à rendre une attaque fructueuse en terminant le jeu par un but... Il s'était donc spécialisé comme « frappeur de circuits », comme « marqueur de touchés », soit la plus dure spécialité du sport.

Le rôle d'ailier dans le hockey moderne n'a jamais été un rôle de fabricant de jeu. En général, ce rôle est dévolu au joueur de centre et aux défenseurs. Par ailleurs, Maurice a démontré à plusieurs occasions qu'il pouvait très bien réussir dans ce domaine également. Mais avec sa personnalité explosive, il préférait de beaucoup finir les jeux plutôt que de les préparer et, dans ce domaine, *personne* ne pouvait l'égaler. Or, lorsqu'on mentionnait que le Rocket était dangereux uniquement entre la ligne bleue adverse et les buts, comparativement à Morenz qui, disait-on, était efficace dans les deux sens, on retirait d'une main le mérite qu'on lui avait donné de l'autre parce que, pour une raison ou pour une autre, on oubliait de présenter les deux éléments mentionnés plus haut, à savoir : le record défensif du Rocket et ses montées à l'emporte-pièce, de ses propres buts au but adverse. Et, ce qui est le plus important, ces analystes oubliaient de le mentionner, peut-être parce qu'ils n'avaient jamais joué au hockey — donnons-leur le bénéfice du doute —, c'est que c'est entre la ligne bleue adverse et les buts qu'il est difficile d'exceller ! Tout joueur de hockey vous dira qu'il est relativement facile de réussir entre ses propres buts et la ligne bleue adverse, mais que dans la zone ennemie, c'est une autre histoire. Combien de « marchands de vitesse » chez nos Canadiens, pour employer l'expression de René Lecavalier, étaient excellents dans ces conditions ? Mais neuf fois sur dix, leurs montées avortaient dans un coin de la zone ennemie. C'est un peu comme les Alouettes des années 50 et 60 qui ont toujours été fantastiques de leur propre ligne des buts jusqu'à la ligne de 20 verges du club adverse.

Pourquoi ? La réponse est assez facile. Sur une patinoire, l'espace est restreint dans la zone défensive. La circulation y est intense ; onze joueurs s'y disputent la possession du disque, la mise en échec y est donc fréquente et serrée. Enfin, sentant la soupe chaude, chaque joueur défensif donne le meilleur de lui-même et souvent un peu plus, car il faut compter avec de nombreux accrochages et avec tous les coups illégaux qui s'y portent.

Le but ultime étant la victoire, pouvoir mettre en pièces les défensives adverses — comme seul pouvait le faire le Rocket — est véritablement la norme qui permet de séparer « les hommes des enfants ». Pour revenir à nos Alouettes, leur jeu si brillant, si inspiré fut-il pour 80 verges, ne leur donnait pas la victoire... Ils devaient faire des « touchés » pour espérer gagner ! Ce qu'ils ne parvenaient pas à réussir...

Pour toutes ces raisons, je crois que Hooley Smith a accordé au Rocket *le plus grand tribut* qu'on puisse accorder à un joueur de hockey !

Le rédacteur Baz O'Meara confirmait en quelque sorte ces dires, lorsqu'il déclarait un peu avant ce 200e but :

> « Ils le retiennent, le chargent, l'enfargent, lui donnent du coude et généralement se jettent sur lui aussitôt qu'il traverse cette ligne bleue. S'il n'avait pas tant de tours dans son sac, il passerait la majeure partie de la saison dans du plâtre de Paris. Étant donné tous les coups qu'il reçoit, Richard est un joueur propre et grandement respecté pour la façon dont il utilise ses poings. »[1]

Quant à Gene Ward, journaliste de New York, son appréciation du Rocket était sans équivoque :

> « Richard, au meilleur de sa condition, est le plus dangereux manieur de rondelles de l'histoire du hockey. »

Au cours des jours sombres que connaissait le Rocket, une rumeur circulait, sous-entendant qu'il ne s'entendait pas à merveille avec la direction du Forum. Conny Smythe, qui n'avait pas fait les manchettes depuis longtemps, décida que l'occasion était propice. Il envoya Happy Day à Montréal (l'extravagant Smythe était *encore* en Floride...) avec pour mission d'acheter le contrat de Maurice Ri-

---

1. O'Meara Baz, *New Liberty*, décembre 1948.

chard. L'instructeur des Maple Leafs de Toronto était chargé d'obtenir les services de Maurice à tout prix : « Nous considérons Richard comme le plus grand ailier, sinon le plus grand joueur de la ligue. » Et du même souffle, il ajoutait : « Nous avons l'argent et sommes prêts à le dépenser si Frank Selke le veut ! » Conny Smythe avait de la suite dans les idées si l'on se rappelle la proposition qu'il avait faite à madame Richard pendant les séries de 1947... Une photo du Rocket portant le chandail des Leafs parut en première page du *Globe and Mail*. On pouvait lire en-dessous : « N'est-ce pas que ce chandail lui irait bien ? »

Frank Selke répondit aussitôt : « Richard n'est ni à vendre ni à échanger tant que nous serons à la direction des Canadiens ! » Irrité, Dick Irvin glapit seulement : « Publicité ! »

Maurice répliqua à cette publicité, encore une fois à sa façon, par deux performances étourdissantes, une au Forum et l'autre au Garden de Toronto. Paul Parizeau écrivit en gros titres dans *Le Canada* du lendemain : LE TORONTO BAT LE CANADIEN ET RICHARD BAT EZINICKI. Cela se passait le 3 février 1949 :

> « Quelques minutes de bon hockey seulement, beaucoup de lutte de la part des Leafs, ainsi qu'un épisode de boxe enlevant au cours duquel Maurice Richard a servi à Bill Ezinicki la plus magistrale râclée de sa carrière. »

Le Canadien avait été défait au compte de 4 à 1 et c'est évidemment le Rocket qui avait sauvé le Tricolore du blanchissage.

Cette rivalité entre Richard et Ezinicki durait depuis fort longtemps. On se rappelle les séries 1947... Cette vendetta était suivie avec enthousiasme et avec le plus grand intérêt à travers tout le circuit.

Ce soir du 3 février, le tout avait débuté par un duel à coups de bâton. Maurice, qui excellait aussi dans cette discipline, brisa le sien sur une épaule d'« Ezi » ! En s'en allant tous deux au banc des punitions, ils en vinrent aux coups. Maurice passa à « Wild » Bill, une série de crochets qui l'envoyèrent au plancher... En se relevant, Bill tomba dans les bras du grand « Butch » Bouchard qui faillit le lancer de l'autre côté de la clôture.

Pauvre « Ezi », il fit les frais de la plus belle exhibition de boxe qui eut lieu au Forum en 1949. Il sortit de tout ça avec trois coupures aux lèvres et au visage et un nez enflé. Pour le reste des hostili-

*Wild (Bill) Ezinicki. Malgré leur ri-
valité, Maurice a toujours bien aimé
« Ezi ». Il admirait sa détermination.*

tés, ce ne fut plus « Wild » Bill, mais Bill tout court, qui patrouillait
l'aile gauche : il était devenu doux comme un mouton, Bill . . .

Puis au voyage suivant à Toronto, six jours plus tard, Maurice,
handicapé par une blessure à un côté, décida de jouer quand même
parce qu'il y avait trop de blessés dans l'équipe du Canadien. À la
rencontre précédente entre ces deux clubs, Bill Barilko, le capitaine
de l'escouade de démolition du Toronto, avait envoyé coup sur coup
à l'hôpital Ken Reardon et Normand Dussault. Toronto utilisa à
nouveau ses tactiques d'intimidation et cela lui profita, car il prit une
avance de 2-0. Mais le jeu rude, loin d'intimider le Rocket, le stimulait. Et Maurice transforma cette défaite certaine de 2 à 0 en une
partie nulle, marquant les deux buts de son équipe.

Depuis deux ans, depuis la fameuse bataille Ezinicki-Lynn-Ri-
chard, en 1947, Maurice était l'ennemi public numéro un à Toronto . . . Mais après ces deux exhibitions, M. Trent Frayne, de Toronto,
louangea le Rocket, et sans y aller de main morte comme on va le
voir :

> « Richard est tout simplement magnifique. C'est le Babe Ruth du
> hockey ! La plupart des gardiens de but préféreraient faire face à leur
> belle-mère plutôt qu'à Richard, Bill Durnan étant évidemment la seule
> exception. »

Pour un joueur qui connaissait sa plus désastreuse saison ce n'é-
tait pas si mal, si l'on considère que Maurice jouait au sein d'un trio

113

défensif, de faire remarquer Dick Irvin. (Ses partenaires étaient Chamberlain et Mosdell.)

Si cette saison 1949 avait été « désastreuse » pour le Rocket, elle l'avait été aussi pour tous les joueurs de la Ligue, car *pas un seul* n'avait atteint le plateau des trente buts ! Sid Abel, des Red Wings de Détroit, venait au premier rang des marqueurs de francs buts, avec la marque même qu'on avait jugée insuffisante pour le Rocket la saison précédente : 28 buts. 123 joueurs sur les 133 de la L.N.H. avaient marqué moins de buts que l'ailier droit du Tricolore ...

Maurice gagna le trophée « trois étoiles » du journal *Le Canada*. Billy Reay et Bill Durnan finirent en deuxième et en troisième position, respectivement. Bill avait réussi le nombre record de dix blanchissages au cours de cette saison et il obtint son cinquième trophée Vézina et une cinquième nomination dans la première équipe d'étoiles. Richard fut aussi nommé dans cette équipe d'étoiles pour la cinquième fois de suite.

Les Canadiens terminèrent troisièmes au classement et furent difficilement éliminés en sept parties dans les séries semi-finales pour la coupe Stanley, par le club champion, les Red Wings de Détroit. Le club de Jack Adams était le grand favori pour remporter la coupe Stanley.

Dès la première partie, Lach fut mis hors de combat : « Black Jack » Stewart le mit en échec et Lach se fractura la mâchoire. Les Canadiens soutenaient que Stewart l'avait fait exprès : « Elmer n'avait pas la rondelle entre ses dents, fit remarquer Irvin sarcastiquement, et c'est pourtant là qu'on l'a atteint. » C'était une pratique populaire à cette époque pour gagner une série : éliminer un joueur-clef ... De toute façon, les dirigeants de la Ligue fermaient les yeux sur ce genre d'infractions et s'en lavaient les mains avec leur désuet et inefficace système de pénalisation monétaire.

Elmer n'était pas le seul blessé. Il y avait Jacques Locas, Émile Bouchard, Kenny Reardon, Normand Dussault et Maurice Richard.

Malgré tout, les Habitants firent une chaude lutte aux champions. La chance aurait pu tout aussi bien tourner en leur faveur. Dick Irvin n'était donc pas bien loin de la vérité lorsqu'il avait déclaré, à la fin de la saison précédente, que les Canadiens étaient aussi forts que n'importe quelle équipe.

Chapitre septième
Le Bambino du hockey

En 1949-1950, la Ligue nationale porta son calendrier à 70 parties.

Le Rocket qui n'avait pu donner son plein rendement au cours des deux dernières saisons comptait bien vaincre toute opposition cette saison-là. Il était littéralement déchaîné. Il avait tout le feu et l'enthousiasme d'une jeune recrue au camp d'entraînement.

Tel un fauve, chaque muscle de son corps répondait merveilleusement à chacun de ses élans. On se déplaçait de plus en plus pour voir le Rocket à l'œuvre. Il procurait aux spectateurs les émotions les plus vives, les plus étranges. Ses apparitions étaient attendues avec impatience ... Comme dans une pièce de théâtre, Maurice était l'acteur principal, le cœur du drame, le responsable du dénouement.

Lorsqu'il posait son patin sur cette grande surface glacée, un phénomène étrange se produisait. De timide et réservé qu'il était en privé, il semblait subitement envahi d'un feu dévorant dès le premier coup de patin. Il prenait alors possession de cette piste et en était le maître incontesté. Le magnétisme animal qu'il dégageait remplissait l'arène. Chacun en était imprégné, le ressentait et en était troublé.

Dès l'ouverture de la saison, à la première partie au Forum, Maurice s'illustra en comptant deux buts pour aider les siens à vaincre le Chicago par la marque de 4 à 0. Bill Durnan réussissait ainsi le premier blanchissage de la campagne.

Gerry Plamondon enregistra un but et une jeune recrue du nom de Gilles Dubé marqua l'autre, son premier but à sa première partie dans la L.N.H. Pour un joueur qui n'était pas assez bon pour Dick Irvin, voici comment l'avait vu Elmer Ferguson : « Le Rocket vola le spectacle, même s'il fut bien épaulé au score par le jeune Dubé qui nous arrive de la Ligue Senior du Québec. Dubé se mit en évidence à sa première partie sous la grande tente, dans une performance des plus colorées. C'est le meilleur remplaçant de Toe Blake que les Canadiens aient découvert depuis que l'aile gauche a été laissée vacante par « The Old Lamplighter ».

Bien qu'il fût incontestablement un joueur de hockey de grande classe, Dubé retourna pourrir dans les mineures tout comme Plamondon et Locas, dans une ligue où il était évidemment trop fort.

Elmer conclut sa chronique en disant : « Quand tout a été dit, il reste que c'est Richard qui a fourni les plus grandes émotions de la soirée, avec deux buts des plus appropriés pour un film de cinéma. »

C'était le « Bambino du Hockey » ! C'est ainsi que Gene Ward intitula son article :

« LE BAMBINO DU HOCKEY — QUI D'AUTRE QUE L'ÉLÉGANTE ÉTOILE DE MONTRÉAL ?

« Le Babe Ruth du Hockey est un élégant jeune homme de 28 ans aux cheveux bien lissés qui se nomme Maurice Richard. Il marque des buts pour les Canadiens de Montréal dans la Ligue nationale et il peut le faire avec plus de flair et de finesse que n'importe quel athlète du circuit, tout comme le puissant Bambino le faisait lui aussi dans le baseball. »

Après une brève rétrospective de la carrière du Rocket, il continuait :

« Les riches Rangers de New York, appuyés par Madison Square Garden Corp., ont fait une offre de 75 000 dollars pour ce fougueux marqueur. Mais la direction du Canadien n'osera jamais se séparer du Rocket, sachant trop bien qu'elle s'attirerait les foudres de la population française si elle agissait de la sorte.

« Richard est la réplique du Babe Ruth sur un nombre surprenant de points. Il est flamboyant et possède un magnétisme personnel qui excite ses « fans ».

« Le Rocket, lorsqu'il prend son élan, survole la surface glacée et décroche son puissant tir, rappelle tout du Babe s'élançant pour un coup de circuit, selon ceux qui ont vu les deux à l'œuvre. »[1]

Une telle reconnaissance, Maurice ne l'avait pas volée.

Comme une bouilloire, il était en constante ébullition, et la surveillance acharnée dont il était l'objet, loin de l'arrêter le stimulait et le rendait plus agressif que jamais. Tony Leswick en sait quelque chose... Il avait bousculé le Rocket durant toute la partie, comme à l'accoutumée. Leswick était l'un de ces joueurs détestables qui s'étaient spécialisés dans l'obstruction systématique avec tout ce que cela comprend de légal et d'illégal. Maurice décida de le corriger. Les pieds sur le bord de la patinoire, prêt à sauter sur la glace, il attendit le signal de la fin de la partie et d'un bond il fut sur Leswick, l'attaquant à bras raccourcis. Leswick tentait bien de se défendre, mais c'était peine perdue, il faisait face à un ouragan ! On avait beau les séparer, aussitôt Tony se retrouvait dans les bras du Rocket. Même Lynn Patrick se rendit compte de la rapidité des réflexes du Rocket. Après l'altercation, Maurice passa près du banc des New Yorkais. L'instructeur des Rangers nargua alors le numéro 9. Maurice, sans perdre un instant, riposta par une taloche. La discussion était close.

À la mi-novembre, ce fut au tour de Gus Mortson d'apprendre à se mêler de ses affaires. La rivalité était loin d'être terminée entre Toronto et le Canadien, même si on était maintenant en pleine guerre froide...

Ce soir-là, Maurice marqua deux buts, rossa Gus Mortson et les Canadiens sortirent victorieux de cette joute par la marque de 4 à 2 pour rejoindre les Leafs en deuxième position.

Maurice bataillait ferme dans un coin de la patinoire avec Jimmy Thompson pour la possession du disque lorsque Gus Mortson l'assaillit sauvagement par derrière. Le grand « Butch » vint prêter main-forte au Rocket. Quand ce dernier recouvra sa liberté, il appliqua une droite formidable à la mâchoire de Mortson qui s'écroula. Une bagarre générale s'ensuivit. Lorsque la paix fut rétablie, Gus « le dur » dut se retirer et au dire du marqueur officiel du Forum, Charles Mayer, il avait « la figure comme une fraisure ».

« Ce fut la soirée de Maurice Richard, selon Elmer Ferguson ;

---

1. Ward, Gene, *Sunday News,* New-York, 22 janvier 1950.

les Canadiens gagnèrent sur toute la ligne. Ils enlevèrent les honneurs de la rencontre par 4 à 2. Ils gagnèrent les batailles alors qu'il restait 49 secondes de jeu et Richard est celui qui s'est mérité la victoire la plus remarquable en couchant le robuste Gus Mortson d'une droite fracassante au menton. »

Les Canadiens étaient la première équipe à vaincre les détenteurs de la coupe Stanley hors du Maple Leaf Garden.

À la suite de cette partie, Ralph Allen, du *Toronto Telegram*, reconnaissait que Richard avait neutralisé ses dénigreurs : ROCKET RICHARD A RÉDUIT AU SILENCE LES OUI-MAIS ; c'était là le titre de son article.

Il faisait remarquer qu'une équipe de hockey était composée d'une force statique, le gardien de but, et d'une force mobile, 17 joueurs d'avant et de défense. Chez les Canadiens, cette dernière force était subdivisée en deux parties :

> « L'une des subdivisions est formée de seize attaquants décidés et l'autre, de Maurice Richard. Au cours des douze parties que cette équipe a jouées, les seize joueurs ont marqué quatorze buts, Richard en a enregistré onze. »

Il y alla ensuite d'une rétrospective sur les records de Maurice Richard, indiquant à chaque fois que ses dénigreurs avaient toujours un *Yahbut* (« Oui-mais ») à ajouter en commentant les exploits de Richard, tels ses cinquante buts en cinquante parties ou sa saison de 45 buts en 1946-1947. Ces « oui-mais » n'avaient plus de raison d'être maintenant : la guerre était terminée, de même que le règne du Canadien.

Les Canadiens étaient en deuxième place, mais sans Richard et Durnan, ils auraient été dans les fins fonds de la cave de la L.N.H.

Et Allen de conclure : « Aussi, après toutes ces années, peut-être le Rocket les forcera-t-il à admettre qu'il est vraiment un grand joueur de hockey. »

Les statistiques étaient là pour étayer fortement l'opinion d'Allen. On pouvait prévoir que Maurice allait se hisser au quatrième rang des meilleurs marqueurs de buts de tous les temps, vers la fin de la présente saison. Face aux joueurs contemporains, son dossier était tout aussi formidable. Avec seulement six saisons derrière lui, le Rocket était le *seul joueur actif dans le club des 200 buts* et plus ...

Des francs tireurs comme Milt Schmidt, Doug Bentley et Sid Abel avaient joué entre dix et douze saisons sans avoir atteint cet objectif.

Une étoile comme Syl Apps avait réussi à marquer 75 buts au cours de ses trois dernières saisons. Durant la même période, Richard en avait compté cent. Depuis la saison 1946-1947, il avait enregistré 93 buts, alors que Doug Bentley en avait marqué 64, Max Bentley 74, Teeder Kennedy 71, Roy Conacher 78, Ted Lindsay 86 et Syd Abel 61. Et on sait que c'est au cours de ce même laps de temps que Richard avait connu sa plus mauvaise saison avec vingt buts en 1948-1949 . . .

N'était-ce pas là l'évidence même de la grandeur du Rocket ? Pour toute personne bien pensante, il n'y avait pas de doute possible. Allen, très conscient de la situation, avait fait preuve de clairvoyance en disant que « peut-être » les détracteurs du Rocket allaient enfin le reconnaître à sa juste valeur. Mais ce n'était pas pour tout de suite.

Richard, mieux que quiconque, connaissait bien ce genre d'individus, pour avoir subi leurs rancœurs. Il savait bien que, pour les faire taire, il devait leur enlever toute possibilité de le discréditer. C'est ce qu'il s'attacha à réaliser : but après but, il effaçait tous leurs « oui-mais » . . .

Un peu avant Noël, on le surnommait « Goal a Game Richard ». Après 27 parties, il avait réussi le tiers de tous les buts de son équipe . . . 22 sur 66. « Quand Richard compte, le Canadien gagne » se révélait toujours une maxime exacte. On parlait aussi de Richard comme d'un *one man team* (« une équipe en un seul homme »). Irvin, toujours cinglant et moqueur, appelait le reste de son équipe *the scoreless wonders :* (« les merveilleux non-marqueurs »).

« Arrêtez Richard et vous arrêtez les Canadiens » était à nouveau le slogan des instructeurs du circuit. On se concentra uniquement sur Richard ; sa production de buts baissa et son tempérament s'enflamma . . .

En vingt parties, il ne réussit que cinq buts. Cette fois-ci, le « Richard est fini » ne se fit pas entendre. Car tout le monde savait que s'il ne fonctionnait pas, c'est qu'il était pourchassé comme jamais joueur ne l'avait été auparavant.

À la mi-février, il se moqua de ses anges gardiens et enregistra sept buts en sept parties. Il termina cette campagne 1949-1950 en conservant la moyenne d'un but par match au cours des neuf dernières parties, pour en arriver à l'impressionnant total de 43 buts et 22 assistances. Il était le seul joueur à avoir atteint le plateau des quarante buts et plus, cette saison-là. Il avait réussi ces buts sans son ami Toe Blake et avec un Elmer Lach qui avait quelque peu ralenti ... N'était-ce pas assez significatif ?

Comme prévu, Richard termina cette campagne seul au quatrième rang des marqueurs de toute l'histoire de la L.N.H. avec 248 buts. Le 3 décembre de cette saison 49-50, il rejoignit Charlie Conacher en comptant son 225e but. Sept jours plus tard, il en avait trois autres de plus à son actif et égalait ainsi le record de Dit Clapper et de Bill Cook. Le 28 janvier 1950, il atteignit la marque de 235 buts. Il était à égalité avec son vieux copain Toe Blake. Puis le 16 février, il dépassa Syd Howe qui s'était retiré avec 237 buts. Maurice était maintenant le septième meilleur marqueur de la L.N.H. Avec ses 238 buts, il n'en avait plus besoin que de cinq pour rejoindre Busher Jackson et de huit pour rattraper Cy Denneny. Le 4 mars 1950, Maurice avait rejoint Jackson et le 19 du même mois, c'en était fait de Denneny. Il marqua un but dans chacune des deux dernières parties et gravit ainsi un autre échelon en direction du prestigieux record du meilleur marqueur de tous les temps que détenait Nels Stewart. Au quatrième rang, la marge n'était plus que de 77 buts entre ces deux grands.

Len Bramson qui commentait cette fulgurante ascension déclara :

> « Nous nous demandons maintenant combien de buts le Rocket aurait pu compter s'il n'y avait pas eu des joueurs de deuxième ordre comme Kenny Smith qui le retenait chaque fois qu'il faisait un geste. Il en aurait peut-être marqué cinquante et peut-être même soixante.
>
> Il n'y a aucun doute que les interférences et les tactiques illégales qu'ont utilisées les autres joueurs l'ont empêché d'enregistrer plusieurs buts. Présentement, Richard est probablement le plus grand joueur de hockey sur glace ; toutefois on peut s'imaginer le joueur qu'il pourrait être, si seulement ces tueurs à gages le laissaient tranquille afin qu'il donne toute sa mesure. Mais laisser Richard tranquille serait sûrement une chose stupide, car alors, il marquerait sûrement soixante buts. »

Les honneurs affluaient de partout ! Une enquête fut menée à travers le Canada par le « Gallup Institute of Public Opinion » et, le

120

12 mars 1950, Maurice Richard fut choisi comme « l'athlète masculin de l'année au Canada ».

Un autre honneur lui arriva de l'équipe même qui était devenue la plus grande rivale de l'équipe montréalaise, les Red Wings de Détroit... club dont la suprématie avait précisément débuté cette saison-là, et qui devait ensuite s'imposer pendant les cinq années suivantes, élisait chaque année son « All-Opponents Team ». Il s'agissait des joueurs adverses qui lui avaient donné le plus de difficultés durant la saison. Maurice Richard fut le *seul* à être choisi *unanimement* par les 19 joueurs du Détroit comme étant leur pire ennemi... C'était tout un hommage !

Le 1er mai fut une autre date mémorable pour Maurice. Il distribua alors des cigares à ses coéquipiers pour souligner un autre de ses exploits : il fêtait la naissance de son deuxième fils, Normand.

Puis il reçut le trophée Calvert couronnant le joueur qui s'était « le plus distingué » parmi les Canadiens. Ce trophée était choisi par les partisans du Canadien qui accordèrent la première place à Maurice Richard par une très forte marge. Suivaient en deuxième position Bill Durnan et en troisième, Kenny Reardon.

Les performances du Rocket impressionnèrent suffisamment les chroniqueurs sportifs pour qu'ils le nomment dans la première équipe d'étoiles pour une sixième année consécutive, mais pas assez pour lui accorder le trophée Hart...

Len Bramson, du journal *The Herald* de Montréal, démontra que Maurice Richard était le choix logique pour le trophée Hart. Dick Irvin, qui partageait cette opinion, lui avait confié à ce sujet : « Sans lui, nous n'aurions pas fait les séries éliminatoires. »

Bramson avait intitulé son article : IL COMPTE PLUS DE BUTS GAGNANTS ET DE BUTS ÉGALISATEURS QUE LINDSAY, ABEL ET HOWE RÉUNIS. Vous admettrez que c'était un dossier plutôt impressionnant, d'autant que ces trois joueurs avaient terminé respectivement en première, deuxième et troisième place au classement des marqueurs pour la saison qui venait de se terminer.

Des 43 buts du Rocket, huit étaient des buts gagnants, dix étaient des buts égalisateurs qui donnèrent six victoires et quatre parties nulles, et douze étaient des premiers buts de la partie, toujours très importants. Il réussit de plus huit parties de deux buts au cours de la saison. De ses 22 assistances, cinq contribuèrent à donner la victoire au Tricolore, dont sa dernière de la saison qui permit de vaincre Toronto 2 à 1 et assura le Bleu-Blanc-Rouge de la deuxième position au classement de la L.N.H.

« Oui, mais son record défensif ? » À ceux qui posaient cette question, Irvin répondait sans ambages : « Les gens qui prétendent que le Rocket est un joueur *one-way* ne savent pas de quoi ils parlent. » Dick, lui, savait de quoi il parlait ! Chiffres en main, il révéla le dossier défensif de Maurice : au cours de la saison, les différents joueurs qui étaient opposés à Richard n'avaient compté que dix fois, soit quatre fois au cours des 35 parties disputées au Forum et six fois sur la route. Par exemple, Tony Leswick, des Rangers de New York n'avait réussi ni un but ni une assistance au cours des onze premières parties qu'il avait jouées contre Richard.

C'est donc dire que Maurice Richard, avec ses huit buts gagnants, ses dix buts égalisateurs qui se traduisent par six victoires et quatre nulles et ses cinq assistances qui donnèrent la victoire aux Canadiens, contribua directement à 42 des 77 points qu'ils avaient accumulés pour se mériter la deuxième position au classement de la L.N.H.[1]

Même Dick Irvin était un peu en-deçà de la vérité lorsqu'il déclarait que, sans le Rocket, les Canadiens n'auraient pas fait les éliminatoires. Non seulement ils n'y auraient pas participé, mais ils auraient été au dernier rang de la L.N.H. ! Il n'exagérait donc pas, en concluant :

> « N'importe quel joueur qui enregistre le quart des buts de son équipe est un joueur des plus utiles, dans les barèmes de n'importe qui. »

C'était d'autant plus vrai que Richard était le seul joueur de la L.N.H. à avoir dépassé le cap des quarante buts cette saison-là. Il avait même une avance de vingt buts sur Ted Lindsay, le premier marqueur de la Ligue, qui présentait une fiche de 23 buts et 55 assistances et qui appartenait à une équipe dont la suprématie était bien établie.

Qui, croyez-vous, pouvait présenter un dossier aussi impressionnant que celui du Rocket pour se prévaloir du trophée Hart ? Il n'y

---

1. Pour déterminer le classement des équipes de la L.N.H., une victoire équivaut à 2 points, une partie nulle à 1 point et une défaite à 0 point.

avait évidemment personne ! Mais certains experts journalistes se creusèrent les méninges et ils trouvèrent que « Chuck » Rayner, gardien des Rangers, avait été plus utile aux Rangers que Richard aux Canadiens . . . Quelle était la fiche de Rayner et des « Blue Shirts » ? New York était en quatrième position avec 67 points et Rayner venait au quatrième rang des gardiens de buts dans la course au trophée Vézina, avec une moyenne de 2.62 buts par partie. Même la deuxième « moitié » de l'équipe des Canadiens, Bill Durnan, avec une moyenne de 2.20 buts par partie, aurait été un choix plus logique et moins discutable.

Cette saison 1950 est un exemple frappant du fait que la remise du trophée Hart au « joueur le plus utile à son club » est plus souvent qu'autrement ridicule et injuste. Pourquoi ? Parce que la façon dont ce trophée est décerné est basée sur l'*opinion* d'individus. Dans toutes les villes du circuit, des journalistes sont sélectionnés et on leur donne le statut « d'experts » en hockey. Ils sont quelques-uns à l'être, mais leur opinion est noyée dans celle d'une majorité qui, elle, ne l'est pas. C'était vrai en 1950 et c'est encore plus vrai aujourd'hui : à cause de la multiplication des clubs de hockey, certains journalistes ne connaissent de ce sport que les comptes rendus des parties qu'ils reçoivent.

De plus, il n'y a pas de critères précis pour déterminer le joueur en question. Alors comment peut-on dire sans se tromper que tel joueur a été plus utile à son club que tel autre joueur d'un autre club ? Cela devient donc une simple question d'opinion, d'où la confusion . . . Au contraire, il n'y a aucun problème pour déterminer le vainqueur du trophée Vézina, parce qu'on se base sur les statistiques : le gardien qui a la plus faible moyenne de buts marqués contre lui est automatiquement élu.

Il est donc facile de conclure que la majorité des trophées officiels d'un sport majeur devraient être octroyés sur des mérites statistiquement vérifiables, comme le plus de buts marqués, la meilleure moyenne, etc., ou encore sur les opinions du public qui paie et suit le sport en cause. De nombreux journaux ont déjà essayé cette formule avec succès. Dans ce dernier cas, on aurait alors avantage à simplifier l'appellation du trophée en question, comme par exemple : « l'athlète de l'année », « le joueur de distinction de la Ligue », etc.

Si l'on veut être plus spécifique, comme pour le trophée Hart, on doit absolument établir des critères d'évaluation. Les « experts » ne nageraient pas dans l'incertitude et la « partisanerie ».

Maurice Richard n'avait peut-être pas su se rallier tous les « experts » de la Ligue, mais ceux qui l'admiraient en parlaient avec une ferveur qui ne se démentissait pas. M. Jim Kelly, de New York, écrivait :

> *RICHARD LIGHTNING ON ICE* (« RICHARD : LA FOUDRE SUR LA GLACE ! »)
>
> « Si vous pouvez imaginer Harry Truman passant au Parti républicain ou Joe DiMaggio dans le champ des Red Sox, vous avez une bonne idée des hurlements qui se feraient entendre si jamais Maurice Richard quittait l'équipe de hockey des Canadiens de Montréal.
>
> « À 28 ans, Richard n'est pas seulement le héros des Canadiens, il est comme une sorte de religion dans le monde du sport à Montréal. »

Et il y allait d'une rétrospective sur la carrière de Maurice, expliquant que s'il avait été taxé de *War-time hockey player,* c'est parce qu'on ne pouvait pas accepter qu'il fût si bon et qu'on lui en tenait rigueur. Il continuait :

> « Peut-être les joueurs de talent ne sont-ils pas encore de retour ou peut-être la guerre n'est-elle pas encore terminée car, dix-huit mois après le jour de le victoire, l'ailier droit Richard finit la saison 46-47 avec 45 buts. Quatre ans après que les Japonais ont été rossés, il atteindra peut-être soixante buts, s'il maintient son rythme du début dans la présente saison. »
>
> « Massif bloc de dynamite de 175 livres, Maurice a survécu à des blessures qui auraient dû le terrasser depuis longtemps. »[1]

Le Canadien termina en deuxième position derrière les champions d'alors, les Red Wings de Détroit. Mais il fut balayé par les Rangers, lors des séries qui se terminèrent par quatre victoires contre une défaite pour ces derniers.

Durnan qui avait été la proie des critiques lors des deux dernières saisons annonça définitivement sa retraite. Comme il était très sensible, ces attaques le bouleversaient terriblement. La saison précédente, il avait voulu mettre un terme à sa carrière, mais Frank Selke l'avait convaincu de rester avec le Canadien. Devant la débandade de son club, face aux Rangers, sa décision fut irrévocable.

C'était dommage ! Le Canadien perdait un excellent gardien de

---

1. Kelly, Jim, *The National Police Gazette,* Mars 1950.

but, sinon le meilleur, et les joueurs perdaient un ami et un vrai gentilhomme. Sans ces critiques acerbes et injustifiées, Bill aurait pu
garder les buts pendant quelques saisons encore. Le public est souvent cruel !

De tous les gardiens de l'histoire de la L.N.H., Bill Durnan est
celui qui a, sans aucun doute, le plus beau dossier. Le grand gardien
du Tricolore se retirait avec une fiche incomparable : en sept saisons, il gagna le trophée Vézina six fois et fut nommé six fois également dans la première équipe d'étoiles. Qui dit mieux ? La seule saison où Bill ne reçut pas ces deux honneurs fut celle de 47-48, année
où il fut opéré à un genou. Il avait tout de même réussi à se classer
troisième avec une moyenne de 2.74, comparativement à 2.38 pour
Turk Broda qui est en première place.

Au palmarès du Rocket, Bill Durnan, « Zero » Brimseks et Jacques Plante sont, dans l'ordre, les meilleurs gardiens de but de son
époque.

Chapitre huitième
« Donne-z-y Maurice !
Envoie, Maurice ! »

Avec le départ de Durnan, tous les experts du circuit Campbell s'accordèrent pour dire que les Canadiens termineraient au dernier rang du classement. Ce à quoi Dick répliqua en grognant :

« Heureusement que je ne crois pas tout ce que je lis dans les journaux, autrement je retirerais aussitôt notre équipe de la Ligue. Mais le temps me donnera raison. Nous avons une bonne équipe. »

C'était là les paroles d'un sage et d'un expert...

Bill Durnan fut remplacé par un jeune Canadien français du nom de Gerry McNeil. Chausser les patins de Durnan n'était pas chose facile. Plusieurs observateurs étaient sceptiques sur les possibilités de McNeil comme remplaçant du grand Durnan. Plutôt nerveux, il était tout l'opposé de Bill. Mais le jeune Gerry, qui avait conduit les Royaux de Pete Morin de la Ligue senior à la coupe Allan, se montra un « concierge » plus que convenable, particulièrement dans les joutes critiques. Que son nom ne figure pas sur le trophée Vézina n'est pas révélateur de sa valeur comme gardien, car il ne faut pas oublier que c'est lui qui garda les buts du Tricolore pendant tout le règne de Détroit. Terry Sawchuck, qui avait l'avantage d'avoir cette forte équipe devant lui, est celui qui s'appropria le plus souvent ce trophée de 1951 à 1955.

Le bouillant défenseur des Canadiens, Kenny Reardon, incommodé par une blessure au dos, décida d'accrocher ses patins. Un jeune défenseur flegmatique qui avait été rappelé de Buffalo lors de la désastreuse saison 1947-1948 s'affirma aussitôt. Doug Harvey révolutionna le rôle du joueur de défense. Le rôle de « bloqueur », traditionnellement attribué au défenseur, lui paraissait incomplet ; il y ajouta la mobilité et les attaques surprises.

Avec quelle facilité déconcertante Doug passait de la défensive à l'attaque et vice-versa, se faisait fabricant de jeu, et parfois gardien de but ! Mais c'était surtout une puissante arme offensive dans la zone ennemie. Ce fut au cours des années 50 que les Canadiens popularisèrent leur célèbre « jeu de puissance ». Ce jeu était utilisé lorsque l'équipe adverse était à court d'un homme. Il s'agissait alors de s'installer dans la zone ennemie avec les meilleurs francs-tireurs de l'équipe et, par un jeu de passes frisant la perfection, de parvenir à libérer un joueur pour lui permettre de tirer à bout portant sur le gardien adverse. Tous ceux qui ont eu la chance de voir les Canadiens à l'œuvre dans un de ces jeux, à cette époque-là, vous diront que ce fut un des moments les plus palpitants de l'histoire du hockey. Doug Harvey était l'un des piliers de ce jeu de puissance qui, avec l'arrivée du « Boumer », fut définitivement consacré. Qui ne se rappelle pas cette fameuse formation : Maurice Richard à l'aile droite, « Boum-Boum » Geoffrion à la pointe droite, Jean Béliveau au centre, Bert Olmstead ou Dickie Moore à l'aile gauche et Doug Harvey à la pointe gauche... Le jeu de puissance du Canadien dans les années 50 était, sans contredit, le plus dévastateur du circuit.

Maurice connut à nouveau une saison exceptionnelle. À ses quatre premières parties, il marqua quatre buts... dont deux lors de l'ouverture de la saison contre Boston, alors qu'il réussissait à nouveau à marquer tous les buts de son club. Six parties plus tard, il avait déjà accumulé neuf buts et la controverse à savoir lequel de Howe ou de Richard était le meilleur prenait des proportions de plus en plus grandes. La rivalité Détroit-Canadien devenait des plus vives. C'est sans doute à cause de cette rivalité que Maurice Richard a toujours été à son meilleur contre Détroit. Comme le faisait remarquer Andy O'Brien, plus grande était la compétition, plus éclatantes étaient les performances du Rocket.

Souvent défié, le Rocket a toujours relevé le gant et en est sorti vainqueur plus souvent qu'à son tour... au grand désespoir de Jack

Adams, l'instructeur des Red Wings de Détroit.

Le 20 décembre 1950, la deuxième version de la « ligne du Punch » se matérialisait avec l'arrivée de Bert Olmstead. Tout comme son prédécesseur, Bert était un travailleur infatigable et un champion quand il s'agissait d'aller chercher la rondelle dans les coins de la patinoire. Au cours des sept parties suivantes, Maurice compta huit buts. Olmstead était ébahi par les qualités de compteur du Rocket :

> « Lorsque j'étais avec les Hawks, je croyais que Roy Conacher était un as pour déclencher un lancer et atteindre les coins des buts, mais il ne peut se comparer au Rocket. De toute ma vie, je n'ai jamais vu un gars avec un lancer comme le sien. »

Comment Olmstead aurait-il pu penser autrement ? Dans les cinq parties suivantes, Maurice déjoua les cerbères ennemis huit autres fois et eut des assistances sur trois autres buts. En 42 parties, Richard avait réussi 28 buts !

Pendant ce temps, la controverse Richard-Howe s'envenimait... Jack Adams, qui voulait à tout prix que son ailier droit figure dans la première équipe d'étoiles, ne se gênait pas pour lui faire une publicité tapageuse. Dans le *Hockey News* du début de janvier, Adams déclara que Gordie Howe était meilleur que Howie Morenz et que Maurice Richard.

Tout comme son ami Conny Smythe, Jack Adams était friand de ce genre de déclarations. Il avait sûrement déjà oublié celle qu'il avait faite en 1944 lorsque Maurice avait marqué cinq buts contre son équipe : « Le plus grand joueur que j'aie vu depuis vingt ans... » Le lecteur, lui, s'en souviendra !

Il faut quand même souligner sans hésitation tout le mérite qui revient à M. Adams pour son culot !

Lui, au moins, n'avait pas peur d'afficher publiquement sa partialité, même au risque de passer pour chauvin. Quoi qu'il en soit, l'appui inconditionnel que Jack Adams manifesta à Gordie Howe tout au long de sa carrière aura été des plus bénéfiques à ce dernier. Par exemple, ce fut un peu grâce à la campagne de publicité de M. Adams si Gordie Howe supplanta Maurice dans la première équipe d'étoiles en 1950-1951.

Cette fracassante déclaration de M. Adams ne resta pas sans ré-

Canada Wide

21 janvier 1951 — Maurice est nommé le « meilleur joueur au hockey » pour 1950, par Sports Magazine. *Herb Drake, le représentant de cette revue, lui remet un trophée.*

ponse. Deux chroniqueurs sportifs chevronnés lui donnèrent la réplique : Paul Parizeau et Elmer Ferguson.

M. Parizeau laissait parler les chiffres :

> « L'an dernier, Richard a marqué 43 buts avec un club faible, tandis que Howe en a obtenu seulement 34 avec un club champion. Actuellement, Richard a 24 buts en comparaison de 15 pour Howe, et s'il jouait pour le Détroit, par exemple, il n'aurait pas moins de 35 buts. »

Avec sa tranchante logique, M. Ferguson complétait l'analyse en ces termes :

> « La supériorité de Howe sera très difficile à prouver, si on utilise une règle à calcul comme mesure. Howe a une moyenne de 16.4 buts par saison en quatre ans et demi dans la L.N.N., alors que Richard a une moyenne de 33.6 buts en sept ans et demi. »

Enfin, appelé à commenter la déclaration de Adams, voici ce que Dick répondit :

> « Chaque instructeur et gérant aime à faire du battage autour de ses propres joueurs, surtout lorsqu'ils vont bien. Mais avancer que

Howe est plus grand que Richard . . . eh bien ! jetez seulement un coup
d'œil sur les statistiques . . . »

Ces réponses venaient de clore la discussion, du moins à ce stade
des carrières respectives des deux joueurs. De toute façon, ces paroles étaient, en un sens, superflues. Maurice se chargea de démontrer,
une fois de plus, à tous et à M. Adams en particulier son incontestable supériorité. Quelques jours à peine après la sortie de M. Adams,
soit le 4 janvier 1951, le Rocket rejoignait avec son 270e but deux
des plus grands du hockey, Howie Morenz et Aurèle Joliat. Deux
jours plus tard, Maurice Richard devenait le deuxième meilleur marqueur de hockey au monde, et ce 271e but était enregistré en un peu
moins de huit saisons.

Frank Selke se hâta de venir féliciter son as marqueur à la fin
de la partie et, avec toute la fierté d'un père qui regarde son fils, il
lui dit : « Au tour de Nelson Stewart maintenant ! » Hochant la tête
en s'essuyant de sa serviette, Maurice répliqua : « Il se trouve toujours quelqu'un en avant de vous. Je vais essayer d'éliminer le dernier. » Puis il murmura pour lui-même : « Encore 53 buts ! »

Pour les coéquipiers de Maurice, c'était déjà chose faite : « tu re-
joindras Stewart avant la fin de la prochaine saison ! » lui crièrent-
ils.

Comme pour couronner le tout, le 21 janvier 1951, Maurice fut
choisi le « meilleur athlète pour l'année 1950 » (« Top Performer of
1950 »), par la célèbre revue américaine *Sport Magazine*. C'est donc
dire qu'il avait été choisi parmi les meilleurs athlètes de l'Amérique
du Nord. Alors, pourquoi pas le trophée Hart ? À nouveau, quelqu'un se trompait quelque part . . .

Comme si cela n'était pas suffisant pour faire taire l'ami Adams,
Maurice s'illustra comme seul il savait le faire dans les situations les
plus invraisemblables.

Les Rangers de New York avaient découvert une formule magique . . . Ils avaient une fiche de onze parties sans défaite au Garden
de New-York. Cette formule magique était en fait un « élixir magique » . . . Impossible, me direz-vous ! Rien, pourtant, ne pouvait être
plus vrai.

Plus tôt dans la saison, les « Blue Shirts » avaient fait appel à un
médecin hypnologue, le Dr Tracy, pour les sortir de leur léthargie.

Cette formule n'eut pas le succès escompté et fut abandonnée. Un restaurateur de New York, M. Leone, chaud partisan des Rangers, eut alors l'idée de fabriquer un élixir qui rendrait ses favoris invulnérables. Cette potion, à base de jus de raisin, était imbuvable selon les joueurs de New York, mais ils devaient néanmoins en prendre quelques gorgées avant chaque partie. Les résultats furent étonnants : onze parties parfaites... jusqu'à ce que Maurice Richard s'en mêlât ! Il fut celui qui mit un terme à cette série de victoires des Rangers : MAURICE RICHARD BLANCHIT LES RANGERS 3 À 0, pouvait-on lire en manchette dans *Le Canada* du 11 janvier.

Baz O'Meara intitula sa chronique : *Good Night, Irene for Elixir*... Le Rocket venait donc de réussir à stopper, à lui seul, une équipe de joueurs renforcés par un élixir magique... Peut-être en avaient-ils trop pris ?

Cette victoire permit aux Canadiens de passer de la cinquième à la troisième position, et le jeune Gerry McNeil enregistra son cinquième blanchissage de la saison.

Et ce n'était pas tout ! Le lendemain, le jeudi 11 janvier 1951, le Canadien triomphait de Chicago par la marque de 4 à 1. Maurice Richard enregistra deux buts. Pouvait-on exiger meilleure réplique ? En l'espace d'une semaine, le Rocket avait marqué sept fois.

Si Jack Adams voulait bien croire que Gordie Howe était meilleur que Morenz et Richard, Dick Irvin, lui, considérait Maurice comme le plus grand joueur de tous les temps, et cette dernière explosion de son « Rocket » lui fit dire :

> « Richard joue actuellement le meilleur hockey de sa carrière et il sera considéré comme le meilleur joueur du *vingtième siècle*. C'est un joueur de hockey inné et tout à fait extraordinaire. »

L'hommage qu'il rendit ensuite à Maurice Richard, l'homme, fut tout aussi grand que celui qu'il venait de rendre à Maurice Richard, le joueur de hockey :

> « J'admire Richard sur la glace et je l'estime encore plus à cause de la façon dont il se comporte dans sa vie privée. C'est un athlète à la vie exemplaire. Il ne boit pas et ne fume pas, et sa famille passe avant tout. »

Plusieurs feront peut-être alors remarquer que l'opinion de Dick Irvin, tout comme celle de Jack Adams, était sans aucun doute un peu partiale. Je vous l'accorde, même si les faits appuyaient davantage les dires de Dick. Mais que penser de l'opinion d'un gardien de but qui a gardé la forteresse des plus grands rivaux des Canadiens, en l'occurence Turk Broda, des Maple Leafs de Toronto ? Je ne crois pas qu'on puisse qualifier son opinion de partiale.

On demanda à Turk, qui assistait à une partie au Forum en simple spectateur, de comparer les mérites de Gordie Howe et Maurice Richard :

> « Je considère Richard comme le meilleur joueur de hockey moderne et certainement comme supérieur à Howe. Il possède le meilleur et le plus puissant lancer de la L.N.H. Il sait compter des points en beaucoup plus grand nombre que Howe. Il est foudroyant, de la ligne bleue au filet. J'ai beaucoup de respect pour Howe, mais je crains beaucoup plus Richard quand ce dernier attaque puissamment. Même si Richard et Howe étaient du même âge, je n'hésiterais pas à choisir Richard comme le meilleur ! »

Et Turk d'ajouter :

> « Richard nous rend tout simplement fous avec ses lancers ultra-rapides et les audacieuses tactiques qu'il utilise à l'entrée de nos buts. En fait, il n'est pas un gardien parmi nous qui n'admettrait pas que son lancer est le plus difficile à arrêter. »

Maurice allait se charger de donner raison à Broda pour encore de nombreuses lunes... En fait, quelques jours avant que M. Broda n'émette son opinion, le Rocket avait à nouveau fait preuve de ses explosives qualités de joueur de hockey...

Ce n'était pas parce qu'il marquait à profusion que tout allait pour le mieux pour le Rocket. Au contraire, il était pourchassé et bousculé plus que jamais. Il fallait à tout prix arrêter cette fantastique poussée... et on y parvint.

Le 13 janvier 1951, Maurice récolta un nez coupé, des yeux au beurre noir et un *charley horse.*[1] Il continua de jouer, mais le 18, il fut contraint de manquer une partie. Il persista cependant à jouer et aggrava sa blessure, si bien que le 23 janvier il était reçu au Montreal General Hospital où il fut hospitalisé.

Le samedi 3 février, Maurice « Rocket » Richard faisait un retour au jeu après avoir manqué cinq parties. Et quel retour !

Lors de l'exercice léger qui avait eu lieu dans la matinée, Mauri-

---

1. Blessure musculaire grave sur l'avant-cuisse. Les muscles sont parfois déchirés et il se produit alors une hémorragie interne. C'est une blessure particulièrement douloureuse et souvent longue à guérir.

ce avait chaussé ses patins afin de réexercer les muscles de ses jambes. Dick Irvin observait le tout d'un œil morose. Sans Richard, les Canadiens étaient retombés en cinquième place. Aussi était-il anxieux de voir son joueur étoile de nouveau en bonne santé. La semaine précédente, lorsque Maurice avait été mis au rancart, il avait fait remarquer : « Sans Richard, nos chances de nous classer dans les éliminatoires sont bien minces. »

Après s'être bien délié les muscles, le Rocket se dirigea vers Bill Head et lui demanda de lui fabriquer un protecteur spécial parce qu'il était prêt et qu'il allait sauter sur la glace le même soir. Il se tourna vers Dick et lança laconiquement : « Je joue ce soir ! » Irvin poussa un soupir de soulagement et les yeux du « Renard argenté » se remirent à scintiller de malice . . .

Boston fut subjugué par un Maurice Richard en pleine effervescence ! Personne n'aurait mieux illustrer le surnom qu'on lui avait donné. C'était une bombe, une véritable fusée humaine !

En 4 minutes et 56 secondes, vers la fin de la première période, il marqua trois buts, puis un peu plus tard, il obtint une assistance sur l'autre but pour donner à son club une précieuse et éclatante victoire de 4 à 1 contre Boston. Il avait lancé cinq fois vers Gélineau. Quel éclatant témoignage de sa précision !

Après de pareilles prouesses, les journalistes étaient toujours étonnés de voir avec quel calme et quelle modestie il acceptait tous les honneurs ; combien de fois il aurait pu tirer une juste fierté des hauts faits qu'il accomplissait avec une régularité déconcertante, mais il racontait toujours ses exploits avec une franchise et une modestie désarmantes. Invité à commenter ses trois buts. il déclara : « Le premier but était bien ordinaire, le deuxième fut un très bon et très dur lancer et quant au troisième, c'était le genre de but qui ne sent pas bon, un but chanceux, quoi . . . »

En plus de ne jamais se glorifier outre mesure, Maurice reconnaissait le mérite de ses coéquipiers. Dans l'adversité, il ne condamnait jamais personne, ne montrait jamais du doigt le ou les coupables. Pourtant, il y a une chose qu'il ne pouvait pas supporter: il avait horreur des joueurs nonchalants qui ne donnaient pas leur rendement ou qui prenaient les défaites en riant. Il ne faisait cependant jamais de reproches à ses coéquipiers, même dans ces moments-là.

Mais si par hasard les regards se croisaient, les joueurs indolents avaient alors à subir tout le poids de ce regard brûlant, lourd de signification, qui les transperçait jusqu'au fond des entrailles. Cela valait mille discours, et c'était souvent suffisant pour les inciter à plus de combativité. En d'autres mots, Maurice parlait peu, mais agissait beaucoup.

Ses supporteurs le savaient mieux que quiconque. Ils décidèrent de passer à l'action afin de manifester toute leur admiration à leur Rocket, mais de façon tangible cette fois-ci. Ils lui organisèrent une fête qu'il n'allait pas oublier de sitôt.

On a peine à le croire, mais il se trouva encore quelques journalistes pour s'élever contre cette démonstration de reconnaissance à l'endroit de Maurice Richard. Heureusement, ce n'était pas là l'opinion de la majorité.

Andy O'Brien, dans sa chronique *Sport Postscript*, expliquait avec son aisance habituelle les raisons d'une telle fête. Par une étrange coïncidence, le 17 février commémorait aussi le passage du grand Howie Morenz aux Rangers, qui lui avait été auparavant échangé par les Canadiens aux Black Hawks de Chicago pour être finalement rappelé par Cecil Hart, du Canadien, en 1936. En rappelant ces faits, Andy O'Brien faisait remarquer :

> « Chaque grande étoile doit un jour ou l'autre payer en angoisses personnelles pour avoir été, à un moment donné, « le plus grand ».
>
> « C'est pourquoi j'espère que la Soirée Richard sera l'hommage le plus éclatant et le plus émouvant qui ait été jamais rendu à un athlète au Canada. Les émotions, qu'il nous a procurées avec autant de furieuse générosité au cours de ces huit bruyantes saisons ont excédé de beaucoup le prix d'entrée payé par ses admirateurs.
>
> « Et ce sera en plus une sorte d'acompte pour les jours sombres à venir — comme ceux qu'a vécus Howie — ceux où il découvrira que ce physique splendide et volontaire ne répond plus à son esprit plein de vivacité. »[1]

Cette fête, organisée par le club de promotion A.C.R. (Alouettes, Canadiens et Royaux) eut tout le succès souhaité par O'Brien. Les organisateurs de la fête avaient fait imprimer un ruban-souvenir portant la photo de Richard. Le club A.C.R. reçut 25 000 demandes

---

1. Andy O'Brien, *The Standard,* Montréal, 20 janvier 1951.

Le 17 février 1951. Soirée Maurice Richard. Au nom de tous les journalistes, le très populaire Charles Mayer remet à Maurice un magnifique trophée.

La Presse

pour ce ruban-souvenir. Elles venaient de partout à travers le pays et les États-Unis.

Maurice et son épouse Lucille reçurent pour 6 000 dollars de cadeaux et une voiture DeSoto avec les symboliques plaques « Numéro 9 ». Les journalistes offrirent à Maurice un magnifique trophée haut de 42 pouces sur lequel tous ses records étaient inscrits.

Le Rocket ne pouvait laisser passer une telle démonstration d'amitié sans payer son public de retour. Il souleva la foule par ses attaques. Comme on l'a souvent répéré, Maurice ne faisait jamais les choses à moitié : le Tricolore fut vaincu par la marque de 2 à 1, mais ce fut évidemment l'homme des grandes occasions qui compta l'unique but des siens, et ce, contre la puissante machine du Détroit.

Quelle destinée étrange et fantastique à la fois !

Une foule record de 15 780 personnes était venue manifester son appui et sa reconnaissance à son héros. Cette soirée, Maurice ne l'oubliera jamais. C'est ce qu'il déclara dans le petit discours qu'il prononça alors :

> « C'est un soir magnifique que je me rappellerai toute ma vie. Je remercie tout le monde, tous les organisateurs. Je veux également remercier mes anciens compagnons d'équipe, ceux qui portent les couleurs du Canadien actuellement et mon instructeur qui m'ont tous bien aidé et bien traité. »

Après avoir répété ces paroles en anglais, il se dirigeait vers le banc des Canadiens lorsque Gordie Howe quitta les rangs des Red Wings, l'interpella : « Hé, Rocket ! » et lui serra la main. Prise par surprise, la foule se tut, puis éclata en un tonnerre d'applaudissements. Gordie Howe démontra, par ce geste de gentilhomme, toute son admiration pour le « Rocket ».

Parmi les têtes d'affiches qui assistaient à la joute, il y avait le Premier ministre du Canada, l'Honorable Louis Saint-Laurent, le Premier ministre du Québec, l'Honorable Maurice Duplessis, le Maire de Montréal, Camilien Houde, le Sénateur Donat Raymond, propriétaire des Canadiens, et le président de la L.N.H., Me Clarence Campbell.

On demanda au premier magistrat de la ville de dire quelques mots. Ce personnage unique et coloré qui déclara que Maurice Richard avait « l'étincelle du génie » s'exécuta en ces termes : « Richard est l'un des plus grands athlètes de Montréal, de la province de Québec et du Canada tout entier. La ville de Montréal est fière de ce citoyen. »

Le Canada tout entier avait pu être témoin de cet événément par le truchement de la radio. En effet, Imperial Oil avait interrompu la sacro-sainte partie des Torontois pour transmettre, *from coast to coast* sur le réseau anglais de Radio-Canada, le reportage de cet hommage décerné au Rocket. Ce qui semble peut-être aujourd'hui peu de chose à cause des nombreux réseaux de télé, était alors tout un précédent.

Après la partie, Maurice encore ému et bouleversé, expliqua qu'il aurait voulu faire davantage pour remercier ses partisans et ses admirateurs du geste d'affection et d'amitié qu'on venait de lui manifester : « J'aurais voulu jouer au cours des soixante minutes et compter plusieurs buts pour remercier tout le monde à ma façon », déclara-t-il.

Il n'avait pourtant pas à se tracasser, car pour les amateurs du Forum, ce fut une soirée parfaite : leur étoile fut portée en triomphe et leur Rocket avait marqué un but. Le résultat de la partie ? Ils l'avaient déjà oublié ! Maurice les avait remerciés à sa façon . . .

Ce désir quasi inhumain de vouloir se surpasser afin de ne pas décevoir ses partisans, d'où venait-il ? Est-ce que le seul désir d'être un excellent joueur de hockey aurait été suffisant pour lui permettre d'accomplir tant d'exploits ? Je ne le crois pas ! Maurice avait dépassé cet objectif ! Il avait démontré depuis longtemps qu'il était un joueur hors de l'ordinaire. Il aurait pu, comme la plupart, se contenter de ce titre. Non, c'était insuffisant pour Maurice Richard. C'était plutôt une question de fierté ! Il voulait non seulement être un joueur de hockey extraordinaire, il voulait être *le numéro un* pour tous ses compatriotes. Il voulait que ce numéro un soit un Canadien français pour leur redonner la fierté, la fierté d'être de ce pays.

C'est grâce à cette idée motrice que Maurice Richard deviendra ce numéro un. Il atteindra les plus hauts sommets en tant que joueur de hockey et aussi en tant qu'homme. Mais à quel prix !

Andy O'Brien n'avait jamais si bien deviné : « les jours sombres de l'avenir » s'annonçaient nombreux. On venait à peine de fêter Richard que, déjà, de gros nuages s'amoncelaient à l'horizon . . .

Entre-temps, Roger Gill et le caricaturiste Normand Hudon uni-

On en a parlé...
Cette semaine

en bien...

Maurice Richard

... parce que tout un peuple de sportifs lui a fait, au Forum, samedi, une ovation comme on en a rarement vue dans notre ville.

... parce qu'il a su par sa tenue sportive devenir l'athlète en vedette du Canada français, en procurant souvent la victoire à son club par les nombreux buts qu'il a inscrits à son palmarès.

... parce qu'il sait procurer à ses admirateurs des sensations inoubliables quand il s'élance avec toute sa fougue et son adresse à l'assaut des filets de l'adversaire.

... parce que c'est un petit gars de chez nous qui a souvent été critiqué, discrédité même, par des gens qui ont douté de lui, prétendant, au début, que seule la pénurie de champions, au temps de la guerre, avait pu le mettre en vedette.

... parce qu'il lui a fallu beaucoup de courage pour arriver à continuer sa lutte, devenir un champion, et briser tous les records.

... parce qu'il est maintenant un exemple pour nos jeunes, exemple de volonté et de belle tenue sportive, et qu'il fait honneur à ses concitoyens.

Autrefois, dans la Grèce antique, on portait en triomphe les champions des jeux Olympiques, on leur élevait même des statues, telle la fameuse statue du discobole. Aujourd'hui, il est vrai, tous les marbres du monde ne suffisent pas aux monuments aux morts de la guerre et aux statues des généraux qui combattent sur les champs de bataille. C'est un signe des temps, mais pas un signe de civilisation. Aussi il est agréable d'avoir à féliciter quelqu'un qui a servi, par son exemple, la culture physique et civique de son pays.

Bravo ami Richard! Continue de briller sous les feux de la renommée... ...Donnes-y Maurice!

☆ ☆ ☆

(Texte de Roger Guil; caricature de Normand Hudon).

rent leurs talents pour honorer le Rocket à leur façon :

« ... Parce que tout un peuple de sportifs lui a fait au Forum, samedi, une ovation comme on en a rarement vue dans notre ville.

« ... Parce qu'il a su par sa tenue sportive devenir l'athlète le plus en vedette du Canada français, en procurant souvent la victoire à son club par les nombreux buts qu'il a inscrits à son palmarès.

« ... Parce qu'il sait procurer à ses admirateurs des sensations inoubliables quand il s'élance avec toute sa fougue et son adresse à l'assaut des filets de l'adversaire.

« ... Parce que c'est un petit gars de chez nous qui a souvent été critiqué, discrédité même, par des gens qui ont douté de lui, prétendant au début que seule la pénurie de champions du temps de la guerre avait pu le mettre en vedette.

« ... Parce qu'il lui a fallu beaucoup de courage pour arriver à continuer sa lutte, devenir un champion, et briser tous les records.

« Parce qu'il est maintenant un exemple pour nos jeunes, exemple de volonté et de belle tenue sportive, et qu'il fait honneur à ses concitoyens.

« Autrefois, dans la Grèce antique, on portait en triomphe les champions des jeux Olympiques, on leur élevait même des statues, telle la fameuse statue du discobole. Aujourd'hui, il est vrai, tous les marbres du monde ne suffisent pas aux monuments aux morts de la guerre et aux statues des généraux qui combattent sur les champs de bataille ... C'est un signe des temps, mais pas un signe de civilisation. Aussi il est agréable d'avoir à féliciter quelqu'un qui a servi, par son exemple, la culture physique et civique de son pays.

« Bravo, ami Richard ! Continue de briller sous les feux de la renommée ...

« Donnes-y, Maurice ! »

« Donnes-y, Maurice ! » tel était le cri qu'on pouvait entendre au Forum lorsque le Rocket touchait à la rondelle : « Donnes-y, Maurice ! » le cri était repris en même temps dans tous les foyers du Québec ... C'était comme si les gens avaient dit à leur Rocket : « Toi, t'es capable, Maurice, montre-leur ! » Et Maurice « envoyait » et « y donnait » tant qu'il pouvait. Il pouvait beaucoup et, comme l'avait mentionné O'Brien, on lui faisait chèrement payer sa grandeur.

Au début du mois de mars 1951, Maurice était à nouveau le centre d'intérêt de la gente sportive, mais cette fois-ci pour des motifs beaucoup moins amicaux ...

Le tout débuta lors d'une partie contre Détroit à Montréal, partie que le Canadien perdit 3 à 1. Les Habitants avaient complètement déclassé le Détroit au cours des deux premières périodes et, après un ralentissement, ils continuaient leur poussée dans la troisième, tentant d'égaliser les chances. Le décompte était alors de 2 à 1 pour Détroit. Sans le brio de Sawchuck, les Red Wings auraient été une proie facile. Cette partie doit s'inscrire dans les annales du hockey comme une classique de la virtuosité de Terry Sawchuck. Il y repoussa 47 lancers et son opposant, 27.

Maurice attaquait en force. Sawchuck écarta un de ses lancers. En tentant de reprendre son propre rebond, Maurice fut chargé par

140

« Red » Kelly. Dans la mêlée, Red empoigna Maurice et le poussa contre le poteau des buts. S'apercevant qu'il saignait, le Rocket s'empressa de montrer cette coupure à l'arbitre Hugh McLean en réclamant une punition pour Détroit. McLean ne dit mot mais s'esclaffa. Maurice s'éloigna alors en murmurant : « C'est la plus maudite affaire que j'aie jamais vue ! » McLean lui décerna immédiatement un dix minutes de mauvaise conduite...

Maurice Richard, blanc de colère, se dirigeait vers le banc des punitions lorsque Léo Reise, lui-même au cachot, commença à le narguer : *The Great Rocket can't take it, hey ?* (« Le grand Rocket n'accepte pas ça, hein ? ») Peu bavard, le « Grand Rocket » lui administra une demi-douzaine de gauches et de droites qui le fit taire.

Le juge de ligne, Jim Primeau, Canadien français « assimilé », voulut alors s'interposer. Ils échangèrent des paroles aigres-douces. Maurice, exaspéré, poussa le juge de ligne, puis feignit de le frapper de son bâton tout en se dirigeant vers le vestiaire des Canadiens. Primeau s'éloigna discrètement.

Après la partie, Maurice était toujours aussi furieux : « Je patinais près des buts du Détroit quand Sid Abel (c'était en fait Red Kelly) m'a attrapé par le menton, m'arrachant pratiquement la tête des épaules ! déclara-t-il aux journalistes présents et il ajouta avec une déception évidente : Et pour ça, c'est moi qui suis chassé et en plus nous perdons la partie. »

Un journaliste lui demanda s'il avait utilisé un langage abusif envers l'arbitre. Maurice répondit vivement : « Je suis prêt à faire serment que je n'ai prononcé aucune parole blessante à l'endroit de l'arbitre, mais l'infraction a été commise sous ses yeux, en avant de lui, et je crois qu'il a très mal agi en n'imposant aucune punition. »

Invité à commenter pourquoi il s'en était pris à Reise, l'ailier droit expliqua : « Ce qui est survenu avec Reise n'avait aucun rapport avec l'incident. Reise m'a nargué parce que j'ai eu une punition et mes nerfs commençaient à être à bout à cause de l'attitude de McLean, c'est pourquoi j'ai frappé Reise. » McLean s'empressa alors de décerner une punition de match au Rocket... Pourquoi de match ? Personne n'en savait trop rien.

Il n'y avait pas que Maurice Richard qui était furieux. La foule du Forum l'était encore davantage. Elle manifesta à tout rompre contre les décisions erronnées et le comportement étrange de cet arbitre néophyte. Une pluie d'objets hétéroclites s'abattit sur la glace au moment même où McLean signifia au Rocket un dix minutes de mauvaise conduite. Les employés du Forum durent utiliser leurs grattoirs pour nettoyer la patinoire de tous ces objets. De nombreuses minutes s'écoulèrent avant que la partie puisse reprendre son cours. La colère de la foule ne semblait pas vouloir s'apaiser... Après la partie, on voulut s'en prendre aux trois officiels pour leur arbitrage invraisemblable. Escortés de la force policière, ils échappèrent à la furie de cette foule par une porte de côté.

Pourquoi les arbitres avaient-ils refusé de sévir? Selon Dick Irvin, Smythe prétendait que Jack Adams « braillait » tellement auprès de la Ligue que les arbitres refusaient de donner des punitions coûteuses à son équipe (de peur de perdre leur emploi). « J'en suis convaincu maintenant (de ce fait), déclara Irvin. Smythe le dit, Frank Boucher le dit et moi je le dis ! »

D'ailleurs le même problème avait été relevé à l'automne de 1950, dès le début de la campagne, par Frank Selke et par le journaliste Jean Barrette.

Le gérant général du Canadien était arrivé à une assemblée des gouverneurs de la Ligue pour démontrer, photos en main, que les arbitres ne sévissaient pas assez contre les joueurs qui manquaient aux règlements 50 et 62, c'est-à-dire contre ceux qui étaient coupables de retenue et d'interférence. Ces messieurs consentirent à examiner les photos qu'ils trouvèrent excellentes. On trouva le tout très drôle et on s'empressa de passer à d'autres questions.

Au même moment, dans *La Patrie,* Jean Barrette, dans sa chronique *Autour des buts,* relevait la même lacune :

> « Richard reste toujours le joueur le plus maltraité de la ligue par ses rivaux. Et il semble que les arbitres sont de connivence, car ils préfèrent punir le plus grand joueur des temps modernes que de sévir contre quelques médiocrités dont l'unique talent est de pouvoir obstruer le travail scientifique d'un maître du patin. »

Il prévoyait qu'à un moment donné Richard ne pourrait plus se contrôler : « Comment Richard ne s'emporte-t-il pas davantage ? »

C'était effectivement ce qui venait de se passer, et cette situation avait été dénoncée quatre mois avant qu'elle ne survienne...

Pour ces raisons, la personne le plus en colère dans le Forum était sans aucun doute l'homme le plus pondéré et le plus affable du monde du hockey, Frank Selke. Il fulminait tout simplement dans le bureau des directeurs du Forum où les journalistes s'étaient réunis.

Tout à coup, un silence de plomb s'installa dans la pièce. Clarence Campbell venait de faire son apparition. Le président se dirigea d'un pas hésitant vers Selke. La conversation s'engagea entre les deux hommes.

— SELKE : Je vous ai déjà dit, il y a un an, que McLean était un mauvais officiel et je l'ai répété avant que cette saison ne débute.

— LE PRÉSIDENT : Je pense que cette partie a été bien arbitrée.

— SELKE (de s'écrier) : Pas du tout, absolument pas !

— LE PRÉSIDENT : Hugh McLean est un arbitre compétent.

— SELKE : Je crois que l'on ne saurait trouver arbitre plus incompétent et je vous ai déjà demandé de ne pas le faire officier au Forum.

— LE PRÉSIDENT : Lorsqu'il a arbitré la dernière fois, ici, il fut à la hauteur de la tâche. Vous avez vous-même paru satisfait.

— SELKE (haussant la voix) : J'ai dit qu'il ne méritait pas d'officier dans cette ligue.

— LE PRÉSIDENT (le visage empourpré) : Les gouverneurs sont satisfaits des officiels de la Ligue.

— SELKE (s'enflammant davantage) : Je ne peux en dire autant et je ne manquerais pas de protester si je représentais le Canadien aux assemblées de la Ligue.

— LE PRÉSIDENT : À tout événement, je suis le président.

— SELKE (au comble de l'exaspération) : Comment se fait-il que le publiciste de la Ligue[1] applaudit constamment les clubs adversaires ?

— LE PRÉSIDENT : C'est son privilège.

— SELKE : C'en est assez. Sortez au plus vite !

La version originale était : *Get the hell out of here !* Ce que fit promptement le président . . .

Cette conversation avait été rapportée par Paul Parizeau dans *Le Canada* du 5 mars 1951, au lendemain de cette partie. Le président de la L.N.H. démentit aussitôt ces faits en les qualifiant de *fictional* (« relevant de l'imagination »). Parizeau répliqua aussitôt que les propos rapportés étaient véridiques et il ajouta : « J'ai des témoins et je peux en faire la preuve. Si le président croit que je l'ai diffamé, qu'il me poursuive. » M. Campbell ne releva pas le défi . . .

Un consensus s'était établi parmi les journalistes de la métropole : ils étaient tous unanimes à avouer que les Canadiens s'étaient

_____

1. Ken McKenzie.

fait voler la partie par les « officiels ». C'est ce que Parizeau avait écrit en sous-titre dans son reportage du 5 mars intitulé : *Selke expulse Campbell après le scandale de samedi.*

Paul y relevait quelques-unes des erreurs flagrantes commises par McLean et ses deux acolytes et il terminait son reportage par ces mots :

> « Il a coulé beaucoup d'encre aux États-Unis sur le scandale du basket-ball. Il en existe un au sein même de la Ligue nationale de hockey. Cela ne saurait durer ! »

Jacques Beauchamp, du *Montréal Matin,* partageait cette opinion et jetait un peu plus de lumière sur cette affaire. Son titre : L'INCOMPÉTENT McLEAN ET L'HABILE SAWCHUCK PERMETTENT AU DÉTROIT DE VAINCRE LE CANADIEN.

Voici les questions qu'il se posait : « La Ligue nationale a-t-elle l'intention de ruiner Montréal comme ville de hockey ? Nous sommes portés à le croire, surtout après la piètre performance offerte par l'erratique Hugh McLean samedi soir au Forum. »

Plus loin, il ajoutait : « McLean voulait-il absolument permettre au Détroit de battre les Canadiens afin d'accroître son prestige auprès de Jim Norris et de Jack Adams, deux des « Big Shots » dans la Ligue nationale ? C'est fort possible. » Puis, il faisait ensuite remarquer que McLean, expulsé de la Ligue américaine pour son incompétence, avait été engagé par la L.N.H., ce qui était à la fois étrange et inadmissible. La présence inexplicable de McLean dans ce circuit majeur n'avait pas fini d'en étonner plusieurs.

La presse anglophone abondait dans le même sens. « L'arbitre Hugh McLean qui a provoqué le fracas de samedi soir au Forum n'a pas réussi à se classer dans les mineures de la L.A.H., mais a été promu dans les majeures de la L.N.H. » C'est ce qu'on pouvait lire dans la rubrique *On and Off the Record* du *Montreal Gazette* du 6 mars 1951.

Le seul à avoir le pas était comme d'habitude M. Clarence Campbell qui persistait à prétendre que McLean avait bien arbitré : « Richard était entièrement dans son tort *(out of bounds)* dans cette partie. Je le sais parce que j'y étais. McLean a bien arbitré. Il a eu raison à 100% dans sa façon d'agir et il a démontré beaucoup de courage, ce faisant. »

144

Al Parsley, du *Montreal Herald,* était aussi convaincu que Richard avait bel et bien été projeté contre le poteau des buts et que les arbitres avaient totalement perdu le contrôle de la partie :

L'absurdité de cette façon d'arbitrer, qui a été complaisante alors qu'un peu d'autorité aurait évité toutes ces histoires, a été mise en lumière quand, pour retenue et *cross-check* respectivement, Bob Goldham et Sid Abel reçurent des pénalités mineures à quinze secondes de la fin. En fait, Abel souriait à pleines dents lorsqu'il se retira avec deux secondes à jouer, alors que les Wings jouissaient d'une confortable avance de 3-1.

« Sans l'ombre d'un doute, l'officiel avait pris panique et il essayait de se reprendre. Il réalisa qu'il avait perdu le contrôle, qu'il avait dépassé les bornes contre les Canadiens et il essayait de diminuer un peu le goût par trop amer de cette défaite et d'apaiser la colère et la violence qui animaient cette immense foule. Un peu de cette vigilance au tout début, et ces dernières mesures auraient été inutiles. Une punition rapide ou une réponse adéquate à Richard par McLean, au lieu d'un rire, aurait pu éviter toute la violente agitation qui s'ensuivit. »[1]

Cette analyse de Parsley, dans sa chronique *Sidelights* du 5 mars, confirmait donc les dires de Selke et expliquait sa juste *colère,* de même que celle du Rocket, car cette défaite laissait momentanément les Canadiens en cinquième position, trois points derrière les Rangers et les Bruins. Les chances du Tricolore d'arriver à la coupe Stanley se trouvaient diminuées d'autant. Car on sait qu'alors seuls les quatre premiers clubs de la Ligue avaient le droit de se mesurer pour ce trophée.

Le nœud de cette histoire était là, bien évident. Est-ce qu'il y avait une sorte de collusion implicite pour empêcher les dangereux Canadiens de participer aux séries éliminatoires ? C'était la question que les journalistes se posaient. Et la conduite future de McLean n'a pas aidé à diminuer cette impression...

Dans le train qui l'amenait à New York, Maurice s'isola complètement. Il ne pouvait ni dormir ni digérer son repas tellement il était bouleversé et en colère.

Le lendemain matin, il allait rentrer à son hôtel, le *Piccadilly,* lorsqu'il vit sortir en courant un Gerry McNeil tout excité ! Gerry, joueur de tours incorrigible, était dans le lobby de l'hôtel, lorsqu'il vit venir le Rocket. Coïncidence étrange : Hugh McLean et Jim Pri-

---

1. Parsley, Al, *Montreal Herald,* 6 mars 1951.

meau y étaient également ... Gerry pensa tout de suite que c'était là une excellente occasion pour se payer une pinte de bon sang aux frais de Maurice ... Avec une attitude outragée, le regard choqué et plein d'indignation, il aborda ce dernier : « Rocket, le maudit McLean est en train de parler de toi dans le vestibule ! »

Maurice ne fit ni une ni deux. Encore sous l'effet de la frustration, et de l'injustice qu'il avait subie la veille, il entra en trombe dans le vestibule, empoigna McLean par le collet et lui signifia ses quatre vérités. Camil Desroches et Paul-Marcel Raymond intervinrent. Jim Primeau voulut mettre son grain de sel et essaya de frapper Richard. Maurice se dégagea pour riposter, mais il en fut empêché par Desroches et Raymond.

Les journaux ne ratèrent pas une si belle occasion. L'incident reçut une couverture inimaginable. Jacques Beauchamp qui accompagnait l'équipe des Canadiens en fit une grosse histoire. Puis Elmer Ferguson la reprit et en fit une plus grosse encore. Son reportage en première page du *Herald* de Montréal était précédé par la manchette suivante : *Richard Battles with Referee in New York Hotel* (« Richard se bat avec un arbitre dans un hôtel de New York. »)

Les autres journaux emboîtèrent le pas et plusieurs ne se gênèrent pas pour exagérer les faits. À Détroit, Boston et New York, on réclamait, avec un art consommé de l'indignation, la suspension de Richard. On savait trop bien que, sans Richard, les Canadiens ne pouvaient se classer dans les séries éliminatoires ...

Mais que faisaient les officiels dans le même hôtel que les Canadiens, peu de temps avant les séries et surtout après une pareille altercation la veille à Montréal ? Car tous les officiels savaient bien que sans que ce soit une règle absolue, les arbitres, juges de lignes et officiels mineurs avaient comme consigne de ne pas descendre au même hôtel que les joueurs, pas plus que dans le train, ils ne devaient s'asseoir dans le même compartiment.

Que faisait McLean à New York, alors qu'il était censé arbitrer la partie Boston-Chicago, à Boston, ce même dimanche soir ? Cette question fut posée à M. Campbell et le président balbutia qu'on pouvait se rendre plus rapidement à Boston en passant par New York, le samedi soir.

La direction du Canadien, mise au courant de cette nouvelle

route, l'essaya bien pour les parties du dimanche soir à Boston...
mais les joueurs arrivèrent en retard. Par la suite, on s'en tint à la
route habituelle Montréal-Boston en direct. Non, vraiment, Campbell aurait pu faire un effort et trouver autre chose que cette incroyable et puérile réponse...

Si tout cela n'était pas de la provocation, comment qualifier
alors un tel comportement ? McLean et Primeau savaient fort bien
que le *Piccadilly* était l'hôtel du Canadien. Ils savaient également
qu'ils pouvaient y rencontrer le Rocket ; ils connaissaient aussi son
caractère bouillant. Alors pourquoi cette confrontation à la veille des
séries ? Le mot « étrange » n'est pas trop fort !

Ces incidents se déroulèrent les 3 et 4 mars 1951. L'audience des
faits eut lieu le 9 mars et le juge Campbell rendit sa sentence le lundi 12 mars. Mais, dès le 6, Me Campbell préparait la population à
son jugement. L'histoire de 1947 se répétait : *Richard faces $500
Fine, Suspension, Campbell Says* (« Richard passible de $500 d'amende et de suspension, déclare Campbell ») écrivait Al Parsley
dans *The Herald* du 6 mars.

Une fois de plus, Campbell discutait avec un de ses compatriotes
de la sentence à imposer avant même d'avoir entendu toutes les parties en cause. Une fois de plus, Campbell déclarait Maurice Richard
coupable publiquement, avant même de l'avoir entendu.

Ce que vous avez déjà deviné se produisit... Maurice Richard
fut trouvé coupable et forcé de payer la plus grosse amende jamais
imposée à un joueur dans une ligne majeure : $500. C'était le 12
mars 1951.

Clarence Campbell, dans sa glorieuse sagesse et avec sa longue
formation juridique, rendit un verdict digne de Salomon :

> « Maurice Richard, du Canadien, a été condamné à payer une
> amende de $500 pour sa conduite préjudiciable au hockey, lors d'un incident survenu entre lui et l'arbitre Hugh McLean ainsi que les juges de
> lignes Jim Primeau et Eddy Mephan, à l'hôtel Piccadilly de New York,
> le dimanche matin, 4 mars. »

Il fit remarquer que l'enquête officielle démontra clairement que
les premiers rapports parus dans les journaux sur l'incident avaient
été exagérés et qu'en fait Maurice Richard n'avait porté aucun coup,
mais que l'altercation avait duré plusieurs minutes et que plusieurs
personnes avaient été témoins de la scène.

Et pour couronner le tout, il ajoutait : « Cette amende n'est pas seulement une punition infligée à Richard pour sa mauvaise conduite, mais un avertissement aux autres joueurs. »

Quelle aberration ! « Conduite préjudiciable au hockey ». Jamais le hockey ne s'était si bien porté, de même que les journaux, qui se hâtaient de déformer les faits. « Plusieurs personnes ont été témoins de la scène » — cinq fois par semaine les amateurs de hockey étaient témoins de scènes autrement plus « préjudiciables » au hockey que l'altercation du *Piccadilly*... Est-ce que l'attitude de Hugh McLean en ce samedi soir ne fut pas « préjudiciable » au hockey? Est-ce qu'il fut condamné pour autant ? Pourtant cette « recrue » ne faisait plus partie de la L.N.H. l'année suivante. Et que dire de la conduite de Jim Primeau ; il fut le seul à avoir porté des coups. Est-ce que Me Campbell l'a mis à l'amende ? « Un avertissement aux autres joueurs » : c'est pas du paternalisme à vous donner des crampes, ça ? Quel avertissement ? L'avertissement que Maurice Richard n'aura jamais gain de cause !

C'était là la justification d'une amende de $500. Jouer pareille comédie et se prendre au sérieux... Il fallait avoir un culot de colonisateur. Jamais punition ne fut si bien manipulée, jamais punition n'eut si peu de crédibilité. Pour une fois la presse anglophone s'éleva contre cette décision et dénonça cette injustice. Et dire qu'il s'en trouvait encore qui ne pouvaient comprendre l'agressivité des Canadiens français face aux anglophones... Comprenez-moi bien, ceci n'était qu'un exemple des frustrations quotidiennes auxquelles devait faire face une grande partie de la population francophone à cause de l'élément anglophone. La population francophone du Québec épiait les moindres faits et gestes de « son » Maurice Richard, s'identifiait à lui et souffrait comme lui de ces injustices criantes, car il était un des seuls à livrer bataille sur la place publique pour ses compatriotes. S'il perdait toujours dans les bureaux du président Campbell, il gagnait infailliblement sur la glace et tous les Canadiens français, à travers le pays, gagnaient grâce à Maurice.

On peut comprendre pourquoi Kenny Reardon, qui faisait alors partie de la direction du Canadien, s'étonnait de l'ignorance des gens de l'Ouest au sujet de l'existence de la population canadienne-française. Il revenait d'un voyage dans ce coin du pays et faisait remarquer que les Canadiens anglais de l'Ouest se demandaient d'où sortaient ces joueurs de langue française... La découverte de ce phénomène avait peut-être de quoi surprendre M. Reardon, lui-même originaire de l'Ouest, mais pas un Canadien français. À ce moment-là, dans l'esprit de la population anglophone, les Canadiens français n'existaient pas, ou du moins étaient partie négligeable.

De pareils jugements ne pouvaient que laisser un goût amer dans la bouche de plusieurs. Grand nombre de points importants avaient été laissés sans réponse dans cette enquête : pourquoi les officiels ne s'étaient-ils pas rendus directement à Boston ? Pourquoi étaient-ils au même hôtel que le Canadien ? Pourquoi Me Campbell n'avait-il pas enquêté sur l'incident du samedi soir ? Car il est tout à fait évident que s'il n'y avait pas eu de samedi soir, il n'y aurait pas eu de dimanche matin... La responsabilité de fournir des arbitres compétents ne relevait-elle pas du président de la L.N.H. ? Pourquoi une si forte amende ? Car, selon un des principaux témoins, l'incident avait été grossièrement amplifié. Voici la version des faits donnée par Camil Desroches, au *Montreal Gazette,* le 9 mars 1951.

« J'inscrivais les joueurs au registre de l'hôtel. Certains étaient allés à l'église, d'autres, déjeuner. J'étais donc à la réception quand j'ai entendu le Rocket parler. J'ai regardé autour de moi et j'ai vu qu'il tenait McLean par le collet de son veston. C'est alors que Paul Raymond et moi sommes rapidement intervenus en nous interposant entre eux. Le tout dura à peine quelques minutes. Un instant plus tard, McLean et le juge de ligne Primeau se dirigeaient vers l'ascenseur, lorsque Primeau essaya d'atteindre Richard de deux, trois coups de poings, mais tout prit fin avant que quelqu'un ne soit frappé. C'est tout ce qui s'est passé. »

Ce n'était quand même pas un très gros incident. Et comme le mentionnait le *Montreal Gazette,* si Desroches et Raymond, qui ne sont pas de gros hommes, avaient empêché Richard de frapper McLean, c'était parce que Richard n'avait pas insisté bien longtemps. De toute façon, s'il l'avait désiré, il aurait pu envoyer McLean au pays des rêves avant l'intervention de Desroches et de Raymond.

En somme, l'offense de Richard se limitait donc au langage irrespectueux qu'il avait utilisé et au fait qu'il avait posé ses mains sur le collet de la sacro-sainte personne d'un arbitre... D'ailleurs, en ce qui concerne les termes employés, Camil Desroches affirma que McLean avait apostrophé Richard aussi vertement que ce dernier.

Ils étaient donc quittes sur cet aspect.

Quant à la deuxième offense, Maurice était coupable de toute évidence. Quatorze ans plus tôt, le 28 mars 1937, un arbitre avait été frappé en pleine figure par Dit Clapper lors d'une partie entre le Boston et les Maroons de Montréal, au Forum. Cet arbitre, c'était Clarence Campbell. L'incident fut rapporté au président du temps, M. Calder, et Dit Clapper reçut $100 d'amende. Me Campbell ne se rappelait sans doute pas cette jurisprudence de la L.N.H., pas plus qu'il ne s'en rappellera lors des événements de 1955 . . .

On ne pouvait que conclure que le tout avait été grandement exagéré par les journaux, comme l'avait fait lui-même remarquer le président Campbell, lors de la remise de son rapport aux média d'informations.

Piqué au vif par la remarque du président, Elmer Ferguson, dans sa chronique du 13 mars, rétorqua que si les incidents rapportés par la presse avaient été exagérés et qu'ils avaient des conséquences moindres que celles qu'on leur donnait dans les journaux, alors une amende de 500 dollars était tout aussi exagérée.

Alors, pourquoi 500 dollars ? Parce que Clarence Campbell devait servir deux maîtres ; la Ligue nationale de hockey et les directeurs de la Ligue, façon détournée de parler des propriétaires de la Ligue . . . Parce que certains de ces directeurs auraient voulu voir Maurice Richard suspendu pour le reste de sa carrière, en tout cas pour le reste de la saison en cours. Campbell devait donc se présenter devant eux avec une très forte amende pour calmer leurs aboiements. Car, tout comme pour les événements de 1955, une assemblée de la Ligue eut lieu à New York, au surlendemain de la décision du président, le 14 mars. Ce ne sont là que des coïncidences bien sûr.

Dans les circonstances, il fut mentionné que Me Campbell avait fait preuve d'une très grande magnanimité ! Il n'avait peut-être pas la sagesse de Salomon, mais sa magnanimité compensait largement. Lorsqu'il discuta avec Al Parsley de l'éventuelle sentence de Maurice Richard, il lui confia également que Richard ne serait pas empêché de jouer tant qu'il n'aurait pas terminé son enquête :

« Les Canadiens jouent contre les Bruins à Boston, demain soir, et
Maurice Richard pourra jouer dans cette partie, étant donné qu'il n'est

pas dans la politique du président de la Ligue de diminuer de quelque façon que ce soit les chances du Canadien de participer aux éliminatoires, pas plus que de nuire aux performances de Richard, jusqu'à ce qu'il ait fait une enquête approfondie. »

C'était ce que nous rapportait confidentiellement Al Parsley dans l'édition du 6 mars du *Herald.*

Ce fait fut confirmé encore plus solennellement après que la sentence eut été prononcée, lorsque les journalistes de Détroit, de Boston et de New York, qui avaient réclamé à grands cris la suspension de Richard, lui demandèrent pourquoi tel n'avait pas été le cas. M. Campbell répondit très suavement : « Si j'avais suspendu Richard pour une seule partie, contre quel club l'aurais-je fait ? » Cette phrase était tout de même un témoignage éloquent de la grandeur de Richard.

Ces trois villes avaient raison de craindre Richard comme la peste, car, en trois parties, le temps des délibérations de Campbell, il compta quatre buts et eut cinq assistances. Ce qui permit aux Canadiens de terminer en troisième position, 3 points devant Boston et 4 devant New York, qui fut éliminé.

Déçu, un journaliste de New York paraphrasa le titre d'une populaire émission de télé sur le crime : *Did Justice or Richard triumph* (« Qui a triomphé, la Justice ou Richard ? »)

Les deux déclarations du président Campbell auront donc une importance capitale lors des tumultes de 1955. Évidemment, s'il avait pu prévoir pareil tumulte, il ne les aurait pas faites . . . Un autre fait jouera un grand rôle : Me Campbell, comme il l'avait annoncé à M. Parlsey, prit tout son temps pour finir son enquête. Comme on le sait déjà, celle-ci eut lieu le vendredi suivant l'incident du *Piccadilly,* soit cinq jours plus tard, et la décision ne fut rendue que le lundi d'après. *The Standard* du 10 mars nous dit pourquoi :

« Le président Campbell, après avoir pris beaucoup de notes, a remis à lundi son verdict afin d'éviter « toute décision précipitée. »

Ces trois derniers mots sont les paroles mêmes du président.

Pourquoi M. Clarence Campbell n'a-t-il pas manifesté la même magnanimité et le même calme en 1955 ? La politique de 1937 n'était plus bonne en 1951, pas plus que celle de 1951 ne sera bonne en 1955 !

Effectivement, Maurice Richard n'eut *jamais* gain de cause dans les bureaux du président de la L.N.H. Il paya tout près de 3 000 dollars en amendes, en plus des nombreuses suspensions qui lui furent imposées. Pour s'en convaincre, il suffit de regarder les annales de la L.N.H. pour constater que jamais joueur ne fut plus souvent pénalisé ; *toujours* coupable, il fut souvent forcé de faire amende honorable. Et comme disent nos voisins du Sud : *You ain't see nothin' yet !*

Les journalistes anglophones de Montréal et de Toronto étaient souvent ceux qui proclamaient le plus fort les exploits du Rocket. Leur fair-play les forçait à reconnaître en Maurice Richard un joueur du hockey tout à fait extraordinaire. Mais à chaque fois que ce dernier était impliqué dans une histoire de ce genre, un fait étrange se produisait. Certains sautaient sur l'occasion pour tenter de le diminuer subtilement. D'autres le descendaient carrément. On digérait mal que ce grand joueur fut un Canadien français . . .

Après cet incident, Maurice était d'humeur morose et fuyait les journalistes. Il avait besoin, on le comprend, de récupérer. Baz O'Meara qui était pourtant un des admirateurs du Rocket si on en croit ses écrits, lui reprocha ce fait avec causticité dans sa chronique du 30 mars :

> « La toute dernière attitude du Rocket est de ne pas saluer, même de la tête, les journalistes comme si ces derniers allaient verser des larmes devant une telle attitude. Il y a quelques semaines, il nous saluait affablement, il s'inclinait même jusqu'à la taille lorsque nous nous fendions en quatre pour lui obtenir quelque 7,000 dollars en cadeaux. »

Et trois lignes plus bas, il camouflait le tout avec un : « Il est un joueur extraordinaire. »

Quel coup bas ! Était-il possible d'être plus méchant ? Surtout que Maurice Richard n'avait jamais supplié personne pour qu'on lui organise une fête ! Si maintenant M. O'Meara regrettait son geste, tous les autres vrais admirateurs du Rocket, eux, ne le regrettaient pas.

Peut-être aussi Maurice Richard avait-il ses raisons pour ne pas saluer M. O'Meara, parce que c'était ce dernier qui avait trouvé que le rapport de McLean avait aidé la cause du Rocket.

C'est ce qu'il écrivait dans un billet daté du 8 mars 1951 et intitulé : LE RAPPORT DE MCLEAN AIDE LA CAUSE DU ROCKET. Je voudrais bien savoir en quoi, car M. O'Meara ne le mentionnait pas ... Étrangement, ce dernier connaissait lui aussi le verdict de M. Campbell, avant même que ce dernier n'ait tenu l'enquête. On se rappelle que celle-ci avait en lieu le 9 mars et que le verdict fut prononcé le 12 mars :

> « ... Ce qui en ressort, c'est que Richard recevra une amende pour « mauvaise conduite », mais il *ne sera pas suspendu*. D'après les renseignements qu'on a pu obtenir, McLean s'est montré généreux dans sa relation de l'incident. »

Quelle fantastique arnaque ! Pourquoi avoir fait un semblant de procès quand toute la population anglophone connaissait déjà le verdict ! Les francophones étaient encore les dupes !

Quant à dire que le rapport McLean était généreux, il ne faudrait quand même pas pousser trop fort ... Tout de même ! Encore une fois, en quoi ce rapport *avait-il aidé* Richard et en quoi avait-il été généreux ? À nouveau, M. O'Meara ne le disait pas ... Et quelles étaient ses sources d'information ? *Fairly authoritative sources* (« selon des sources autorisées ») nous rapportait-il, sans plus préciser.

Pouvait-il faire une telle affirmation sans avoir pris connaissance du rapport confidentiel de McLean ? Ou encore M. Campbell s'était-il confié à nouveau ? Il ne pouvait se baser sur le verdict du président de la L.N.H., puisque celui-ci n'était pas encore connu officiellement et que l'enquête n'avait pas eu lieu.

Comment expliquer qu'un fin analyste de la scène du hockey, qui faisait toujours preuve d'une froide logique, ait pu se laisser aller à de pareilles affirmations ! Cela illustre bien ce qui a déjà été dit : l'instinct agressif du colonisateur envers le colonisé reprenait le dessus ... Pour qui se prenait-il, ce Maurice Richard, pour se permettre de ne pas vous saluer ... M. O'Meara !

Il ne se prenait pas pour un autre, mais il avait le coeur à la bonne place : après l'enquête, Andy O'Brien demanda à Maurice de poser avec McLean pour les lecteurs du *Standard*. Maurice regarda Andy, se demandant s'il avait bien toute sa tête. Il répondit sèchement : « non » et quitta les bureaux du président ... Quelques minutes plus tard, Andy sortit à son tour du Sun Life Building ; quelle ne fut pas sa surprise de voir Maurice Richard qui l'attendait sur le trottoir ... « Je ferais n'importe quoi pour toi, Andy, mais ne me demande pas de poser avec ce gars-là ! » avoua Maurice.

Un chien et un chat peuvent vivre en apparente harmonie, mais ils redeviennent vite chien et chat si l'un ne respecte pas l'autre et veut lui imposer sa loi. Jusqu'à maintenant, les hommes n'ont pas réussi de croisement satisfaisant entre ces deux races...

L'encre continuait de couler à flots ! Une anecdote amusante se produisit le jour même de l'historique verdict de M. Campbell. Le nom de Maurice Richard faisait les manchettes pour une tout autre raison que celle que nous venons de décrire. Cette fois-ci, le nom du Rocket était associé au Parti communiste d'alors...

M. Jean Sylvestre, rédacteur en chef du journal communiste *Champion* édité à Toronto, obtint une entrevue avec Maurice et publia cette entrevue dans son journal, avec une photo du Rocket en première page sur trois colonnes.

Alors que les « rouges » vendaient leurs journaux aux portes du Forum, l' « escouade municipale anti-communiste » arrêta tout ce beau monde et saisit plus de 500 exemplaires du journal.

Ces jeunes, tous âgés de 20 à 23 ans, étaient des anti-conscriptionnistes. D'ailleurs ces « méchants rouges » avaient mis au point une vaste campagne en faveur de la paix, campagne qu'ils avaient lancée lors de leur « Congrès de la Paix », à Toronto. Personne ne reçut de prix Nobel pour ce geste. Ils furent tous incarcérés pour fausse représentation et pour avoir vendu des journaux illicitement.

Cette « affaire McLean » connut un autre épilogue humoristique. Glen Harmon, ancien coéquipier du Rocket ouvrit son commerce « House of Style » au mois de juin suivant. Évidemment, la presse et le monde du hockey étaient présents. Andy O'Brien demanda à Maurice s'il avait parlé au « Prez » depuis... Maurice répliqua : « Non, la dernière fois que je lui ai parlé, ça m'a coûté $500. »

Incorrigible, Andy, avec un sourire en coin, demanda à Maurice et à Clarence de poser pour le *Standard,* puis, les yeux moqueurs, il leur proposa : « Qu'est-ce que vous diriez tous les deux de jouer une ronde de golf pour une petite gageure de $500 ? » Un ange passa... Maurice réagit le premier, mais *no hurried decision* pour Clarence...

— « Je suis d'accord », fit Maurice.

— « C'est beaucoup d'argent », remarqua Clarence avec un sourire un peu figé... Comme s'il venait juste de le réaliser.

Maurice qui avait déjà « cassé » le 80 demanda à Andy comment jouait le « Prez ». Andy lui répondit qu'il jouait un peu au-dessus de 80 ... Les yeux de Maurice pétillèrent de malice ...

Comme le faisait remarquer Andy O'Brien, un tournoi de chari-té entre ces deux hommes aurait rapporté une somme fantastique, même à $1 par spectateur. Le tournoi n'eut malheureusement pas lieu ...

Un autre tournoi plus fastueux, plus prestigieux encore eut tou-tefois lieu : le tournoi Maurice Richard-Gordie Howe ... En effet, les Habitants qui s'étaient glissés de justesse au troisième rang du classement de la L.N.H. étaient automatiquement désignés pour fai-re face aux Champions de la Ligue, les Red Wings de Détroit.

Le Rocket prit une éclatante revanche sur ceux-là mêmes qui l'a-vaient impunément bousculé le soir du 3 mars. Pour paraphraser un dicton populaire de chez nous, « jamais vengeance ne fut plus douce au cœur d'un « canayen » ...

On sait que les Canadiens s'étaient mérité une place dans les sé-ries grâce au Rocket, mais aussi grâce à Dick Irvin. L'astucieux Irvin avait adopté les méthodes du New York, mais pas l'élixir miracle de Leone ... Il détermina que ses joueurs pesaient ensemble 87 livres de trop et se trouvaient donc à « 87 livres » d'une place dans les sé-ries éliminatoires. Il ne parla pas de stratégie offensive ou défensive ; il voulait tout simplement que ses joueurs perdent 87 livres ...

Une fois de plus, Irvin avait vu juste. Les Canadiens perdirent cet excédent de poids et, avec la poussée du Rocket, il devancèrent New York et Boston.

Les Red Wings, couronnés champions pour une troisième année consécutive, étaient évidemment les grands favoris pour remporter la coupe Stanley, surtout que le Tricolore alignait dix jeunes sans expé-rience dans les séries.

De toutes les grandes séries de fin de saison, celles de 1951 reste-ront gravées comme parmi les plus palpitantes de l'histoire du hoc-key.

Maurice Richard s'en révéla le héros incontesté. Avec son jeune compatriote Gerry McNeil, ils éliminèrent presque à eux seuls, en exagérant à peine, l'une des plus puissantes équipes de l'histoire des Red Wings de Détroit ... Les protégés de Jack Adams avaient ter-miné la saison avec 44 victoires, 13 défaites et 13 nulles. Ils avaient

En attendant Maurice...

Séries semi-finales Détroit-Canadien — Tout le pays attendait le but que Maurice marqua en supplémentaire.

subi la défaite à trois reprises seulement sur leur propre glace. Ils avaient accumulé 36 points d'avance au classement sur les Canadiens.

Trois semaines après la mémorable affaire McLean, les Canadiens et les Wings s'affrontaient à Détroit. C'était le mardi soir 27 mars. Cette date, plusieurs se la rappelleront longtemps, et pour cause. La partie se termina 2-2 et il fallut aller en supplémentaire. La foule de Détroit fut témoin d'une partie de hockey comme il ne s'en était pas vue depuis de nombreuses années dans la L.N.H.

On joua un premier « vingt minutes » de supplémentaire, puis un deuxième et un troisième, toujours sans résultat... Tous les joueurs étaient épuisés et c'était à se demander si la partie finirait jamais. Il était 1 heure du matin... La majorité des foyers à travers le pays avaient toujours l'oreille collée à la radio. Ce fut une soirée inoubliable... Même s'il était très tard, les parents avaient donné la permission aux enfants d'écouter la partie jusqu'au bout. À travers la voix de Michel Normandin, tous vivaient les émotions les plus fortes. Chacun, dans son for intérieur, savait que Maurice Richard allait être celui qui briserait l'égalité...

Irvin avait un instinct particulier pour savoir quand envoyer le Rocket dans la mêlée. Il connaissait son joueur étoile mieux que quiconque et il savait en tirer parti.

Dès le début de la quatrième période supplémentaire, Dick envoya Maurice sur la glace. La première minute venait à peine de s'écouler lorsque le Rocket, toujours à l'affût, vola le disque à « Red » Leo Kelly et traversa la défensive adverse pour lancer à bout portant sur Sawchuck... Une clameur s'éleva à travers le Québec... Après 121 minutes et 9 secondes de jeu, notre héros Maurice Richard mettait, sans aide, un terme à cette excitante partie. Ce fut la troisième plus longue partie de l'histoire de la L.N.H.

Cette nuit-là, le Canada rêva aux magnifiques prouesses de Maurice Richard. Le lendemain matin, un peu partout, au bureau, à l'usine ou à l'école, tous avaient une joyeuse gueule de bois...

Si Maurice avait donné la victoire aux Canadiens, Gerry McNeil avait protégé ceux-ci à maintes occasions. Il avait été, avec Maurice, la plus grande vedette de la partie, bloquant *62 rondelles*. Gerry, fier d'avoir aidé le Tricolore à l'emporter, était littéralement vidé ! « La joute a été très dure pour moi, car, vers la fin, mon équipement qui pèse plus de 35 livres semblait être devenu un poids de 350 livres tant il était mouillé. »

Dick Irvin avait prédit cette première victoire des siens sur la glace de l'Olympia... Les traits un peu tirés et le front ruisselant de sueur, il était des plus heureux et félicita ses joueurs avec sa verve habituelle : « Et voilà les gars. Je vous avais prédit un premier triomphe sur les Red Wings et c'est chose faite. Je suis fier de tous, tout particulièrement de toi », ajouta-t-il en se tournant vers son gardien McNeil. Puis il serra la main de tous ses joueurs.

Pour le bénéfice des journalistes, il ajouta : « Tous les jeunes de l'équipe ont maintenant goûté à un triomphe sans égal et je suis assuré que Détroit aura la tâche plus lourde d'ici la fin de la série. Je suis convaincu que nous allons l'emporter en six parties et je ne démordrai pas de cette première déclaration. »

Les autres joueurs qui avaient contribué directement à cette précieuse victoire étaient Émile Bouchard qui avait marqué le premier but sur une passe de la recrue McNabney et Bert Olmstead qui avait enregistré le deuxième sur une passe de Richard. Le Rocket avait donc, en plus, contribué directement à provoquer l'égalité.

Le lendemain *La Presse* écrivait en gros titre : MAURICE RICHARD DONNE LA VICTOIRE AU CANADIEN À DÉTROIT, et en sous-titre : *Ce qui ne pouvait se réaliser s'est accompli. Aujourd'hui le Tricolore n'est plus négligé des parieurs.*

À Détroit, Bob Latshaw écrivait :

> « Maurice (Rocket) Richard est le Ted Williams du hockey. Tout comme ce joueur de champ dégingandé des Red Sox, Richard semble avoir le don d'encourager les huées des fans. Il a aussi du talent pour montrer les dents aux officiels, aux joueurs adverses et parfois aux fans.
>
> « Mais dans une situation corsée, M. Rocket, tout comme Williams, vous coulera. »

C'était sans doute là l'un des plus grands talents du Rocket : pouvoir compter à l'improviste dans les moments les plus opportuns.

Fait incroyable, le même scénario se répéta pratiquement en tout point deux jours plus tard.

Après deux périodes supplémentaires, le compte était toujours 0 à 0. Au début du troisième vingt en supplémentaire, Dick répéta son manège du mardi précédent et vous savez déjà la suite ... Le Rocket marqua le seul but de cette partie sur des passes de MacPherson et de Billy Reay.

Qui d'autre pouvait réussir coup d'éclat après coup d'éclat ? Qui d'autre pouvait réussir l'impossible ? Il faut le reconnaître : personne, mais personne ne pouvait égaler le Rocket dans ce domaine.

Il était minuit 37 secondes, soit 2 minutes et 20 secondes après le début de la troisième période supplémentaire, lorsque Maurice marqua le but gagnant. Le Rocket était incapale de décevoir. Il avait reçu ce soir-là un télégramme de son épouse et de quelques amis qui se lisait comme suit :

« Félicitations (pour mardi). Ne désappointe pas tes amis ce soir. Bonne chance.

Lucille et tes amis. »

Par contre, les 13 818 spectateurs étaient quelque peu désappointés... Ne croyant pas que les dés rouleraient une deuxième fois pour Richard, ils étaient restés jusqu'à la fin... Mais ils avaient quand même eu la consolation de voir un but « à la Rocket » ! Billy Reay, qui avait reçu la rondelle de McPherson, la relaya au Rocket à la ligne bleue. Ce dernier capta le disque en pleine vitesse, déjoua « Red » Kelly et laissa partir un de ses lancers du revers si déroutants. Ce lancer ne quitta jamais la glace et ne donna aucune chance à Sawchuck...

Le *Detroit Free Press* illustra bien par une de ses manchettes ce qu'on pensait à Détroit du Rocket : *Richard Gets Big One Again* (« Richard obtient encore le gros but. »)

Pour la deuxième fois en trois jours, Maurice Richard permettait à tous ses partisans d'aller se coucher le cœur léger et la tête remplie de rêves prometteurs.

Gerry McNeil avait à nouveau partagé la vedette avec Maurice. Il avait arrêté *42 lancers* dont dix venaient du puissant Gordie Howe et ainsi réussi le premier blanchissage des séries. Maurice, comme à l'accoutumée, souligna la part prise par Gerry dans cette victoire. Pointant du doigt son jeune compatriote, il déclara aux journalistes : « Voici celui qui mérite tous les honneurs ! » Pourtant bien des experts avaient jugé Gerry McNeil « trop petit » pour la L.N.H.

Les espoirs des Wings reposaient maintenant sur « Marvelous » Metro Prestai qui se remettait d'une blessure, parce qu'en 223 minutes de jeu, presque quatre parties, l'équipe surnommée *The Highest Scoring Machine in Hockey* (la plus grande machine à marquer au hockey) avait été limitée à deux buts... En 182 secondes et 19 minutes en supplémentaire, soit l'équivalent de trois parties, les Red Wings n'avaient marqué aucun but.

C'était là un fameux compliment pour Gerry et une amère critique envers l'offensive du Détroit et sa grosse « Production Line » : Abel, Lindsay et Howe.

Dans le vestiaire des joueurs de Détroit, c'était plutôt silencieux ... Le *coach* Tommy Ivan releva le moral de ses troupes lorsqu'il fit remarquer : *We have been down before* ... Mais comme l'aurait relevé « Jimmy the Greek », les chances de Détroit de pouvoir faire un retour, « 28 à 1 », n'étaient pas trop reluisantes ...

Du côté des Canadiens, c'était un tout autre tableau : on peut s'imaginer dans quelle euphorie nageaient les vainqueurs. La coupe Stanley ne les aurait pas rendus plus joyeux.

Les prédictions du « vieux Renard argenté » se réalisaient ... Les Habitants avaient gagné leurs deux premières parties à Détroit et revenaient en favoris à Montréal pour remporter cette série semi-finale. « Old Dick » y était pour quelque chose. Maître tacticien, il n'avait pas fait d'erreur et avait su utiliser ses vétérans et ses dix jeunes à bon escient. Car il faut se rappeler qu'un mois avant les séries les Canadiens n'étaient pas sûrs de s'y tailler une place.

Dans le train les ramenant à Montréal, les joueurs de Dick étaient comme des collégiens en vacances. Geoffrion le bout-en-train du club avait eu le nez fracturé par un coup de coude de Gaye Stewart ... Loin de le ralentir, cela semblait le stimuler. Avec ses « passe par ici, passe par là Antonia », il faisait rire ses coéquipiers à leur donner des crampes. C'était le « Dizzy Dean » du Tricolore.

Au lendemain de ces deux importantes victoires et à mi-chemin seulement de cette prodigieuse carrière, toutes les manchettes des journaux ne parlaient que de Richard. Un journal le baptisa *Sudden Death Richard.*[1]

Le *Star Weekly* de Toronto, par la voix de Gordon Campbell, évaluait les possibilités du Rocket de devenir « le plus grand joueur de hockey », ce qui était en fait le titre de cette analyse : *Hockey's Greatest Player ?*

À cette question, Gordon Campbell répondait :

> « Encore cinq ans au même rythme, et cela donnerait au Rocket tout près de 450 buts en quatorze ans de carrière. S'il réussit cet exploit, il sera très difficile pour le groupe anti-Richard de soutenir que celui-ci n'est pas le plus grand joueur de hockey de tous les temps. »

---

1. *Sudden Death Goal :* Cette expression était utilisée par les journalistes anglophones lorsqu'un but était compté en période supplémentaire. Invité un jour à en expliquer le sens, Dick Irvin, avec son humour habituel, répondit : « Lorsque nous comptons un but en période supplémentaire c'est soudain, et pour l'adversaire, c'est mortel. » Voilà qui ne manquait pas de clarté.

Pour illustrer son point de vue sur la grandeur de Maurice Richard, Gordon faisait remarquer que Milt Schmidt, qui était considéré par les connaisseurs comme un des très grands joueurs de hockey, n'avait jamais pu obtenir un seul « tour du chapeau » en douze ans de *Big League Hockey*. Ce qui dit bien ce que ça veut dire...

Les Torontois n'étaient pas les seuls à avoir été séduits par ce *Flying Frenchman*. Plusieurs autres sceptiques partageaient maintenant l'opinion de Gordon Campbell. Richard avait même su se rallier un vieux rival new-yorkais, dès le début de la présente saison.

Jimmy Powers écrivait dans le *Sunday News* de New York du 29 octobre 1950 :

> « Le Rocket est le plus grand joueur de hockey, tout le monde est d'accord ! »

Il étayait son opinion par celle du capitaine des Red Wings et compagnon de ligne de Gordie Howe, Sid Abel :

> « Enlevez le Rocket de là et où en serait le Canadien ? C'est le plus grand joueur de ce sport présentement ! »

Venant de Sid Abel, ces paroles étaient un très grand hommage.

Enfin une dernière résistance venait de tomber. Frank Boucher plaçait maintenant Maurice dans la même catégorie que les Howie Morenz et les Bill Cook... « Je donnerais $100 000 immédiatement pour le Rocket », déclara-t-il à Powers.

Le Rocket continuait de justifier ce titre de « plus grand joueur de hockey » et jouait de façon à ne pas les contredire.

L'euphorie qui avait gagné les Canadiens à Détroit se dissipa abruptement à Montréal. La machine rouge n'avait pas capitulé... Les paroles de Tommy Ivan firent leur chemin. Les Wings répétèrent l'exploit des Canadiens en gagnant les deux parties suivantes au Forum par des scores de 2-0 et de 4-1.

Le cinquième match devenait donc le point tournant de la série. Cette expression ne pouvait être plus appropriée. Maurice marqua deux points pour donner la victoire aux Habitants une troisième fois en cinq parties. Son premier *poing* ce fut Ted Lindsay qui le reçut en pleine figure... ce qui changea complètement le cours de la partie en faveur du Canadien et son deuxième *point* fut, on le devine, le but victorieux...

Dès la première période, Détroit prit les Canadiens par surprise en marquant deux buts coup sur coup. Mais avant que prenne fin ce premier vingt, Maurice mit un point final à l'élan des Red Wings et des spectateurs de l'Olympia. Il décocha à Ted Lindsay un coup de poing qu'il a qualifié de meilleur de toute sa carrière : meilleur par la force du coup et meilleur pour le plaisir qu'il a retiré à fermer la « grande trappe » de Lindsay.

« Lindsay tomba inanimé comme un bœuf que l'on vient d'abattre d'un solide coup en plein front », nous rapportait Charles Mayer.

« Ce fut le point tournant de la partie », de déclarer Dick Irvin après le match. Dick respirait maintenant plus à l'aise. De fait, le Détroit ne réussit plus à compter et les Canadiens l'emportèrent 5 à 2.

La sixième rencontre allait s'avérer pour les amateurs du Forum la plus belle partie qu'ils aient jamais vue, selon King Clancy et Charles Mayer. Cette partie fut disputée à une allure endiablée du début à la fin. Aucune punition ne fut décernée. Après deux périodes, le décompte était toujours 0 à 0. À la troisième reprise, le Tricolore ouvrit le score. « Jeff », avec son nez cassé, laissa partir un boulet que fit dévier Billy Reay. 42 secondes plus tard, Abel nivelait la marque. Puis le Rocket marqua ce qui semblait bien être le point gagnant. Enfin, Ken Mosdell complétait le décompte pour le Canadien.

La victoire semblait assurée lorsque, 45 secondes avant la fin de la partie, Ted Lindsay « le poison », qui s'était remis de sa collision, marqua à son tour ... Ces 45 dernières secondes se révélèrent le plus grand « suspense » que vécurent les partisans du Canadien ...

Mais la prédiction de Dick Irvin se réalisa une fois de plus. Ses protégés réglèrent en six parties le sort de la meilleure équipe de l'histoire des Red Wings, au dire de plusieurs. C'était le plus grand *upset* que le hockey ait connu depuis ses débuts.

Maurice Richard avait procuré la victoire aux siens à trois reprises et contribué directement à la quatrième. Il est plutôt difficile de commenter pareille performance. J'ajouterais seulement qu'elle fut la meilleure réponse à la campagne de publicité de Jack Adams en faveur de Gordie Howe qui avait quand même joué une très forte série. Le gérant général des Wings resta silencieux après cette élimination.

Par contre, celui-là même qui trouvait l'humeur du Rocket trop massacrante lui rendit hommage : « Jamais le hockey n'a connu quelqu'un qui sache mieux sauter sur l'occasion quand elle se présente, écrivait Baz O'Meara, du *Star* de Montréal. Son illustre adversaire, Gordie Howe, était épuisé. Le Rocket a relevé le gant jeté par le prétendant à sa couronne pour le lui relancer à la figure et en ressortir vainqueur. Ce n'est pas seulement l'homme du jour : c'est l'homme de toujours. »

Le Rocket sortit vainqueur du tournoi Howe-Richard et cela relança le débat qui avait duré toute la saison. Une vague de frustration avait déferlé sur le Québec, lorsque les chroniqueurs sportifs lui avaient préféré son jeune rival, Gordie Howe ; Maurice avait été nommé dans la deuxième équipe d'étoiles. Au Canada français, tous étaient convaincus que Richard aurait dû être nommé pour une septième saison consécutive dans la première équipe d'étoiles. Le duel Richard-Howe leur donnait raison et ils n'en étaient que plus déçus... Surtout que certains experts s'étaient prononcés en faveur du Rocket.

Ainsi, Milt Schmidt, le capitaine des Bruins, s'était déclaré en faveur du Rocket bien avant la rencontre Détroit-Canadien, c'est-à-dire le 5 mars, dans le *Boston Post :*

« Il n'y a aucune comparaison entre le Rocket et Gordie Howe de Détroit, a dit Smythe en prenant position dans ce débat qui a duré toute la saison. Howe obtiendra probablement le poste d'ailier droit dans l'équipe d'étoiles, mais il ne devrait pas.

« La raison pour laquelle je choisis le Rocket c'est à cause de mes propres réactions quand je joue contre ces deux gars-là. Toutes les fois que nous jouons contre les Canadiens, je suis conscient de chaque seconde de la présence de Richard sur la glace. Je sais que je ne peux lui laisser la moitié d'une enjambée vers nos buts et espérer pouvoir l'arrêter.

« On ne peut dire la même chose de Howe si je dois lui faire face sur différents jeux, je fais aussi attention à lui car c'est aussi un grand joueur. Toutefois, la plupart du temps, lorsque nous jouons contre Détroit, je peux oublier Gordie et le laisser à Woody Dumart, pendant que je me concentre sur Sid Abel ou sur le joueur qui m'est opposé.

« Il y a une autre chose que j'aimerais ajouter pendant que nous sommes sur le sujet. Je sais que Richard a la réputation de sortir de ses gonds de temps en temps, mais moi j'ai toujours éprouvé beaucoup de satisfaction à jouer contre lui.

On n'a jamais à se demander s'il va nous faucher par en arrière quand on ne regarde pas. Pour cette raison, on peut se concentrer sur son propre jeu et il en fait autant. »

Schmidt sourit un instant et conclut :

« Je ne peux pas en dire autant de certains autres gars de la Ligue. On doit avoir des yeux tout le tour de la tête pour certains d'entre eux. »

Pouvait-on trouver meilleur expert que Schmidt ? D'ailleurs Woody Dumart émettra à peu près la même opinion sur ces deux joueurs. Qu'aurait-il fallu que Richard fasse de plus pour être choisi dans la première équipe d'étoiles, je n'en sais trop rien . . .

Le jeune Gerry McNeil qui avait eu à chausser les patins du grand Bill Durnan avait également relevé le gant de façon admirable. Il s'était révélé un gardien de grande classe. Mais les Canadiens étaient en pleine période de reconstruction et il était impossible de faire mieux dans les circonstances. Eut-il gardé les buts du Détroit, son nom aurait figuré sur plusieurs trophées Vézina.

Maurice avait été le héros à l'offensive, Gerry avait été le héros à la défensive.

Quand à Dick Irvin, il raillait maintenant ouvertement. Il prit un malin plaisir à rappeler aux journalistes ses prédictions du début de saison ? « Qui est fou maintenant ? Je vous ai dit que nous surprendrions beaucoup d'experts avant que cette saison ne prenne fin. Un club de sixième place, hé ? »

La série finale de 1951 allait être tout aussi enlevante. À nouveau, les Leafs de Toronto, qui avaient facilement éliminé le Boston, étaient favoris. Ils avaient eu, au cours de la saison régulière, le meilleur sur le Bleu-Blanc-Rouge et de loin. En quatorze parties, les Canadiens ne gagnèrent que deux fois et jamais au Garden de Toronto. Les Leafs avaient, de plus, compté 42 buts comparativement à 29 pour le Tricolore.

Le jeu fut tellement serré que, pour chaque partie de cette finale, il fallut aller en supplémentaire. Canadien perdit la première par la marque de 3 à 2 sur un but de Kenny Smith, après 5 minutes et 51 secondes de jeu en prolongation. Maurice avait marqué le premier but du Canadien.

À la deuxième partie, là où le Canadien n'avait pas gagné un seul match au cours de la saison, Maurice Richard démontra, pour la énième fois, pourquoi on le surnommait « le Rocket ».

Croyez-le ou non, le même scénario qui s'était répété deux fois à Détroit se répéta à nouveau au Maple Leaf Garden...

Billy Reay et Paul Masnick avaient donné une avance de 2 à 0 au Canadien. Richard avait obtenu une passe sur le but de Reay. Puis Sid Smith marqua avant la fin de la deuxième période. Au troisième engagement, alors que Maurice purgeait une punition, Ted Kennedy égala les chances. McNeil, furieux, se débattit comme un diable dans l'eau bénite, prétendant que le but avait été marqué avec le patin de Kennedy. Selon les journalistes de la galerie de la presse, le but avait bel et bien été marqué avec le patin. Mais la décision de l'arbitre était sans appel.

La période supplémentaire débuta. À 2 minutes et 55 secondes, le silence se fit dans le Garden de Toronto, pourtant il y avait 14 567 spectateurs : Maurice Richard venait de saisir une très longue passe de Doug Harvey à la ligne bleue. Personne ne pouvait le rattraper. Maurice prit bien son temps. Il avança sur Broda et Broda vers Richard. Puis, dans une feinte magistrale, il donna le disque à Broda et le lui retira avant de le passer à sa gauche et de le laisser glisser tout doucement dans le filet. L'exécution avait été si parfaite et si spectaculaire que la foule en était complètement sidérée...

Les joueurs du Canadien envahirent la glace pour féliciter leur « Rocket » et regagnèrent le vestiaire. Maurice dans un élan de joie, se dirigea dans un coin de la patinoire et donna son hockey à un spectateur. Il était maintenant seul sur la glace, le Garden lui appartenait... La foule se leva d'instinct et fit au Rocket une ovation incroyable !

Avant l'ouverture de la série, l'instructeur des Leafs, Joe Primeau, avait dit : « Nous allons jouer contre Richard de la même façon que nous le ferions contre n'importe quel bon joueur de la ligue. Aucune surveillance spéciale. Aucun joueur ne sera particulièrement désigné pour le mettre en échec ! »

Joe eut sa leçon. On ne pouvait pas laisser Maurice sans surveillance. Le Rocket fut étroitement surveillé lors des trois autres parties.

C'est d'ailleurs après cette partie que le gérant général de Primeau, l'ineffable Conny Smythe, déclara : « Maurice est le Babe Ruth du Hockey ! » Le *Montreal Herald* du 16 avril abondait dans le même sens :

> « C'est le plus grand frappeur de circuit, le Babe Ruth de la Ligue
> nationale de hockey »

Le Canada offrait en manchette un titre tout aussi significatif :
M. RICHARD, UNE AUTRE FOIS.

Les Canadiens étaient maintenant les favoris pour décrocher la coupe Stanley.

À la troisième rencontre, le grand numéro 9 des Canadiens marqua à nouveau le premier but de la partie. Puis Syd Smith égala le compte et força les deux clubs à jouer une quatrième période, en supplémentaire.

Dès le début de la période, Maurice déjoua d'un dur lancer Al Rollins, qui avait remplacé Turk Broda. Al fit partiellement l'arrêt et la rondelle glissa lentement à travers la ligne rouge. Surgissant de nulle part, Roy Timgren plongea et repoussa le disque... Le même manège se reproduisit avec Kenny Mosdell. Cette fois-ci, ce fut Ted Kennedy qui empêcha la rondelle d'entrer... « Dame Chance » était avec les Leafs. Aussitôt, Kennedy marqua sur une échappée.

Le 19 avril 1951, se jouait à Montréal la joute décisive de la série. Par deux fois, le Toronto prit l'avance et par deux fois le Rocket contribua à niveler la marque. Pour la troisième fois en quatre parties, Maurice avait enregistré le premier but des siens. Sur une autre de ses irrésistibles attaques, il décocha un puissant lancer qu'Elmer Lach fit dévier dans les buts du Toronto. Ce but entraîna à nouveau une période supplémentaire... Watson mit fin à cette quatrième partie après cinq minutes quinze de jeu.

La cinquième partie de ce « quatre de sept » se jouait maintenant à Toronto. Les Canadiens faisaient face à l'élimination... Le Rocket déploya une ardeur et une rapidité incroyables et un autre de ses buts spectaculaires ouvrit la marque pour une quatrième fois. Fiction ? Non, une réalité époustouflante... Maurice reçut une passe de Bud MacPherson ; rapidement, il contourna Jim Thomson comme si ce dernier était ancré dans la glace, puis feinta Rollins en dehors de ses jambières et marqua.

Tod Sloan égala les chances pour Toronto et Paul Meger redonna une avance de 2-1 aux Canadiens. Avec 32 secondes à jouer dans la partie, la victoire leur semblait assurée, lorsque Tod Sloan marqua à nouveau... Les joueurs du Canadien étaient complètement découragés. Désemparés, il ne retrouvèrent pas leur rythme à temps et, après 2 minutes et 53 secondes de jeu en supplémentaire (une cinquième fois en cinq parties), Bill Barilko marqua le but de la coupe Stanley.

Dans le vestiaire des Canadiens, plusieurs joueurs pleurèrent sans aucune honte... Cette fameuse coupe Stanley, ils y avaient tous rêvé, l'avaient pratiquement touchée. C'était une défaite particulièrement dure à avaler...

Gerry McNeil et Maurice Richard émergèrent de ces séries comme deux des plus grands compétiteurs de l'histoire du hockey. Gerry avait émerveillé tous ceux qui l'avaient vu à l'œuvre. Des vétérans *old-timers* affirmèrent qu'ils n'avaient jamais vu autant de brio de la part d'un gardien de but !

Ces éliminatoires de 1951 démontraient à tous, d'une façon on ne peut plus convaincante, toute la valeur et l'utilité de Rocket Richard pour les Canadiens. En onze parties, il avait terminé en tête des marqueurs avec neuf buts et quatre assistances. Il avait donc participé à plus de la moitié de la production totale de son équipe, soit 13 des 23 points ?

Les paroles qu'avait prononcées le journaliste Jean Barrette au tout début de la saison prenaient maintenant une signification profonde : « Qu'on n'oublie pas que quand Maurice Richard marque, le Canadien gagne ! Qu'on ne l'oublie pas ! »

Il avait affiché tout autant de brio au cours de la saison régulière mais, malgré tout, il ne put mettre la main sur le trophée Hart. Avec ses 42 buts et ses 24 assistances, il avait connu une autre saison fabuleuse. Il s'était classé deuxième après Gordie Howe, avec un but en moins.

Cette fiche, il l'avait réalisée avec un nouveau gardien de but et dix recrues dans l'équipe. Il avait conduit presque à lui seul le Tricolore en troisième position et lui avait mérité une place dans les séries. Mais tout cela était encore insuffisant pour qu'il soit reconnu comme « le joueur le plus utile à son club » par les experts.

Par contre, on sait que, le 20 janvier 1951, il avait été proclamé *Hockey Player of 1950* par *Sport Magazine*. Cela couvrait donc la moitié de la campagne 50-51. De même, l'agence de presse B.U.P choisit Maurice comme la personnalité de l'année dans le sport au Canada pour 1951. Ce qui, cette fois, couvrait la dernière moitié de cette même campagne.

Qui donc avait raison? Pourquoi la deuxième équipe d'étoiles? Pourquoi le trophée Hart à Milt Schmidt ? Même si Milt avait contribué pour beaucoup à faire entrer les Bruins dans les séries de la coupe Stanley, les Bruins s'étaient tout de même classés derrière les Canadiens et Schmidt derrière Richard, au cinquième rang des marqueurs avec vingt francs buts en moins. Milt avait accumulé 22 buts et 39 assistances au cours de cette saison 1951-1951. C'est à en perdre son anglais...

Maurice Richard venait de compléter la moitié de sa carrière.

Chapitre neuvième
Le plus beau mal
de ventre...
depuis l'époque
de Babe Ruth...

Le travail de Frank Selke commençait déjà à porter ses fruits. La relève se faisait lentement. Mais quelle relève ! À Harvey et McNeil venaient s'ajouter Bert Olmstead, Dickie Moore et le coloré Boum-Boum, Jeff pour les intimes. De plus, les négociations pour obtenir Jean-Marc Béliveau, « le grand Bill », allaient bon train.

Jeff, avec toute sa spontanéité, sa verve, son entrain, son désir de vaincre et son bouillant caractère, plaisait beaucoup au Rocket. Maurice ne l'a peut-être jamais avoué, mais il avait développé une profonde affection pour « le Boumer ». D'ailleurs, ils se ressemblaient beaucoup. Maurice le considérait comme son jeune frère.

Stimulé sans doute par ces jeunes recrues, le Rocket commença la saison 1951-1952 comme un lion. C'était du Richard à son meilleur...

Pour ne pas faillir à sa bonne habitude, il marqua son premier but de la saison dès la partie d'ouverture. C'était le 11 octobre 1951. Trois jours plus tard, il marquait deux buts en moins de cinquante secondes, préparait le jeu pour le troisième et conduisait les siens à une victoire de 4 à 3 sur le Boston. Le 18 octobre suivant, il enregistrait le but de la victoire contre les Rangers qui perdirent les honneurs de la guerre par le décompte de 3 à 2. Le mois d'octobre n'était pas terminé que Maurice Richard avait marqué trois autres buts dont deux contre ces mêmes Rangers, alors que la princesse Elizabeth et le prince Philip d'Angleterre assistaient au match.

À l'occasion de la visite du couple royal, on avait décidé de donner un nouveau cachet au Forum. On l'avait repeint de la cave au grenier, si l'on peut s'exprimer ainsi. Toutes les sections aux couleurs bleu, blanc et rouge brillaient comme des sous neufs. Même les placiers arboraient une nouvelle calotte aux couleurs du Tricolore, ce qui fit dire à un journaliste malicieux « qu'on aurait dû inviter leurs Altesses Royales bien avant ça . . . »

Évidemment, rien n'avait été laissé au hasard. Une magnifique estrade recouverte du symbolique tapis rouge avait été montée à l'extrémité sud du Forum, près de la rue Sainte-Catherine. Ce fut là que la princesse et le prince firent leur apparition sous les applaudissements nourris de la foule. Aussitôt le Royal 22e Régiment — tout était royal à cette époque — entonna l'hymne national de la mère-patrie, le « God Save the King », puis il enchaîna avec le « Ô Canada ».

Leurs Altesses avaient leur loge juste derrière cette plate-forme, mais la princese exprima le désir de s'asseoir plus au centre du Forum. Ce désir fut exaucé et le couple vint prendre place derrière le banc des joueurs du Canadien, et cela au grand plaisir de la foule. C'est vrai qu'au Canada, même si on « profitait » de la monarchie de l'Angleterre, on avait très peu l'occasion de pouvoir observer de près ces nobles gens . . .

La partie débuta, mais il était évident que les joueurs, encore sous le coup de l'émotion, étaient tendus à l'extrême devant leur future reine. Surtout que, bien décidés à démontrer que les Canadiens étaient aussi capables de « fair play », les dirigeants avaient demandé aux deux équipes d'éviter toute rudesse. Le résultat fut plutôt navrant. Les joueurs, anxieux de trop bien faire, présentèrent un jeu des plus décousus.

À un moment donné, Russ Lowe, défenseur du Tricolore, appliqua une dure mise en échec à Don Raleig qui passa par-dessus la bande, à la grande joie du prince et de la princesse, ainsi que de la foule. La tension diminua et tomba complètement lorsque le grand « Butch » répéta le geste de Lowe, mais cette fois-ci au dépend du juge de ligne.

Pour un gars qui, en principe, n'était pas en bonne condition physique, le grand Émile joua une partie mémorable. En effet, Irvin avait déclaré à la presse que son capitaine n'était physiquement pas en possession de tous ses moyens. Cette déclaration souleva l'ire de Bouchard qui n'accompagna pas le club au cours des deux parties suivantes, dans un geste de protestation contre son instructeur.

Mais voilà, on devait, ce soir-là, présenter les capitaines des deux équipes à leurs Altesses. Il fallait donc que « Butch » soit sur la glace. Après une rencontre avec le grand diplomate Frank Selke, le tout rentra dans l'ordre et « Butch » (Émile) Bouchard, cet autre Canadien français qui avait su imposer sa domination à la défensive, fut accueilli par de chaleureux applaudissements lorsqu'il sauta sur la glace.

Par sa tenue, il avait donc en quelque sorte forcé Dick Irvin à ravaler ses paroles.

Quant à Maurice, ratant de belles occasions de marquer, il avait été tenu en échec au cours des quarante premières minutes de jeu par le gardien Chuck Rayner. Par contre, Floyd Curry en profita pour réaliser une des plus belles performances de sa carrière. Il choisit cette soirée pour se mettre en évidence, récoltant son premier « tour du chapeau » dans la Ligue nationale.

Au début de la troisième période, Dick Irvin se rendit compte que le Rocket approchait du point d'ébullition. Il se chamailla d'abord avec Al Stanley, ce qui rendit le maire de Montréal Camilien Houde un peu nerveux. Placé immédiatement derrière Dick Irvin, il suggéra à ce dernier : « Retire-le de la glace, retire-le ! » Dick, avec un petit sourire en coin, répondit, moqueur : « Peut-être leurs Altesses aimeraient-elles voir un peu d'action ? » Puis Maurice en vint pratiquement aux coups avec Steve Kraftcheck. Sentant la soupe chaude, Dick retira aussitôt son ailier droit. Le prince et la princesse à qui rien n'échappait parurent un peu déçus.

Mais la soirée n'allait pas passer sans que Maurice Richard ne démontrât à leurs Altesses de quel bois il se chauffait. L'action ne fit pas défaut.

Sans crier gare, il explosa alors qu'il ne restait plus que sept minutes à jouer au troisième vingt, marquant son 298e but. À 19 minutes 20 secondes, il déjoua à nouveau Rayner et, avec seulement 40

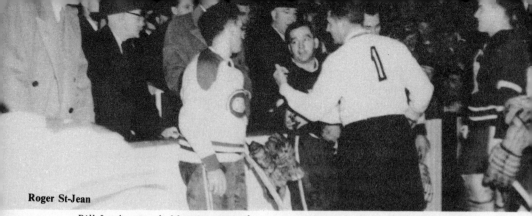

Roger St-Jean

Bill Juzda regarde Maurice, mais il ne verra pas venir la droite du Rocket.

Roger St-Jean

Bill revient à lui et tente de se relever. Il devra être aidé par un coéquipier qui l'escortera vers la clinique du Forum.

secondes de jeu, il rata de quelques pouces le 300e but de sa carrière, laissant la foule béate d'admiration. La princesse Elizabeth et le duc d'Edimbourg quittèrent le Forum pleinement satisfaits.

Lorsque Maurice se dirigea vers le vestiaire, le prince Philip se pencha et lui dit en souriant : « *Nice going, Rocket.* (Bien joué, Rocket.) »

Ces paroles étaient des plus appropriées : Maurice Richard venait de prendre la tête des marqueurs de la Ligue avec sept buts et trois passes.

Ce fameux 300e but que Maurice venait de rater allait maintenant se faire attendre. Tout le monde l'espérait et ceci contribuait à augmenter la tension chez le Rocket, surtout qu'on le surveillait sans relâche. Personne ne voulait être la victime de Richard à l'occasion de cette nouvelle étape vers la tête des marqueurs... Maurice s'impatientait de plus en plus, si bien que cinq jours après cette partie contre les Rangers, il mit K.O. un des costauds de la L.N.H., le très rude Bill Juzda du Toronto. On se rend compte que le numéro 9 ne choisissait pas ses adversaires et qu'il était explosif partout.

La princesse, qui était maintenant une admiratrice avouée de Richard, était à ce moment-là à Charlottetown. Elle déclara à l'épouse de Léo Lamoureux (cet ancien joueur des Canadiens était maintenant gérant des Islanders dans cette ville) qu'elle aurait aimé assister à ce K.O. Le rusé Dick Irvin avait donc vu juste, une fois de plus.

Pour un début de saison époustouflant, c'en était un ! Cette saison s'annonçait des plus excitantes et les ombres chargées de pourchasser le Rocket n'avaient qu'à bien se tenir. Fern Flaman et Bill Juzda, du Toronto, pourraient en témoigner.

Depuis le début de la saison, les Canadiens avaient eu peu de succès contre les deux clubs qui détenaient la première et la deuxième position, soit le Détroit et le Toronto. Ce jeudi soir, le 1er novembre 1951, le Tricolore et les Maple Leafs se disputèrent âprement la victoire, comme à l'accoutumée.

À un moment donné, Maurice Richard déjoua tous les avants du Toronto et fonça à toute vitesse vers les défenseurs adverses avec toute l'impétuosité qu'on lui connait. Les deux défenseurs Juzda et Flaman, sans doute la plus robuste paire de joueurs défensifs du Toronto autant que du circuit, reculèrent prudemment. Flaman tenta d'intimider le Rocket en levant son hockey et en le portant à la figure de Richard. Quant à Juzda, il accrocha Maurice dès son arrivée dans la zone des Leafs et le retint jusqu'à l'arrêt du jeu.

Le juge de ligne Maurice Walsh, aussi bien que la foule, sentit tout de suite que quelque chose se passerait. En retournant vers le banc des joueurs, Maurice frappa Flaman au visage avec son coude droit et continua de patiner. Flaman le suivit et la bataille éclata aussitôt devant le banc du Canadien.

Le très populaire Bill Chadwick imposa à chacun une punition majeure. Maurice entra dans la boîte des punitions pour en ressortir aussitôt. Bill Juzda qui patrouillait non loin en avait long à dire au Rocket. Ils en virent rapidement aux coups. Flaman en profita et sauta sur le dos du numéro 9. Le gros Bud MacPherson dégagea Richard pendant que « Butch », qui tentait de séparer Juzda et Maurice, faillit laisser son index dans la bagarre. Après la partie, le grand

Émile montra à tous son doigt ensanglanté avec les marques de dents de Juzda, faisant remarquer avec son flegme habituel : « Il m'a quasiment coupé le doigt. » Et, avec humour, il ajouta : « Je vais demander au président Campbell s'il va ordonner à ce gars-là de porter une muselière la prochaine fois. »

Chadwick expulsa alors Flaman et Richard de la partie avec une punition de match pour mauvaise conduite. Maurice se préparait à quitter la patinoire, mais Juzda s'approcha de lui et continua de l'injurier. Le Rocket répliqua avec un puissant crochet du droit qui ne voyagea pas plus qu'un pied et demi selon les observateurs. Bill « The Beast » s'écroula au sol comme une poche et resta là, la face contre la glace, pendant plus de 35 secondes.

C'est alors que Bill Chadwick, grand admirateur du Rocket, confondit même les plus grands experts. Il imposa une autre punition majeure à l'ailier droit. « Comment pouvait-il donner une autre majeure à Richard, alors que ce dernier était déjà en dehors de la partie ? » commenta Irvin. Cela personne ne le comprit, surtout que Juzda n'écopa que d'une seule majeure.

Lorsque ce dernier revint à lui, il était encore tellement sous l'effet sédatif de ce coup qu'il ne chercha même pas à venger son honneur. Il était méconnaissable, saignant abondamment de l'œil gauche qui était déjà mauve et complètement fermé. Un coéquipier l'aida à regagner son banc.

« Ce gars-là n'a jamais frappé un autre joueur qui le regardait..., déclara Bill Juzda après la partie, son orgueil tout aussi tuméfié que son œil, ... mais bon Dieu, ce qu'il peut frapper », ajouta-t-il.

« Butch » Bouchard réduisit à néant cette accusation mensongère : « S'il ne regardait pas, comment se fait-il qu'il a été atteint dans l'œil ? J'étais tout près de lui et je pouvais le voir fixant le Rocket comme s'il attendait le coup. Il a tout simplement oublié de se baisser. »

Les photos publiées dans tous les journaux confirmaient les paroles de Bouchard, et celles du *Hockey News* du 10 novembre étaient particulièrement éloquentes. On peut le constater de visu en page *172*.

Cette droite du Rocket était destinée à tout joueur qui interviendrait dans une affaire qui n'était pas la sienne : « Juzda n'avait rien à voir dans cette bataille avec Flaman. S'il s'était mêlé de ses affaires, il ne lui serait rien arrivé. Cela lui montrera à se mêler de ce qui ne le regarde pas, la prochaine fois », expliqua le Rocket après la partie.

Bien qu'il eut des démêlés avec la plupart des durs-à-cuire du circuit, Maurice ne donnait jamais les premiers coups. Il se concentrait sur le jeu et c'est pourquoi il pouvait marquer des buts avec une rapidité déconcertante. Souvent les spectateurs n'avaient rien vu. Le Rocket considérait que les mises en échec étaient, plus souvent qu'autrement, inutiles. Les accrochages et les bagarres nuisaient à sa concentration et l'empêchaient de marquer. Mais ceux qui lui cherchaient noise goûtaient à sa dynamite. Il ne cherchait pas les bagarres, mais une fois pris à partie il les finissait toutes. On peut dire sans se tromper que le Rocket n'a jamais perdu de combat, sauf lorsque les joueurs se mettaient à plusieurs pour lui régler son compte.

On en avait vu un exemple la saison précédente à Détroit, alors que la « Production Line » tout entière s'en était prise au Rocket. Évidemment, ce fut le roi du harcèlement, Ted Lindsay, qui ouvrit le bal. Maurice était sur la glace depuis une ou deux minutes lorsque Lindsay s'attaqua à lui. Maurice eut rapidement le dessus. Il n'avait pas repris son souffle que Sid Abel prenait la relève, lui administrant quelques bonnes taloches. Épuisé, Maurice tomba au sol. Il se releva pour retomber aussitôt dans les bras de Gordie Howe qui lui appliqua, lui aussi, quelques bons coups. Pourtant Richard n'était pas seul sur la glace ce soir-là. Où étaient les arbitres et les joueurs du Canadien ? Personne ne vint à sa rescousse. Ce genre de pilule est dure à avaler.

Même si Maurice pouvait très bien prendre soin de lui-même, il avait besoin lui aussi de l'aide de ses coéquipiers dans de telles situations. Mais, finalement, il remit la monnaie de leur pièce à ceux qui l'attaquèrent ainsi. On se rappelle que le premier à y goûter fut Ted Lindsay au cours de la série éliminatoire suivante.

Cette bataille avec Juzda libéra sans doute Richard de la tension qui l'oppressait car, dès la partie suivante, il devenait le deuxième joueur de tous les temps à réussir 300 buts. Sa victime, lors de cet

La Presse

Le spectaculaire 300e but du Rocket marqué contre Terry Sawchuck du Détroit. Ted « the terrible » Lindsay arrive trop tard, et « l'ami » de Maurice, Bill Chadwick est témoin de l'exploit.

exploit, fut le meilleur gardien de la Ligue, Terry Sawchuck, des Red Wings de Détroit, champions de la L.N.H. Maurice déjoua même Terry à deux reprises, enregistrant ses 300e et 301e buts.

Ce 300e but fut particulièrement spectaculaire. Maurice marqua sur un revers alors qu'il terminait son attaque, tournant complètement le dos à Sawchuck. Inutile de vous décrire les réactions de la foule. Sam Babcock alla chercher le disque et le remit à Maurice en souvenir de cette nouvelle marque. Hélas, ces deux buts furent insuffisants pour donner la victoire aux siens même si le Rocket avait encore une fois marqué tous les buts de son club. Score final : Détroit 3, Canadien 2.

Entre le 11 octobre et le 3 novembre 1951, Maurice avait donc accumulé neuf buts comparativement à trois pour son illustre adversaire Gordie Howe. Après cette performance unique, Nelson Stewart prédit que Richard dépasserait son record de 324 buts, dès la présente saison. Il formula sa prédiction en ces termes :

> « De la ligne bleue aux filets adverses, aucun joueur n'approche Richard. En tout temps Richard aurait été une grande étoile de hockey ! La personne qui l'a baptisé « Rocket » lui a certainement donné le bon surnom. Je n'ai jamais vu quelqu'un démarrer aussi vite.
>
> « Plusieurs joueurs doivent prendre leur élan pour préparer une attaque. Pas Richard ! Il peut décoller sur une pièce de dix sous. Il est robuste et peut se frayer un chemin jusqu'au but tout en tirant avec lui un

ou deux joueurs adverses.

« Aujourd'hui, tout le jeu s'effectue de la ligne bleue aux filets et c'est là que Richard s'avère un maître de la stratégie et du jeu. »

On se rappelle qu'un autre grand joueur de hockey, Joe Malone, avait émis une opinion à peu près semblable en 1945, lorsque Maurice brisa son record de 44 buts en une saison. Comme on l'a déjà mentionné, ces appréciations venant de joueurs de hockey, fameux par surcroît, valaient leur pesant d'or.

Enfin, on tergiversait de moins en moins pour reconnaître les talents du Rocket. « Maurice Richard est le joueur le plus spectaculaire que j'aie jamais vu et ceci inclut le plus grand que j'aie vu avant lui, Howie Morenz. » Ces paroles venaient de celui-là même qui s'était le plus acharné à démolir Richard, Frank Boucher. Il ajouta : « Howe est peut-être un joueur plus complet, mais Richard est le plus grand individualiste que le hockey ait jamais vu. Il est la plus grande attraction aux guichets de la L.N.H. depuis des années. Si j'avais à choisir un joueur pour une partie donnée, je prendrais Richard. »

À ce moment-là, un autre Richard, du nom de Henri, faisait grandement parler de lui dans le National Junior A de Pete Morin qui lui prédisait déjà une carrière phénoménale dans la L.N.H. On sait maintenant qu'il avait vu juste, puisqu'en 1975 Henri terminait sa vingtième saison avec le Canadien. Il a établi du même coup une nouvelle marque de longévité avec le Tricolore. À cette durabilité, le capitaine des Habitants savait aussi allier l'efficacité.

En ce début de l'année 1952, il n'est donc pas faux de dire que le nom des Richard était sur toutes les lèvres ; fin décembre, Maurice fut choisi par la British United Press of Canada comme la personnalité de l'année 1951 dans le sport. La Fondation Hickok de New York lui décerna le titre d'Athlète professionnel de l'année en Amérique du Nord.

Charles Mayer, journaliste au *Petit Journal,* qui décernait hebdomadairement ses trois étoiles aux trois meilleurs joueurs de hockey de la semaine accorda à Maurice le titre d' « Étoile de l'année 1951 ».

On se rappelle que la revue américaine *Sport Magazine* lui remit un trophée à titre de « joueur de hockey par excellence en 1951 ».

Sous les réflecteurs, le Rocket s'exprimait avec toute la témérité,

La Presse

21 janvier 1952. L'unique Camilien Houde, maire de Montréal, remet à Maurice une plaque commémorant son choix de meilleur athlète de l'année 1951, en Amérique.

la fureur et le feu qui le caractérisaient. Tout ce qu'il faisait était chargé de drame, de spectaculaire. Des tas de choses se produisirent, qui n'arrivaient qu'à lui. Par exemple, à Toronto, à la suite d'une solide mise en échec de Bill Juzda, le Rocket fut propulsé dans la baie vitrée du Garden. Sous la force de l'impact, le verre incassable vola en mille miettes au grand ébahissement de la foule. Toujours à Toronto, le Rocket fonçait à toute vapeur vers la zone ennemie, lorsque « Wild Bill » Ezinicki, Bill Juzda et Vic Lynn le chargèrent pour l'arrêter. Cette fois-ci, le Rocket fut projeté dans la porte du banc des joueurs qui céda sous la charge, arrachée de ses gonds.

De même, sa fameuse blessure à l'aine fit les manchettes des journaux pratiquement tout l'hiver. Un rédacteur de Toronto, toujours agressif, écrivit : « Richard a le plus beau mal de ventre que le monde du sport ait connu depuis l'époque de Babe Ruth. »

Jamais rédacteur n'avait dit si vrai. Tout comme Babe, le Rocket souffrait d'un mystérieux malaise à l'aine.

Maurice supporta cette douleur pendant plus de huit semaines, c'est-à-dire de la mi-novembre à la mi-janvier, sans se plaindre. Toujours désireux d'aider son club et d'abattre le record de Nels Stewart, le Rocket continuait de jouer, croyant que cela passerait.

Le lundi 7 janvier 1952, les Canadiens quittèrent Montréal pour une tournée dans les villes de Rouyn, Sudbury et Kingston, afin d'y disputer des parties hors série. La douleur était si intense que le numéro 9 dut écourter son voyage : le jeudi suivant, il rentrait à Montréal. Dick Irvin bouleversa alors le monde du hockey lorsqu'il déclara à la presse que « Richard devrait prendre un mois de repos ».

Plusieurs crurent à un autre coup de publicité du rusé Irvin, mais Dick ne parlait pas à travers son chapeau. Il connaissait bien les athlètes et particulièrement Richard. Il savait que ces gars-là jouaient parfois avec des blessures graves. Certaines expressions ne mentaient pas et, en bon observateur, Dick s'apercevait que Maurice pouvait difficilement tolérer cette douleur. Il ajoutait « Je ne suis pas médecin, mais j'estime que Richard devrait prendre un mois de repos. Maurice joue depuis un mois dans un état physique qui ne lui permet pas de se faire justice. Et je crains qu'il n'aggrave son cas en continuant de jouer. » La presse qui, pour la première fois, était officiellement mise au courant de cette histoire voulut en savoir davantage. Pressé de questions, Maurice expliqua :

« J'ai eu plus de misère au cours des huit dernières semaines que durant mes neuf autres saisons de hockey.

« Tout a commencé il y a environ huit semaines quand une série de grippes intestinales m'a terrassé. J'ai persisté à jouer et c'est alors que j'ai senti de vives douleurs dans la partie basse de l'intestin. Douleurs si vives qu'elles paralysaient mes jambes. Certains soirs, les douleurs s'endurent, mais d'autres soirs, c'est insupportable. Je ne puis m'en rendre compte que lorsque je commence à patiner. Naturellement je n'aime pas le repos forcé et je suis anxieux de briser le record de Nels Stewart le plus tôt possible. Je ne verrai certes pas d'un bon œil un repos forcé. »

Pour les journalistes, même si Richard était coupable en persistant à jouer, il était inadmissible que la direction n'ait pas tenté en huit semaines de diagnostiquer ce mal. Maurice n'avait pas encore subi un examen médical complet à ce sujet. Frank Selke croyait au début que son as ailier droit était victime de troubles nerveux et d'une mauvaise digestion. Après que Maurice eut été soumis à un examen médical complet avec radiographies, on constata qu'il avait subi une élongation musculaire à l'aine. Mais l'affaire avait tellement pris d'ampleur auprès du public qu'on pouvait difficilement déclarer maintenant que, d'une simple élongation musculaire, on en était rendu à des ligaments déchirés. Alors on laissa planer le doute sur cette mystérieuse maladie... On donna même le feu vert à Maurice pour jouer contre les Black Hawks, le samedi soir suivant, lui qui, au lieu d'un mois de repos, venait de bénéficier d'une semaine d'inactivité, à peine.

Il est facile de deviner la réaction du Rocket. Maurice était présent ce samedi soir et sa présence ne passa pas inaperçue. Vous vous imaginez peut-être que le Rocket réussit à marquer un but dans ces conditions ? Vous vous trompez, il en enregistra trois... Hé oui, ce fut son premier « tour du chapeau » de la saison.

Après cette partie, Dick Irvin félicita tous ses joueurs et fit l'éloge de Maurice Richard qui avait marqué ces trois buts en dépit du fait qu'il patinait avec beaucoup de difficulté. « Richard a donné un autre bel exemple de son courage. Il a joué en dépit des conseils de tout le monde. Je l'ai souvent vu grimacer de douleurs au cours de la partie. Ses trois buts sont un beau témoignage de sa réelle valeur. »

Puis il se dirigea vers Maurice et lui demanda s'il désirait accompagner le club à New York le lendemain ou demeurer à Montréal pour se reposer. Avant que Maurice ne puisse répondre, il ajoutait, plein de verve : « J'apporterai mes patins et je prendrai probablement ta place contre les Rangers. Les joueurs de défense de Frank Boucher n'appliquent pas de solides mises en échec et puis, moi aussi, je suis un ancien ailier droit qui lançait à gauche. »

Ces paroles d'Irvin, plutôt anodines en somme, parvinrent bien entendu aux oreilles de Frank Boucher. Cela déclencha l'une des plus mémorables vendetta de cette époque entre ces deux hommes.

Avec humour, Gord Walker, de Montréal, écrivait que Maurice Richard, qui possédait le plus fameux « mal de ventre depuis le hoquet de Babe Ruth, avait peut-être produit un miracle, car il était maintenant possible que les fans de New York soient les témoins du retour de Dick Irvin et de Bill Cook (instructeur des Rangers) au sein de la L.N.H. »

Comme on peut voir, l'action ne faisait pas défaut et les personnages ne manquaient pas de couleur...

Maurice qui connaissait bien lui aussi son instructeur esquissa un sourire et affirma qu'il voulait faire le voyage à New York : « Je ne saurai que demain comment je me sentirai. Si je peux jouer contre les Rangers, j'endosserai mon uniforme. J'aimerais bien marquer deux ou trois buts contre Rayner. »

Plusieurs journalistes ne semblaient pas trop convaincus et avec raison. Ils étaient plutôt sceptiques quant à l'état de santé du Rocket, surtout après la performance qu'il venait d'offrir. Maurice se plia aux exigences de la presse en fournissant plus de précisions sur sa situation.

> « Parce que j'ai compté trois buts ce soir, personne ne croira que je suis malade. On dira que je suis un parfait acteur et un grand pleurnichard. Je vous ferai remarquer que je n'ai fait qu'une seule déclaration au cours de la semaine dernière quand tout le monde disait que je serais inactif. J'ai simplement déclaré que je jouerais samedi contre Chicago. Je suis malade depuis un mois et demi et j'ai toujours continué à sauter sur la patinoire sans me plaindre. Quand je sentirai que je ne puis plus jouer au hockey, j'abandonnerai. »

Ces paroles du Rocket ne peuvent mieux dépeindre l'homme. Quelle détermination ! Quelle éthique ! Quelle fierté ! Toutes qualités qui sont en voie de disparition de nos jours.

Effectivement, Maurice fut forcé d'abandonner et de prendre un repos de près de deux semaines. Il manqua six parties. Puis le jeudi 31 janvier 1952, le Rocket effectuait un retour au jeu difficile à qualifier, un retour comme seul il pouvait en faire un.

« Maurice Richard exécute un spectaculaire retour au jeu », pouvait-on lire en manchettes dans le journal *La Presse* du 1er février. Voici comment l'exploit fut rapporté :

> « Si les scénaristes d'Hollywood avaient désiré une parfaite mise en scène pour marquer le retour au jeu de M. Richard, ils auraient probablement pensé à truquer une partie afin que le sensationnel joueur étoile puisse enregistrer le seul but de la joute pour doter son club d'une victoire de 1 à 0. De tels exploits, on peut en lire seulement dans les romans.
>
> « Pourtant, il faut bien se rendre à la réalité. Richard a bel et bien célébré son retour au jeu d'une façon aussi spectaculaire hier soir. Il a obtenu en retour la plus belle des récompenses, une chaleureuse ovation, un tonnerre d'applaudissements et a vu 14 394 paires de mains qui battaient frénétiquement pour réjouir son cœur de grand compétiteur. »

Maurice Richard venait de compter le 317e but de sa carrière, son 24e de la saison, contre l'équipe de Frank Boucher. On peut s'imaginer que la partie fut chaudement disputée et ce n'est que vers le milieu de la troisième période que le Rocket réussit ce but.

Il était quand même facile de remarquer que Maurice ne patinait pas à l'aise. Lorsqu'il mettait de la pression ou qu'il essayait de partir en trombe, on pouvait le voir grimacer. Après une montée, le Rocket s'écroula et eut de la peine à se relever. « Boum Boum » se porta à son secours et l'aida à se mettre debout pour le conduire au banc.

En entrant dans le vestiaire des joueurs, Jeff se dirigea vers Maurice et lui donna l'accolade en disant à celui qui avait été l'idole de sa jeunesse : « Je te félicite Maurice, c'est un beau but comme seul tu sais en marquer. » Maurice était heureux, mais pouvait difficilement cacher sa douleur, il répondit : « Merci beaucoup, « Boum-Boum ». Tu es également capable de faire allumer cette lumière rouge. »

Comme le veut la tradition lorsqu'une recrue des Canadiens enregistre son premier but, Maurice lança : « Je vais acheter une boîte de cigares. Vous fumerez tous à ma santé. » Il ne pouvait si bien dire, il en avait grand besoin.

Tour à tour, les joueurs vinrent le féliciter et lui manifestèrent leur amitié. Les uns le dépeignaient, les autres lui tapaient sur l'épaule. Dans un coin de la chambre, Dick observait la scène en hochant la tête et en souriant ; il murmura : « Ce Richard n'a pas son pareil, il s'arrange toujours pour s'attribuer toute la gloire. Quand il ne joue pas, tout le monde parle de lui et quand il joue, il fait en sorte que tout le monde parle de lui. »

Quand les journalistes purent finalement s'approcher de Maurice, il, lui demandèrent comment il se sentait :

« Physiquement, je ne suis pas bien du tout. Je ressens de nouveau une douleur à l'aine. Mais c'est beaucoup mieux qu'il y a quelques jours. C'est une amélioration. Ce soir, au début de la joute, je me sentais bien, mais j'ai beaucoup souffert au cours des deux dernières reprises. Quand j'ai compté mon but, j'ai tout oublié. Mais là, je suis bien heureux que la partie soit terminée. J'espère pouvoir jouer samedi soir et compter le but victorieux contre les Red Wings . . . »

Maurice se leurrait joliment ! Son anxiété s'expliquait. Malgré tous les déboires qu'il venait de connaître, il etait toujours premier marqueur de francs buts et Gordie Howe venait tout juste d'enregistrer son 24e but alors qu'on était rendu au 1er février. Il est facile de comprendre qu'il ne voulait absolument pas arrêter de jouer pour conserver sa première place des marqueurs. Quelle magnifique saison il aurait connue s'il n'avait pas été blessé.

Mais il dut se rendre à l'évidence qu'il ne pouvait donner son plein rendement contre les Red Wings le samedi suivant, ni contre les Bruins le lendemain. Dick lui suggéra de prendre du repos, ce qui rendit Maurice furieux car il voulait absolument jouer contre Détroit le jeudi d'après. Ce fut peine perdue, car il réalisa à l'exercice du mardi qu'il ne pouvait plus patiner. Il décida de rentrer à Montréal.

Les rumeurs sur l'état de santé du Rocket se faisaient si nombreuses et si persistantes que le gérant général Frank Selke se vit forcé de remettre un communiqué officiel à la presse afin d'apaiser les esprits. En voici un extrait :

« Du fait que nous sommes assiégés d'appels téléphoniques au sujet du bien-être de Maurice Richard, la déclaration suivante devrait rassurer tous les intéressés : rien ne sera négligé afin de trouver une solution au problème de Maurice.

« À l'heure actuelle, nous nous rendons compte que Maurice est revenu au jeu trop vite et qu'un repos complet d'au moins une semaine s'impose. Pendant ce temps, il consultera le Dr Young et suivra à la lettre les directives du médecin officiel de l'équipe. »

Dimanche, le 17 février, Maurice et son épouse s'envolaient pour la Floride. Il était désolé à la pensée qu'il ne pouvait pas assister à la fête qu'on organisait en l'honneur de son coéquipier de ligne, Elmer Lach, mais il pouvait toujours se consoler à l'idée qu'il allait peut-être rencontrer son grand ami Conny Smythe...

Maurice revint de la Floride bronzé et semblait en excellente condition physique. Mais il dissipa vite toute illusion lorsqu'il déclara, toujours aussi direct : « Je ne me sens pas mieux que lors de mon départ pour la Floride, il y a deux semaines. La vérité, c'est que mon état est le même qu'il y a deux semaines. Je ne sais quand je pourrai jouer. Je veux jouer, mais je n'en suis pas capable. Aucune douleur lorsque je fais des mouvements réguliers ; mais dès que je fais un effort, la douleur reprend. » Toujours aussi sensible, il ajouta : « Certains prétendent que je ne veux pas jouer... C'est faux, c'est ridicule ! » Surtout si l'on songe qu'il était tout près du record de Nels Stewart.

Le 15 mars 1952, après 22 parties d'absence complète, le Rocket faisait son troisième retour au jeu et cette fois-ci contre Boston. La veille, lors de l'exercice, Dick Irvin demanda en entrant dans le vestiaire des joueurs : « Prêt pour la partie de demain, Rocket ? » Maurice répondit par un sourire et ce fut Elmer Lach qui répliqua : « Certainement que Maurice va jouer, il est en bien meilleure condition que moi ! » Éclat de rire général. À regarder leur teint, on ne pouvait que donner raison à Elmer.

Le lendemain, Maurice était présent et, au lieu d'envoyer la ligne du Rocket immédiatement sur la glace pour ouvrir la partie, Dick, toujours aussi fin psychologue, attendit la deuxième vague pour envoyer son ailier droit dans la mêlée, alors que tout le monde était assis. Inutile de vous dire que Maurice fut accueilli chaleureusement...

Dick Irvin, admiratif, regardait son protégé. Ses yeux brillaient d'une joyeuse malice. Avant la partie, il avait fait remarquer : « Il semble avoir une forme resplendissante. Il a marqué sur son premier lancer dans l'exercice d'hier. Il a réussi trois buts et deux passes démontrant beaucoup de « zest ». Songeur, il avait ajouté : « Il est un joueur magnifique et nous avons besoin de lui pour le sprint final et pour les séries. »

Si les Canadiens gagnaient ce soir-là, ils passaient en deuxième position devant le Toronto. Boston fut défait... Maurice Richard marqua à nouveau le but victorieux ! Comment décrire un exploit qui tient de la routine pour un tel individu ?

Un journaliste estomaqué demanda à Toe Blake s'il était surpris. Toe répliqua que le Rocket ne pouvait plus le surprendre, car c'était naturel pour lui de marquer dans des moments dramatiques.

Mais la blessure n'était pas complètement guérie et Maurice s'en ressentit jusqu'à la fin de la saison. Henri déclara plus tard que son frère avait souffert énormément.

Malgré ce handicap et avec seulement 48 parties en poche, le Rocket avait quand même déjoué les cerbères à 27 reprises en plus de se mériter 17 assistances. Il réchauffa le banc des pénalités pendant seulement 44 minutes.

Les Canadiens terminèrent au deuxième rang et se virent opposés au club de Boston. Le Rocket, dans cette série quart de finale, allait écrire une des pages les plus dramatiques de son histoire et de celle du hockey.

Dès la première partie, le Rocket y alla de deux buts dans une victoire de 5 à 1. Pendant le deuxième match, Maurice fut tenu en échec, mais ce fut au tour de Jeff, la recrue, de s'illustrer avec un « tour du chapeau » et le Canadien l'emporta 4 à 2.

Les Bruins ne s'étaient pas avoués vaincus... Ils gagnèrent les trois joutes suivantes et faillirent terminer la série à la sixième. Ils marquèrent deux buts sans riposte à la première période. Lorsque débuta le deuxième vingt, Dick Irvin avait sûrement injecté de son agressivité aux « Habitants », car ils étaient déchaînés... Ils bousculèrent la solide défensive du Boston, tant et si bien qu'après 4 minutes 53 secondes Eddy Mazur déjoua « Sugar » Jim Henry... Ce qui porta la marque 2 à 1.

Le club de Boston réussit toutefois à conserver son avance d'un point jusqu'à 11 minutes de la troisième période. On peut s'imaginer la tension qui régnait... Soudain, le Rocket qui était aux aguets bondit sur la rondelle échappée par Schmidt et, d'un foudroyant lancer de trente pieds, déjoua Henry. Il fallut donc, à cause du Rocket, jouer en prolongation.

Après deux périodes supplémentaires, la recrue Paul Masnick prit le retour de Doug Harvey et marqua à 7 minutes 49 secondes.

Le soir du 8 avril 1952, la dernière partie de cette série se joua au Forum. Elle fut excessivement serrée. Chaque club compta un but dans la première période. C'était du hockey à son meilleur... du hockey d'éliminatoire !

Le décompte était toujours 1-1 au milieu de la deuxième période lorsque le Rocket tenta de traverser la défensive du Boston. C'est alors que le « méchant » Léo Labine, «badman» du Boston, chargea Maurice au moment où celui-ci trébuchait... Ce fut sans doute le plus beau *cross check* de la saison. Léo devait être très fier... Son hockey attrapa le Rocket en plein front... La tête de Maurice alla donner contre le genou de Bill Quackenbush et, sous la force du choc, se tordit violemment vers la droite. Maurice retomba lourdement sur le dos, sans bouger, les jambes écartées, les bras en croix... Sur la passerelle des journalistes, on était convaincu qu'il s'était cassé le cou, on le croyait mort. Le sang coulait à flot de sa coupure au front et sa joue droite était tuméfiée.

Deux placiers voulurent alors porter secours à Maurice avec une civière, mais le docteur Gordon Young les en empêcha : « Vous ne connaissez sûrement pas ce gars-là. Il faudrait qu'il soit mort pour se laisser transporter ainsi. Attendez, il va se relever de lui-même... »

En effet, Richard se releva avec l'aide de ses coéquipiers et on l'escorta jusqu'à la clinique du Forum. Là, il perdit conscience à nouveau...

Sa blessure nécessita six points de suture. Bill Head se rappelle que, pendant tout le temps que dura cette opération, « le Rocket ne bougea pas un œil ». Lentement il revint à lui. Il s'informa du score et, malgré les protestations du médecin et de Bill Head, il retourna au jeu... Toe Blake était sur la passerelle des journalistes lorsqu'il s'aperçut que Maurice était retourné au banc, il déclara alors : « Le Rocket va marquer dans les cinq dernières minutes de la partie. »

Toujours à demi-inconscient, les cheveux en bataille, le regard fixe, Maurice restait là assis sans bouger, comme figé. Il demanda alors à Elmer Lach quels étaient le score et le temps qu'il restait à jouer. Elmer lui répondit qu'il ne restait plus que quatre minutes et que le décompte était toujours 1 à 1. Richard signifia à Irvin qu'il était prêt et sauta alors dans la mêlée.

Derrière les buts de Gerry McNeil, « Butch » Bouchard bataillait ferme avec Woody Dumart pour la possession du disque. Il aperçut Maurice qui s'était replié et lui fit une courte passe que Woody tenta en vain de rabattre. Le Rocket contourna rapidement Dumart et en quatre enjambées battit de vitesse l'ailier Réal Chèvrefils qui venait le contrer ; toutes voiles dehors, il se dirigea vers le centre de la glace, puis brusquement à la ligne bleue adverse il vira vers la droite, tentant de prendre Quackenbush de vitesse. Mais Maurice avait devant lui l'un des plus astucieux défenseur du circuit. Bill avait prévu la manœuvre et patina rapidement à reculons. Sans pouvoir l'arrêter, il entraîna le Rocket dans le coin droit de la patinoire. Alors que tous croyaient cette attaque anéantie, le Rocket, au lieu de passer derrière le filet, coupa brusquement vers l'avant. Armstrong, voyant le danger, fonça sur Richard. Maurice le contourna sur sa gauche en tenant son bâton de ce côté et en le repoussant de sa main droite.

Vic Davidson (The Gazette)

8 avril 1952 — L'incomparable but du Rocket contre Sugar (Jim) Henry, qui élimine le Boston. Derrière Maurice, Bill Quackenbush et Bob Armstrong.

Hockey News

Le Petit Journal

Elmer Lach et Maurice encore sous le coup de l'émotion.

Henry protégea bien le côté droit et força le Rocket à lancer sans angle du côté gauche. Maurice hésita une fraction de seconde et, avec ce qui lui restait de force, laissa partir cette rondelle que « Sugar » Jim essaya en vain de bloquer et qui se logea dans le coin inférieur gauche. Maurice venait de sceller l'issue du match . . . et de la série semi-finale !

Le Forum explosa dans un bruit d'enfer sans pareil. C'était l'hystérie ! Elmer Lach céda sous la tension et s'évanouit. Le Rocket fut assailli par ses coéquipiers. Il se dirigea péniblement vers le banc des joueurs. Dans le Forum, c'était un chaos indescriptible. « Les ovations accordées à Richard, commentait O'Meara, sont les plus formidables qu'ait entendues le Forum mais, cette fois-ci, l'acclamation qui s'est prolongée pendant quatre bonnes minutes et qui a été suivie d'un déluge de papiers a fait pâlir toutes les autres. »

Après la sirène finale, « Sugar » Jim Henry félicita le Rocket et une photo saisissante de ce moment historique fut prise : Sugar Jim, les yeux au beurre noir à la suite d'une fracture du nez, se tenait là, penché, plein d'admiration, serrant la main d'un Rocket épuisé, la figure encore pleine de sang.

Jim Henry était rempli d'admiration envers Maurice non seulement pour le haut fait athlétique que celui-ci venait d'accomplir, mais surtout pour le courage indomptable dont il venait de faire preuve.

Maurice était encore en proie à l'émotion et à cette immense tension lorsqu'il pénétra dans le vestiaire des joueurs. Il s'écrasa à sa place, respirant difficilement. Tous dansaient, criaient et gesticulaient, manifestant une joie débordante.

Le sénateur Donat Raymond, président du club, vint féliciter

Le sénateur Donat Raymond félicite Maurice qui ne peut plus se contenir.

La Presse

M. Onésime Richard réconforte son fils.

La Presse

Maurice... Il s'assit contre le Rocket et lui dit : « Beau travail, Maurice. Tu as marqué ce soir le plus beau but que j'aie jamais vu dans le hockey. Je n'oublierai jamais cette soirée. »

À ces mots, le Rocket éclata ! Il était secoué par des sanglots terrifiants, d'une force incroyable. Le silence se fit instantanément. Des joueurs le mirent sur la table de massage tentant de retenir, les uns les bras, les autres les jambes. « Ces sanglots déchirants qui semblaient sortir des entrailles du Rocket nous effrayaient », racontèrent les joueurs.

Son père le prit par les épaules, le serrant fortement contre lui et lui parla doucement. Le médecin, le Dr Young, lui fit une piqûre et graduellement le tremblement et les sanglots diminuèrent ; deux heures après, Maurice pouvait quitter le vestiaire.

« Il n'y a qu'un seul homme dans le hockey qui peut marquer un but comme celui qui nous a donné la victoire décisive de ce soir. Richard n'est pas un joueur ordinaire et ses buts ne sont pas des buts comme on en voit tous les jours. Le but qu'il a marqué ce soir est le plus beau, le plus spectaculaire que j'aie jamais vu au cours de toute ma carrière dans le hockey », déclara Dick Irvin sidéré, le regard perdu dans ses souvenirs.

Dick compléta cet hommage à nul autre pareil par un hommage encore plus grand : « Je ne veux rien enlever à la gloire de Maurice, mais c'est le genre de but qu'on peut attendre de sa part. Personne dans l'histoire du hockey, mort ou vivant, n'est capable d'autant de brio. »

Bob Rochon, officiel de la L.N.H., était tout aussi estomaqué. « Il y a trente ans que j'assiste à toutes les joutes du Canadien et je prétends que le but marqué par Richard ce soir est le plus beau que j'aie jamais vu. Je ne dis pas qu'il est un des plus beaux. Je suis convaincu que je n'en ai jamais vu de plus beau. »

Longtemps après les derniers sanglots, Maurice put rencontrer les journalistes : « C'est la première fois de ma vie que je suis hors de combat. J'ai compté ce but par instinct. Je ne me rappelle rien, sauf la formidable ovation de la foule. Mes jambes étaient solides, mais j'étais complètement étourdi. Je n'ai pas eu connaissance de mon but. Je l'ai compté par instinct. » Encore un fois, Maurice ne s'attribuait pas tout le mérite qui lui revenait. Il ne pouvait parler de son courage, de sa combativité et de son grand désir de vaincre dans les situations impossibles.

Dans le camp adverse, l'étonnement et l'incrédulité mêlés d'admiration faisaient place à l'habituelle déception de tout club éliminé en série éliminatoire : « C'est par un but comme on en voit très rarement dans le hockey aujourd'hui que Maurice Richard nous a éliminés, fit remarquer Lynn Patrick. Ce fut le but le plus sensationnel de l'histoire de la Ligue nationale de hockey. Ce gars-là est un surhomme. Un char d'assaut ne l'aurait pas arrêté ! » ajouta-t-il.

« Sugar » Jim Henry, pour sa part, y alla sans réserve : « Pour un gardien de buts, le fait d'être déjoué par Maurice Richard, surtout de la façon dont il a marqué, est loin d'être un déshonneur. Richard demeure sans le moindre doute le plus grand joueur dans le hockey. » Du même souffle, il continua : « Encore ce soir, il en a donné la preuve. Vous lui donnez un seul pouce de territoire et il l'allonge en un mille. Je sais aujourd'hui ce qu'a dû ressentir Terry Sawchuck, l'an dernier, lorsque Richard a joué un rôle identique dans la série. J'ai tout tenté pour bloquer le coup car, dès que Richard est arrivé au centre de la glace, j'ai pressenti que je devrais effectuer un arrêt exceptionnel. Richard a patiné vers la gauche de mes filets et a ainsi lui-même réduit l'angle pour lancer, rendant ma tâche un peu plus facile. C'est pourquoi je répète que rien ne pouvait l'arrêter sur ce but, car il n'avait qu'une chance sur mille de réussir et je me suis retourné pour voir le disque arrêté au beau milieu de mes filets. »

À la sortie du Forum, une phrase était sur toutes les lèvres : « C'est le seul homme au monde qui puisse marquer un but de cette façon. »

Roger Meloche dans « Sport-O-Scope » de *La Patrie* du 13 avril 1952, termina ainsi son hommage : « Plusieurs disent encore que Gordie Howe est un meilleur joueur que Maurice — il est plus « complet », disent-ils — mais pour 99 pour 100 d'entre nous, le Rocket sera toujours le seul, l'unique, l'incomparable, non seulement parce qu'il détient tous les records et a le don de marquer des buts importants, mais parce qu'aucun autre athlète ne nous a donné ou ne nous donnera les sensations que nous avons connues en voyant évoluer cette merveille du sport. »

Le journal *The Telegram,* de Toronto, écrivait en manchettes :

COUPÉ, MEUTRI, LE DANGEREUX ROCKET A ÉLIMINÉ LES BRUINS.

George Dulmage accompagna ce reportage, écrit dans un style vigoureux, d'une immense photo sur trois colonnes montrant un Rocket complètement vidé.

« Il n'y a rien de plus dangereux sur patins que l'incroyable Rocket Richard. Il élimina les Bruins de Boston hier soir d'un seul geste magique : un but, sublime par sa magnifique exécution et sa totale perfection.

« Même le moment ne pouvait être mieux choisi parce qu'il restait peu de temps dans cette troisième période de la septième partie semi-finale. Les Bruins et les Habitants étaient alors à égalité 1-1 dans une partie furieuse, sanglante et brutale. »

Après avoir minutieusement décrit le but, il terminait :

« Le Forum était en délire. Dans la galerie de la presse, les vétérans journalistes abasourdis ne pouvaient en croire leurs yeux. Programmes, pièces de monnaie, chapeaux pleuvaient des gradins sur l'idole du Canada français. »

« Il est toujours le Babe Ruth du hockey », commenta laconiquement Dink Carroll, du *Montreal Gazette,* après la partie. Que dire de plus... Ce but eut un tel retentissement qu'Erwin Swangard, rédacteur sportif du *Vancouver Sun,* décida qu'un panégyrique était de circonstance pour ce haut fait sportif. Mais ce n'était pas suffisant. Il eut l'idée de traduire son éloge en français.

C'est comme ça que, pour la première fois, les lecteurs du *Sun* trouvèrent une histoire en français (!) dans leur journal.

Sous la photo d'un Maurice souriant de toutes ses dents, on pouvait lire :

MAURICE (ROCKET) RICHARD — SE GARÇON — IL EST FORMIDABLE ! VIVE LE ROCKET

Richard celebre des Habitants. Special au « Soleil » (*Sun*) Montréal, avril 9. — Ils sont a celebrer Maurice (Rocket) au vin, et ils ont bonne raison. Car mardi soir il était sensationnel dans tous les gouts.

Les fautes de français qui s'y trouvaient donnaient encore plus de saveur à cette très grande marque d'estime, car le cœur y était.

M. Swanguard termina :

« Aujourd'hui vous pouvez avoir vos Morenze, Joliat, Lalonde et Gagnon a Montreal. Tous le monde ici sont a boire a la sante du grand Rocket.

« Il est sensationnel et très bon joueur de gouret. »

C'était là le but le plus spectaculaire, le plus magnifique jamais compté dans les séries de la coupe Stanley. Il le restera sûrement très longtemps.

« Dans toute sa fulgurante carrière, Richard a compté quelques-uns des buts les plus spectaculaires de l'histoire du hockey. Pour vous donner le frisson dans le dos, il n'a jamais eu son pareil. Pour la richesse de son répertoire, personne ne l'a jamais approché. Et de tous les buts qu'il a marqués, aucun n'a jamais surpassé le but gagnant contre Boston... Personne ne s'est jamais attiré une plus grande ovation, ni une plus grande admiration, parce que le but avait été marqué sous l'empire de la douleur », commenta Baz O'Meara.

Ce but de Maurice était magnifique à un autre point de vue parce qu'il valait à lui seul 30 000 dollars. En effet, chaque joueur du Canadien reçut 1 500 dollars pour être passé en finale.

Les Canadiens sortirent de cette terrible série épuisés et décimés par les blessures. Affligés d'un complexe d'infériorité vis-à-vis des Wings, les jeunes joueurs sur qui Dick fondait ses espoirs ne purent que décevoir.

Le Détroit n'avait fait qu'une bouchée des Maple Leafs en remportant la série en quatre parties. Frais et dispos, ils prirent une retentissante revanche sur les Habitants qui les avaient éliminés des séries de la coupe Stanley la saison précédente, en les anéantissant à leur tour, quatre parties à zéro.

On serait peut-être tenté de croire que Gordie Howe aurait éclipsé le Rocket au cours de ces séries, les Red Wings ayant démontré leur très nette supériorité. Il n'en était rien ! Ted Lindsay terminait premier marqueur avec sept points, soit cinq buts et deux assistances. Gordie Howe était au quatrième rang, avec sept points également, totalisés par deux buts et cinq assistances et Maurice Richard finissait cinquième avec quatre buts et deux assistances.

Malgré cette vilaine blessure, Maurice avait tout de même connu une excellente saison dans les circonstances et une fin de saison exceptionnelle. Seule ombre au tableau, il n'avait pas abaissé le record de Nels Stewart. Encore là, l'incroyable destinée du Rocket se manifestait.

Chapitre dixième
Le meilleur compteur
de tous les temps

À Toronto où Maurice Richard n'avait connu que peu de succès, on s'interrogeait dans les journaux du matin du 29 octobre 1952, à savoir si le Rocket égalerait ce soir-là le record de 324 buts de Nels Stewart. Le *Toronto Telegram* laissa entendre que Maurice réserverait cet événement à ses fans de Montréal.

Interrogé à ce sujet, Frank Selke démentit cette rumeur déclarant que « le Rocket pouvait marquer n'importe où, n'importe quand, lorsqu'il en ressentait le besoin ». Et toujours selon M. Selke, «Maurice en ressentait maintenant le besoin ».

L'atmosphère était donc chargée d'électricité ce soir-là au Maple Leaf Garden et chaque spectateur en éprouvait toute la lourdeur... Chaque fois que le Rocket sautait sur la glace, la foule se taisait presque. Les 14 069 spectateurs l'observaient, l'épiaient et, lorsqu'il touchait à la rondelle ou s'en approchait, la foule manifestait bruyamment.

L'allure du Rocket laissait présager qu'il se passerait quelque chose : il était agressif et sa rapidité était belle à voir. Son regard était animé d'une lueur étrange.

Après onze minutes et une seconde, Maurice brisa soudainement la résistance ennemie et marqua son 323e but. Elmer Lach venait de lui faire une passe magnifique qu'il avait prise à toute allure. Sa rapidité et ses feintes décevantes prirent la défensive et Harry Lumley complètement par surprise... La foule accueillit ce but avec une grande réserve.

Six minutes plus tard, il égala le record de « Old Poison Nel » : dans une montée typiquement richardienne, il contourna la défensive pour aboutir devant les buts et marquer ce 324ebut.

Même si l'annonceur maison omit de mentionner que Richard venait d'égaler une très grande marque, la foule, par contre, ne lui ménagea pas ses applaudissements. Celui qui avait su séduire cette ville de Toronto en 1951 venait maintenant d'en faire la conquête.

L'arbitre « Red » Storey remit le disque à Maurice. Le Rocket habituellement peu exubérant, le prit et leva les bras en signe de joie. Ses coéquipiers s'empressèrent de le féliciter et le portèrent en triomphe sur leurs épaules. La lueur brillait toujours, mais elle était accompagnée d'un sourire radieux. Le Rocket salua les partisans du Toronto.

Il lui restait maintenant à battre ce record et on peut s'imaginer toute la publicité que reçut ce fameux 325e but. La pression exercée sur le Rocket était devenue si grande, qu'il prit dix jours pour réussir l'exploit. L'étrange destin du Rocket s'accomplissait...

Par une coïncidence par trop bizarre, il compta ces 325e but le 8 novembre 1952. *En dix ans, jour pour jour, Maurice Richard devenait le plus grand compteur de tous les temps.* Si vous vous en souvenez, il avait compté son premier but le 8 novembre 1942. Quel scénario ! S'il n'avait pas été blessé la saison précédente, cette incroyable coïncidence ne se serait pas réalisée.

Ce soir-là, le destin, ou peut-être le Rocket, avait choisi le Forum comme cadre de cette fresque. Cette soirée allait être une apothéose pour les deux vétérans de cette très fameuse « ligne du Punch » : Elmer et Maurice. Leur compagnon d'arme et leur ami, Toe, n'était pas loin. Là-haut, sur la passerelle, il les aidait de tout son cœur.

Depuis trois parties, Maurice tentait de compter ce satané but. Quant à Elmer, il lui en manquait un pour passer le cap des 200 buts. Au cours des trois derniers matchs, chaque club qui s'était opposé aux Canadiens avait déployé une énergie farouche, laissant clairement savoir qu'aucun ne voulait servir de victime à Maurice et

196

à Elmer. Les spéculations se faisaient donc nombreuses et créaient une atmosphère de tension peu commune. Tous en étaient imprégnés : spectateurs, joueurs, journalistes, officiels, placiers, etc.

Au grand soulagement de tous, la partie débuta enfin. Tout de suite, il parut évident que ça n'irait pas tout seul ; Chicago affichait la même détermination que les trois clubs précédents. Chaque fois que la « grosse » ligne, la « ligne du Punch », sautait sur la glace, la foule retenait son souffle ... et quand le Rocket touchait à la rondelle, elle manifestait à l'avance. Au cours de cette première période, Maurice rata bien une demi-douzaine de chances et, chaque fois, il était magnifique. Puis la foule s'apaisait un peu lorsque Olmstead, Lach et Richard retournaient au banc. Cette première tranche se termina 1 à 1. La tension devenait insupportable ...

Le deuxième acte n'avait pas aussitôt débuté que les Black Hawks prenaient une avance de 2 à 1. Ce but fit l'effet d'une douche froide sur l'enthousiasme des spectateurs. Par contre, le diable charriait toujours la « ligne du Punch », et à nouveau Maurice réussit à percer la défensive pour surgir en trombe devant Al Rollins et lui envoyer de plein fouet son plus dur boulet. Al, ne voulant pas céder, se surpassa et bloqua ce dur lancer, mais il ne put contrôler le rebond. Elmer s'en saisit et d'un geste précis trouva le fond du filet. Sans hésiter, il cueillit la rondelle de ce 200e but. Maurice s'approcha et le félicita : « Continue de « scorer », Elmer, mais attention aux fractures. »

La foule, debout, applaudissait le valeureux centre. L'ovation n'était pas encore terminée lorsque le Rocket, vif comme l'éclair, frappa à son tour sans aucun avertissement. Vingt secondes s'étaient écoulées lorsque Maurice capta une passe de « Butch » Bouchard. Étant en mauvaise posture, il lança quand même un faible revers qui prit Rollins, le juge de ligne et la foule par surprise. Même Maurice, qui venait de crouler sur la glace sous la mise en échec des défenseurs, ne réalisa qu'il venait de compter que lorsqu'il entendit les premiers cris de la foule. Comme Elmer, il se jeta dans les buts pour ramasser cette fameuse rondelle. Aussitôt relevé, il la regarda et la lança avec force sur la glace, signifiant par là tout le soulagement et le contentement qu'il ressentait après avoir enfin réussi ce nouveau record, puis il patina vers le banc des siens. Elmer lui retourna alors

La Presse

Maurice vient de marquer son 325e but, battant ainsi le record de Nelson Ste-wart ; celui-ci le félicite pour son exploit.

la taquinerie : « Bravo Rock, mais attention aux os brisés », dit-il en riant. Maurice sourit faiblement, il était livide... Les cris et les acclamations de la foule s'étaient maintenant fondus en une clameur assourdissante à vous faire passer des frissons dans le dos. Le Forum tout entier en vibrait. En arrivant au banc, Maurice faillit trébucher, l'émotion l'étranglait. Il remit le disque à Gerry McNeil qui était inactif, à cause d'une fracture de l'os de la joue qu'il avait subie lors de la partie du 324e but. Gerry prit la rondelle et, fou de joie, il étreignit le Rocket avant de la remettre à Irvin.

L'annonceur fit alors part à la foule de ce nouveau record de tous les temps. L'ovation reprit de plus belle et dura près de cinq minutes. Maurice, suffoquant sous l'émotion qui l'assaillait, dut s'appuyer contre la clôture. Il essuya furtivement une larme qui avait réussi à se glisser sur sa joue. Dick Irvin crut que Maurice, qui était blanc comme un drap, allait perdre connaissance.

Red Storey, un des grands admirateurs du Rocket, s'avança et remit officiellement cette rondelle au numéro 9 et, ce faisant, il lui dit : « Je suis fier, Rocket, d'avoir été témoin de tes 324e et 325e buts qui ont fait de toi le roi des marqueurs. » En effet, Maurice Richard avait procuré à tous les témoins de ces deux buts des sensations uniques dont il était le seul à posséder le secret.

Après la partie, le vestiaire des Canadiens ressemblait à un vrai studio d'Hollywood. Maurice était entouré d'une armée de journalistes et de photographes. Même le *Life Magazine* était représenté. Un barrage de questions s'ensuivit. Chaque photographe multipliait les photos, tentant des poses plus originales les unes que les autres.

Maurice répondait à tous et se prêtait aux exigences des photographes avec sa courtoisie coutumière. Habituellement peu démonstratif, il ne pouvait dissimuler ce trop-plein de joie qui l'étreignait : « Je suis fier d'être Canadien français et de faire partie du Club Canadien. Ce 325e but a été le plus difficile à compter de ma carrière et jamais je ne l'oublierai », commenta-t-il. Puis le Rocket, au cœur toujours aussi grand, n'oublia pas son vieux compagnon de ligne ; il ajouta : « Je suis content que ce soit fini. La pression a été terrible. Je dois dire que ce fut un grand honneur et privilège d'avoir joué aux côtés d'Elmer Lach et je suis heureux qu'il ait obtenu ce 200e but. »

Tout près, l'instructeur du Canadien, lui qui avait pu goûter chacun de ces 325 buts, était rayonnant de satisfaction. Il ne tarissait plus d'éloges envers ce nouveau roi des marqueurs : « Voici le plus grand joueur qu'ait connu le hockey. Il est ce qu'il y a de mieux qui pouvait arriver au hockey ; il est le roi des rois ! »

Un journaliste lui demanda alors s'il avait eu la sensation que le Rocket allait marquer ce soir-là. Avec la vivacité qu'on lui connaît, Irvin répondit : « Enfer, chaque fois que ce gars-là saute sur la glace, j'ai la sensation qu'il va marquer. C'est pourquoi il est si grand ! » Cette réponse n'attira aucune réaction de la part des journalistes. Irvin ajouta alors ironiquement : « Eh, est-ce que quelqu'un a remarqué que nous avons gagné la partie ? » Sans attendre la réponse, il donna sa petite théorie sur le pourquoi de la victoire : « Nous les avons battus parce que nous avons réussi dix-huit « hits » (mises en échec solides). Chaque fois que nous réussissons plus de quinze « hits », nous gagnons. » Fred Shiro, actuel instructeur des Flyers de Philadelphie, avait probablement lu les journaux le lendemain et prit bonne note de cette observation.

Un messager s'amena alors dans le vestiaire et remit à Maurice un télégramme. C'était Nelson Stewart qui en était l'auteur. Voici ce qu'il disait :

« Maurice Richard a/s Frank Selke, Forum, Montreal, Toronto 9 : 37 P.M.

Félicitations pour avoir brisé le record — Espère que tu en seras longtemps le détenteur — Toute la chance au monde pour la prochaine

Grand admirateur du Rocket, Maurice Duplessis, Premier ministre du Québec, félicite ce dernier après son exploit.

saison, à Frank Selke, Dick Irvin et à tous les autres joueurs du Canadien.

Nels Stewart. »

Évidemment, Maurice Richard fit la manchette de tous les journaux du lendemain :

« Richard abaisse le record de Stewart » — *Le Canada.*

« Its All Over ! Rocket Lach Bag 'EM » — *The Herald.*[1]

« Fin de la guerre des nerfs. Richard a enfin compté » — *Montréal Matin.*

« Richard and Lack Hit Target as Fans Go Into Delirium » — *The Montreal Star.*[2]

Maurice Richard devient le meilleur compteur de l'histoire du hockey » — *La Presse.*

« Forty-One Unassisted Goals in Roc's Record » — The Hockey News[3].

---

1. « C'est fini ! Richard et Lach les ont comptés. »

2. « Richard et Lach atteignent leur but, ce qui provoque le délire parmi leurs partisans.

3. « Quarante et un buts sans assistance dans le dossier du Roc. »

200

Le roi était mort, Vive le Roi. À partir de ce moment, le Rocket inscrira un nouveau record à chaque but. Comme souvenir de ce moment inoubliable, Maurice allait conserver la rondelle de son 326e but. En effet, celle du 325e but fut envoyée au prince et à la princesse d'Angleterre pour commémorer leur visite au Forum.

La rondelle fut plaquée or et d'un côté on grava les portraits de la princesse et du duc et la date à laquelle ils avaient assisté à la partie contre les Rangers. De l'autre, apparaissaient le portrait du Rocket et la date de son exploit. Tout autour de la rondelle étaient inscrits les noms de tous les joueurs du Canadien. Le couple royal apprécia énormément ce cadeau.

Nelson Stewart avait pris 652 parties pour accomplir son exploit alors que Maurice Richard boucla ce record en 526 matchs seulement.

Maurice détenait à ce moment-là dix records de la L.N.H. et de plusieurs autres non officiels, soit : 41 buts comptés sans assistance, 52 buts gagnants, 18 buts égalisateurs, 17 « tours du chapeau », et ces statistiques n'incluaient pas les séries de fin de saison.

Il est facile de constater qu'aucun joueur ne pouvait se comparer au Rocket. Mais les journalistes étaient déjà anxieux de savoir qui pourrait un jour détrôner ce nouveau roi. On se tourna tout de suite vers Gordie Howe et on fit des études comparatives : au cours de ses six premières saisons, soit de 1947 à 1952, Gordie Howe avait marqué 150 buts pour une moyenne de 26,6 buts par saison, alors que le Rocket, pendant ses six premières, soit de 1943 à 1948, avait marqué 187 buts pour une moyenne de 31.1 buts par saison. On sait que Maurice ne joua que seize parties durant sa première saison. Si on compte ses six premières saisons complètes, soit de 1944 à 1949, Maurice enregistra 202 buts pour une moyenne de 33,7 buts par saison, c'est-à-dire sept buts en moyenne de plus que Howe, toujours par saison.

Plusieurs sceptiques, pour ne pas dire détracteurs, se demandèrent alors : « C'est bien beau ce record de Richard, mais au cours de ses six premières saisons, il y avait la guerre, et une pénurie de bons joueurs. Mais qu'est-ce qu'il a fait au cours des six premières saisons de Gordie Howe ?» Maurice Richard marqua 205 buts de 1947 à 1952 pour la fantastique moyenne de 34,1 buts par saison. Il avait donc enregistré 45 buts de plus que Gordie pendant ces mêmes six dernières saisons... et rappelez-vous qu'il avait joué 35 parties en moins à cause de ses blessures.

N'était-ce pas suffisant pour cesser toute comparaison ? Les dénigreurs du Rocket qui se disaient admirateurs de Gordie auraient alors dû prendre leur mal en patience et cesser leur harcèlement. Personne n'était encore de taille à détrôner ce nouveau monarque du hockey.

Le plus étrange, c'était que Maurice, qui détestait Howe pour ses tactiques déloyales, était sans doute l'un de ses plus grands admirateurs pour ses talents de hockeyeur. À l'inverse de Stewart qui avait déclaré en se retirant que son record de 325 buts ne serait probablement jamais battu, Maurice reconnut quelques mois plus tard, vers la mi-janvier 1953, que Gordie Howe était celui qui pourrait battre son record. Il avait de plus avancé qu'un jour « quelqu'un comptera 70 buts en 70 parties », c'est-à-dire un but par partie au cours d'une saison. Mais ce record n'est pas encore prêt d'être abaissé, même si Phil Esposito et Bobby Hull en sont venus à un cheveu de réussir l'exploit, en comptant tous deux 76 buts en 78 parties. Phil obtint cette marque au cours de la saison 1970-1971, alors que Bobby égalait ce record de buts pour une saison en 1974-1975, dans la Ligue mondiale de hockey.

Après ces prédictions, Maurice faillit occire la moitié de l'équipe du Détroit. Skov, Pronovost et Howe avaient essayé de lui « faire la besogne », comme on dit. De plus, Goldham, Howe et l'instructeur Wilson l'avaient traité de *goddam frenchman*... Maurice, furieux, s'en prit à tout ce qui bougeait devant lui. Dès la première période, il se mérita cinq punitions pour un total de 21 minutes. Richard s'attaqua tour à tour à Ted Lindsay, Glenn Skov, « Red » Kelly. Puis ce fut au tour de Marcel Pronovost. Marcel perdit deux dents lorsque Maurice tenta de le mettre en échec. Il couronna le tout avec une punition de mauvaise conduite pour avoir quitté le banc des punitions et frappé Ted Lindsay qui l'insultait par-dessus l'épaule de Bill Chadwick. C'était une sortie « sautée à la Rocket » ! Et ce n'était pas la dernière !

Maurice, qui commentait cette partie dans le journal *Samedi-Dimanche* du 24 janvier, fit remarquer :

202

Le plus grand marqueur de tous les temps !

« Le jour où Gordie Howe abaissera mon record de 50 buts en 50 joutes, (remarquez qu'il n'a pas dit en une saison) je serai le premier à aller lui serrer la main. Et le jour où il brisera mon record actuel de 333 buts dans une carrière, j'irai de nouveau lui serrer la main. En attendant, c'est un grand joueur de hockey que je suis le premier à respecter. »

Ça, c'était du Richard ... Il ne flattait pas pour flatter, mais il savait reconnaître les mérites de chacun.

Ce nouveau titre de gloire, le Rocket l'avait payé chèrement au prix de dix ans d'efforts et d'acharnements soutenus. Ce 325e but marquait une des étapes les plus importantes de sa carrière. Il vivait donc, sans contredit, la plus grande émotion de sa vie. Ses paroles en témoignèrent.

« Un commentateur de radio a dit que j'avais pleuré, c'est possible.
Je ne me rappelle pas autre chose qu'un trop grand excès de joie. »

Pourquoi cette grande joie ? Maurice venait d'atteindre l'objectif qu'il avait le plus secrètement à cœur : prouver au monde extérieur et à ses compatriotes qu'il nous était possible d'atteindre les plus hauts sommets. Pour une des rares fois, depuis 1837, un frisson de fierté traversait l'échine de ce peuple trop docile. Pour une des premières fois, nous étions fiers d'être Canadiens français. Maurice Richard, symbole de cette minorité québécoise, trônait incontestablement sur tous ces joueurs de la « National Hockey League », un des symboles de nos maîtres anglophones.

« L'honneur qui retombe sur les miens et sur le nom que je porte m'a apporté des consolations encore plus douces que le grand record lui-même. » Ces paroles de cet homme simple mais déterminé nous révélaient une fois de plus ses objectifs et ses intentions. De même, elles nous démontraient que l'homme avait dépassé de cent coudées le joueur de hockey... Maurice Richard aura été en tout temps un grand patriote.

Le plus aberrant, surtout pour Maurice, c'est que même après qu'il fut devenu le joueur numéro un de tous les temps il s'est *encore* trouvé des crétins pour tenter de le diminuer. Évidemment, cette domination du monde du hockey par Maurice Richard était dure à avaler pour plusieurs anglophones, et on n'allait pas lui faire la vie plus facile à cause du chiffre magique de 325. Forcés de la louanger ou du moins de parler de lui, il leur était difficile de cacher une certaine agressivité.

Après que Maurice eut égalé le record de Stewart, Milt Dunnel, du *Toronto Daily Star,* dans sa chronique du lendemain, le 30 octobre, eut l'audace ou plutôt le front, car c'eut été audacieux à Montréal, de lui reprocher son anglais : « Une chose est certaine, il ne possède pas encore très bien son anglais ! » Il pouvait bien trouver Maurice peu courtois : « Il est froidement courtois, même jusqu'à agacer. » Et tout au long de sa chronique, il rapporta les paroles de Maurice en écrivant les mots comme celui-ci, selon lui, les prononçait.

Comme agressivité déguisée, c'est difficile de faire mieux... Reconnaître que la prononciation de Richard en anglais n'était peut-être pas parfaite, c'était une chose, mais rapporter toute l'interview en écrivant phonétiquement les paroles de Maurice, c'en était une autre. La plus élémentaire décence réclamait ce respect de l'individu par ce colonisateur qui, lui, n'avait pas à apprendre la langue de Molière... Stanfield et Diefenbaker, eux, savent bien que ce n'est pas si facile !

Ce qui est inexcusable, c'est qu'il passa complètement sous silence l'exploit du Rocket. Peut-être n'avait-il pu remettre sa copie à temps ? Pourtant Red Burnett en avait eu le temps parce qu'il rapporta l'exploit tout à côté de la chronique de Dunnel, en termes, je dois le dire, des plus élogieux : « Les deux buts furent des pièces maîtresses, comme seul le Rocket peut en réussir. »

Dunnel rapporta de plus que Maurice désirait seulement égaler le record à Toronto pour pouvoir l'abaisser à Montréal : « Le Rocket se permit le luxe de prétendre qu'il ne voulait pas vraiment abaisser le record à Toronto, il voulait seulement l'égaler pour pouvoir le battre chez lui, au Forum. »

Là, au moins, Milt Dunnel avait probablement marqué un point. Cela fut en quelque sorte confirmé par Red Burnett lorsque ce dernier fit remarquer dans son article que Maurice avait eu une belle occasion d'abaisser le record lorsque, sur une échappée avec seulement un joueur entre lui et Lumly, il passa à Olmstead.

Cette luxueuse prétention coûta dix jours de tension au Rocket, mais se réalisa telle quelle, au Forum. Que le hasard ait ou non favorisé Maurice, cela a peu d'importance. On doit admettre que l'intention y était et c'est ça qui est formidable !

Cela vient confirmer ce qui a déjà été mentionné : Maurice Richard aura toujours été profondément préoccupé par le sort et l'avancement des siens.

Paul Stuart, celui-là même qui dirigea les premiers pas de Maurice dans la ligue juvénile du parc La Fontaine, était du même avis. Robert Desjardins recueillit ses propos dans le *Petit Journal* du 2 novembre 1952 :

> « Je suis heureux qu'un Canadien français vienne prouver de façon aussi indiscutable, que les nôtres peuvent tout bouleverser dans le hockey *lorsqu'on leur en procure la chance*. Je crois que Richard, par ses multiples faits d'armes, a fait autant pour les Canadiens français au hockey que Jackie Robinson pour les Noirs au baseball. Maurice a hautement prouvé la valeur sportive des siens. Je ne doute pas que les Geoffrion, les Béliveau et autres suivront ses traces pour nous remplir d'orgueil. »

À sa façon, Paul Stuart avait, lui aussi, fait beaucoup pour les siens. Il était un de ces très rares individus qui n'avaient pas peur d'appuyer publiquement leurs compatriotes.

Le journaliste Paul de Saint-Georges est un autre personnage qui joua, comme on le verra, un rôle prépondérant à ce stade de la carrière du Rocket. Il interviewa le grand ailier droit et sa famille pour *Samedi-Dimanche,* la veille du nouveau record :

> « Depuis 1913, nous les avons tous vus sur la glace, les grands du hockey professionnel : « Newsy » Lalonde, Joe Malone, Frank Neigh-

bor, Eddie Shore, Aurèle Joliat, les Boucher, Cook, Morenz, Lépine, Stewart, etc. , et nous maintenons, depuis dix ans, que Maurice Richard passera à la postérité comme le maître de tous ceux-là, comme le joueur le plus spectaculaire, le plus courageux et, ce qui est peut-être encore plus que tout cela, comme le meilleur copain qui soit dans l'intimité, un père de famille exemplaire, un bon chrétien et un garçon sensible sous ses dehors parfois tranchants et rudes. Il est l'homme au grand cœur pour ses proches et ses amis. »

Cette vision de Saint-Georges s'avéra juste et le portrait qu'il traça du Rocket, fidèle. Mieux que quiconque, il pourra affirmer à nouveau que Richard est un homme de cœur.

Il n'était pas le seul à penser ainsi. Un admirateur dédia un poème à M. Hockey, au lendemain de ce grand record, poème publié dans *Le Petit Journal* du 16 novembre 1952.

RICHARD COEUR DE LION
Richard, roi de la glace
Recordman au grand cœur
Tu as de notre race
Le panache et l'ardeur
La froide statistique
Fait de toi un héros
Mais tes élans magiques
T'élèvent encore plus haut
Au nom de tous les hommes
Qui chanteront ton nom
Permets que je te nomme
Richard au Cœur de Lion.

Quelle délicate et savoureuse marque d'appréciation ! C'était là le genre de réactions que pouvait engendrer Maurice Richard. Elles étaient des plus diverses et des plus enthousiastes.

« Il est captivant à regarder même s'il est appuyé contre le poteau des buts », rapportait un journaliste.

« Un individualiste déchaîné qui ne montre absolument aucun respect pour les records des autres idoles du hockey », écrivait Vince Lunny.

« D'humeur changeante, coléreux, replié sur lui-même, Richard est un monde de contradictions. Personne dans le hockey ne fuit autant la publicité et, par contre, n'en reçoit autant », commentait Jimmy Powers.

Comme on peut le constater, Maurice Richard ne laissait personne indifférent. Il était vraiment un sujet de rédaction idéal pour les journalistes. On peut dire qu'il a su en inspirer plusieurs.

Ce 325e but faisait maintenant partie de l'histoire. Maurice Richard se tournait vers de nouveau défis. Les activités de la L.N.H. reprenaient leur cours normal.

Un peu après les fêtes, Maurice qui avait fait les manchettes des journaux plus souvent qu'à son tour céda sa place à un autre Canadien français. En effet, on ne parlait plus que du héros de la soirée du 28 février au Forum. À l'instar du Rocket, le capitaine des Canadiens, « Butch » (Émile) Bouchard fut, ce soir-là, l'objet d'une fête grandiose.

Maurice profita de l'occasion pour honorer son copain : « Émile Bouchard. Le capitaine du Bleu-Blanc-Rouge. Un solide gaillard, type idéal de la race saine de chez nous. Probablement le meilleur joueur de défense du hockey moderne, à mon avis du moins, un homme d'affaires averti et, qui est plus, un excellent père de famille qui devrait servir d'exemple à toute la jeunesse du pays. De plus, « Butch » descend de l'une des plus vieilles familles du Canada français et, comme nos érables, il promet de la continuer », déclara Maurice.

Il va sans dire que le grand « Butch » apprécia grandement cette soirée organisée en son honneur, lui qui répondait en tous points au portrait tracé par le Rocket.

Maurice qui détestait la flatterie n'avait pas la louange facile. Mais en observateur averti, il savait reconnaître le talent et il a toujours su applaudir les succès de ses compatriotes. C'est pourquoi il n'avait pas hésité à qualifier son coéquipier de « meilleur joueur de défense du hockey moderne ». C'était parce qu'il le pensait vraiment.

Si on y regarde de près, ce n'était pas là la qualité qu'il appréciait le plus chez Émile. Il appréciait encore davantage « l'excellent père de famille » et cela se comprend car, pour Maurice, « la famille » aura toujours été sa plus chère valeur.

La saison tirait maintenant à sa fin et l'héritier présomptif du trône du Rocket faisait des siennes. Le Détroit, toujours aussi puissant, était assuré de son cinquième championnat de suite. Gordie Howe menaçait de briser le record de Richard de cinquante buts en *une saison*. Bien que Maurice ne le laissât pas trop voir, cela lui faisait mal au cœur que ce record soit brisé, surtout par son grand rival Howe.

Maurice, on le sait, ne s'est jamais caché pour dire qu'il n'aimait pas Gordie, le joueur de hockey, d'amour tendre. Sur la glace, il le trouvait hypocrite et enclin à rendre les coups de façon sournoise, voire même dangereuse. C'était un cruel supplice pour lui de voir Gordie se rapprocher si dangereusement de sa marque. Le Rocket était fier de ce record et il n'avait pas à s'en faire car il l'avait établi à raison d'un but par partie. Mais les crétins dont il était question plus haut n'en finissaient plus de dire que le record du Rocket serait brisé, et cela torturait particulièrement Maurice lorsque c'était un Canadien français qui se donnait tout ce mal.

Toutefois, il faut dire que ce record n'a jamais été brisé. De plus, on doit mentionner pour être juste envers Joe Malone, que Gordie passait près de quarante minutes en moyenne par partie sur la glace. Sans rien enlever à Howe qui était le joueur idéal pour un instructeur car il savait tout faire, il faut admettre qu'il n'a jamais été aussi prolifique que le Rocket, bien qu'à première vue son dossier puisse le laisser croire.

Il était tout de même évident qu'à la veille de voir égaler ce record du nombre de buts accumulés en une saison, le Rocket était d'humeur massacrante.

Cela se passa à Détroit pendant la dernière partie de la saison régulière. Avec cette dernière partie à jouer, Gordie Howe avait accumulé 49 buts en 69 parties.

Avant de quitter Montréal, Dick avait déclaré aux journalistes qu'il pensait envoyer Maurice à l'aile gauche afin de couvrir Howe : «Cela me semblait être une bonne idée jusqu'à ce qu'il entre dans le vestiaire des joueurs ce soir-là. Maurice était sévère, silencieux et ses yeux lançaient des éclairs. Mon sang ne fit qu'un tour parce qu'après onze ans j'avais appris à reconnaître cette attitude. Maurice était en ébullition, prêt à exploser.» Dick reprit son souffle et ajouta : « C'était la première fois que j'avais peur d'envoyer un joueur de hockey sur la glace. Je ne peux le faire jouer ce soir, il va tuer quelqu'un, pensais-je. Je le laissai jouer, mais j'évitais de l'envoyer sur la glace en même temps que Howe. En dépit de mes précautions, il le fut pendant quelques secondes. Je crois que le Rocket sortait de la boîte des punitions. Il traversa la patinoire et chargea Howe. Soudain, il changea de direction et s'en retourna vers le banc des pénalités. »

Le Rocket était fier de ce record, mais c'était beaucoup plus que cela. Il aurait été humilié si Howe avait battu ou égalé son record contre lui ou son équipe. De toute façon, Howe ne compta pas, surveillé comme il l'était par Bert Olmstead. Dick avait sans doute mis le meilleur joueur aux trousses de Gordie pour ce genre de travail. Bert ne le laissa pas d'un pouce et, comme on le sait, s'acquitta merveilleusement bien de sa tâche.

Howe parvint à lancer une seule fois contre Gerry McNeil ce soir-là. Ce qui fit dire à Irvin :

« Selon mes statistiques, cela jette un sérieux doute sur les allégations du Détroit qui le tient pour un réel champion. Après tout, avec une équipe de première place, flanqué par un grand ailier gauche comme Ted Lindsay et par de vigoureux jeunes centres, il n'a pu réussir en 70 parties ce que le Rocket a réussi en 50. Et même avec la moitié de cette brillante aptitude à faire ses preuves lorsque l'occasion s'en présente, il aurait dû briser 49 ce soir-là. »

Après la partie, Richard, assis dans le vestiaire des joueurs, respirait difficilement. Gerry McNeil s'approcha de lui tout souriant et lui dit : « Hé bien Rocket, Howe devra recommencer encore... et repartir à zéro ! » Maurice esquissa un sourire. Il était content de la tournure des événements.

On peut juger du soulagement de Maurice après cette terrible soirée d'après cette déclaration qui parut dans l'édition du 28 mars 1953 du *Dimanche Matin* où il livre le fond de sa pensée :

« Si vous ne savez pas ce que c'est que de passer soixante minutes de violente tension nerveuse, pour ne pas dire d'enfer, demandez-m'en des nouvelles ! J'ai vécu cette heure-là à Détroit, dimanche soir.

« Je ne m'en fais pas de scrupule de pudeur ; je l'avoue en toute franchise, je ne voulais absolument pas voir Gordie Howe battre mon record de saison de cinquante buts, même si ce total de sa part aurait été réussi en soixante-dix parties quand le mien fut fait en cinquante. Je serais un hypocrite et je parlerais à travers mon chapeau si je disais que j'aurais été heureux de l'exploit de Howe. Après tout, il y a une question de prestige pour moi dans tout cela et appelons les choses par leur nom, au moment où ma carrière arrive à la fin d'après-midi, ce record de cinquante buts dans une saison m'est particulièrement cher. On va dire que je suis un peu jaloux, mais je ne crois pas que Gordie méritait ce record, malgré qu'il soit un grand joueur. Pas de faux airs, ni de manières de salon ! Je le dis ici sur papier, je n'aime pas plus Gordie Howe

209

que ses coéquipiers du club Détroit. Je ne suis pas gentilhomme, diront quelques-uns. Pourquoi serais-je gentilhomme dans un sport qui demande le meilleur de notre combativité ? D'ailleurs, je soumets que Gordie lui-même n'est pas aussi gentilhomme qu'on essaie de le faire croire. Regardez la façon dont il a renversé Bud McPherson l'autre soir à Détroit ! Rappelez-vous ce qu'il a fait à Dollard St-Laurent, dans la finale de l'an dernier quand il a failli lui arracher un œil !

« J'ai lu avec dépit qu'il était venu me serrer la main après la joute de dimanche soir et m'avait dit : « Félicitations, Rocket, tu gardes ton record ! »

« Eh bien, ceci est absolument faux. Howe n'est pas venu me donner la main, ne m'a pas dit un mot. Bien au contraire, il semblait furieux d'avoir manqué son coup et a essayé de se venger sur un bon diable comme McPherson.

« De toute façon, je veux lever mon chapeau ici devant Bert Olmstead, Johnny McCormack et Gerry McNeil qui, à eux trois, ont été directement responsables d'avoir tenu Howe en échec dimanche. Olmstead et McNeil surtout se sont presque fait tuer pour arrêter Howe. Et chose qui me fait un peu rire et que je rappelais à Olmstead sur le train de retour de Détroit, c'est que, il y a trois ans, alors qu'il jouait pour les Black Hawks de Chicago, Bert se « désâmait » avec autant d'énergie pour m'empêcher de compter. Je ne pensais pas ces jours-là qu'il deviendrait l'un de mes meilleurs amis et aiderait ma cause en empêchant les autres de battre mon record. Merci donc Olmstead, McNeil et McCormack ! Vous êtes de chics gars et vous me rendez très heureux, cette semaine. Je vous rendrai cela à ma manière. »

Cette franchise de Maurice Richard en surprit plusieurs et mit plusieurs « supposés » diplomates très mal à l'aise. Encore très imbus de respect humain, ces Canadiens français supportaient très mal la vérité toute crue ou toute nue. Selon eux, il aurait cent fois mieux valu que Richard ne dise pas que Howe était un salaud au hockey et qu'il laisse croire que Howe l'avait félicité. Cela aurait été « the sporting thing to do (le geste sportif à faire) ». Hypocrisie !

Richard était encore une fois en avant de son temps. Là aussi il innovait ; il fit comprendre à beaucoup de Canadiens français qu'il n'était pas interdit de faire face à la réalité, d'appeler les choses par leurs noms, de crier la vérité, de se libérer, de mettre de côté le respect humain.

Même s'il avait été nommé pour la deuxième année consécutive « Athlète de l'année » par la British United Press, Maurice n'était pas très satisfait de sa production de buts. Il avait compté 28 fois et assisté 33 fois, pour un total de 61 points. Par contre, il était reconnu

210

comme un des vilains du circuit, ayant passé un total record de 112 minutes à réchauffer le banc des punitions.

Le 24 mars 1953, les rédacteurs sportifs de la presse écrite et parlée qui suivaient la carrière de Richard depuis 1942-1943 le nommèrent, après une consultation tenue dans les six villes du circuit, le joueur le plus coloré, le plus spectaculaire et sachant le mieux saisir toutes les occasions.

Jack Sullivan, journaliste de Toronto, nous en parle :

« Maurice Richard, l'homme aux lèvres serrées et à la mine renfrognée, sur la patinoire comme en dehors, a été nommé aujourd'hui « le joueur le plus haut en couleur et le plus habile de la Ligue nationale de hockey.

« Il est à la fois adulé et détesté. À Montréal, il est le citoyen numéro un ; à Toronto, il est l'ennemi public numéro un.

« Au cours de ses onze turbulentes saisons avec le Canadien, ce Rocket, à 31 ans, a eu des effets électrisants aussi bien sur les joueurs que sur les foules. Ses poings ont laissé des tatouages sur plus d'un visage et il en a laissé plusieurs autres avec le nez cassé. Le sang a souvent coulé à flot là où il est passé. En même temps, il est devenu le plus grand compteur de l'histoire du hockey professionnel.

« Dans ce « Canadian Press Poll » les experts votèrent quasi unanimement pour Richard, comme le joueur le plus coloré, le plus spectaculaire et le plus grand *money player*.[1]

« Lors du vote pour le joueur le plus spectaculaire, seulement deux votèrent pour Gordie Howe, des Red Wings de Détroit, et un pour le vétéran Milt Schmidt des Bruins de Boston, mais ils étaient loin derrière Richard. *Aucun autre joueur ne reçut de vote.* »

On leur demanda ensuite d'établir une comparaison entre l'homme de leur choix et les plus grands de tous les temps, tels Shore, Morenz, Clancy, etc.

« Richard appartient à cette élite, commenta Baz O'Meara, vétéran rédacteur sportif du *Montreal Star*. Il compte les buts les plus spectaculaires. »

« Richard déborde de couleurs », tel fut le simple commentaire de Bobby Hewitson, rédacteur sportif du *Toronto Telegram* et ancien arbitre de la L.N.H.

« Sa grande habileté, à laquelle s'ajoutent sa stature et son tempérament explosif, font de lui le meilleur sujet d'article de tous les temps,

---

1. *Money player :* joueur habile à s'emparer de l'occasion quand l'enjeu est important.

sur et en dehors de la glace », commenta avec l'enthousiasme Lou Walter du *Detroit Time.*

Puis Sullivan y allait d'un sous-titre, « Top Money Player », qu'il serait superflu de traduire et il continuait :

« Le choix pour le meilleur « money-player » démontra que Richard était très en avance sur Schmidt, Howe, Ted Lindsay et Terry Sawchuck, gagnant du trophée Vézina la saison dernière.

« Regardez le dossier de Richard pendant les séries éliminatoires », dit Vince Lunny, rédacteur sportif du *Montreal Herald.* (En 8 séries éliminatoires, il avait accumulé 65 points, soit 43 buts et 22 assistances, un autre record.)

« Régulièrement, Richard a compté les buts importants quand les jeux étaient faits », observa Dan Desmond du *Chicago Herald-Tribune.*

Sullivan conclut son reportage en disant :

« Richard est l'avant le plus surveillé de la Ligue. Les joueurs adverses qui ont ordre de l'arrêter escaladent pratiquement cette charpente de 5'10" de Richard. Ses méthodes de représailles ont été explosives.

« Richard a marqué des buts à un rythme remarquable, couronné par son nouveau record de 325 buts, le 8 novembre dernier, ce qui bat le record de 324 buts de Nels Steward établi en quinze saisons. Ceci se produisit dix ans, jour pour jour, après que le Rocket eut marqué son premier but comme recrue de la L.N.H. »

Il est à noter que cette très importante enquête eut lieu deux jours après cette partie où Gordie Howe faillit à la tâche et qui marqua la fin des activités de la saison régulière 1952-1953. Même avec une saison de 49 buts, Gordie Howe venait loin derrière Richard dans tous les domaines explorés par ce « poll ». Ce qui démontre une fois de plus la grandeur du Rocket.

Pourquoi Richard était-il si fantastique ? Eddy Kullman, as défensif des Rangers de New-York, donna un aperçu de la réponse lorsqu'il fut interviewé au début de la saison par Barney Kremenko, journaliste de New York. Kremenko avait intitulé son reportage « *Power Speed Make Richard Tick As Ice Great in Kullman's Book.* (La puissance et la vitesse font de Richard un grand de la glace, selon Kullman) ».

Nous venons de connaître l'opinion des journalistes, voici celle d'un joueur qui avait pour tâche de couvrir le grand ailier droit de Montréal. Eddy remplaçait Tony Leswick pour ce travail.

« Richard peut s'éloigner de vous plus vite que n'importe qui. Il n'est jamais immobile ; il est toujours en mouvement, faisant des cercles sur la patinoire. Un faux pas et il vous échappe.

« Il est gaucher, mais il lance tout aussi bien du côté droit. En plus, il possède un terrible lancer du revers. Lorsque le Rocket a traversé la ligne bleue, il passe rarement à ses compagnons. Il continue de foncer jusqu'à ce qu'il ait un lancer sur le but. Il lance beaucoup plus que n'importe quel autre joueur de la Ligue.

« Maurice nous tient continuellement sur le qui-vive. Il ne se repose jamais. D'autres joueurs vont abandonner, faire une passe ou tenter un lancer lorsqu'ils sont coincés. Le Rocket, dans une telle situation, peut soudain décider de vous contourner. Et il peut s'échapper si rapidement que parfois nous sommes forcés de prendre une punition pour ne pas le laisser aller seul. Quelle puissance !

« Maurice n'utilise jamais de tactiques illégales ; c'est un joueur propre. Ce gars-là a un tempérament bouillant, mais il n'est définitivement pas ce qu'on appelle un joueur vicieux. »[1]

Ces deux appréciations combinées nous donnent une idée du magnétisme que Richard exerçait sur les joueurs tout autant que sur les spectateurs.

Mais Maurice n'était pas le seul à connaître la gloire. Un autre jeune Canadien français s'était couvert de lauriers. « Boum-Boum » (Bernard) Geoffrion s'était approprié le trophée Calder pour la meilleure recrue de l'année, tel qu'il l'avait prédit alors qu'il était interviewé au réseau anglais par le rédacteur Jimmy Powers, du *Daily News* de New York. On demanda à « Jeff » laquelle des jeunes recrues allait remporter le trophée. Sans aucune hésitation, Bernard répondit avec toute sa candeur : « Moi ! »

Le travail de Frank Selke avait porté ses fruits rapidement. Un mélange bien équilibré de vétérans et de jeunes avait permis aux Canadiens de terminer pour une deuxième fois au deuxième rang.

Cette longue et exténuante saison, fertile en émotions et en événements de toutes sortes, venait à peine de prendre fin, qu'une autre beaucoup plus courte, mais tout aussi exténuante et toujours des plus imprévisibles, débutait déjà : la saison des séries éliminatoires.

Les semi-finales surprirent tout le monde : la puissante machine rouge du Détroit se fit éliminer par le club Boston et les Black Hawks faillirent bien éliminer les Canadiens. À cause d'eux, la série se déroula en sept parties. Ce club des Hawks n'était plus le cousin pauvre du circuit. Sous la direction de Sid Abel et avec de jeunes joueurs prometteurs, le Chicago était devenu menaçant.

Le Canadien enleva les deux premières parties 3 à 1 et 4 à 3.

---

1. New York, *Journal American*, 22 novembre 1952.

Tout semblait aller pour le mieux, mais avant que personne ait pu réagir le Chicago menait la série 3 à 2, remportant une première victoire de 2 à 1, après 5 minutes et 18 secondes de surtemps, puis une deuxième de 3 à 1 et enfin une troisième par la marque de 4 à 2.

Gerry McNeil manifestait des signes de nervosité et d'épuisement et on commençait à le critiquer lui aussi plus souvent qu'à son tour.

L'astucieux Dick Irvin répéta le geste audacieux qu'il avait eu quelques années plus tôt. On se souvient qu'il avait alors remplacé Bill Durnan par le jeune Gerry McNeil. Cette fois-ci, il remplaça Gerry par un original du nom de Jacques Plante et qui jouait avec une tuque parce qu'il était asthmatique. Irvin eut la main heureuse.

Les Canadiens blanchirent les Hawks 3-0. Jacques Plante devenait le premier gardien de but substitut à décrocher une victoire par blanchissage pendant les séries de la coupe Stanley.

En plus d'utiliser Plante dans une situation aussi critique, le « renard argenté » avait fait réchauffer le banc à quatre de ses joueurs réguliers. Les journalistes étaient sidérés devant autant d'audace. Dink Carroll, de *The Gazette* était l'un d'eux :

> « Dick Irvin a pris le plus gros risque de l'histoire des séries de la coupe Stanley hier soir et les dés ont roulé pour lui. Il a joué un « sept » et les dés lui appartiennent toujours. Peut-être que c'est à son tour d'être chanceux. »

À la septième partie, les dés roulèrent à nouveau pour Irvin, et le Tricolore disposa des Hawks par le score de 4 à 1 pour passer en finale.

Jacques Plante avait donc attiré l'attention de tous par son entrée, pour le moins spectaculaire, sous la grande tente de la L.N.H. Ce personnage original et empreint d'une forte personnalité laissait déjà entrevoir de quel bois il se chaufferait au cours des prochaines années.

Le Boston et le Canadien qui s'étaient rencontrés en semi-finale la saison précédente se mesuraient à nouveau, mais en finale cette fois-ci... Les deux clubs étaient affamés et la coupe Stanley était là à leur portée.

Cette série fut un exemple typique du hockey des années 50. Le jeu était serré, rapide et très robuste. En cinq parties, les Canadiens récoltèrent 118 minutes de punition et les Bruins, 109.

Canada Wide

Maurice marque son 3e but lors de la 4e partie de la finale 1953 à Boston. Ce « tour du chapeau » assura la victoire des Canadiens, 7 à 3.

Après trois parties, le Canadien avait un match d'avance, ayant gagné la première et la dernière. Le grand « money-player » qu'était le Rocket se manifesta de façon non équivoque avec un « tour du chapeau » à la quatrième partie. C'était ses 399e, 400e et 401e buts de sa carrière, saisons régulières et séries éliminatoires incluses. Il était le premier joueur à atteindre 400 buts. Il contribuait aussi à la victoire de 7 à 3 du Tricolore, victoire qui brisa les reins des Bruins, semble-t-il.

Les amateurs de Montréal étaient persuadés que les Canadiens gagneraient maintenant *facilement* cette cinquième partie jouée au Forum et se mériteraient la coupe Stanley pour la première fois depuis 1946. Tous s'étaient trompés. Cette cinquième partie fut l'une des plus enlevantes. Après les trois périodes habituelles, le score était

Roger St-J

Elmer Lach vient de marquer le but de la victoire qui procure la Coupe Stan-
ley aux Canadiens. Le capitaine du Boston, Milt Schmidt, observe, estomaqué,
l'accolade de Lach et Richard.

toujours 0 à 0. Les joueurs du Canadien étaient complètement vidés,
ayant tout donné parce qu'ils espéraient remporter la coupe Stanley
ce soir-là.

Pourtant lorsque la période supplémentaire débuta, il n'en paraissait plus rien. Aucun signe de fatigue ne subsistait ; la « ligne du
Punch », qui avait été reformée avec Bert Olmstead, était plus rapide que jamais : 1 minute et 22 secondes venaient de s'écouler lorsque la coupe Stanley fut conquise.

Cette dernière coupe Stanley, pour l'exceptionnel Dick Irvin, allait être marquée de l'empreinte indélébile de ses deux plus grands
joueurs : Richard et Lach. Par leur travail acharné, ces deux vétérans contribuèrent grandement à ramener la coupe Stanley à Montréal et cela, après sept ans d'absence. Lach eut l'honneur de mettre
un point final à cette série, sur une passe du Rocket.

Eddy Mazur venait de faire un lancer de routine près de la ligne
bleue, qui dévia sur Quackenbush. « Sugar » Jim Henry le bloqua
avec ses jambières. Bill Quackenbush allait s'en débarrasser lorsque
le Rocket, avec un virage brusque, piqua vers la bande et, à une vitesse météorique, enleva le disque à Bill ... « Sugar Jim » pressentit
à nouveau la menace et s'avança. Le Rocket allait lancer, il hésita et
passa à gauche. Du coin de l'œil, il venait de repérer Lach qui avait
été laissé seul dans le cercle gauche de la mise au jeu. De cet angle
difficile, Elmer visa le côté droit de « Sugar Jim » et, de ses puissants
poignets, catapulta le disque dans les filets ... C'en était fait !

Les deux valeureux guerriers se jettèrent dans les bras l'un de l'autre, leur hockey forma par hasard le « V » de la victoire.[1] Dans son élan plein d'enthousiasme, Maurice faillit assommer Elmer. Ils roulèrent tous deux sur la glace ! Lach criait à tue-tête : « Lâche-moi ! Lâche-moi, Rock ! Tu m'a fait mal, je saigne... » Maurice ne voulait rien entendre. Il lui frottait la tête de plus belle en lui criant : « Non, je ne te lâcherai pas ! Tu viens de nous faire gagner la coupe Stanley, Elmer ! » Mais Elmer n'en savait rien : « Je ne savais pas que j'avais compté jusqu'à ce que Maurice m'envoie 10 pieds dans les airs. De ma vie, je n'ai jamais été frappé aussi fort », expliqua Elmer après la partie.

Cette friction en règle du cuir chevelu rouvrit une coupure qu'il avait à la tête et qui avait nécessité huit points de suture. Elmer réalisa alors la portée de son but et se mit à chahuter lui aussi. Les autres joueurs s'étaient lancés sur la glace et les avaient littéralement ensevelis. Le Rocket, aidé de « Butch », souleva Lach et ils le portèrent en triomphe sur leurs épaules. Elmer était encore tout étourdi de la « mise en échec » du Rocket, mais un large sourire illuminait son visage, comme seuls en ont les enfants dans leur simplicité. Le bruit dans le Forum ressemblait à un tremblement de terre par sa force et ses roulements.

Ce vieux routier qui en avait vu bien d'autres déclara après la joute qu'il avait ressenti la plus forte émotion de sa carrière en voyant la rondelle derrière Jim Henry. Et ça se comprend. Ce but, qui avait procuré la très convoitée coupe Stanley, avait été le seul marqué par Elmer au cours de ces séries. Quelle façon magnifique de mettre un point final à une carrière prestigieuse.

Dollard Saint-Laurent avait fait figure de prophète, en quelque sorte. Il avait prédit quelques heures avant la partie : « C'est aujourd'hui le 16 avril et c'est Elmer Lach, qui porte le numéro 16 sur son uniforme, qui nous donnera la victoire. »

Un autre vétéran joueur de centre s'était particulièrement bien défendu au cours de ces séries. Le peu bruyant Kenny Mosdell s'était avéré une des figures dominantes de la série avec Maurice Richard, « Boum-Boum » (Bernard) Geoffrion et Gerry McNeil qui s'était repris pendant la série finale et s'était grandement illustré.

1. On peut voir la photo historique de ce fait étonnant en p. 216

Dick avait de nouveau fait appel à son gardien régulier et ce dernier n'avait pas déçu les espérances de son instructeur : en trois départs, le Canadien récolta trois victoires dont deux blanchissages. Gerry pouvait être fier de ses performances :

« Je ne pouvais souhaiter un plus beau cadeau pour mon anniversaire de naissance. Je suis né le 17 avril, mais c'est aujourd'hui le 16 que je veux célébrer. Je me rappellerai toujours cette soirée. J'ai obtenu un blanchissage et j'ai touché à la coupe Stanley pour la première fois de ma carrière », déclara Gerry.

C'était là une récompense bien méritée pour une carrière qui tirait à sa fin et il faut répéter que Gerry McNeil aurait eu un tout autre dossier s'il avait commencé à garder la cage du Tricolore cette saison-là au lieu de trois ans plus tôt.

Les amateurs, en sortant du Forum, se demandaient bien ce que Dick avait pu dire à ses joueurs de la « ligne du Punch » entre la fin de la partie et la première période supplémentaire pour les stimuler à ce point.

Plusieurs pensaient : « Ça ne devait pas être beau à entendre... » Toutefois, le responsable n'était pas Dick Irvin, mais bien le Dr Young.

Le Dr Young, médecin de l'Armée canadienne pendant la bataille de Caen, un mois après le débarquement, fut très impressionné par le travail des religieuses françaises qui s'occupaient des blessés.

Elles allaient de l'un à l'autre, leur plaçant sur la langue un petit morceau de sucre imbibé de quelques gouttes de cognac. Ce remède improvisé et la gentillesse des sœurs ranimaient les blessés.

Neuf ans plus tard, le Dr Young se retrouvait avec une équipe de hockey complètement épuisée et surtout déprimée. Lach l'était particulièrement. Il ne s'était pas remis du coup qu'il avait reçu sur la tête. L'expérience de Caen revint à la mémoire du Dr Young. Sachant combien Dick Irvin et Frank Selke étaient opposés aux boissons alcoolisées dans le sport, il décida quand même de tenter sa chance.

Écoutons comment le tout s'est déroulé, tel que le raconte Andy O'Brien :

« Seul avec Irvin, le docteur lui demanda la permission d'offrir à l'équipe des morceaux de sucre trempés dans du cognac.

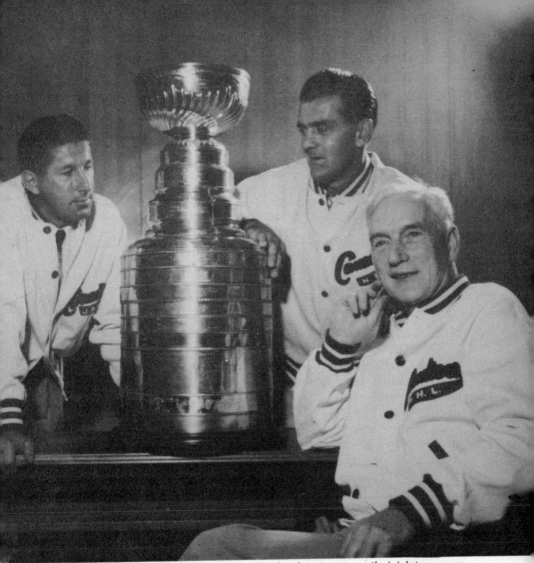

Dick Irvin avec ses deux as, Lach et Richard, qui ont contribué à lui procurer sa dernière et quatrième Coupe Stanley. Il avait obtenu les précédentes en 1944, 1946 et 1953.

« Irvin sursauta ! Mais l'idée de donner du « pep » à ses joueurs surmonta ses scrupules : « Si M. Selke est d'accord, je suis d'accord aussi ! »

« Le docteur parla à Selke qui interrogea Irvin du regard. Dick haussa les épaules . . . Selke regarda son équipe et dit : « Allez-y Doc. »

« Quand le Dr Young demanda qui voulait des morceaux de sucre au cognac, tous levèrent la tête, la bouche ouverte, complètement ébahis. Le silence dura plusieurs secondes avant qu'une voix ne réplique : « Je vais en prendre un peu », lança Lach. Comme le docteur servait

Lach, le Rocket dit : « Si je dois jouer sur la même ligne que ce gars-là, vous êtes aussi bien de m'en donner à moi aussi. »

« Ils étaient tous les deux en train de se pourlécher les lèvres lorsque le signal de la période supplémentaire se fit entendre.

« Lach regarda le Rocket. Ils souriaient tous les deux. « *C'mon, let's go get the Big One* », cria le Rocket (Allons chercher le numéro gagnant).

« O.K. répliqua Lach, mais fais attention de ne pas respirer dans la figure de l'arbitre. »[1]

Dick Irvin qui les observait attentivement lança : « Les Bruins vont probablement croire que nous allons jouer défensivement en attendant une ouverture... Surprenons-les ! La « ligne du Punch » va commencer ! Allez-y à toute vapeur et attaquez-les jusqu'à ce qu'ils craquent ! » Ils craquèrent...

Boston qui s'était battu farouchement contre le Détroit s'était incliné en quatre parties contre une devant la machine du Canadien dont les engrenages et le rouage fonctionnaient à merveille. Le Canaien établissait sa dynastie, la plus puissante de l'histoire du hockey ; celle du Détroit était à son déclin.

L'avenir s'annonçait formidable pour le Canadien. Selke qui avait été choisi le « gérant de l'année » par le *Hockey News* pouvait commencer à rire dans sa barbe ; il le faisait sûrement, d'ailleurs.

L'unique Dick Irvin, qui avait prévu la victoire du Canadien à cette cinquième partie, avait préparé un petit discours en français pour cette occasion. Il se l'était fait écrire sur un bout de papier. Avec émotion, il lut : « Merci beaucoup pour votre patience, jusqu'à ce que nous remportions la coupe Stanley ! »

Malheureusement, cette coupe allait être sa dernière grande victoire. Tout comme son centre tout-étoile, il fut, lui aussi, porté en triomphe, tels les généraux romains, sur les larges épaules de SES joueurs... pour la dernière fois.

---

1. O'Brien, Andy, *Rocket Richard*, p. 83.

Chapitre onzième
Le « tour du chapeau »

En l'espace d'une année, Maurice Richard allait réussir ce qui sera, sans contredit, les deux plus retentissants « tours du chapeau » de toute sa carrière.

C'était à la fin de l'année 1952. Maurice venait de réussir son formidable 325e but. Jean-Marc Béliveau, surnommé le « Grand Bill », faisait alors la pluie et le beau temps dans la charmante ville de Québec. Les Québécois l'adoraient et le traitaient comme un roi. Il avait facilement conquis cette ville par sa gentillesse, sa courtoisie et évidemment sa façon de jouer au hockey. Le « Grand Bill » s'y plaisait beaucoup et hésitait à quitter une ville où il était si bien traité. Il jouait alors pour les As de Québec dans la Ligue Senior professionnelle, sous la tutelle du rusé Punch Imlach.

Maurice était devenu journaliste. Il avait une chronique dans *Samedi-Dimanche* qui s'intitulait « Le Tour du Chapeau ». Comme il n'avait ni la formation ni l'expérience d'un journaliste, on lui avait affecté un « chroniqueur fantôme » qui rédigeait ses opinions sur différents sujets. Le « fantôme » de Maurice était Paul de Saint-Georges. Il devint vite un ami intime du Rocket.

À plusieurs reprises, le Rocket invita le « Grand Bill », par l'entremise de sa chronique et par certaines interviews, à venir à Montréal où, disait-il, il y avait plus d'avenir et où il serait tout aussi bien traité. Les amateurs de hockey de Québec qui ne voulaient pas perdre leur joueur étoile reprochaient évidemment au Rocket cette campagne en vue d'attirer Béliveau à Montréal. Maurice recevait donc, toujours par l'entremise de sa chronique, des tas de lettres de la ville de Québec : les unes cordiales, les autres agressives.

À ce moment-là, un autre Richard faisait parler de lui dans la ligue Junior A. Quoiqu'un peu plus petit de taille que le Rocket, Henri était étonnamment fort et se tirait très bien d'affaire. Il était un excellent joueur et un très bon compteur. Il devait toutefois supporter le poids de la gloire rattachée au nom des Richard ce qui lui valait d'être « essayé » par les durs, plus souvent qu'à son tour. De plus, il jouait pour le « P'tit Canadien » de Montréal. On connait toute la rivalité qui pouvait exister entre Québec et Montréal depuis la compagne en vue d'attirer Béliveau. Ces deux facteurs suffisaient pour qu'Henri se vît accorder une attention toute spéciale et se fît huer pour tout et pour rien, lorsqu'il se produisait au Colisée de Québec.

Dans sa chronique du 6 décembre 1952, le Rocket attaqua les amateurs de la « Vieille Capitale », mais surtout les « bandits » de la paroisse Saint-Sauveur. La polémique qu'allait susciter cette chronique est inimaginable.

Le Rocket était à l'étranger lorsque l'article sortit. Tous ses intimes s'accordèrent à dire qu'il n'avait pu écrire pareil article. En le lisant, le Rocket fut tout aussi surpris que les autres, raconta Claude Larochelle, un journaliste qui suivait le Canadien. Habituellement, Paul de Saint-Georges soumettait son texte au Rocket pour son approbation. Mais cette fois-ci, il n'avait pu le faire.

Le Rocket n'était pas homme à se défiler. Il aurait pu exprimer que c'était là beaucoup plus l'opinion de son « fantôme » que la sienne et l'histoire aurait été oubliée. Mais il aurait mis un homme au pilori, il aurait désavoué son ami, et ça, il ne pouvait le faire !

Comme il avait accepté de travailler avec un rédacteur fantôme, il endossa la pleine responsabilité de cet article. Jamais il ne laissa entendre que Paul de Saint-Georges en était l'auteur.

Le tollé de protestations qui s'ensuivit restera sûrement un fait mémorable. Le tout fut on ne peut plus exagéré. Chacun y alla de son grain de sel. Le 7 décembre, le député de Saint-Sauveur, M. F.

Boudreau, émit un communiqué à l'intention de la presse et de la radio où il dénonçait l'article en question.

Un peu plus tard, M. Boudreau souleva même cette histoire devant l'Assemblée législative au Parlement de Québec.

Le conseil de la ville de Québec écrivit une lettre ouverte au journal *Samedi-Dimanche,* demandant à la direction du journal de se rétracter.

Dans sa chronique suivante, Maurice fit le point sur toute l'affaire en faisant remarquer :

> « Une chose me peine surtout, c'est que j'ai eu le courage de dire ici, la semaine dernière, ce qui est conversation courante entre les joueurs et les journalistes de Montréal en ce qui regarde certains amateurs de hockey de Québec. »

Mais, finalement, qu'avait-il donc fait en déclarant tout haut ce que pensaient les joueurs de hockey et les journalistes ? Il avait, bien sûr, invité Jean Béliveau à se joindre aux Canadiens et ce n'était pas la première fois d'ailleurs. Il avait déploré l'attitude non sportive et dangereuse des amateurs de Québec, en particulier celle des « gangs » de Saint-Sauveur, tenant la direction des As du Colisée pour responsable de cet état de chose. Ce n'était quand même pas si terrible.

Ce qui était dur à digérer pour les gens de la « Vieille Capitale », c'était que Paul de Saint-Georges ait transmis en termes plutôt crus le message de Richard.

Comme on dit, Maurice était « callé jusqu'aux oreilles ». Il aurait facilement pu enfoncer son « fantôme » et grimper sur ses épaules pour sortir de ce bourbier, ce que plusieurs auraient fait, d'ailleurs. Mais pas Maurice Richard. Au contraire, il exonéra son ami Paul de tout blâme et, comme on l'a mentionné, il prit sur lui l'entière responsabilité du texte.

Enfin, le 20 décembre 1952, il donna sa version finale de cet incident, retirant le mot « bandit » et prenant vigoureusement la défense de Paul de Saint-Georges :

> « Je regrette que pendant mon absence, le journaliste qui m'aide à cette chronique ait été victime de vilaine injures de la part d'un haut personnage de Québec (et en hauts lieux) comme aussi de la part de deux agences de presse, voire même de plusieurs commentateurs de radio et journalistes qui l'ont appelé publiquement « journaliste sans scrupule », « odieux calomniateur » et « menteur effronté ». On a dit à plei-

ne radio et à pleins journaux « que je n'avais aucun contrôle sur cette page « Le Tour du Chapeau » et que ce journaliste inventait tout de lui-même.

« Eh bien ! je démens personnellement cette sale accusation envers un copain journaliste et je demande à ses persécuteurs d'avoir la décence de donner à mes mots aujourd'hui la même publicité qu'ils ont donnée depuis deux semaines à avilir la réputation d'un journaliste honnête qui connaît son métier.

« Je ne rétracte rien de ce que j'ai dit, il y a deux semaines sur certaines « gangs » de Québec, sauf le mot « bandit ». Mon « Ghost-Writer » m'admet courageusement que c'est un de ses jurons favoris et qu'il l'emploie régulièrement quand il a des sautes d'humeur sans signifier pour cela que le « bandit » est un meurtrier ou un voleur de grand chemin.

« Tout ce qui a été publié autrement, c'est moi qui le lui ai dicté, comme . . . »

Très peu de journalistes tentèrent de défendre la position de Richard et de Saint-Georges . . . Elle était évidemment précaire. Pourtant l'un d'eux s'y risqua. Il analysa la situation le plus objectivement possible.

Dans l'édition du 1er janvier 1953 du journal *Les Sports,* Jean-Paul Jarry expliqua pourquoi Maurice Richard avait attaqué « les gangs » de Québec.

Il fit ressortir avec force détails les points suivants.

1. Richard ne faisait pas allusion à toute la gent sportive de Québec, mais bien à un certain groupe qu'il qualifia de « gang ».

2. Pourquoi les équipes de la ligne Senior du Québec admettaient-elles que la ville de Québec était celle où ils aimaient le moins jouer ? Évidemment, à cause de l'attitude non sportive de « gangs » d'indésirables.

M. Jarry termina son article par ces mots :

« Ainsi chers lecteurs, vous pouvez constater par vous-mêmes la réputation dont jouit la ville de Champlain dans les autres cités du Canada et qu'il serait temps que les bons sportifs de Québec se donnent la main pour extirper de leurs rangs ceux qui sont responsables de cette pauvre réputation. Comme nous l'écrirons peut-être un jour, les Québécois remercieront Maurice Richard d'avoir eu le courage de mettre au jour des indésirables de leur région et de combattre pour la cause des honnêtes et sportifs gens de Québec.

« Toutefois, à vous d'en juger, chers amis, et quel que soit le jugement que vous rendrez à l'égard du Rocket, rappelez-vous que Maurice a agi de bonne foi et de sincérité de cœur. »[1]

Dans tout ce tohu-bohu, si une chose était à retenir, c'était sûrement cette dernière phrase de Jean-Paul Jarry. Ce n'était ni la première ni la dernière fois que le Rocket allait se mettre dans de mauvais draps à cause de sa nature « d'acier trempé », de sa franchise et de son sens de la justice.

Jean-Paul Jarry l'avait bien compris. Voici ce qu'il avait écrit en caractères gras dans un médaillon au centre de l'article :

« IL N'A PAS FROID AUX YEUX »

« Maurice Richard n'a peur de personne, n'a pas froid aux yeux, dit ce qu'il pense, n'est pas hypocrite, ne « chante » jamais personne, s'attaque à n'importe qui et n'importe quand lorsqu'il s'agit de défendre sa peau ou celle de l'un des siens.

« Ce courage imprégné en lui, qu'on ne retrouve nulle part ailleurs, l'a dirigé vers une classe particulière et en a fait le plus grand compétiteur de hockey. »[1]

Qu'ajouter de plus sinon que, si Maurice avait eu tort, il avait néanmoins agi avec sa franchise, sa droiture et son honnêteté habituelles. Et comme il le mentionna lui-même, tout autre journaliste que lui aurait fait la même déclaration et le tout n'aurait duré que le temps d'un feu de paille.

Pendant cette guerre des mots, le « p'tit général » des Canadiens de Montréal jouait silencieusement ses cartes. Le patient travail en coulisse de Frank Selke, porta ses fruits et Jean Béliveau fit le saut dans la Métropole pour la saison 1953-1954. L'expression « sans tambour ni trompette » ne s'appliqua pas dans ce cas-ci. Jamais recrue ne reçut autant de publicité. Lorsqu'il apposa sa signature au bas du contrat que lui offrait Frank Selke, Jean devint sans doute l'un des joueurs les mieux payés du hockey. Il avait pris soin d'amener des conseillers avec lui : son avocat et son comptable.

Les amateurs de hockey de Québec perdirent ainsi leur grande vedette au bénéfice de Montréal, cette rivale de toujours. Mais pour pouvoir s'affirmer comme l'un des grands du hockey, Jean devait, tôt ou tard, joindre les rangs du Canadien, même s'il adorait les Québécois et leur charmante ville.

L'année 1954 venait tout juste de débuter que le Rocket enregis-

---

1. *Les Sports*, 1er janvier 1953.

trait un deuxième « tour du chapeau », provoquant une autre commotion dans le monde du chockey, laquelle fit couler encore plus
d'encre que celle de Québec.

Ce fut donc une controverse classique, dans la plus pure tradition « richardienne ». Cette fois-là, Maurice y « goûta » vraiment...

Le tout débuta lors d'une partie contre les Rangers à New York,
à la mi-décembre 1953. Geoffrion et Chrystal se chamaillaient le
long de la clôture lorsque Léo Reise et un juge de ligne intervinrent.
Soudain, Murphy frappa sournoisement Geoffrion avec son bâton.
« Boum-Boum », furieux, délaissa Chrystal et se dirigea vers Murphy
qui reculait avec son bâton. Il est à noter que Bernard n'avait pas le
sien. Sans protection, Geoffrion fonça sur Murphy qui le frappa
alors à la tête pour la deuxième fois.

Bernard retourna près de la bande, prit son hockey et revint vers
Murphy. Un duel à coups de bâton s'engagea aussitôt. Murphy s'é-
lança le premier, mais il rata le « Boumer » de quelques pouces.
« Jeff » s'élança à son tour et atteignit solidement Murphy à la mâchoire. Celui-ci s'écroula, la mâchoire fracturée.

Évidemment tout le monde demanda au Rocket ce qu'il pensait
du duel Murphy-Geoffrion. Maurice répondit dans « Le Tour du
Chapeau » du 26 décembre 1953. À ce moment-là, le « jugement
Campbell » n'était pas encore connu :

> « J'aimerais franchement mieux ne pas me mêler de la chose et ris-
> quer de mettre du piment sur une affaire déjà assez grave.
> « Mais je suis trop ami de Bernard Geoffrion pour ne pas dire
> mon mot à sa défense. Je le ferais d'ailleurs pour n'importe quel joueur
> qui serait injustement l'objet d'accusations comme celles qu'on déclen-
> che aujourd'hui à l'adresse de Bernard.
> « Or, voici l'opinion de tous ceux qui ont bien observé le fracas. Si
> Geoffrion n'avait pas « couché » Murphy... ce serait lui qui serait au-
> jourd'hui à l'hôpital. Un homme a bien le droit de se défendre, n'est-ce
> pas ?
> « On le sait, Bernard est un gentilhomme et un garçon de caractère
> exemplaire. Il est le premier, j'en suis sûr, à regretter le malheur de
> Murphy et je souhaite pour lui qu'il ne soit pas puni pour avoir protégé
> sa propre vie. À sa place, *j'aurais fait exactement la même chose* dans les
> mêmes circonstances. »

Même si le film de la partie prouve incontestablement que
Murphy avait débuté le combat, le président Campbell suspendit

Geoffrion pour toutes les parties disputées à New York et Murphy pour quatre parties : Geoffrion perdait ainsi la chance de remporter le championnat des marqueurs. Cela mit Maurice en colère.

Samedi-Dimanche écrivait, en première page, la semaine suivante : LE ROCKET ENGUEULE CAMPBELL : Voici une partie de cette chronique qui mit le feu au poudres. Maurice y commentait sa dernière partie, de même que le travail de Chadwick. Il qualifia cet arbitre de « mange-Canayens », avant de s'en prendre à Clarence :

« Ce qui me donne le plus le feu aujourd'hui, c'est la punition plutôt extraordinaire, pour ne pas dire plus, imposée par le président de la Ligue nationale à « Boum-Boum » Geoffrion. Une punition absolument injuste devant les faits, humiliante pour Geoffrion et que même les journalistes de Toronto et de Détroit ont critiquée.

« Je vois que Dick Irvin ne s'est pas gêné pour dire publiquement ce qu'il en pensait, et je ne me gênerai pas, moi non plus. Si M. Campbell veut me sortir de la Ligue pour avoir osé le critiquer, qu'il le fasse !

« Geoffrion n'est plus le même depuis cette affaire avec Murphy. Il est démoralisé, humilié, et je ne parle pas du fort montant en amende qu'il est appelé à verser pour avoir osé défendre sa vie contre une attaque sournoise et volontaire d'un petit joueur de troisième calibre. Et voyez-vous ça ! M. le président admet que Murphy a provoqué Geoffrion, l'a blessé... et qui est le plus puni ? De plus, on admet maintenant que Murphy n'est pas si blessé que cela et qu'il reviendra probablement au jeu d'ici un mois. Conclusion ! Murphy pourra encore jouer contre le Canadien pendant que « Boum-Boum » n'a plus le droit de faire face aux Rangers d'ici la fin de la saison.

« Quelle farce ! Ce serait drôle si ce n'était pas si triste pour Geoffrion, l'un des as de la Ligue et un gentilhomme par dessus le marché.

« Je vais plus loin. D'après bon nombre d'amis qui surveillent le président Campbell durant les joutes, au Forum, de sa loge du côté sud de l'amphithéâtre, M. le président afficherait une partialité évidente dans ses réactions au jeu, il sourit et affiche ouvertement sa joie quand le club adverse compte un but contre nous et on sait d'ailleurs qu'à plusieurs occasions il a toujours rendu ses décisions contre les joueurs du Canadien. Mais qu'a-t-il fait quand Béliveau a été blessé délibérément deux fois par Mosienko et Evans des Rangers ? Pas de punition, pas d'amende, pas de suspension ! A-t-il suspendu ou pénalisé Gordie Howe, quand il a failli arracher un œil à Dollard Saint-Laurent, il y a deux ans... NON !

« Mais ce serait trop long de relever toutes les injustices dont ont été victimes les joueurs du Canadien depuis qu'il est à la présidence du circuit. On les connaît aussi bien que moi. Étrange que seuls Dick Irvin et moi ayons le courage de risquer notre gagne-pain pour défendre notre cause devant un tel dictateur.

« Que M. le président sorte donc un peu de ses bureaux et aille voir comment on donne des assistances gratuitement à Détroit ! Pas surprenant que Howe, Lindsay et Reibel soient parmi les premiers compteurs de la Ligue, même si j'admets que Howe et Lindsay sont de vrais bons joueurs. Mais que M. Campbell s'occupe donc un peu plus de quelques autres petits scandales connus des joueurs de la Ligue nationale et n'essaie pas de se faire de la publicité à s'en prendre à un bon garçon comme « Boum-Boum » Geoffrion, simplement parce qu'il est Canadien français !

« J'ai l'impression que M. Campbell serait partial. Toute sa façon d'agir semble le prouver, et pour cela le club Canadien en souffre plus que toute autre équipe de la Ligue nationale.

« Voilà mon opinion franche et si elle doit m'apporter des sanctions, eh bien, tant pis ! Je sortirai du hockey et j'ai l'idée que plusieurs autres joueurs du Canadien, qui partagent mon opinion, en feront autant !

« Mais il faut un changement quelque part ! »

Il est évident que le Rocket s'était laissé un peu emporter par sa fougue coutumière, mais aussi par cette franchise, cette honnêteté qui le caractérisent et qui l'éliminent automatiquement de tout poste diplomatique.

On peut sans doute blâmer Richard d'avoir si vigoureusement attaqué le président Campbell en dénonçant certaines irrégularités de la L.N.H., alors qu'il était sensé démontrer tout simplement sa partialité. On peut aussi le blâmer de l'avoir traité de « dictateur », ce qu'il ne fut jamais ; il n'était qu'un instrument entre les mains des gouverneurs de la Ligue. On peut de plus le blâmer d'avoir mis le président au défi et ainsi menacer son autorité déjà trop chancelante. On peut surtout le blâmer d'avoir écrit aussi directement, *lui,* un joueur de hockey, ce que les journalistes auraient dû dénoncer avec *force* et ce, depuis longtemps : c'est-à-dire la partialité de C. Campbell contre les Canadiens français et le problème des assistances gratuites. Mais on ne peut certainement pas le blâmer pour le contenu de son article dans son ensemble, pour ses intentions et pour son courage . . .

Ce n'était pourtant pas la première fois que ce problème des assistances gratuites était relevé. C'était là, trop souvent, le sujet de conversation des joueurs et des journalistes. Maurice lui-même en avait parlé à plusieurs reprises dans ses chroniques. Le 5 décembre

1953, il avait abordé la question avec son style toujours aussi direct :

« «Boum-Boum » Geoffrion est un de mes amis personnels et je l'ai déjà dit cet automne, il connaîtra cet hiver sa meilleure saison. Je répète encore que je reconnais le mérite de Howe. Il a dix francs buts, comme Geoffrion et moi, mais... où a-t-il pris ses dix-neuf assistances ? »

Richard n'était pas le seul à penser ainsi. C'était le genre de conversation qui était courant dans l'intimité du vestiaire des joueurs après une partie. Mais peu d'entre eux avaient le cran de dire sur la place publique ce qu'ils pensaient et déclaraient avec indignation et chaleur en privé. Maurice Richard et Dick Irvin faisaient partie de ces rares personnes qui affichent toujours la même attitude en public ou en privé.

« Howe ne serait certainement pas à la tête de la Ligue s'il y avait un marqueur impartial à Détroit. S'il est sur la glace, il obtient presque automatiquement une assistance, lorsque les Wings comptent un but. »

Ces paroles étaient celles de Dick Irvin et elles furent rapportées par Doug Vaughan dans sa chronique *On The Rebound* du 10 février 1954. Même si l'on admet que Dick Irvin pouvait être lui-même partial vis-à-vis de Richard, on doit aussi reconnaître qu'un gars comme lui n'aurait pas fait ce genre de déclaration si elle n'avait pas reflété une part de vérité. À ce moment-là, Gordie Howe avait une avance de huit points sur Maurice Richard. Il avait accumulé 21 buts et 37 assistances, comparativement à 32 buts et 20 assistances pour Richard.

Le 27 octobre 1959, Maurice dénoncera à nouveau cet état de chose et, cette fois-là, directement auprès des principaux intéressés... Le *Detroit News,* par l'intermédiaire de ses rédacteurs sportifs Sam Green, John Walter et Bill Brennan, l'interviewa longuement sur sa carrière. Les journalistes lui demandèrent entre autres choses, s'il se sentait frustré de n'avoir jamais remporté le championnat des marqueurs. Toujours égal à lui-même, Maurice, qui avait déjà déclaré que les assistances étaient données trop souvent à tort et à travers dans le circuit et spécialement à Détroit, ne camoufla pas plus son opinion cette fois-là, même s'il était à Détroit... Du tac au tac il répondit :

« Ça ne fait que prouver que les assistances qui sont octroyées ne sont pas nécessairement méritées, probablement plus ici que dans n'importe quelle ville de la L.N.H. De plus, je ne suis pas un fabricant de jeu comme Howe, Jean Béliveau ou mon frère Henri. Ils obtiendront beaucoup de points parce qu'ils sont des fabricants de jeu et qu'ils sont régulièrement employés sur les jeux de puissance. »

Pour étayer cette déclaration, il rappela qu'il avait perdu le championnat des marqueurs par un point contre Max Bentley, parce qu'on lui avait refusé une assistance dans une des dernières parties de la saison.

Pareille opinion peut, au premier abord, sembler assez crue mais, il faut le répéter, Maurice Richard ne faisait qu'écrire et révéler ce que tous les joueurs du circuit savaient et se disaient entre eux. Revenons maintenant au vif du sujet. Pourquoi Geoffrion était-il suspendu pour sept parties, alors que Murphy l'était pour quatre seulement ?

« Un autre chose qui agace « Boum-Boum », c'est qu'il ne se sent pas plus coupable que Murphy, écrivait Richard le 2 janvier 1954. Tout le monde sait que c'est Murphy qui a commencé à brandir son bâton et que Bernard n'a fait que défendre sa peau. Bernard a été très surpris de voir que Murphy, l'instigateur de la bataille, avait été suspendu seulement pour quatre parties », ajouta-t-il.

Jacques Beauchamp avait, lui aussi, affirmé la même chose lorsqu'il avait commenté ce duel :

> « Nous n'avons jamais été en faveur d'un joueur qui se servait de son bâton pour mettre un adversaire hors de combat mais, d'autre part, si un athlète est illégalement attaqué par un rival, il doit se défendre. C'est ce qui s'est produit au Madison Square Garden lors de la dernière joute des Canadiens. Si « Boum-Boum » ne s'était pas défendu dimanche, c'est probablement lui qui serait hospitalisé.
>
> « Boum-Boum » est tout simplement sorti de ses gonds après avoir été atteint deux fois à la tête par le bâton de Murphy qui s'était mêlé d'une affaire qui ne le concernait pas du tout. »[1]

Alors, pourquoi cette différence ? Parce qu'il était Canadien français ? C'était ce genre de discrimination subtile que les journalistes auraient dû dénoncer sans hésitation. Maurice Richard n'aurait pas eu à le faire... Mais il osa crier tout haut ce que la majorité des francophones, de toute la province, pensait tout bas.

1.Beauchamp, Jacques, *Montréal Matin,* 22 décembre 1953.

Cette franchise intransigeante du Rocket a donné des maux de tête à bien des gens qui auraient aimé qu'il soit plus souple. Mais le Rocket était ainsi bâti, tout d'une pièce. Et il faut reconnaître que cette franchise, il l'a toujours eue. Ce qu'il a écrit dans cette chronique n'était pas le fruit de son imagination. Il avait *vécu* ces situations et en avait *souffert,* ce que peu d'anglophones pouvaient comprendre, car très peu avaient connu de telles expériences. Tel Jacky Robinson au baseball, le Rocket a dû se battre, ravaler sa colère, courber l'échine, ramper et s'humilier pour obtenir cette place au soleil qui était la sienne.

L'incident Geoffrion-Murphy n'était en fait qu'un exemple de ce qu'il voulait obtenir : justice et respect pour les siens !

Le Rocket est peut-être allé un peu trop loin. Il a peut-être choisi la mauvaise occasion ou plutôt il *n'a pas choisi* la bonne... Pareille attitude lui est caractéristique. Trempé comme il l'est, le Rocket devait dire ce qu'il taisait depuis longtemps. Si ça n'avait pas été à ce moment-là, ç'aurait été à un autre. Le Rocket n'a jamais choisi ni les occasions ni les adversaires ; il les rencontrait.

On pourrait répéter ici la phrase de Frank Selke à l'occasion du 324e but de Maurice, lorsqu'il égala le record de Nelson Stewart : « Le Rocket peut éclater n'importe quand, n'importe où, lorsqu'il en ressent le besoin. Il en ressent le besoin maintenant. »

En général, la presse anglophone se montra outragée et demanda réparation, avec tout le « royal » paternalisme dont elle était capable. Par exemple, Vince Lunny, du *Hockey News,* journal officiel de la L.N.H., condamna Maurice sans avoir au préalable appronfondi son article. Même s'il était vrai que le tirage du *Samedi-Dimanche* s'en trouva augmenté, ce n'était pas là le but de la chronique :

> « La chronique du Rocket était conçue de façon médiocre. Il n'a pas amélioré sa réputation de gentilhomme. Il est évident qu'elle a été écrite pour augmenter le tirage de *Samedi-Dimanche* et servir de pâture aux amateurs francophones. »

L'hostilité envers Richard était là, présente à travers ces mots. Lunny ne put s'empêcher d'affirmer sa supériorité sans doute héréditaire : *«was poorly conceived »* ...

La presse francophone, comme à l'accoutumée, se trouva partagée. Peu se donnaient vraiment la peine d'analyser avant de condamner. Mais après que le Rocket eut publiquement présenté rétractation et excuses, certains journaux eurent l'audace de l'accuser d'avoir rampé.

Cette sortie du Rocket était-elle donc si terrible ? Sortie de son contexte, elle peut sembler inadmissible. Mais si on la replace dans son cadre, elle devient pratiquement naturelle. Car jamais les arbitres et le président de la L.N.H. ne furent autant critiqués par les joueurs, les instructeurs, les gérants et même les gouverneurs, c'est-à-dire les patrons immédiats de M. Campbell, qu'au cours de cet automne de 1953. À tel point, du reste, que le président Campbell dut les semoncer publiquement.

> « Notre prospérité nous a rendus nonchalants et nous prenons pour acquis le fait que nos stades seront toujours remplis. Il est absurde de croire que nous pouvons vendre notre spectacle en nous attaquant à notre style de jeu, aux règlements, aux officiels, aux joueurs de notre propre équipe ou aux joueurs de l'équipe opposée qui nous rend visite. Je n'ai jamais entendu parler d'un bon marchand qui prévenait ses clients que sa marchandise n'était pas adéquate. Il y a des têtes d'affiche dans notre milieu qui descendent notre spectacle ou permettent inconsciemment aux autres de le faire. »[1]

À qui s'adressait cette remontrance ? Selon Dink Carroll qui nous rapportait ces paroles du président, il s'agissait de Frank Boucher, Conny Smythe, Frank Selke, Dick Irvin et Jack Adams.

À l'exception d'Art Ross, gérant du Boston, personne ne fit de déclaration publique pour soutenir le président. Conny Smythe qui, tout comme le Rocket, ne s'était jamais caché pour émettre son opinion fut le seul à commenter la déclaration de Campbell :

> « J'ai combattu dans deux guerres pour conserver ma liberté de parole et ce n'est pas maintenant qu'on va m'en priver.
>
> «Campbell est un ancien arbitre et il n'est pas le premier arbitre qui croit pouvoir diriger un club de hockey. Cooper Smeaton a essayé avant lui et son équipe de Philadelphie obtint la pire fiche jamais compilée par une équipe de la Ligue nationale de hockey. Campbell n'est pas non plus le premier président qui croit pouvoir diriger un club de hockey mieux que ceux qui le font maintenant, Frank Calder essaya de diriger les anciens « New York Americans » et, sous sa direction, le club dut, à un moment donné, suspendre ses opérations. »[2]

---

1. Carroll, Dink, *The Montreal Gazette*, décembre 1953.

2. *The Montreal Gazette*, décembre 1953.

C'était là le genre d'attaques que le président de la L.N.H. et ses arbitres subissaient régulièrement. Il est consternant de constater que les gérants, les instructeurs et, pire encore, les gouverneurs se permettaient de faire régulièrement ce que le Rocket avait osé faire une fois... Avec toute l'hypocrite indignation des « Justes », ils qualifièrent la dénonciation Richard d'indigne, de honteuse, d'inqualifiable, d'intolérable, etc.

Heureusement, tous n'avaient pas une vision aussi déformée et biaisée de l'incident. Charlie Conacher, un ex-joueur qui avait terminé sa carrière au moment où celle de Maurice avait débuté, confia à Stan Houston, du *Telegram* de Toronto, que Campbell était à l'origine de ces troubles en permettant aux gouverneurs (propriétaires) de la Ligue d'attaquer à leur guise les arbitres et leur autorité. Campbell agissait ainsi afin de protéger son emploi. Voici ce reportage de Houston :

> « Charlie Conacher, ex-joueur de hockey des Maple Leafs de Toronto et instructeur des Black Hawks de Chicago, a accusé aujourd'hui le président de la L.N.H., Clarence Campbell, d'avoir provoqué tout le trouble suscité par l'attaque de Maurice Richard parue hier dans cet hebdomadaire de langue française, *Samedi-Dimanche*.

> « Si M. Campbell, en tant que président de la Ligue nationale avait affiché une attitude plus ferme afin de protéger ses arbitres des attaques des gouverneurs de la Ligue, il aurait évité tout ce trouble.

> « L'article de Richard est seulement l'éruption de ce volcan qui est depuis longtemps en activité. Si Richard est l'auteur de l'article, l'incident devra être réglé comme tel. Mais les gouverneurs ont jugé bon de critiquer bien avant que Richard en ait eu l'idée ; alors pourquoi n'ont-ils pas été sanctionnés eux aussi ?

> « Il y a un règlement qui stipule que même les gouverneurs devraient être pénalisés lorsqu'ils font des déclarations préjuciciables au hockey. Mais ils s'en sont toujours tirés parce que Campbell essaie de protéger son emploi... C'est la même chose avec Voss[1] qui essaie tellement de plaire aux gouverneurs qui l'ont engagé qu'il ne peut pas protéger ses arbitres comme il le devrait.

> « Si la Ligue continue d'agir ainsi, quelles sortes d'arbitres aurons-nous ? Un instructeur et un joueur peuvent dire certaines choses dans le feu de la partie, qui seront oubliées par la suite. Mais lorsqu'un individu, propriétaire d'un club et spectateur, se met à critiquer, il devrait être pénalisé.

---

1. Carl Voss, arbitre en chef.

« Tout ça a débuté avec l'incident George Hayes. Hayes arbitrait une partie à Montréal et, dans les deux dernières minutes de jeu, il donna dix minutes de mauvaise conduite à Syl Apps qui était à ce moment-là le candidat numéro un pour le trophée Lady-Byng (décerné au joueur le plus gentilhomme de la Ligue) et naturellement cette punition le renvoya derrière plusieurs joueurs.

« Smythe a fait un tel bruit que, un ou deux jours plus tard, Campbell retira la punition : il annula la décision de son propre chef. Je ne me souviens pas que Hayes ait jamais arbitré une partie après cela. Il travailla comme juge de ligne à partir de ce moment.

« Ils ont congédié le meilleur arbitre que la Ligue ait jamais eu. C'était Georges Gravelle. »[1]

Ces paroles de Conacher nous permettent de découvrir l'article de Richard dans une nouvelle perspective et confirment que, dans le fond, il n'était pas si terrible qu'on voulait le laisser croire. Elles permettent de découvrir de plus que les patrons de la L.N.H. étaient bien les gouverneurs et non Clarence Campbell ; Conny Smythe s'en révélait le mentor numéro un. Enfin, elles nous démontrent, *une fois de plus,* que la compétence canadienne-française n'était ni appréciée ni respectée... Pourtant, les deux plus « grandes gueules » du circuit, Jack Adams et Conny Smythe, réclamaient toujours Gravelle lors des joutes importantes. Même en 1976, alors qu'on s'arrache les joueurs de hockey canadiens français, le domaine de *l'arbitrage* dans la L.N.H. et dans la L.M.H. demeure toujours un bastion anglo-saxon. Cela ressemble beaucoup à la situation des généraux et des soldats : « Nous sommes la tête, vous êtes les bras... » Bien entendu, ce n'est pas là le seul domaine où la compétence canadienne-française doit livrer une bataille de tous les instants pour pouvoir s'affirmer.

Conacher n'était pas le seul à partager cette opinion ; Gord Walker, en termes tout aussi directs, dénonça cette comédie mélo dans sa chronique *Pinch-Hitting :*

« Campbell a été dénigré beaucoup plus par les gouverneurs de la L.N.H. qu'il ne l'a été à cette occasion par le Rocket. Mais les gouverneurs ont catégoriquement refusé à un individu, le Rocket, un droit ou un privilège qu'ils considèrent apparemment posséder en exclusivité.

« Au cours des semaines passées, les décisions de Campbell ont été sévèrement critiquées dans la presse par Frank Selke, Dick Irvin, et le

---

1. *The Telegram,* Toronto, 9 janvier 1954.

234

général Kilpatrick. Ses arbitres ont été rabroués par les gouverneurs. Ces invectives ont été par la suite imprimées dans toutes les pages sportives du pays et d'outre-frontières. Maintenant, un joueur a parlé et c'est comme s'il avait fait exploser une bombe atomique sous les fondations mêmes du hockey. Campbell a maintenant son bouc émissaire. »[1]

Cela ne dépeint-il pas suffisamment la situation ? Sous ce nouvel éclairage, on ne peut plus lancer la pierre aussi facilement au lépreux Richard...

Bertrand Soulière, du *Devoir,* et Dink Carroll, du *Montreal Gazette,* faisaient eux aussi partie de cette minorité qui s'était donné la peine d'analyser et d'y regarder d'un peu plus près avant de condamner.

« Évidemment, Clarence Campbell ne doit pas être très heureux des déclarations faites par Maurice Richard. Mais si l'on considère la façon dont Clarence Campbell agit vis-à-vis du club Canadien, peut-on blâmer le Rocket d'avoir une si piètre opinion du président de la Ligue nationale de hockey ? Pas du tout... »[2]

« Si le Rocket a enfreint un règlement de La ligue, nous supposons que c'est celui qui est régi par ce terme plutôt vague « conduite préjudiciable au hockey ». Mais c'est un secret de polichinelle que même le général John Reed Kilpatrick et Conn Smythe se sont moqués de ce règlement dernièrement avec leurs attaques à la radio et dans la presse. Toutefois, ce sont des gouverneurs de la Ligue et inutile de vous dire qu'il y a une différence entre un gouverneur et un joueur... »[3]

Cette politique des deux poids, deux mesures appliquée aux gouverneurs et aux joueurs et que nous rapportait Dink Carroll était hélas trop souvent le genre de justice qu'affichait Clarence Campbell. Il était tout à fait normal, dans ces circonstances, qu'il ne soit pas respecté.

Mais il ne faut pas se leurrer ; ce comportement odieusement contradictoire de Campbell était loin de le déranger. Le juste Clarence n'en était pas à sa première croisade contre ces « maudits Canadiens français »... Surtout qu'à l'exception des quelques appuis accordés à Richard et dont il vient d'être question, le président avait

---

1. *The Globe and Mail,* Toronto, 9 janvier 1954.
2. *Le Devoir,* 9 janvier 1954.
3. *The Montreal Gazette,* 9 janvier 1954.

le soutien de 90 pour 100 de la presse anglophone et de ses six gouverneurs de la Ligue.

Il est donc intéressant de suivre ses réactions. Au tout début, lorsque les journalistes lui firent part de l'article de Richard, il déclara d'un cœur magnanime :

> « Les critiques dirigées contre ma personne ne m'ont jamais beaucoup dérangé. J'ai été capable de les prendre dans le passé et je le peux encore maintenant. »

Oui, il devait accepter les critiques des gouverneurs, il n'avait pas le choix, mais pas celles de Richard...

Pour pouvoir prendre connaissance de l'article, Clarence, n'étant pas bilingue, dut recourir aux services d'un traducteur ; aussitôt, sa magnanimité disparut et il convoqua ipso facto Selke et Reardon.

À l'issue de cette rencontre, il annonça que toute l'affaire était maintenant entre les mains du club Canadien. « Si le club refuse de prendre action, c'est qu'il n'a aucune objection à l'action que je pourrais prendre », menaça astucieusement Campbell.

Pressé de questions, il ajouta :

> « Je n'en veux pas à Richard ou à tout autre joueur canadien-français ; je n'en veux en fait à aucun joueur.
>
> « Richard est plus à plaindre qu'à critiquer. Il n'a aucune idée de ce qu'il fait à la profession qu'il exerce par une telle conduite. Il est impensable qu'une telle chose se produise dans n'importe quelle entreprise bien organisée.
>
> « Je considère l'article de Richard comme une attaque à mon intégrité personnelle et une attaque envers le président de la Ligue nationale de hockey. »

Dieu le Père venait de parler ! Il est impossible de qualifier un pareil paternalisme ! Comme l'avait mentionné Gord Walker, Campbell avait son bouc émissaire et il utilisait toutes les ficelles de son répertoire pour l'égorger. La magnanimité faisait place à la hargne et à l'audace dégoûtantes : « Ce pauvre Richard était à plaindre parce qu'il ne savait pas ce qu'il faisait »... C'était ce genre d'attitude arrogante et pleine de mépris que devaient subir les Canadiens français à travers la province et le pays. Et Campbell avait encore le culot de prétendre qu'il n'avait rien contre les Canadiens français.

De toute évidence, Selke n'avait pas grand choix et le Rocket encore moins. Les paroles du gérant des Canadiens en faisaient foi : « Je vais certainement agir parce qu'ils attendent seulement que je

236

ne bouge pas pour passer à l'action. » Selke savait que les gouverneurs voulaient envoyer le bouc émissaire au bûcher.

En un mot, si Maurice devait rétracter certaines paroles, on n'avait pas à l'humilier de la sorte. Car il est évident que même s'il avait attaqué le président, ce qui était inévitable dans les circonstances, Maurice visait surtout le système qu'il représentait et qu'il encourageait par son attitude et son immobilisme.

Dans son empressement à vouloir sauver la tête de son ailier droit, Selke est tombé dans le piège de Campbell et il a contribué à imposer à Maurice Richard la plus humiliante rétractation de l'histoire du sport en Amérique du Nord. Le châtiment aurait directement émané de la plume de Campbell qu'il n'aurait pas été plus révoltant... Clarence aurait eu à tenir compte des précédents et de l'opinion publique ; car pour certains individus comme Elmer Ferguson, du *Montréal Herald*, Richard ne méritait pas de punition sérieuse : l'enjeu étant, selon lui, de déterminer si les joueurs de hockey obtiendraient pleine liberté d'opinion.

> « En définitive, la question se résume à savoir si les athlètes auront le droit de parler librement, bien que franchement. Selon les gens en place, ces déclarations devront avoir un caractère moins personnel et plus circonspect. Nous ne croyons pas non plus qu'aucune punition vraiment sérieuse ne sera imposée à Richard, et encore moins une expulsion de la Ligue. »[1]

Ferguson n'avait vu juste qu'en partie : Maurice Richard ne fut pas expulsé, mais il fut sévèrement châtié...

Il fit des excuses publiques à Campbell et aux gouverneurs et présenta un chèque de 1 000 dollars, à la Ligue pour prouver sa bonne foi... On le força, croyez-le ou non, à se retirer du journalisme. Il répéta deux fois, une seule aurait suffi, qu'on lui avait conseillé d'agir ainsi mais qu'on ne l'y avait jamais forcé. Il a été alors « fortement » conseillé parce que, lorsqu'il fit ses adieux aux lecteurs de sa chronique, il déclara qu'on lui avait enlevé sa liberté de parole... Geoffrion, également « fortement conseillé », dut, lui aussi, se retirer de sa chronique dans *Parlons Sport*.

L'amende honorable, sous forme de lettre adressée à Campbell et aux *gouverneurs,* fut diffusée par le bureau de Campbell après

---

1. Ferguson, E., *The Montreal Herald*, 9 janvier 1954.

une conférence avec Frank Selke. Cette fois-ci, c'était le gérant des Canadiens qui agissait comme « rédacteur fantôme » pour le Rocket.

Ce geste du club Canadien, même s'il y était forcé par les autres clubs, n'en était pas moins inadmissible et de nature dictatoriale.

TOUT EST BIEN QUI FINIT BIEN était le titre insipide choisi par un journal qui reproduisait cette lettre. Richard se soumettait, tous étaient soulagés. On n'avait évidemment rien compris, mais Maurice apprit à ses dépens qu'il ne pouvait pas encore compter totalement sur les siens.

Voici la traduction intégrale de cette lettre que Richard a fait tenir à M. Campbell :

« Le 14 janvier 1954.

Au président et aux gouverneurs
de la Ligue nationale de hockey :

Chers messieurs,

Je viens d'avoir mon second entretien avec M. Selke à propos de ma chronique que *Samedi-Dimanche* a publiée dans son édition du 9 janvier.

Plusieurs amis influents ainsi que des juristes m'ont offert leur aide légale, mais comme j'accepte l'entière responsabilité de tout ce qui a été écrit, je désire réparer le mal qui a pu être fait.

Lorsque j'ai écrit cet article, je ne me suis pas rendu compte de la gravité des accusations qu'il contenait. Je n'ai pas pensé non plus au fait que cette chronique allait faire le tour de la presse du pays.

M. Selke a attiré mon attention là-dessus et comme le hockey m'a été très favorable, je fais humblement mes excuses au président Campbell et aux gouverneurs de la Ligue, non pas que j'y sois forcé par mon propre club, mais parce que c'est le *geste honorable et sportif à faire*.

Je réalise pleinement que les accusations portées n'étaient pas fondées et je tiens à établir hors de tout doute que je ne mettais en cause ni l'intégrité de M. Campbell, ni l'honnêteté du sport.

Si vous jugez bon d'accepter cette rétractation, je me sentirai dégagé d'une bien lourde responsabilité.

M. Selke m'a aussi conseillé de cesser d'écrire pour un journal ou pour d'autres publications tant que se prolongera ma carrière de joueur actif. J'accepte cela de bon gré. Même si, au début, j'ai eu du plaisir à écrire ces articles, cette tâche m'est devenue depuis quelque temps de plus en plus difficile à cause de la tension nerveuse que certaines parties exercent sur moi. Cela me met très mal à l'aise d'écrire des articles un

238

Le Toronto Telegram *publiait cette caricature après la trop fameuse déclaration du Rocket contre Campbell.*

peu percutants qui ne contiendraient rien de blessant pour qui que ce soit.

Puis-je répéter que, dans cette affaire, j'ai été conseillé par le club de hockey Canadien, mais qu'aucune pression n'a été exercée sur moi ni par le club ni par la Ligue. Je joue au hockey avec chaque once d'énergie que j'ai. Je continuerai d'agir ainsi et d'être aussi franc en faisant des excuses lorsque j'aurai tort.

Pour manifester ma bonne foi, je dépose mon chèque au montant de mille dollars, afin de démontrer que chaque mot de cette lettre dit bien ce qu'il veut dire.

Si je ne tenais pas ma promesse, je perdrais ces mille dollars. Si vous me trouvez digne de votre indulgence, j'ai confiance que cet argent me sera ramboursé lorsque j'aurais fini de jouer.

J'aimerais ajouter que ma carrière au hockey n'a pas toujours été facile à cause de mon tempérament. J'ai toujours été un athlète ardent et je ne saurais jouer autrement. C'est de cette seule façon que je peux faire de mon mieux. Je suis sûr que les amateurs de la Ligue sont au courant de ce fait et je souhaite que cet incident n'ait aucune répercussion malheureuse sur le reste de ma carrière.

Espérant que vous allez prendre ma requête en favorable considération, je reste,

Respectueusement vôtre,

MAURICE RICHARD »

Non! On ne pouvait pas l'humilier davantage. Chaque Canadien français souffrait tout autant que Maurice. Certains Canadiens anglais étaient tout aussi estomaqués. « Selon moi, une rétractation publique de cette nature, c'est vraiment incroyable », commenta Bill Tobin, gérant des Black Hawks de Chicago.

Andy O'Brien qualifia adéquatement cette lettre d'*Abject Apology* (d'Amende honorable abjecte) »

« Oublions le passé ! » Telle était l'attitude adoptée par le président. Et le fougeux Rocket a dit : « Oui, mon oncle » avec une parfaite soumission.

« Il a renoncé à sa chronique. Il a remis avec obéissance un chèque dans les quatre chiffres pour prouver sa bonne foi. Et il a fait amende honorable de la façon la plus complète, la plus profonde et la plus empreinte de repentir de toute l'histoire du sport. »[1]

Pourquoi n'a-t-il pas ajouté « humiliante » . . . Il est probable que M. O'Brien avait compris qu'une fois de plus l'élément anglophone venait d'écraser les francophones dans leur symbole, *Richard, the French-Canadian Bastard.*

Maurice confirma beaucoup plus tard dans *Les Canadiens sont là* que ce fut M. Clarence Campbell qui l'avait forcé à agir ainsi : « Je n'ai jamais particulièrement prisé son attitude. Avec ses airs de grand seigneur, il me rappelait l'aristocrate anglais du Canada qui considère toujours le Canadien français comme un citoyen de seconde zone. J'avais, à ce moment-là, commencé à rédiger une chronique sportive dans un journal de langue française de Montréal, sous la conduite d'un rédacteur sportif. J'y critiquais souvent Campbell, qui m'a finalement *interdit* d'écrire ma chronique tant que je jouerais dans la L.N.H. Il m'a forcé à verser à la Ligue un cautionnement qu'on me rembourserait à ma retraite. »

Comment ne pas comprendre toute l'agressivité des Canadiens français vis-à-vis des anglophones, eux qui s'identifiaient totalement à Maurice Richard ? Une fois de plus, la « botte anglaise » venait de les fouler aux pieds ! Une fois de plus, on rappelait à Maurice et à la

---

1. O'Brien, Andy *Rocket Richard*, p. 40.

population francophone qu'ils étaient encore dominés par leurs maîtres colonialistes. Ceux-ci étaient toujours les plus forts et il ne fallait pas l'oublier... Ce souffle de liberté et cette soif de justice qui avaient envahi et enivré Maurice Richard furent vite réprimés par des clichés « very British » : « *It was the honorable and sporting thing to do* (C'était le seul geste honorable et *sportif* à faire) », ou encore « *Hockey and its good name are more important than any one player, even the Rocket.* (Le Hockey et sa renommée sont plus importants que n'importe quel joueur, même le Rocket. »

Ces clichés, le dernier en particulier, ont été usés jusqu'à la corde par des gars comme Conny Smythe, Jack Adams et compagnie qui sautèrent sur l'occasion pour demander qu'on remette Maurice Richard à sa place.

Tous ces gouverneurs de La ligue connaissaient très bien l'utilité de « Rocket » Richard, car personne n'avait autant fait pour la renommée du hockey. Et toutes ses sorties, justifiées ou non, n'ont contribué qu'à remplir davantage leurs goussets. On l'aimait bien Maurice Richard, mais surtout comme *greatest crowd drawer.* Mais là, il osait dire la vérité et il devenait embarrassant, très embarrassant, car il relevait le parti pris et l'incompétence de Campbell et demandait qu'on corrige la situation. Il n'était pas le premier à le faire, rappelons-nous qu'André Rufiange avait fait de même en 1947... sans plus de succès et avec pas mal moins de publicité. D'ailleurs Maurice faisait remarquer : « Si cet article avait été écrit par un autre que moi, il n'y aurait jamais eu cette commotion. » Bien sûr, Maurice, personne n'aurait osé dénoncer cette situation avec autant de vigueur !

Les gouverneurs ne pouvaient absolument pas supporter cette ingérence dans leurs affaires de la part d'un *French Pea soup*... Ils se devaient de protéger leur « pion » et leur bonne conscience. Il fallait donner une bonne leçon à cette « grande gueule ». Ils appuyèrent donc leur très frustré président et laissèrent voir du même coup ce qu'ils pensaient du Rocket.

De Floride — c'était incroyable le temps qu'il passait par là — Conny Smythe déclara :

> « Nous verrons comment M. Campbell s'en tirera *cette fois.* Le hockey est un sport de grande envergure et il n'est pas d'individu, si important soit-il, qui soit plus important que ce sport, même si j'admets

que Richard est un gros nom dans le hockey. J'imagine que l'affaire sera réglée en partant de ce principe. »

Et il ajouta qu'il n'était pas d'accord qu'un joueur possède sa propre chronique et écrive dans les journaux.

Le « cette fois » est, à mon avis, de trop et révèle les arrière-pensées du Conny. Quant au reste, c'est « du réchauffé » sous le soleil de la Floride que Smythe nous servait.

Il est tout de même navrant de constater que celui qui s'accordait le privilège de critiquer le plus acerbement Campbell refusait ce même droit à Richard . . . Et que faisait-il de sa précieuse « liberté de parole » qu'il avait si chèrement défendue au cours de deux guerres mondiales ? Il la refusait aux autres ? Il en avait acquis l'exclusivité ? Et voilà, il n'avait rien compris . . . deux guerres mondiales qui n'auront encore servi à rien, une fois de plus . . .

Cette réaction de Conny Smythe fut quand même, il faut l'admettre, la plus modérée de toutes celles qui émanèrent des cinq autres clubs de la Ligue. Les commentaires des dirigeants des clubs de Boston, de New York et de Détroit étaient imprégnés d'une agressivité vis-à-vis de Richard qui frisait parfois le racisme et démontrait bien qu'ils ne prisaient pas ce joueur canadien-français qui leur imposait sa supériorité.

Walter Brown, président des Bruins, annonça que son club appuierait Campbell à 100 pour 100 et il rabacha les paroles de Smythe : « Aucun homme n'est plus grand que le sport dans lequel il évolue. On ne peut certes prétendre qu'écrire de la sorte convient à une étoile telle que Richard. »

Son gérant Art Ross mit vraiment le paquet, réclamant à grands cris une punition très sévère pour Maurice. Cette très pieuse attitude de Ross était plutôt cocasse, si l'on considère qu'il était lui-même un incorrigible rebelle à l'époque où il était un joueur actif. Il faisait sa propre justice, s'en prenait à tout le monde et ses querelles avec l'ancien président Calder étaient quelque chose à voir. Il avait donc appris au cours de toutes ces années la technique de la « sublime indignation », dont voici un exemple, alors que, de Boston, il téléphonait au *Telegram* pour exprimer son juste courroux :

« Cet article n'aurait jamais dû être écrit. Je suis sûr que M. Campbell va régler ça de façon équitable. Ce serait une *honte* de laisser un individu s'en tirer aussi facilement après un tel acte.

242

> « Aucun joueur, et plus particulièrement Richard qui jouit d'un
> bon niveau de vie grâce au hockey, n'a le *droit* de critiquer un homme
> qui a dirigé le hockey avec autant de compétence que M. Campbell.
>
> « M. Ross s'est dit en faveur d'une forte amende, étant donné
> qu'une suspension pénaliserait tout autant l'équipe de Montréal en la
> privant d'un joueur de première classe.
>
> «Après tout, une équipe ne doit pas être pénalisée à cause des ac-
> tions stupides que peut poser un de ses joueurs en dehors de la glace. »

On ne se gênait pas, n'est-ce pas ? L'instructeur du Boston, Lynn
Patrick, ne voulait pas être en reste et reprit à peu près le même thème : « Il n'est pas si grand qu'il ne puisse être suspendu. » Et pour
justifier son allégation, il ajouta : « Babe Ruth était une plus grande
attraction sportive. Eddy Shore était une plus grande idole du hockey. » Quelle agressivité ! Fallait-il que Richard soit jalousé pour
provoquer de pareils commentaires ! Fallait-il qu'il soit grand pour
inspirer autant de rage !

Le propriétaire des Rangers de New York, le général John Reed
Kilpatrick, continua dans la même veine. Il trouvait que c'était un
article « outrageant », lui qui venait tout juste de rosser publiquement Red Storey pour la façon dont il avait arbitré une récente partie au Madison Square Garden.

> «... c'est outrageant. Quant à la punition imposée à Geoffrion
> pour avoir frappé Murphy, elle est complètement disproportionnée
> étant donné la nature de l'attaque. Je dois dire que Geoffrion est un
> gars très chanceux et qu'il s'en tire à bon compte. Il aurait pu être banni
> à vie. Je crois que ce fut une erreur de Richard d'écrire comme il l'a fait
> et que c'était injustifié. »[1]

Comment pouvait-il critiquer Red Storey, critiquer le verdict de
Campbell dans l'affaire Geoffrion et, du même souffle, avancer que
c'était « outrageant » pour un joueur de faire la même chose ? Il est
probable que tout ce que M. Kilpatrick pouvait dire était « justifié »,
du fait qu'il était *gouverneur*...

Mais la palme, ce fut le gros Jack Adams, des Red Wings de
Détroit, qui se l'accapara en déclarant que Maurice devenait « trop
gros pour la Ligue ». Et pour qui n'est pas encore convaincu de toute l'hostilité que certains fanatiques anglo-saxons portaient aux Canadiens français, il suffit de lire attentivement cette déclaration du
sieur Adams :

---

1. *The Telegram,* Toronto, 8 janvier 1954.

« Cela ne fait que confirmer ce que nous avons *toujours* dit. Richard devient trop gros pour la Ligue et il est grand temps que quelqu'un le *remette à sa place*. Lorsqu'il a joué ici (Détroit) la dernière fois, il a fait preuve d'un piètre esprit sportif, ce qui lui a valu une punition pour mauvaise conduite. Ce gars-là croit tout simplement qu'il est trop important. Je suis en quelque sorte *heureux* que cela arrive ! Maintenant, ils croiront peut-être ce que nous avancions depuis toujours. »[1]

Ce pauvre Jack, il était aussi envieux qu'il était gros. Bien qu'étant sans contredit, le plus grand rouspéteur de la Ligue, le plus critiqueur, il se permettait de faire la morale. Il ne pouvait même pas cacher sa joie à l'idée que Richard allait être exécuté sur la place publique. Il sauta à pieds joints et de tout son poids sur l'occasion et sur Richard. Pourtant, lui aussi venait tout juste de s'en prendre à Red Storey avec toute la férocité dont il était capable, après une partie disputée à Détroit contre les Canadiens. Il déclara que Storey était sûrement « sur la liste de paie du Montréal » pour avoir arbitré ainsi. C'était tout de même une accusation assez grave. Mais tout ce gentil monde jouissait d'une immunité spéciale obtenue au cours de la dernière guerre, probablement parce qu'ils étaient soit général, colonel, major ou lieutenant : mais pas le Rocket.

Ainsi donc, ils avaient tous bien appris leur leçon... Même le président chantait sur le même ton. On lui demanda s'il considérait Maurice comme un journaliste : « Non, Richard est un joueur. Il ne peut, par conséquent, nuire publiquement aux meilleurs intérêts du hockey. Et quand il écrit contre le président de la L.N.H., qu'il s'agisse de moi ou d'un autre, il agit contre les intérêts du hockey. »

C'est incroyable qu'une personne puisse soutenir sérieusement pareille thèse ! C'est ahurissant ! Quels intérêts ? Quel hockey ? Le sport ou la «business » ?

Le Rocket n'a jamais travaillé contre les intérêts du hockey ! Il n'a fait que dénoncer l'injustice commise par un individu contre lui-même et les siens. Il n'a jamais prétendu être plus grand que le hockey ! Mais il était certainement plus grand que ces parasites qui ne se souciaient que d'emplir leurs coffres et déclaraient n'importe quoi pour conserver leur emprise sur les joueurs. Les intérêts du sport, « le hockey », n'étaient certainement pas leur préoccupation majeure.

Enfin Campbell livra le fond de sa pensée lorsqu'un journaliste

1, *The Telegram*, Toronto, 8 janvier 1954.

lui demanda si Richard avait le droit de le critiquer dans une chronique : « Si un joueur consent à prostituer ses talents pour quelques centaines de piastres, il manque pour le moins de prévoyance. » Oui, ce fut là tout ce qu'il trouva à dire.

Il ne supportait donc pas de se faire critiquer et, de plus, le droit pour un joueur d'émettre son opinion dans une chronique équivalait selon lui, à « prostituer son talent »... Richard aurait pu, lui aussi, exiger qu'il fasse amende honorable pour ces quelques mots.

Du côté des Canadiens, le sénateur Donat Raymond refusa de prendre position parce qu'il avait été malade durant presque toute la saison et n'avait assisté qu'à une partie. Quand à son gérant Frank Selke, il déclara : « Sans commentaire. »

Mais ce qu'il y a de plus étrange dans tout cela, c'est que Maurice ne reçut que très peu d'appuis de la part des joueurs actifs ou retirés. La plupart des commentaires se résumaient à : « *silly* (stupide) », « *rash* (irréfléchi) ». Par contre, Red Heron fit remarquer : « C'est quand même agréable de savoir qu'un joueur de hockey peut dire ce qu'il pense. » Comme le souligna Gord Walker, c'était précisément là le cœur du problème :

> « Nous aimons tous croire, à notre façon, que nous *pouvons* dire ce que nous pensons. Apparemment la L.N.H., tout comme Moscou, n'est pas d'accord. »[1]

Campbell voulait donc casser publiquement Maurice Richard et il y parvint. Interrogé, Maurice se montra évidemment déçu, mais resta très calme : « Quand l'orage provoqué par cet article sera passé, j'expliquerai plus clairement ma pensée. » Il ne pouvait rien dire de plus, car il avait reçu l'ordre de la direction du Canadien de garder le silence. Le Rocket fit ses adieux à ses lecteurs de *Samedi-Dimanche,* le 16 janvier 1954. En première page, on pouvait lire :

RICHARD EST BAILLONNÉ.

> « Ceci est ma dernière chronique comme journaliste. Je le regrette, car je trouvais un certain plaisir à exprimer mes opinions personnelles sur les choses du hockey.
>
> « On m'en *refuse* le droit. Je n'ai plus la *liberté de parole.* Comme joueur de hockey, je suis obligé d'obéir aux ordres de mes employeurs. Je ne juge pas leur décision, je laisse plutôt mes amis en juger.
>
> « Peut-être plus tard, quand je n'aurai pas les mains attachées derrière le dos, reviendrai-je. Peut-être plus tôt qu'on ne le pense.

1. *The Globe and Mail,* Toronto, 9 janvier 1954.

« Mais je ne voudrais pas laisser ceux qui m'ont fait l'honneur de me lire depuis un an et demi sans leur dire merci de l'attention qu'ils m'ont portée. Je veux remercier *Samedi-Dimanche* et ce vieux copain de reporter qui m'a aidé à mettre mes idées sur papier. Il voulait prendre personnellement la responsabilité des mots que j'ai écrits la semaine dernière. Je la lui ai refusée. Tous les faits qu'il a écrits sont de moi, je le répète encore, et je veux prendre ma pilule sans forcer un ami à en avaler la moitié.

« Un autre mot de remerciement. Celui-là à MM. Jean-Paul Hamelin, conseiller municipal, Claude Robillard, directeur du Service des Parcs et Raymond Paré, directeur du Service des Incendies, qui sont responsables du fait que Cartierville a maintenant une magnifique patinoire à laquelle ils me font l'honneur de donner mon nom.

« J'espère que personne ne *s'objectera* à ce geste flatteur de mes amis !

« Adieu, ou plutôt au revoir, et un grand merci à tous. »

Deux jours plus tard, « Boum-Boum » fit lui aussi ses adieux et il remercia le Rocket de l'avoir défendu.

Parlons Sport, dans son édition du 16 janvier, blâma Richard parce que Geoffrion ne pouvait plus écrire dans leur journal.

« Il ressort de tout ceci que, si un joueur de hockey ou un athlète a certes le droit d'avoir des opinions personnelles, il est peut-être préférable *qu'il les dise dans l'intimité* devant 25 personnes (là où ça ne dérange personne) et non 25 000 et plus, ou alors qu'il les exprime devant les journalistes avertis qui *sauront les transcrire de façon professionnelle.* »

Et voilà un bel échantillon de la nature humaine, quand la ligne dure est adoptée : plier dans la direction du vent .. À ceci, on ne peut guère répondre que le mot de Cambronne ou par son équivalent québécois.

Malgré ces troubles, le Rocket connut une brillante saison en 1953-1954, avec 67 points, soit 37 buts et 30 passes. À nouveau, il alla chercher 112 minutes de punition. Détroit conquit son sixième championnat consécutif. Le Canadien termina en deuxième position pour une troisième fois de suite.

Un peu avant le début des séries éliminatoires, Jerry Nason, du *Boston Daily Globe,* consacra un article de fond au Rocket. Son titre : « *Bruins Must Combat Hockey's Greatest : Richard in the Clutch* (Les Bruins doivent combattre le Plus Grand du hockey : Un Richard sous pression) ».

Il faisait remarquer que Boston prétendait n'avoir aucune préférence entre Toronto ou Montréal pour les semi-finales, ce qui lui

Où le bâillon nuit à la diction...

Dans un journal de la métropole, cette autre caricature tout aussi éloquente. . .

semblait étrange parce que les rapports officiels démontraient que
« ce monsieur avec sa bouillante élégance, les a tués dans les séries ».
Il poursuivait :

> « Vous pouvez ne pas l'aimer mais vous devez admettre qu'il est le
> plus grand joueur de hockey quand l'enjeu est d'importance. Ils le re-
> tiennent, le font trébucher, le cinglent, mais ne peuvent l'arrêter.
>
> « Même à 32 ans, Richard est toujours le marqueur le plus explosif
> et l'adversaire le plus dangereux du hockey. Sa moyenne de 32 buts par
> saison tient toujours et il a toujours le même tempérament ardent.
>
> « Si Richard a le plus bouillant caractère et les plus violentes réac-
> tions au hockey, il est également vrai qu'il est l'homme le plus provoqué
> de ce jeu.

> « La plupart de ses adversaires admettent que Richard est un hom-
> me relativement tranquille si l'on considère les provocations auxquelles
> il est soumis.
>
> « Howe (Détroit) peut faire plus de choses, disent les Bruins, mais
> Richard est l'ailier le plus dangereux de la Ligue. »[1]

Puis il terminait son article en mentionnant le défi que Maurice avait dû relever avec l'arrivée de Jean Béliveau :

> « La réponse à ce défi de Joseph-Henri-Maurice Richard, à 32 ans, est bien typique. Il a marqué 37 buts et il est toujours le plus populaire au Forum. »

Cette performance ne permit pourtant pas au Rocket de déloger Howe de la première équipe d'étoiles, même avec quatre francs buts de plus à son actif. Pourtant les amateurs de hockey eux, croyaient que Maurice méritait cet honneur. C'était du moins ce que rapporta le journal *Hockey News* de mai 1954, lors de son « Seventh Annual Hockey News Fans' All-Star Poll ».

Hockey News faisait remarquer que l'équipe d'étoiles officielles différait de celle des amateurs dans le cas d'une seule position, celle tenue par Richard évidemment :

> « La principale différence réside dans le fait que les journalistes de
> la presse écrite et parlée ont favorisé Gordie Howe à l'aile droite dans la
> première équipe d'étoiles au lieu de Maurice Richard, contrairement au
> choix des amateurs.
>
> « Le reste de la première équipe d'étoiles officielle est exactement
> identique à celle des amateurs. Cela démontre une fois de plus qu'ils
> sont de très bons juges pour évaluer le talent. »

Quant aux experts, leur capacité à pouvoir évaluer le talent était critiquée, plus souvent qu'autrement. La vieille histoire du trophée Hart se répétait à nouveau. Ils choisirent cette fois-ci Al Rollins, du Chicago. Comment en étaient-ils arrivés à ce choix ? Mystère et boule de gomme !

Le Chicago, en soixante-dix parties, n'en avait gagné que douze pour se retrouver en sixième position avec 31 points, soit 37 de moins que les Rangers en cinquième, et 50 de moins que les Canadiens qui étaient en deuxième place avec 81 points, soit sept de moins que les puissants Red Wings.

---

1. Nason, Jerry, *The Boston Daily Globe*, 23 mars 1954.

Quant à Al Rollins, il avait alloué 213 buts en 66 joutes, pour une moyenne de 3,23 buts par partie, ce qui le classait en sixième et dernière position. Ce pauvre Rollins ne s'était même pas classé sur la première ou la deuxième équipe d'étoiles.

Maurice Richard, qui était à nouveau le premier marqueur de francs buts avec 37 et le seul à avoir traversé le cap des 35 buts cette saison-là, n'impressionna pas encore suffisamment les experts. Comment purent-ils lui préférer Al Rollins ? C'était une farce qui n'avait plus rien de drôle. Maurice transportait pratiquement seul l'équipe des Canadiens depuis 1950. Les « experts » négligèrent-ils ce point de vue ? Il y avait sûrement confusion quelque part !

Pourtant ces exploits impressionnèrent suffisamment *Sport Illustrated* qui lui consacra un élogieux article de fond sous la plume de Hubert Warren-Wind, le 6 décembre 1954. Maurice était le premier à atteindre 400 buts, saisons régulières et séries éliminatoires incluses.

Le 9 décembre, ce fut son vieil ami Conn Smythe qui lui rendit hommage :

CONN PROCLAME QUE LE ROCKET EST LA CRÈME DE LA CRÈME.

« Richard est la vivante personnification du hockey. Il a le flair. Il a la vitesse. Il a la témérité. Les seuls hommes à démontrer autant de courage sont les gardiens de but qui lui font face lorsqu'il fonce sur eux. Vous ne pourriez pas les blâmer s'ils se sauvaient hors de la patinoire. »

Frank Selke compléta bien l'analyse de Smythe en déclarant à cette occasion : « Il est le plus grand compétiteur dans le sport. »

En somme, les « experts » étaient les seuls à ne pas vouloir reconnaître le talent de Richard.

Un autre joueur qui avait du talent et qui avait toujours été sous-estimé était l'ami de Maurice, Ken Mosdell. Enfin, il fut apprécié à juste titre. Il fut nommé centre dans la première équipe d'étoiles pour la première fois de sa carrière, et par les amateurs et par les experts.

Handicapé à un genou, Maurice ne put donner sa pleine mesure au cours des séries. Il fut d'ailleurs opéré dans le genou après les finales. Le Tricolore élimina le Boston pour passer en finale contre Détroit.

La série fut excitante au possible et se rendit à la limite. La chance favorisa le Détroit qui gagna la septième partie sur un lancer ordinaire de Tony Leswick que Doug Harvey fit dévier dans le but. Gerry McNeil n'était pas fautif, mais les amateurs le critiquèrent beaucoup. Il annonça sa retraite.

Cette orageuse saison faillit se terminer sur une note plus orageuse encore. *Le Guide Mont-Royal,* journal du quartier du même nom, celui-là même où le Rocket avait vu le jour, publia en première page et en gros caractères : L'HISTOIRE DE HOWIE MORENZ SE RÉPÈTE ! MAURICE RICHARD A ÉTÉ CÉDÉ AU CHICAGO !

Une photo du Rocket et du maire Camilien Houde accompagnaient le texte que voici :

> « Au cours d'une conférence de presse, notre idole nationale du hockey, Maurice « Rocket » Richard, a annoncé que la direction des Canadiens l'avait cédé au club Chicago pour la saison prochaine.
>
> « Devant les journalistes consternés et les autre personnes présentes, Maurice Richard a exprimé « ses regrets d'avoir à suivre les directives de la Ligue », et c'est avec des sanglots dans la voix qu'il a remercié tous ses camarades, ses amis et ses partisans.
>
> « Pour sa part, le maire, M. Camilien Houde, s'est dit atterré par cette nouvelle et il a déclaré qu'il ferait tout son possible pour empêcher cette brusque décision de prendre effet. « Ça ne finira pas là », a-t-il affirmé avec énergie.
>
> « Et les journalistes ont juré de faire également pression par leurs éditoriaux. Pour l'avenir du sport dans notre ville, il est à espérer que la direction des Canadiens n'acceptera pas ce grand dérangement.
>
> « (Étaient aussi présents à cette conférence : tous les marchands de poissons du Plateau Mont-Royal.)
>
> (Publié le 1er avril 1954) »

Après les événements tumultueux que nous venons de relater, cette nouvelle « colla » si bien que de nombreux sportifs en furent atterrés... et furieux. Ils n'avaient pas réalisé qu'on était le 1er avril...

Ce fut sûrement un des plus gros « poissons » vendus cette journée-là par les marchands du Plateau Mont-Royal.

Vingt-neuf jours plus tard, un autre événement d'importance vint réjouir le cœur de Maurice. Et, cette fois-ci, ce n'était pas un « poisson d'avril ». Lucille, sa charmante épouse, présenta au Rocket un troisième fils, André.

Le « fantôme » du Rocket, Paul de Saint-Georges, était présent lorsque Maurice prit André dans ses bras pour la première fois. Écoutons-le. Il avait un remarquable sens de l'humour :

> « Quand l'éclair de la caméra scintilla deux fois, le bébé cligna fortement des yeux.
>
> « Le papa eut un de ses rares moments de peur.
>
> « — Pas de danger que le « flash » de la caméra lui ait fait mal aux yeux ? demanda-t-il anxieusement à la garde-malade.
>
> « — Non, il ne voit pas encore clair ! expliqua-t-elle.
>
> « — Probablement qu'il s'est imaginé voir le reluisant des médailles de Mau Mau Campbell, chuchota stupidement encore le Fantôme. La farce plate tomba du quatrième étage de Notre-Dame et personne ne rit. »

Ce reportage de Paul de Saint-Georges aura été un de ses derniers... Le 26 juin 1954, le Fantôme, comme il aimait s'appeler, avait quitté ce monde.

Maurice revenait d'une excursion de pêche lorsqu'il apprit la nouvelle. Il était consterné :

> « Je fus le dernier à le voir, dit-il simplement. Jeudi, je suis allé le voir chez lui, à Dorval, et nous avons causé pendant quatre heures de choses et d'autres, surtout de sport.
>
> « Mardi matin, quand on m'a appris la triste nouvelle, ce fut pour moi un grand chagrin. Paul était un des rares amis que je visitais. Pendant un an, alors que je lui dictais mes chroniques, j'ai appris à le connaître, à apprécier sa grande franchise, son courage, son honnêteté, sa bonté. Paul était devenu un autre moi-même et sa mort est un des réels chagrins de ma vie. »

Lorsque le Rocket avait abandonné, de mauvais gré, sa chronique « Le Tour du Chapeau », Paul l'avait continuée. Comme on a pu le constater, il avait un sens de l'humour très fort et tout à fait particulier. Il intitula la chronique : « J'pense tout haut » par le Fantôme. À gauche du titre, la caricature clichée d'un fantôme, soit un suaire avec deux yeux, était superposée à la silhouette du Rocket. L'allusion sautait aux yeux.

Il garda cet humour jusqu'à la fin. Voici un autre exemple savoureux :

> « Les patients de l'Hôpital du Sacré-Cœur de Cartierville ont eu une étrange visite mardi matin. Celle d'un fantôme recouvert de son suaire, sans dent et encore amaigri par les misères de l'hiver dernier. Les pauvres malades et blessés, les jolies infirmières et les médecins en auraient eu peur si l'atmosphère des lieux n'était pas si plaisante.
>
> « Pourtant, c'est au troisième étage que le Fantôme alla rôder : his-

toire de visiter un vieux copain de batailles journalistiques . . .

« À sa grande surprise, le Fantôme trouva Maurice Richard tout habillé et prêt à retourner chez lui : sept jours seulement après une opération assez sérieuse au genou. En fait, Mme Richard l'attendait dans sa voiture à la porte.

« — Je venais te faire mes adieux et prier sur ton agonie, dit le Fantôme surpris, avec ce tact qui lui est coutumier. À écouter des commentateurs et des journalistes, j'avais compris que ta carrière de joueur de hockey était finie, que tu étais mourant.

« — Oui, j'ai entendu parler de ça, de répondre le Rocket dans un sourire indulgent. Je ne sais pas d'où sont parties ces rumeurs que je ne jouerais plus au hockey, mais les journalistes ont bien le droit de dire ce qu'ils veulent . . .

« — Exception faite d'un ! coupa le Fantôme. »

Il termina cette chronique avec le souhait suivant :

« Incidemment, ceci n'est qu'une idée du Fantôme et qu'il jure bien n'avoir pas confiée au Rocket, mais pourquoi pression ne serait-elle pas faite auprès des dirigeants de notre sport national pour que le nom de Maurice Richard soit inscrit au Temple de la Renommée du hockey avant même la fin de sa fabuleuse carrière. S'il y a un athlète de chez nous qui le mérite, c'est bien lui, et ce grand honneur serait le plus magnifique témoignage que pourraient lui rendre ses admirateurs du Canada entier, voire même des États-Unis. Il serait le premier à devenir immortel du hockey avant même d'avoir pris sa retraite, et beaucoup croient que Richard n'a pas besoin de briser d'autres records pour mériter une telle récompense. Que ceux qui pensent comme le Fantôme lui écrivent leur opinion de la chose : elle sera publiée. »[1]

Les opinions des lecteurs ne furent jamais publiées, mais son souhait fut quasi exaucé : Maurice Richard était reçu au Temple de la Renommée moins d'un an après l'annonce de sa retraite . . . Ce fait était sans précédent !

1. de Saint-Georges, Paul, *Samedi-Dimanche,* 12 juin 1954.

Chapitre douzième
Un volcan sur glace

Lorsque le Rocket se présenta au camp d'entraînement l'automne suivant, il était tout simplement déchaîné. Rien ni personne ne pouvait l'arrêter. Il connut un camp du tonnerre !

Les événements de la saison précédente qu'il avait remâchés durant tout l'été, combinés au départ de son irremplaçable ami Elmer Lach, contribuèrent à cet état d'âme. La « Ligue du Punch » n'était plus. Le Rocket était seul...

Cette saison-là, on peut dire sans se tromper qu'il bouscula tout sur son passage. Il était fermement décidé à aller chercher le championnat des marqueurs. Il s'établit entre Richard, Geoffrion, Béliveau et Moore une joyeuse compétition. Le Rocket, toujours à son meilleur devant un défi, donnait toute sa mesure. Se sentir talonné par ces joueurs plus jeunes que lui de dix ans le stimulait. Geoffrion toujours aussi boute-en-train ne ratait pas une occasion de le taquiner.

Les résultats de cette amicale rivalité furent étonnants. Le Rocket marquait et marquait, se maintenant en première ou deuxième position. Il se dirigeait à coup sûr vers l'objectif qu'il s'était fixé : le trophée Art-Ross pour la suprématie des compteurs. Dès la première partie, il participa aux quatre buts des siens, comptant deux fois et assistant sur les deux autres, ce qui permit aux Canadiens de vaincre

Chicago 4 à 2.

C'est au début de cette saison 1954-1955 que Maurice reçut d'un jeune admirateur de 14 ans un dessin qui imitait les anciens parchemins et où figuraient tous les principaux records du Rocket et les étapes importantes de sa carrière.

Ce dessin, Maurice en était très fier. Il lui réserva une place de choix parmi ses nombreux trophées ou « souvenirs » comme il préférait les appeler.

Le 18 décembre 1954, le Rocket inscrivit un autre record : son 400e but dans les saisons régulières. Il réussit cet exploit à Chicago contre Al Rollin et devant 6 830 spectateurs seulement.

Malgré leur petit nombre, les témoins de cette nouvelle marque réservèrent une belle ovation à Maurice Richard. L'organiste entonna « For he is a Jelly Good Fellow ». Dick Irvin, perché sur le banc des joueurs, battait la mesure et encourageait les joueurs à chanter, pendant que Maurice était porté en triomphe sur les épaules de « Butch » Bouchard et de Tom Johnson.

Dans tout ce tumulte, un joueur des Canadiens était fou de joie. Le jeune Guy Rousseau qui avait assisté Maurice sur ce fameux but attirait peut-être plus l'attention que le trio Bouchard, Johnson et Richard qu'il suivait en retrait, riant à gorge déployée.

Guy, rappelé des Mineures, avait prédit avant la partie qu'il aiderait Maurice pour ce but : « Je verrai à faire compter ce 400e but de Maurice », déclara-t-il en blaguant.

Devant le fait accompli, il était si content qu'il ne pouvait s'empêcher de rire en patinant derrière le Rocket, au grand plaisir de la foule.

Puis près du banc, les joueurs chantèrent « Il a gagné ses épaulettes » et avec raison, car ce 400e but s'était en outre avéré le but gagnant... une fois de plus.

Dans le vestiaire des joueurs l'enthousiasme régnait. Chacun y allait de son commentaire. Tous étaient estomaqués de cette réalité de 400 buts en douze ans de carrière.

Guy Rousseau, qui avait aidé le Rocket à établir cette incroyable marque, était on ne peut plus fier et surexité : « Je suis le joueur le plus heureux du monde. Lorsque j'ai vu la lumière rouge s'allumer, j'aurais bien voulu sauter au cou de Richard, mais j'ai cru qu'il

18 décembre 1954 — Maurice est attendu à la gare Centrale par ses admirateurs. Il a marqué son 400e but.

valait mieux laisser la place à ses coéquipiers de plusieurs saisons. Je me suis contenté de patiner en riant, incapable de prononcer un seul mot », expliqua Guy.

Tour à tour, les joueurs venaient féliciter le héros. Puis ce fut au tour de « Boum-Boum » de venir serrer la main du Rocket. « Je veux bien te souhaiter d'en compter 400 toi aussi, Bernard », lui dit Maurice. Bernard répliqua « C'est beaucoup trop de buts et personne ne parviendra à briser ton record. J'ai une seule ambition et c'est de battre le record de Nels Stewart. » Puis avec son air espiègle et moqueur, il ajouta : « Ce ne serait pas trop mal, n'est-ce pas, deux noms canadiens français en tête du palmarès des marqueurs dans la Ligue nationale de hockey ! »

Exceptionnellement, le club Canadien avait disputé ce match du samedi soir 18 décembre à l'extérieur de Montréal. Loin des leurs, les joueurs fêtèrent doublement ce 400e but du Rocket. Emportés par leur enthousiasme de la veille, ils écrasèrent les Red Wings de Détroit 5 à 0 et, après cette partie, dévorèrent joyeusement un gâteau orné de trente chandelles que Dick Irvin avait eu la délicate attention d'acheter à l'occasion de l'anniversaire de naissance de son as défenseur Doug Harvey.

Le lendemain, une foule incroyable attendait joyeusement et fébrilement l'arrivée du train du Canadien, à la gare Centrale de Montréal. À sa descente du train, Maurice Richard eut la surprise de sa vie ; tous ses amis et partisans étaient venus l'acclamer !

Il fut reçu comme jamais ne le fut vedette de la scène politique, artistique et sportive. Un immense Rocket en papier mâché était là pour le féliciter de ce nouvel exploit, comme le faisaient toutes ces pancartes qui s'agitaient au-dessus de la foule. Tous voulaient lui parler, l'approcher, le toucher. On répéta le geste des joueurs du Canadien, on le porta en triomphe.

Le même soir, les époux Richard se voyaient les héros d'une petite fête intime organisée par les joueurs du Canadien et par des amis, au restaurant Butch Bouchard. On leur présenta un magnifique gâteau avec le chiffre 400 sur le dessus. Maurice ne perdit pas de temps et transforma le 4 en 5. Ce geste était sans équivoque. Le « Rocket » venait de se fixer un nouvel objectif...

Dick Irvin avait fait, lui aussi, cette prédiction. Il était convaincu

Les deux « Plouffe » Emile Genest et Pierre Valcourt, portent leur héros en triomphe.

que Maurice atteindrait 500 buts avant d'accrocher ses patins : « S'il n'est pas blessé et avec trois ou quatre bonnes saisons, il n'aura aucune difficulté. »

Cela démontrait bien l'inébranlable confiance que Dick portait à son protégé, car on sait qu'à cette époque le hockey était tellement rude et exigeant physiquement que la très grande majorité des joueurs accrochaient leurs patins après douze ou treize ans d'activité professionnelle, surtout que leur meilleure époque au hockey était alors derrière eux. Certains avants, plus résistants, et particulièrement des défenseurs ou des avants convertis en défenseurs pouvaient prolonger leur carrière de trois à quatre ans, mais pratiquement tous étaient à leur déclin au point de vue productivité. Il suffit de consulter les statistiques de la L.N.H. pour le constater.

Ce n'était pas le cas du Rocket. Fidèle à ses habitudes, là aussi, il faisait bande à part. Comme le bon vin, il s'améliorait en vieillissant. Quatre de ses meilleures saisons étaient encore à venir.

Un journaliste demanda aussi à Dick s'il y avait des domaines où le Rocket aurait pu s'améliorer. Avec la verve qu'on lui connaît,

Jacques Doyon (La Patrie)

Maurice est acclamé par ses admirateurs

Fête chez Butch Bouchard. Debout de gauche à droite, Bernard Geoffrion, Pierre Valcourt, Emile Genest, Butch, Charles Mayer, Kenny Mosdell, Roger Saint-Jean, l'excellent photographe de La Presse. Au centre, Maurice et Lucille entourés des épouses de ces messieurs.

Roger St-Jean

Dick Irvin fit une réponse qui restera sûrement mémorable : « Il a des défauts que je n'ai jamais tenté de corriger. » Et après une pause, il ajouta : « Qui est-ce qui se préoccupe des petites imperfections d'un diamant de 18 carats ? » Est-ce qu'un instructeur pouvait rendre plus bel hommage à son joueur étoile ?

Ce n'était qu'un début ! D'autres hommages étaient à venir. La ville de Montréal, par l'entremise de son premier magistrat, le maire Jean Drapeau, l'honora également. Une magnifique réception eut lieu à l'Hôtel de ville pour le numéro 9 du Canadien et ses coéquipiers. Le maire accueillit Maurice par ces paroles : « J'aimerais vous voir revenir ici pour une autre réception qui, celle-là, marquerait votre 500e but. » Maurice répondit du tac au tac. « J'espère revenir avant cette occasion, car nous comptons bien remporter la coupe Stanley le printemps prochain. » Maurice avait vu juste, mais c'était compter sans Clarence Campbell.

Pour graver à jamais cette marque de reconnaissance dans les souvenirs de Maurice, le maire lui offrit une magnifique sculpture sur bois représentant un chasseur portant son gibier sur l'épaule. Il accompagna ce présent de ces mots : « Vous êtes un exemple à suivre pour toute la jeunesse de notre pays. Vous êtes pour mon fils ce que Howie Morenz fut pour les jeunes de ma génération. »

Fait étonnant, même Toronto emboîta le pas dans cette ronde d'hommages au Rocket, qui défila dans les journaux d'Amérique à l'occasion de ce 400e but. Le *Star Weekly,* selon l'auteur du reportage Lloyd Lochart, se rendit à Montréal pour interviewer ce « *bad boy of brillance* (ce génial vilain) », comme il avait qualifié Maurice, quelque deux jours après son exploit.

Lochart intitula son article : « *The Rocket Secret Formula* (La formule secrète du Rocket) ».

Il décrivit Richard en ces termes : « *He is a brooding introvert with flashing skates and a wicked shot. His bull-like rushes are a sight to see* (C'est un « introverti » taciturne, au coup de patin fulgurant et au lancer déconcertant. Ses élans, tels ceux d'un taureau, sont quelque chose à voir) ».

Puis il faisait remarquer que Richard détenait seize records de la L.N.H., ce qui était déjà un autre record en soi. Quel était le secret de tant de succès ? « Je n'ai aucune habitude ! d'expliquer Maurice.

Avec les autres joueurs, les gardiens savent souvent à quoi s'attendre, tandis qu'avec moi ils ne le savent pas parce que je ne le sais pas moi-même ; je suis rempli de petites surprises et souvent, le plus surpris, c'est moi-même. »

Lochart fit ensuite la rétrospective suivante :

> « Il a causé plus de querelles, a combattu plus d'adversaires, a balancé plus de bâtons, a reçu plus de pénalités, a payé plus d'amendes et brisé plus de records que n'importe quel joueur au cours des 37 ans d'histoire de la L.N.H.
>
> « Il faut dire à la défense de Richard que, la plupart du temps, ses éclats sont plus que justifiés. Il en prend plus que les autres joueurs. Il est accroché, poussé, on le fait trébucher, on le retient ou le couvre. C'est à se demander comment il peut encore compter.
>
> « Il a provoqué d'incroyables tumultes parce que, comme à l'accoutumée, il ne fait jamais rien à moitié. »[1]

Ce fut au tour de la «Ligue de hockey Dépression» de célébrer l'exploit du Rocket. La fameuse « ligne du Punch » était à nouveau réunie. On remit à Maurice un trophée pour commémorer cette soirée. Mais une bannière rendait peut-être encore mieux ce que ressentaient tous ces anciens joueurs ; il y était inscrit : « Maurice, ton 400e but a été pour nous un dimanche. L.H.D. »

Maurice n'avait pas fini de faire parler de lui : douze jours après ce 400e but, il complétait son 22e « tour du chapeau », puis son 23e le 20 janvier, et son 24e, avec quatre buts cette fois-ci, le 5 février.

Cette date du 5 février 1955 faillit passer inaperçue. Pourtant elle marquait une autre des grandes étapes de la carrière de Richard et devenait l'occasion de rendre hommage à un autre immortel du hockey qui joua au hockey professionnel de 1905 à 1927, le grand Edward-Charles (« Newsy ») Lalonde.

Avec ses quatre buts, Maurice venait de dépasser la production de buts en saisons régulières obtenue par « Newsy » au cours de l'époque précédant celle connue maintenant sous le nom de « hockey moderne ».

Lalonde avait réussi 414 buts lors des joutes régulières et 27 buts en séries éliminatoires. Ce dernier chiffre s'explique par le fait que les séries de détail n'étaient pas encore bien établies à cette époque. Fait à noter, on ne calculait pas non plus les assistances.

---

1. Lochart Lloyd, *The Star Weekly,* Toronto, 29 janvier 1955.

La réputation de Lalonde s'étendait d'un bout à l'autre du pays. Il était peut-être mieux connu comme joueur de crosse que comme joueur de hockey, car on sait que la crosse était alors le sport national du Canada.

« Newsy », qui avait joué pour sept clubs professionnels dont le Canadien, de 1910 à 1922, enregistra 441 buts en 314 parties. Un journal de Toronto de l'époque rapporta même : « Edward « Newsy » Lalonde, le plus grand athlète de hockey et de crosse que le Canada ait jamais produit. »

Il fut en effet sélectionné comme l'« athlète de crosse du demi-siècle » et, en 1948, il était reçu au Temple de la Renommée du hockey. En août 1955, ce fut lui qui eut l'honneur d'allumer le flambeau lors de l'ouverture du Temple de la Renommée des sports, à Toronto.

C'était donc le record d'un très grand athlète que Maurice venait de briser. Cela ne fait que grandir davantage les mérites du grand hockeyeur qu'était Maurice et qu'Edward Lalonde était le premier à reconnaître : « Maurice Richard est merveilleux et je considère que c'est pour moi un grand honneur qu'on juxtapose mon nom au sien, déclara « Newsy », un peu avant que Maurice ne brise son record. Il est selon moi le plus grand joueur de hockey qui ait jamais vécu », ajouta-t-il.

Les admirateurs de « Newsy » ont toujours soutenu qu'il était plus difficile de marquer des buts dans son temps, parce que la passe avant était interdite et aussi parce que les défenseurs jouaient un rôle strictement défensif. Mais Lalonde croyait le contraire et, selon lui, le jeu tel que pratiqué alors comportait certains avantages sur le hockey moderne :

> « Nous étions habitués à ce règlement de la passe avant et nous jouions instinctivement avec cela en tête. Ce dont nous n'avions pas à nous préoccuper, et c'est un facteur très important, c'est de la grande quantité d'interférences qui se fait dans le hockey d'aujourd'hui. Même un joueur médiocre trouve le jeu rude autour des filets adverses. Mais lorsqu'il s'agit d'une étoile comme Richard, les interférences auxquelles il est soumis sont incroyables. Il est accroché et retenu et je l'ai souvent vu marquer avec trois joueurs cramponnés à lui. Naturellement, dans n'importe quel sport, plus vous êtes bon, plus la stratégie défensive ennemie est dirigée contre vous.

> « Dans notre temps, nous n'avions jamais ce genre d'interférences

et d'accrochages, tel que pratiqué maintenant et ce sont les grands joueurs qui en souffrent le plus, Richard plus que tout autre. Qu'il puisse continuer à marquer des buts dans de telles circonstances, cela fait de lui le plus grand joueur de tous les temps et de loin, selon moi. »

Lors de la partie qui suivit ce 400e but, le Forum et la Ligue nationale de hockey donnèrent chacun 1 000 dollars à Maurice Richard pour reconnaître ses mérites et honorer ce dernier exploit.

Maurice prit les chèques et remercia la direction du Forum et celle de la Ligue nationale : « Je remercie les amateurs pour l'appui qu'ils m'ont manifesté. Comme marque d'appréciation, je vais donner cet argent à l'hôpital Ste-Justine et au Montreal Childrens Hospital. J'espère que cela contribuera à rendre la santé à certains enfants. Peut-être que quelques enfants infirmes connaîtront un jour la joie de patiner, peut-être le plaisir de jouer au hockey. »

Avec humour, il conclut : « Mes dons publics antérieurs ont été dans les fonds de la L.N.H., mais on pouvait difficilement les qualifier de charitables. » Je me demande s'il aurait eu ce genre d'humour s'il avait su ce qui l'attendait . . .

Tous ces exploits, et particulièrement ce 400e but, incitèrent plusieurs journaux et revues à publier articles de fond et rétrospectives sur la carrière du roi des marqueurs. Partout, en Amérique, on saluait les prouesses de ce très grand athlète.

La très importante revue *Sports Illustrated* ouvrit la parade et consacra onze pages avec photos au Rocket dans son édition de décembre 1954.

> « Une intensité dévorante, l'esprit d'un champion, l'orgueil d'un homme qui connaît la gloire et la solitude de la suprématie : ce sont là les qualités qui font de Maurice Richard, celui qui est adulé à travers tout le Canada sous le nom de « Rocket », un des plus grands athlètes de notre temps et peut-être le plus grand joueur de hockey sur glace de tous les temps. »

C'est par le titre que voici qu'Herbert Warren Wind débuta son article « *FIRE ON THE ICE* (Un volcan sur glace) » :

En voici quelques passages :

> « Malgré tout ce qui a été dit et écrit sur les sommets de dévotion fanatique atteints par les partisans des Dodgers de Brooklyn, de l'équipe de football Notre-Dame et des Australiens champions de la coupe Davis, il est fort douteux qu'il existe ailleurs un groupe d'amateurs de sport aussi fervents qui, bon an mal an, supporte son équipe avec autant d'é-

motion tendre et d'orgueil non contenu que le font si entièrement les citoyens bilingues de la ville de Montréal, pour leur club de hockey, les Canadiens. (. . .)

« Le hockey coule dans les veines des Montréalais. Après qu'un beau jeu a été réussi par un joueur de l'équipe locale ou même du club rival, le Forum retentit de toutes parts d'applaudissements enthousiastes. Mais rien ne peut dépasser en émotion et en volume l'étrange et soudain bruit d'enfer qui éclate tels la foudre et le tonnerre et qui ébranle le Forum, lorsque l'incomparable étoile des Canadiens, Maurice Richard (le Rocket), perce les défenses ennemies pour lancer avec force la rondelle dans les buts. Il n'existe pas de bruit semblable dans tout le monde du sport.

« Avec sa beauté galloise et sa perpétuelle intensité, Joseph-Henri-Maurice Richard est généralement considéré par la plupart des amateurs, qu'ils soient Montréalais ou étrangers, comme le plus grand joueur de l'histoire du hockey. Qu'il le soit ou non, c'est là une controverse sportive qui se réduit, en dernier ressort, à une question d'opinion personnelle. Cependant, comme le font invariablement remarquer les supporteurs de Richard, le hockey est, dans son essence, un jeu où il faut marquer des buts et là-dessus il ne peut y avoir aucune discussion : le Rocket est dans une classe à part et est de loin le plus remarquable marqueur de tous les temps.

« Ce n'est ni *le nombre de ses buts* et ni *leur importance,* mais plutôt *sa façon continuellement spectaculaire* de les enregistrer qui a fait de ce fougueux ailier droit l'incontestable Babe Ruth du hockey. « Il y a des buts et il y a des buts à la Richard », faisait remarquer dernièrement Dick Irvin, le vieux « renard argenté » qui a piloté les Canadiens tout au long de la carrière de Richard. « Il n'obtient pas de buts chanceux. Voyons, il a enregistré plus de 390 buts jusqu'ici et, de ce nombre, 370 demandaient du flair. Il peut s'emparer de la rondelle et s'en servir plus rapidement que tout autre joueur que j'aie vu, même s'il lui faut traîner avec lui deux défenseurs comme il doit souvent le faire. Et que dire de ses lancers ! Ils pénètrent dans les buts avec tant de rapidité qu'ils les arrachent pratiquement de leurs ancrages. »

« Maurice, mentionna un jour « Toe » Blake, ne vit que pour marquer des buts. » Ce n'est pas que Richard se place au-dessus de son équipe ou de la partie, bien au contraire. Mais voilà un homme terriblement entier — et il n'a jamais été autrement — qui, comme plusieurs champions, a souffert parce qu'il est un champion et qui s'efforce continuellement d'atteindre les hauts niveaux de performance qu'il s'est lui-même fixés et que, à cause de son orgueil, il ne pourra abandonner avant d'avoir réussi. De plus, il considère la vénération du public à son égard comme une foi qu'on a placée en lui et qu'il ne peut pas trahir. (. . .)

« Lorsque son équipe ou lui-même connaissent une période de disette, il est un homme à éviter. Bouillonnant et silencieux, il en vient à un tel degré de tension qu'il doit finir par éclater. Parfois le Rocket explose et son agressivité se manifeste dans une bagarre, une discussion avec un arbitre ou du mauvais hockey beaucoup trop rude. Toutefois, il se défoule tôt ou tard par un déluge de buts dramatiques. Lors de telles soirées, c'est toute une expérience d'être à Montréal, car c'est à ce moment que le Forum rugit comme un gros lion bien content ; c'est le plus joyeux tintamarre que vous pouvez entendre dans le monde du sport. Ce n'est pas un hommage disproportionné ! Après tout, *de tous les grands athlètes de notre temps, aucun n'a pratiqué son sport avec plus d'habileté, avec plus de « couleur », ou plus de désir et de cœur que Maurice Richard.* »[1]

C'est également à cette occasion que l'écrivain, mondialement connu, Hugh MacLennan écrivit dans le *Saturday Night* que Maurice Richard était le plus grand héros que la Métropole ait acclamé. Il ajouta : « Il est évident que son génie pour le hockey n'est qu'une des raisons de son apothéose. »

Voici en quels termes il le décrivit : « C'est un personnage du temps passé, complètement anticonformiste, misant plus sur la fougue que sur la ruse, avec une étrange courtoisie même dans sa férocité. »

Une telle opinion démontre bien que la réputation du Rocket avait dépassé et même débordé son champ d'action, soit le monde du hockey. Il était devenu une figure internationale.

N'ayant été handicapé par aucune blessure, le Rocket connut une autre de ses nombreuses « excellentes saisons ».

Il compila une fiche de 74 points avec 38 buts et 36 assistances. Il établit même trois nouvelles marques personnelles pour une saison : son plus grand nombre de points : 74, son plus grand nombre d'assistances : 36 et enfin son plus grand nombre de minutes passées à réchauffer le banc des pénalités : 125 minutes. Ce qui fit dire au Rocket : « Je ne me sens aucune compassion envers les arbitres. Pourquoi en aurais-je ? Je ne crois pas avoir jamais eu le meilleur sur eux en aucun temps. » Par contre, il estimait avoir joué son meilleur hockey au cours de cette saison-là : « Je considère l'année 1954-1955 comme la meilleure de ma carrière, même meilleure que l'année où j'ai compté cinquante buts. J'y ai joué quelques-unes de mes meilleures parties. »

1. Warren Wind, Hubert, « Fire on The Ice », *Sports Illustrated*, 6 décembre 1954.

Maurice conserva un rythme endiablé pendant 67 parties, jusqu'à ce qu'il soit suspendu par l'éminence grise du hockey Me Clarence Campbell...

Frank Selke, dans son livre *Behind the Cheering*, fait cette déclaration : « *Throughout this period of reconstruction : 1945-1955, Maurice Richard waged a one man war against players, managers and fans* (Au cours de cette période de reconstruction, de 1945 à 1955, Maurice Richard a livré seul le combat contre joueurs, instructeurs, gérants et partisans) ». Il aurait pu ajouter les arbitres... et le président de la L.N.H.

Clarence Campbell suspendit le Rocket pour les trois dernières parties de la saison régulière et pour toute la durée des séries éliminatoires.

Cette décision fut sûrement le chef-d'œuvre de la carrière de M. C. Campbell. Elle coûta le championnat des marqueurs au Rocket : il termina un point derrière Geoffrion. Elle coûta le championnat de la saison aux Canadiens : le Canadien était en première position lors de la suspension. Sans le Rocket, il pouvait difficilement rivaliser avec le Détroit. Elle coûta la coupe Stanley aux Canadiens et, monétairement, cette suspension signifia 100 000 dollars en moins pour les joueurs du Canadien.

Enfin, elle provoqua le départ de Dick Irvin pour Chicago.

Frank Selke lui signifia qu'il ne pouvait plus diriger l'équipe des Canadiens. Selon M. Selke, Irvin contribuait trop à enflammer le Rocket... Il l'invita toutefois à demeurer avec l'organisation du Canadien dans un poste administratif.

Dick, qui avait sans doute pressenti ce geste, avait laissé entendre qu'il aimerait retourner à Chicago, son premier club de la L.N.H., afin, disait-il, de les sortir de la cave du circuit.

Irvin refusa donc l'offre de Selke et accepta celle de Chicago. Le vieux Renard ne pouvait se trouver qu'à la barre d'une équipe. Il avait toujours été capitaine et non marin.

Il était passé à travers les années difficiles et la moisson s'annonçait belle. Mais il ne la récolterait pas. Amer et déçu, il ne s'en remit pas ; sa maladie s'aggrava et il mourut quelque temps après.

Le 18 mai 1957, le monde du sport était en deuil. Le hockey perdait un de ses instructeurs les plus illustres et les plus colorés.

« L'homme qui m'a montré tout ce que je sais en hockey », déclara Maurice.

De toutes les décisions que Campbell avait prises durant son règne, celle de suspendre Maurice Richard pour les trois dernières parties de la saison et pour les séries de la coupe Stanley fut la plus contestée. Le Canadien et ses partisans en furent tellement outrés que, le fameux soir du 17 mars 1955, une émeute éclata au Forum de Montréal. Pour bien comprendre ce drame, il nous faut revenir en arrière, soit le 29 décembre 1954, à Toronto.

Une jeune recrue du nom de Bob Bailey s'en prenait régulièrement à Richard depuis le début de la saison et, ce soir-là, il y mettait beaucoup de cœur. Il avait mission de couvrir le Rocket et se servait sans hésiter de ses six pieds et de ses 197 livres. Il voulait ardemment et rapidement se faire un nom dans la L.N.H., chose qu'il ne réussit qu'à demi puisqu'il retourna dans les Mineures la saison suivante.

Pendant cette partie du 29 décembre, Bailey servit au Rocket une mise en échec déloyale qui ne fut pas pénalisée. Le Rocket se releva. Furieux, il chargea Bailey à travers la patinoire et le « cross-checka ».[1] Bailey perdit deux dents. Emporté par son élan, Maurice tomba sur la patinoire. Bailey se rua sur le Rocket qui se protégeait la tête de ses gants et, ne pouvant l'atteindre pleinement, eut l'idée de lui enfoncer les doigts dans les yeux : « Il était en train de m'enfoncer les yeux dans la tête, raconta le Rocket. Vous avez déjà vu quelque chose de plus salaud : planter les doigts dans les yeux. »

Ceci déchaîna Maurice. Il avait du mal à voir et voulut à tout prix attraper Bailey. Le juge de ligne, Georges Hayes, essaya de le retenir, ce qui l'exaspéra encore plus. Il s'en prit alors à Hayes, mais il ne le frappa pas. Tenant son gant dans sa main, il le lui passa dans le visage pour lui signifier de lui laisser la paix . . .

Le Rocket se vit alors expulsé du match avec deux punitions pour mauvaise conduite et les Torontois le huèrent copieusement, autant du reste qu'ils l'avaient applaudi quelques minutes auparavant. En effet, Maurice venait de marquer un but si spectaculaire

---

1. « Cross-checker » : mettre en échec avec un bâton le joueur tenant son hockey à travers la poitrine lors de la mise en échec.

que les 14 000 Torontois présents lui avaient fait une ovation, ce qui avait fait dire à Dick Irvin : « Il y a des buts et il y a des buts à la Richard . . . »

Cette expulsion entraînait automatiquement une amende de 50 dollars. Campbell en misa 200 de mieux que Red Storey sur le Rocket, « parce qu'il avait défié l'autorité des officiels » et à cause de « sa conduite grossière ». Ce « pot » de 250 dollars portait à 2 500 dollars la contribution versée par le Rocket dans les coffres de la Ligue.

Pour une fois, les journalistes de Toronto ne condamnèrent pas cet éclat de Richard. Dans son article intitulé « *Hockey Smouldering Volcano* (Le volcan du hockey) », Milt Dunnel expliqua :

> « Il faut dire, à la défense de Richard, que beaucoup d'infractions commises contre lui ne sont pas pénalisées. Si Bailey avait été pénalisé hier soir, l'explosion n'aurait probablement pas eu lieu. (. . .)
>
> « Bailey a pratiquement imprimé Richard sur la bande ».[1]

Dunnel avait vu juste. Le « volcan » bouillonnait depuis un petit bout de temps déjà. Le jeudi précédent, Hugh Bolton des Maple Leafs l'avait accroché par derrière, l'empêchant de marquer un but certain. Le samedi suivant, à Montréal, les Bruins tentèrent manifestement de le démolir. Puis ce fut de nouveau le tour des Leafs ce dimanche-là. Alors, pendant combien de temps un gars pouvait-il supporter ces tactiques sans sortir de ses gonds ?

Un autre journaliste partageait l'opinion de Dunnel : c'était John Fisher qui écrivait une série d'articles pour le compte du *Telegram,* série intitulée « Our Canada Today ». Ces articles étaient diffusés dans tout le pays, à l'intention des éducateurs, des parents et des enfants afin de leur faire mieux connaître les ressources du Canada et, partant, de les amener à l'apprécier davantage.

Le sixième article de cette série, avait pour titre : « *Mighty Rocket* — (Le Puissant Rocket) ». En voici quelques extraits :

> « La tragédie dans tout cela, c'est que beaucoup de gens ne l'ont pas considéré comme un individu.
>
> « On a dit de lui qu'il était « un de ces Français trop susceptibles ». Au cours de cette dramatique partie, jouée pendant les vacances de Noël, des mots désagréables ont été prononcés au sujet des « Français et des grenouilles. »

---

1. Dunnel, Milt, *Toronto Daily Star*, Toronto, 30 décembre 1954.

« Le Rocket n'a certainement rien d'une grenouille. Il se n'arrête pas pour grogner, pas plus qu'il ne se cache. Il est le plus grand joueur de hockey au monde.

« Ce titre ne lui a pas été reconnu parce qu'il est « susceptible » ou « Français », il a gagné ce titre.

« Il est bon. C'est ce qui lui a valu cette célébrité.

« Peut-être le Rocket manifeste-t-il parfois un caractère bouillant, mais cette caractéristique n'est pas unique aux Français ou plutôt aux Canadiens qui parlent français. »

Fisher faisait alors remarquer que le banc des punitions avait vu des joueurs de toutes les origines et il conclut :

« Si vous étiez le plus grand joueur de hockey au monde et si vous étiez surveillé, suivi, pourchassé, mis en échec, arrêté, insulté, comme ne l'est aucun des joueurs de la Ligue nationale de hockey, peut-être exploseriez-vous, vous aussi !

« Si votre foyer était dans la province de Québec vous seriez fiers de cela aussi. Rappelez-vous une chose : Quand le Rocket explose, il peut le faire dans deux langues. Pouvez-vous en faire autant ? »[1]

Il est réconfortant de voir que des gens comprenaient... On aurait dit que Fisher pressentait le trouble du 13 mars.

Pourtant, Richard ne demandait qu'à jouer au hockey. Il venait tout juste d'en faire la preuve avec ce 401e but. Ceux-là même qui l'avaient applaudi à tout rompre voulaient maintenant lui faire passer un mauvais quart d'heure. C'était à n'y rien comprendre. Peut-être était-ce là un exemple de ce que certains Torontois appelaient le « fair play »...

Le Rocket se dirigeait vers le vestiaire lorsque des amateurs du Maple Leafs voulurent lui faire un mauvais parti. Conny Smythe se précipita à son secours, réclamant des policiers qu'ils protègent « le plus grand joueur de hockey au monde »... Sacré Conny !

Par hasard, ce même Conny Smythe, qui se disait l'ami du Rocket, avait filmé cette partie. Armé de ce film, il fit la tournée des gouverneurs, prouvant ainsi que le Rocket était retourné engueuler Red Storey après que Dick Irvin lui eut glissé un mot à l'oreille.

Cette « mafia » du hockey exigea alors que l'on fasse quelque chose pour modérer Richard, celui-là même qui remplissait leurs stades et grossissait pour leur compte en banque.

Obéissant, Campbell convoqua aussitôt Frank Selke et Richard

---

1. Fisher, John, *The Telegram*, Toronto, 5 mars 1955.

pour les mettre en face des faits, grâce à ce film. Selke fit alors remarquer à Campbell qu'il était injuste d'avoir formé un simulacre de cour sans avoir convoqué et entendu le principal témoin.

Selon Selke, dans son livre *Behind the Cheering*, Campbell « avait honte » de la réunion des gouverneurs et il lui donna raison. Il pouvait difficilement faire autrement. Mais il souligna le fait que le nom de Richard avait été marqué d'un vilain trait noir...

Pourquoi ce chantage déguisé ? Pourquoi cet acharnement à vouloir noircir le Rocket ? N'avait-il pas payé pour s'être laissé emporter devant ces tactiques de démolition auxquelles il était constamment soumis par des joueurs de troisième ordre ?

Dès 1946, des chroniqueurs sportifs, tant anglophones que francophones, faisaient remarquer que le Rocket était, plus que tout autre joueur, continuellement bafoué, harcelé, molesté, en un mot on tentait de le provoquer par tous les moyens imaginables et cela, à la demande expresse des instructeurs et des gérants des clubs opposés.

Rien d'étonnant, donc à ce que plusieurs se demandent, tel le grand Bill Cook, comment le Rocket arrivait à ne pas perdre son calme plus souvent ! La réponse ? Très simple ! Maurice n'aimait pas se battre. C'est ce qu'il avait confié à Lochart lors de son 400e but, donc *avant* son duel avec Bailey : « Je n'aime pas me battre. J'aime jouer ! » Était-il donc toujours coupable ?

Le type de justice cher à Campbell apparut sous son vrai jour, lors de cette « réunion » des gouverneurs. On voulait « remettre le Rocket à sa place ». On voulait avoir la « tête du Rocket », comme le déclara Elmer Lach après la suspension que subit Maurice le 15 mars 1955 : « Ils ont toujours essayé d'avoir Richard et maintenant ils y ont finalement réussi. »

Maurice leur en offrit l'occasion sur un plateau d'argent, le soir du 13 mars, au Garden de Boston. Campbell et ses petits copains ne ratèrent pas une si belle occasion, forts de cette affaire Bailey.

Dans son édition du 8 mars 1955, *La Presse* écrivait en gros titre dans sa section sportive : MAURICE RICHARD EN BONNE VOIE DE RÉALISER UNE GRANDE AMBITION.

Avec six parties à jouer, le Rocket avait une avance de deux points sur Béliveau et de trois sur Geoffrion. Le 13 mars, date fatidi-

Canada Wide

Les acteurs du drame qui dégénéra en la plus grande démonstration de fureur publique depuis la circonscription de 1939 : l'émeute du 17 mars 1955.

que que le Rocket n'oubliera pas de sitôt, il était toujours en tête avec seulement trois parties à jouer. Il avait pratiquement en poche le trophée Art-Ross et le chèque de 1000 dollars qui l'accompagne.

Mais la fameuse « Main mystérieuse », qui avait pour nom Campbell et les gouverneurs de la Ligue, vint lui enlever ce grand honneur.

Les Bruins de Boston, un point derrière les Leafs de Toronto, bataillaient ferme pour se mériter la troisième place. La joute était des plus rudes et se disputait à vive allure.

Au tout début de la partie, Hal Laycoe, un ancien coéquipier de Maurice, chargea le Rocket contre la bande et fut puni pour ce geste. Il restait à peine dix minutes dans la troisième période lorsque l'impétueux Richard se dirigea vers les buts du Boston, tentant par cette manœuvre rapide d'enlever le disque à Laycoe. Celui-ci, après avoir vainement tenté de mettre le Rocket en échec, le frappa de son hockey et le coupa profondément à la tête. Cette blessure nécessita cinq points de suture.

Le Rocket laissa tomber son bâton et, tout en contournant les buts du Boston, porta la main à sa tempe gauche. C'est alors qu'il s'aperçut qu'il saignait. Hors de lui, le visage ensanglanté, il se rua sur Laycoe et l'atteignit d'une solide droite à un œil. Non satisfait, il ramassa un bâton et, avant que personne ait pu réagir, il frappa Laycoe, l'atteignant dans le dos. Le juge de ligne Cliff Thompson voulut alors le retenir et lui fit une prise de bras par en arrière, ce qui rendit encore le Rocket plus furieux. Au dire de Maurice, c'était la première fois qu'il se voyait séparé de cette façon. Il avertit même Thompson à deux reprises : « Si tu veux m'arrêter, fais-le en face, mais pas par en arrière. »

Inexpérimenté et surexcité, Thompson attrapa de nouveau le Rocket par derrière et tous deux roulèrent sur la glace. Maurice se dégagea, le repoussa le long de la clôture et lui appliqua une droite à la figure.

Alors que Doug Harvey et Dollard Saint-Laurent tentaient de calmer Richard, Laycoe ramassa un bâton à son tour et essaya de frapper le Rocket, mais sans y parvenir.

C'est finalement Hector Dubois, l'entraîneur du Canadien, qui s'amena sur la patinoire avec une serviette pour essuyer la figure du Rocket et le convainquit de regagner le vestiaire du Canadien.

Frank Udvari imposa une punition de match au Rocket pour avoir tenté de blesser délibérément Laycoe. Ce dernier écopa d'une majeure (cinq minutes) pour avoir blessé Richard à la tête et de dix minutes de mauvaise conduite pour avoir lancé sa serviette au visage de Frank Udvari.

Jacques Beauchamp, dans sa chronique du 15 mars « Le Sport en général », reprocha à Richard de s'être servi de son hockey et de s'en être pris au juge de ligne Cliff Thompson. Il ajouta ceci :

« C'est un fait indéniable. Richard a un caractère différent de celui des autres joueurs de la Ligue. Il est devenu impatient et les arbitres sont à blâmer pour cela. En effet, si les officiels avaient toujours suivi les règlements à la lettre quand les joueurs s'accrochaient à lui, le retenaient, le frappaient à la figure avec leur coude ou bien quand ils le faisaient trébucher, peut-être que Maurice serait actuellement plus sage. »[1]

Après la partie, un lieutenant de police de Boston se présenta à la chambre des joueurs du Canadien afin d'arrêter Richard. Il fut reçu de belle façon par Dick Irvin et ses joueurs qui lui signifièrent que cela regardait la Ligue nationale.

Le Rocket et Dick Irvin ne purent dormir cette nuit-là dans le train qui les ramenait à Montréal.

Le lundi 14 mars, Clarence Campbell assista à une assemblée des gouverneurs à New York. Cette assemblée était supposément convoquée pour fixer les dates des joutes des séries éliminatoires. Il serait vraiment naïf de croire que c'était là le seul article à l'ordre du jour, après tout ce qui avait été dit dans les journaux, cette journée-là. ·

Les gouverneurs, qui avaient *exigé* qu'on fasse quelque chose pour refréner le Rocket lors de l'affaire Bailey, n'allaient pas laisser passer une si belle occasion de « conseiller » clairement et fortement à leur porte-parole d'agir avec la plus grande sévérité. En sujet obéissant, habitué à recevoir des ordres — on sait qu'il avait reçu une formation militaire —, M. Clarence Campbell écouta ses supérieurs et se montra plus qu'à la hauteur. Il justifia pleinement tous les espoirs qu'on avait placés en lui.

Ce soir-là, les grands prêtres de la L.N.H. décidèrent probablement de l'immolation de l'idole des Canadiens français. Sacrifice offert au dieu Racisme . . .

Comment ne pas en arriver à cette hypothèse, tant les faits sont accablants ?

Le lendemain de cette réunion, Clarence Campbell rentra à Montréal où l'attendaient les rapports de Frank Udvari, de Cliff Thompson et de Sam Babcock. Il fixa l'enquête pour dix heures, le mercredi 15 mars. À 10 h 30, ce jour-là les principaux acteurs de ce drame avaient été entendus . . . À 11 heures, Clarence Campbell déclara aux journalistes présents qu'il rendrait son verdict à 14 heures. M. Campbell devait sûrement être très énervé pour perdre la « tête »

1. Beauchamp, Jacques, « Le Sport en général », *Montréal-Matin*, 15 mars 1955.

Centre de photographie du gouv. canadien

Kenny Reardon et Maurice arrivent au bureau de Campbell.

si facilement, lui qui n'avait pas reçu de coups de bâton sur le crâne !

Comment pouvait-il annoncer qu'il rendrait son verdict à 14 heures. Pouvait-il vraiment, en trois heures à peine, peser le pour et le contre de tous ces témoignages verbaux, prendre sans doute un sandwich et rédiger un jugement d'une page sur deux colonnes (1 200 mots), et ce, afin de rendre un *verdict juste ?* Évidemment NON ! Il prit effectivement trois heures... pour analyser tous ces témoignages, pondre son verdict de 1 200 mots et le faire dactylographier. À 16 h 30, ces mots étaient déjà relayés sur tous les télétypes du pays. Aucune cour au monde n'aurait osé se montrer aussi expéditive. Quel simulacre de procès ! Tout ça n'était que mascarade !

Pourquoi, si l'affaire était aussi grave qu'il l'affirmait, pourquoi Campbell n'a-t-il pas pris trois jours, une semaine de réflexion avant d'annoncer le verdict ?

Il restait trois parties à jouer aux clubs Canadien et Détroit. Ainsi, la course au championnat de la Ligue et au championnat des marqueurs n'aurait pas été boycottée.

N'était-ce pas ce même Campbell qui avait déclaré en 1951 lors de l'affaire McLean — laquelle, en principe était moins grave que l'affaire Laycoe — qu'il serait injuste de suspendre le Rocket à cette époque de l'année (deux semaines avant les éliminatoires) parce que cela faciliterait la tâche à certaines équipes dans la course au championnat : « Il n'y aurait rien eu à gagner en suspendant Richard ; l'objet du hockey est de donner un bon spectacle. Richard est une étoile et sa présence sur la glace comporte un élément d'attraction extraordinaire. Il ne serait pas logique de le tenir à l'écart. Si je suspends Richard, contre quel club le ferai-je ? Après tout, 500 dollars d'amende c'est tout de même une grosse somme d'argent », avait alors déclaré le magnanime président !

Était-il plus logique de le « tenir à l'écart » dans la présente situation, alors qu'il ne restait que trois parties à jouer, dont deux contre Détroit ? En suspendant Richard, c'était littéralement donner le championnat de la Ligue et la coupe Stanley au Détroit, avec tout ce que ça comportait.

Et c'était ce même M. Campbell qui avait aussi confié à M. Parseley, en 1951 : « Qu'il n'était pas dans la politique du président de la Ligue de diminuer de quelque façon que ce soit les chances du Canadien de participer aux éliminatoires (maintenant, l'enjeu était le trophée Prince-de-Galles), pas plus que de nuire aux performances individuelles de Richard, jusqu'à ce que j'aie fait une enquête approfondie. »

C'était toujours ce même M. Campbell qui avait attendu cinq jours avant de faire son enquête et qui avait décidé de remettre son verdict au lundi suivant (l'enquête avait eu lieu un vendredi), afin d'éviter « toute décision précipitée ». Ces trois derniers mots étaient ses propres paroles.

La logique du président, sa politique et ses principes n'étaient-ils donc qu'une vaste blague ? Ce qui était bon en 1951 ne l'était donc plus en 1955 ?

Pourtant, les deux situations étaient identiques. Mais, cette foisci, le club pénalisé était le Canadien. Pourquoi cette hâte ? Pourquoi le verdict n'a-t-il pas été rendu une semaine après l'incident, comme lors de l'affaire McLean ? MM. Jack Adams et Norris n'auraient pu le supporter et Clarence Campbell aurait eu à subir leurs foudres, car le Rocket aurait pu jouer au cours des trois dernières parties. Il se serait alors mérité le trophée Art-Ross et aurait pu aider les siens à conquérir le trophée Prince-de-Galles.

C'était frapper Maurice en plein cœur. On l'atteignait en son point le plus sensible : on le privait à coup sûr du trophée qu'il aurait remporté pour la première fois et qu'aucun joueur de hockey au monde ne méritait plus que lui. On le privait probablement du trophée Hart décerné au joueur le plus utile à son club.

On se souvient que c'est au cours de cette saison qu'on entendit à nouveau « Comme va Maurice Richard va le Canadien ... »

Un journaliste changea la formule en « Quand Richard compte ... le Canadien gagne », et pour appuyer ses dires, il faisait remarquer que Maurice avait marqué cinq buts dans les trois dernières parties et que le Canadien avait gagné à deux reprises et annulé une fois, obtenant cinq points sur une possibilité de six.

Alors que dans les cinq parties précédant ces trois dernières Maurice n'avait enregistré aucun but, les Habitants avaient perdu quatre fois et annulé une fois pour obtenir un seul point sur un maximum de dix.

Il était donc évident que, sans le Rocket, la lutte pour le championnat et pour la coupe Stanley devenait inégale, particulièrement au milieu d'une telle tension. On frustrait donc, ipso facto, le club Canadien du trophée Prince-de-Galles et d'un record possible de six coupes Stanley consécutives en 1960 car il ne fait aucun doute que c'est pendant cette saison (1955) que la suprématie des Habitants commença à s'affirmer.

Joueur d'équipe avant tout, Maurice était profondément troublé et peiné de ne pouvoir aider les siens à conquérir ces grands honneurs. Une déception tout aussi profonde s'était emparée d'un autre homme, Dick Irvin. L'agressif instructeur, aux cheveux maintenant tout blancs, était désemparé. Dick n'allait pas récolter le fruit de ses nombreuses années d'intense labeur. On précipitait sa fin.

Frank Selke devenait, en quelque sorte, complice des gouverneurs de la Ligue, bien malgré lui. Il se sépara de Dick et s'abstint de défendre son ailier droit.

Pourquoi M. Frank Selke avait-il prolongé son séjour à New York très tard, le mercredi soir ? Pourquoi n'était-il pas venu défendre « son joueur par excellence » qui avait grand besoin de lui ? Pourquoi n'avait-il pas porté la cause en appel devant les gouverneurs, étant donné le nombre de témoignages contradictoires ?

M. Frank Selke n'était pas trop à blâmer car IL SAVAIT... Il savait que c'était inutile, que le Rocket y goûterait ! Qu'il n'y avait rien à faire, que les gouverneurs étaient plus forts que lui, que le Rocket serait sacrifié sur l'autel et il ne voulait pas assister à l'immolation de *celui* qu'il affectionnait comme un fils.

Ses paroles le trahirent lorsqu'il déclara aux journalistes, à son arrivée à Montréal :

> « L'hystérie des journalistes de Boston et de Toronto dans leur rapport des incidents survenus dimanche dernier dans la ville américaine, était à l'origine de la sévérité témoignée à l'endroit de Richard. »[1]

Le gérant général du Canadien ne voulut pas faire de déclarations plus élaborées, soutenant qu'il ferait preuve d'hypocrisie et d'hystérie comme les journalistes américains et ontariens, s'il se permettait d'exprimer toutes ses opinions du moment.

Pour exprimer *un pareil point de vue,* il lui fallait être au courant de toute l'affaire.

Il ajouta seulement, à l'intention de ceux qui croyaient qu'il avait laissé tomber Richard : « Mais comment quelqu'un peut-il affirmer que je ne suis pas du côté de Richard. J'ai fait tout ce que j'ai pu pour cet homme et je crois que je l'ai aidé à faire son chemin et à devenir le plus grand joueur de hockey. »

On peut maintenant facilement s'imaginer quel genre de jugement M. Clarence Campbell rendit. Ce chef-d'œuvre de patinage est reproduit intégralement un peu plus loin.

Ce verdict fit les manchettes, à travers l'Amérique, le jeudi 17 mars 1955. Dans *Montréal-Matin,* en première page : LE ROCKET NE JOUERA PLUS DE LA SAISON, et en gros titre : RICHARD BANNI PAR CAMPBELL.

À l'intérieur, dans la section sportive, Jacques Beauchamp intitula son article : VICTIME D'UNE NOUVELLE INJUSTICE, LA PIRE CELLE-LÀ, MAURICE RICHARD NE JOUERA PLUS CETTE SAISON. Tout à côté, on pouvait lire : « Campbell avait-il

---

1. *La Presse,* le jeudi 17 mars 1955, p. 44.

276

pris sa décision avant la réunion ? » Dans *La Presse :* LA PUNI-
TION JUGÉE TROP FORTE. En sous-titre : « Le maire Drapeau
espère une révision du verdict. » Dans *The Gazette :* « *Richard out
for the Season and Play-off* (Richard banni pour la saison et les éliminatoires) ». Dans la section des sports de ce même journal : « *City
Agoy Over Rocket Richard Sentence* (La ville est en émoi à cause de
la sentence de Richard) ».

En général, la presse anglophone appuyait Campbell à quelques
exceptions près. La presse francophone était, on le devine, anti-
Campbell.

Voici le texte intégral du jugement Campbell :

« Enquête officielle sur les incidents de dimanche soir dernier, à
Boston, alors que Maurice Richard, des Canadiens, s'est vu imposer une
punition de match pour avoir délibérément blessé Hal Laycoe, des
Bruins, avec son bâton avant de frapper le juge de ligne Cliff Thompson à la figure, alors que ce dernier tentait d'empêcher le joueur des Canadiens de se battre, a été faite au quartier général de la Ligue nationale.

« L'enquête a été faite par le président, Clarence S. Campbell. Y
assistaient également : Carl Voss, arbitre en chef de la Ligue nationale,
l'arbitre Frank Udvari, les juges de ligne Sammy Babcock et Cliff
Thompson ; Maurice Richard, Dick Irvin et Ken Reardon, des Canadiens de Montréal, Hal Laycoe et Lynn Patrick, des Bruins de Boston.

« Les faits, tels que les ont exposés les officiels et les témoins dans
leurs rapports, indiquent que vers la quatorzième minute de jeu de la
troisième période, alors que les Bruins étaient à court d'un homme et
que les Canadiens avaient retiré leur gardien de but pour le remplacer
par un sixième avant, Richard a franchi la ligne bleue dans le territoire
des Bruins.

« On ne sait pas exactement qui, de Richard ou de Laycoe, avait le
disque, mais il est certain que c'était l'un des deux. Alors que Richard
dépassait Laycoe, ce dernier leva son bâton et frappa Richard du côté
de la tête. L'arbitre, promptement et visiblement, indiqua qu'il y aurait
punition contre Laycoe. Il permit cependant que le jeu continuât, étant
donné que les Canadiens étaient encore en possession du disque.

« Richard continua, contourna les buts des Bruins et revint sur ses
pas, presque jusqu'à la ligne bleue, avant que le jeu ne fût arrêté par un
coup de sifflet. Richard se frotta les mains contre la tête, indiquant à
l'arbitre qu'il avait été blessé.

« Il se mit soudain à patiner en direction de Laycoe qui se trouvait
tout près, et, brandissant à deux mains son bâton au-dessus de sa tête, il
en asséna un coup à l'épaule et à la tête de Laycoe. Au moment où

277

Laycoe fut frappé, il avait déjà laissé tomber son bâton et avait enlevé ses gants.

« Les juges de ligne empoignèrent les deux joueurs et le bâton de Richard lui fut enlevé. Richard réussit cependant à se dégager de l'étreinte de Thompson et ramassa un bâton qui traînait sur la glace. D'une seule main, il en administra deux coups au dos de Laycoe, brisant ainsi le bâton. Le juge de ligne Thompson empoigna de nouveau Richard, mais ce dernier réussit encore à se dégager. Il saisit un autre bâton et s'élança pour frapper Laycoe une troisième fois. Laycoe plongea pour éviter de recevoir le coup dans le dos.

« Le juge de ligne réussit de nouveau à saisir Richard et, cette fois, le fit tomber sur la glace. Il l'y maintint jusqu'à ce qu'un joueur des Canadiens vienne le repousser. Richard se releva. Lorsqu'il fut sur ses pieds, il donna à Thompson deux violents coups de poing à la figure.

« Thompson réussit finalement à maîtriser Richard et fit signe à l'entraîneur des Canadiens de venir chercher celui-ci pour le conduire à la clinique où on lui fit cinq points de suture pour refermer la blessure, du côté gauche de la tête.

« L'arbitre rapporta les punitions au chronométreur et imposa une punition de match à Richard pour avoir délibérément blessé Laycoe. Il imposa également une punition de cinq minutes à Laycoe, pour avoir tenu son bâton élevé et avoir blessé un adversaire à la tête.

« Alors qu'il se trouvait devant le banc de punitions, l'arbitre ordonna à Laycoe de prendre sa place sur le banc. Laycoe refusa d'obéir et l'arbitre lui imposa une autre punition de dix minutes pour mauvaise conduite. En entrant dans la boîte aux punitions, Laycoe lança une serviette, dont il s'était servi pour s'essuyer, en direction de l'arbitre Udvari qu'il attrapa à la jambe.

« Laycoe témoigna à l'effet que, lors du premier contact entre lui et Richard, à la ligne bleue alors que le jeu était en cours, il reçut, du joueur des Canadiens, un violent coup de bâton sur ses lunettes et qu'immédiatement et instinctivement il remit le coup.

« Les arbitres ne mentionnèrent nullement cet incident, et Richard ne sait si oui ou non il a alors frappé Laycoe.

« Il n'a pas été nié que tous les coups aient été portés par Richard, tel que cela été rapporté par les officiels, mais on a soutenu qu'il ne savait pas ce qu'il faisait à cause du coup qu'il avait reçu à la tête.

« Il a été également soutenu que lorsqu'il frappa le juge de ligne à la figure avec ses poings, il le prit pour un des joueurs des Bruins qui patinaient autour du lieu de la bataille. Cette erreur a été attribuée au coup qu'il avait reçu et au sang qui s'échappait abondamment de sa blessure.

« En tenant compte, comme circonstance atténuante, du coup que Richard a reçu à la tête et en admettant que ce coup ait pu l'inciter à frapper instinctivement, la personne qui l'avait blessé, il est concevable que ce geste de Richard ait été une réaction vive et automatique. Il est cependant inconcevable qu'il ait persisté à se dégager des prises de Thompson, qu'il ait persisté à ramasser d'autres bâtons et qu'il ait recommencé les hostilités par deux fois.

« Il peut parfois arriver, dans une mêlée, qu'un joueur prenne accidentellement un officiel pour un joueur adverse ou qu'il frappe accidentellement un officiel qui se trouverait dans la mêlée, mais la seule personne qui se trouvait devant Richard, dans ses tentatives de rejoindre Laycoe, était le juge de ligne Thompson. Richard n'éprouva aucune difficulté à repérer Laycoe dans ses attaques. De plus, le blanc est la couleur dominante de l'uniforme des Bruins, tandis que les gilets des arbitres sont orange foncé.

« Je n'ai aucune hésitation à en venir à la conclusion, en me basant sur les preuves soumises, que l'attaque contre Laycoe a été délibérée et à l'encontre de toute autorité. J'en conclus également que l'arbitre a fait preuve de bon jugement et a appliqué les règlements en imposant une punition de match.

« Je suis également convaincu que Richard n'a pas frappé le juge de ligne Thompson par accident ou par erreur, comme certains l'ont affirmé.

« La détermination d'une punition appropriée, dans un cas semblable, est toujours difficile. Dans le cas qui nous intéresse, il faut cependant souligner qu'il y a remarquablement peu de divergences dans les preuves qui ont été présentées au sujet des faits principaux.

« Notre décision peut également s'appuyer sur un incident qui s'est produit il y a moins de trois mois et au cours duquel Richard s'est comporté de façon à peu près identique. Là encore, Richard a persisté à frapper son adversaire avec un bâton et a défié l'autorité des officiels.

« Lors de ce premier incident, il est heureux que les officiels et ses coéquipiers aient pu empêcher Richard de causer des blessures graves à quelqu'un et, conséquemment, la punition a été moins sévère. Il avait alors été solennellement averti de ne pas recommencer et il avait donné l'assurance solennelle qu'il ne recommencerait pas.

« Il est regrettable que, dans le cas présent, les officiels et ses coéquipiers n'aient pas réussi à maîtriser la situation, et il est plus regrettable encore que ses coéquipiers n'aient pas coopéré avec l'officiel au lieu de lui porter interférence.

« Conséquemment, le temps de la tolérance et de la clémence est révolu. Il importe peu que ces agissements soient le produit d'une instabilité de caractère ou un défi délibéré de l'autorité. On ne peut tolérer pareille conduite, que le joueur impliqué soit une étoile ou non.

« Il est donc décidé que Richard sera suspendu pour toutes les parties régulières aussi bien que pour toutes les joutes des éliminatoires, c'est-à-dire pour le reste de la saison en cours. »

Ce jugement désormais historique mérite qu'on s'y arrête. Quelles avaient été les positions défendues par la direction du Canadien ? Bien que l'enquête ait été tenue à huis-clos, la presse canadienne, par son reporter W.R. Wheatley, nous fait part de ses découvertes, le lendemain de l'enquête, le 17 mars 1955.

Irvin et Reardon avaient présenté la défense suivante :

1 – Laycoe a admis que c'était effectivement lui qui avait été l'instigateur de cet épisode sanglant au Garden de Boston, le dimanche précédent.

2 – Les trois arbitres en fonction durant cette partie ont montré tellement de confusion quant au déroulement de l'incident qu'ils se sont contredits dans les rapports officiels qu'ils ont remis au président de la Ligue, ainsi que lorsqu'ils ont comparu devant lui au cours de l'enquête.

Ces deux points très importants n'ont pas été démentis par Campbell et ils ont été confirmés par l'enquête. C'est là, le nœud de cet imbroglio. Comment Campbell pouvait-il rendre un verdict juste s'il omettait de considérer que c'était Laycoe qui avait tenté de « blesser délibérément » Richard et s'il se fiait uniquement aux déclarations contradictoires de ses arbitres . . .

Ce jugement est donc, comme on le voit, cousu de fil blanc. Analysons-le point par point.

Campbell prétendait n'avoir pu établir qui, de Richard ou de Laycoe, avait la rondelle. Pourquoi ? Parce que toute l'affaire reposait sur ce point crucial. S'il avait admis que c'était Laycoe, il aurait été obligé de reconnaître que c'était celui-ci qui, le premier, avait délibérément voulu blesser Richard, et toute la base de son jugement se serait écroulée.

Ainsi donc, du même souffle, il affirma ignorer qui avait le disque quand Richard reçut un coup à la tête et déclara que si l'arbitre n'avait pas interrompu le jeu, c'était parce que les Canadiens étaient en possession de la rondelle : « Il (Udvari) permit cependant que le jeu continuât, étant donné que les Canadiens étaient encore en possession du disque. »

Ne sachant toujours pas qui avait la rondelle au moment de l'accrochage, il avait pourtant pu établir qui la possédait lorsque Richard contourna les buts, ce qui justifiait la décision des arbitres de ne pas siffler immédiatement la punition... Belle ignorance qui tombait à point nommé, n'est-ce pas?

Pourtant, Udvari, Babcock et Thompson ont affirmé, l'un après l'autre, que c'était Laycoe qui avait la rondelle. Ils étaient prêts à le jurer... De même Hal Laycoe, expliquant au préalable qu'il allait témoigner tout comme s'il était sous serment, déclara : « C'est moi qui transportais la rondelle... » Ces paroles de Laycoe n'étaient-elles pas suffisantes? Alors pourquoi M. Campbell n'a-t-il pû établir qui était en possession du disque?

Ensuite, Hal Laycoe expliqua qu'il avait soudain senti un coup sur ses lunettes, ce qui, selon Irvin et Reardon, confirmait le fait que Richard tentait de lui enlever la rondelle. Et Laycoe ajouta : « Pendant un instant, j'ai pensé que cela méritait une punition de match (pour Richard), mais j'ai alors brandi mon bâton et frappé Richard. »

Par conséquent, selon la direction du Canadien, c'était Laycoe qui aurait dû avoir une punition de joute pour avoir blessé délibérément le Rocket.

Un juge de ligne avança aussi que Richard avait brisé son bâton sur Laycoe. Ce fait fut démenti par Irvin, mais repris par Campbell.

Laycoe se mérita dix minutes de mauvaise conduite pour avoir lancé une serviette vers Udvari... Cette situation par trop cocasse démontre bien la confusion qui régnait chez les arbitres : Babcock prétendit qu'Udvari avait reçu la serviette dans la figure. Selon Udvari, elle avait seulement été lancée dans sa direction. Le gérant des Bruins, Lynn Patrick, déclara que la serviette était tombée aux pieds d'Udvari. Et Campbell conclut qu'elle avait frappé les pieds d'Udvari. Encore une fois, comment Campbell pouvait-il affirmer qu'il y avait eu « peu de divergences » dans les témoignages présentés.

Selon Me Campbell, il était inconcevable que Richard ait persisté à attaquer, et ce, à deux reprises. Mais le président n'a pas mentionné que le tout n'avait même pas duré *une* minute.

Comment M. Campbell pouvait-il ne pas comprendre qu'un individu, même à demi-inconscient, peut continuer d'agir instinctivement pendant plusieurs minutes sous l'effet d'un choc?

La boxe en est un exemple frappant. Il n'est pas rare dans ce sport de voir un boxeur pratiquement inconscient continuer de boxer par instinct pendant une, deux ou plusieurs rondes. Il est souvent arrivé que le boxeur ne se rappelle même pas d'avoir livré son combat et parfois de l'avoir gagné.

M. Campbell prétendait en plus que « Richard n'avait pas frappé le juge de ligne Thompson par accident ou par erreur ». Évidemment, il ne l'a pas frappé par accident. Dans sa rage, il n'avait qu'une seule chose en tête : rattraper Laycoe. Alors, il frappa tout ce qui était sur son passage et qui l'empêchait d'atteindre Laycoe. En fait, Campbell l'avait reconnu puisqu'il précisait : « Richard n'éprouva aucune difficulté à repérer Laycoe dans ses attaques » et que « la seule personne qui se trouvait devant Richard, dans ses tentatives de rejoindre Laycoe, était le juge de ligne Thompson ».

S'il est un individu dans la L.N.H. qui aurait dû comprendre Richard, c'était bien Clarence Campbell, car il avait déjà reçu un coup de poing de Dit Clapper lorsqu'il était lui-même arbitre. Mais lui aussi avait la mémoire courte quand ça l'arrangeait. Voici ce que le très compréhensif Campbell avait confié à ce sujet à Andry O'Brien :

> « La partie avait été très rude et il ne restait plus que quatre minutes à jouer. Clapper, je le savais, était surmené. Il me frappa seulement indirectement et je doute qu'il ait su sur qui il s'élançait. Sachant qu'une punition majeure l'empêcherait de poursuivre la partie, avec seulement quatre minutes de jeu, j'ai considéré que c'était une punition suffisante. »

Comme les temps avaient changé ! Le bénéfice du doute qu'il avait accordé à Clapper, il ne voulait pas l'accorder à Richard. Richard n'était-il pas surmené ? N'avait-il pas reçu un coup sur la tête qui avait nécessité cinq points de suture ? Un coup qui, au dire de Andy O'Brien, aurait pu coûter son titre à Rocky Marciano, champion mondial poids lourd à l'époque. « Soyons honnête ! Ce coup brutal donné par Laycoe à Richard, qui a provoqué une blessure qui saignait abondamment et qui demanda cinq points de suture, serait suffisant pour arrêter immédiatement n'importe quelle bataille pour le titre mondial de poids lourds », affirma O'Brien dans un article intitulé « *Major Weakness in Campbell Decision* — (Importante faiblesse dans la décision de Campbell) ».

Plus loin Andy ajoutait :

> « Cependant je le répète : comment le président Campbell pouvait-il décider que Richard n'avait pas perdu la tête après un coup qui aurait

pu arrêter même Marciano ? Comment pouvait-il oser prétendre qu'après ce coup Richard pouvait distinguer les couleurs . . .

« Le Président a aussi beaucoup insisté sur le fait que Richard n'éprouva aucune difficulté à repérer Laycoe dans ses attaques.

« Et alors ? Le cerveau d'un individu en état de choc peut se concentrer uniquement sur le visage de son assaillant et bousculer tout ce qu'il rencontre sur son passage, surtout si, dans cet état de demi-conscience, il ne peut distinguer les couleurs. »[1]

Il était donc plausible qu'au cours d'un combat violent qui a duré à peine une minute Richard ait persisté à attaquer Laycoe et à s'en prendre à tout ce qui pouvait l'en empêcher. Toute personne qui a déjà été impliquée dans une bagarre vous dira la même chose.

Enfin, Campbell se servit de l'affaire Bailey pour dire que Richard avait récidivé, ce qui lui donnait bonne conscience pour le démolir tout à son aise, étant donné que Maurice n'en était pas à sa première offense. Hé bien ! M. Campbell aurait eu entièrement raison si Maurice Richard n'avait pas été frappé de la sorte . . . et si Laycoe n'avait pas mis le feu aux poudres par son geste.

Évidemment, Me Campbell ne pouvait pas nous épargner une autre manifestation de son paternalisme exaspérant. Son verdict commença ainsi : « Conséquemment, le temps de la tolérance et de la clémence est révolu ». Imaginez-vous, il s'était montré clément envers Richard qui n'avait *jamais* eu gain de cause !

Il est probable que cette seule phrase donnait au président de la L.N.H. l'impression d'avoir raison. Elle lui donnait « bonne conscience » et lui permettait de dormir sur ses deux oreilles. Incroyable ! Tout comme O'Brien se l'était déjà demandé, on pouvait reposer la question : c'était ça, la justice de Campbell ?

Il y avait pas moins d'une quarantaine de journalistes et de photographes dans les bureaux de la Ligue nationale quand la suspension du Rocket fut annoncée. Plusieurs avaient l'impression que Campbell avait pris sa décision avant même la tenue de la réunion.

Dick Irvin était visiblement abattu et ne voulut faire aucun commentaire. Pendant qu'il attendait le verdict, il avait fait remarquer que son joueur étoile n'était pas coupable. « Il a été molesté par le juge de ligne Cliff Thompson et, en plus de cela, c'est Hal Laycoe

---

1. O'Brien, Andy, « Andy O'Brien Says », *The Standard,* 17 mars 1955.

Centre de photographie du gouv. canadien

Reardon, Irvin et Maurice quittent les bureaux de Campbell la mort dans l'âme.
« Ça n'avait rien donné ! » dit Maurice aujourd'hui.

qui l'a frappé le premier avec son bâton. » Il ajouta aussi que Maurice n'avait pas brisé son bâton sur le dos de Laycoe comme l'avait rapporté un des juges de ligne. Il rappela également que Laycoe avait admis s'être élancé pour frapper le Rocket avec son bâton... Mais on ne lui en avait pas tenu rigueur !

Le Rocket quitta les lieux vers 13 h 30. Dick Irvin et Ken Reardon étaient toujours en conférence avec Clarence Campbell lorsque Maurice sortit du bureau du président. Les journalistes ne lui posèrent pas de questions. Ils scrutaient anxieusement son visage, l'interrogeaient du regard...

Les yeux du Rocket étaient plus sombres que d'habitude, mais la flamme qui les animait habituellement n'était plus là. Son regard était triste et lointain. « Dick et Ken font présentement tout ce qu'il est possible de faire pour moi, leur dit-il. Je ne pourrai pas les blâmer si je suis suspendu. » Le Rocket était pâle et épuisé lorsqu'il quitta le bureau du président de la Ligue.

Après que Campbell eut lâché sa bombe, les réactions de Ken Reardon et de Dick Irvin se firent plus vives. Voici ce qu'ils déclarèrent au journaliste Marcel Desjardins, dans *La Presse* du 17 mars :

« Kenny Reardon avoua qu'il avait été surpris par la décision et pour le moins étonné et bouleversé par sa sévérité. Il a déclaré qu'il ne croyait pas le verdict du président justifié devant le rapport confus de l'arbitre Frank Udvari et les explications encore moins claires des deux juges de hors-jeu.

« Ainsi par exemple, Cliff Thompson et Sam Babcock, les deux juges de hors-jeu, ont soutenu que juste avant l'incident Richard avait la rondelle en sa possession. Laycoe interrogé a répondu que c'est lui qui avait le disque. Donc, s'il avait la rondelle, il était naturel pour Richard de chercher à la lui enlever.

« Nous avons défendu Richard de notre mieux et je ne crois pas que personne aurait combattu plus énergiquement que nous l'avons fait pour prouver qu'il avait été provoqué, qu'il avait été frappé et que *s'il* s'est rendu coupable d'offense, c'est pour avoir reçu un coup de bâton sur la tête, un coup de bâton qui lui a infligé une blessure de laquelle le sang a coulé abondamment. Un joueur étourdi par un coup de bâton, aveuglé par le sang, n'est pas maître de ses actes et pas très apte à reconnaître la couleur du chandail d'un homme qui se lance sur lui. »

Ce témoignage de Kenny Reardon aurait dû être d'autant plus pris en considération qu'il venait d'un ancien joueur de hockey qui avait été impliqué dans de nombreuses bagarres et qui avait autant de fougue et un caractère aussi bouillant que le Rocket. Il avait donc vécu de pareilles situations et était bien placé pour expliquer le comportement de Maurice.

Le plus étonnant, pour n'en pas dire davantage, c'est qu'il laissa entendre « qu'il avait bien l'impression que lorsqu'il s'est rendu hier au bureau de Campbell pour plaider la cause de Richard, c'était déjà peine perdue » ...

Conclusion inévitable, que de nombreux journalistes partageaient et que la population canadienne française endossait.

« Pour sa part, Dick Irvin partageait lui aussi ce point de vue en s'appuyant sur le fait que Campbell avait parlé trop vite lorsqu'il avait déclaré qu'il rendrait sa décision à 2 heures ...

« Nous avons prouvé que les officiels ont commis des erreurs au cours de la joute, nous avons démontré qu'ils ne pouvaient identifier celui qui avait la rondelle en sa posession au moment des incidents. Si eux qui étaient calmes ont pu se tromper, comment alors ne pas admettre que Richard ait pu prendre pour un chandail du Boston celui du juge des hors-jeu ? » a déclaré l'instructeur Dick Irvin.

« Udvari a insisté pour dire que Richard avait la rondelle en sa possession alors que Laycoe a été aussi affirmatif pour dire que c'est lui qui l'avait.

« Laycoe a déclaré qu'en se rendant au pénitencier il avait lancé une servicette et que celle-ci avait atteint l'arbitre à la figure. Udvari, lui, prétend que la serviette l'a frappé à la jambe.

« Autant d'opinions différentes. Autant de faits qui permettent de douter de la véracité des versions données.

« N'est-ce pas que le président vous avait dit, à vous les journalistes, qu'il rendrait sa décision à 2 heures ? Comment pouvait-il parler de la sorte avant même le début de l'enquête. Sa décision avait été conçue avant même de nous entendre.

« C'est une injustice. »

Toujours aussi perspicace, Irvin ajouta : « Je me demande si Campbell sera présent. Je ne voudrais certainement pas être à sa place s'il prend son siège habituel. » Il faisait allusion, à ce moment-là, à la partie qui aurait lieu le lendemain soir entre le Canadien et Détroit à Montréal.

Quant à la réaction des joueurs du Canadien, elle en fut une de stupeur et de profonde émotion. Dans cette même édition du 17 mars, Pierre Proulx nous fit part de leurs commentaires :

« Le robuste joueur de défense, Doug Harvey, soulignait qu'on aurait été aussi bien de le condamner à la pendaison : « On lui a tout enlevé à la suite d'un incident qui n'a blessé personne, sauf peut-être causé quelques égratignures comme on en voit bien d'autres.

« Je ne pouvais le croire lorsque j'ai appris que Campbell l'avait suspendu d'ici la fin des éliminatoires de la coupe Stanley. Je ne parviens pas à m'expliquer comment tout le blâme peut retomber sur les épaules de Richard sans qu'il soit question même d'infliger une amende de 5 dollars à Hal Laycoe, des Bruins de Boston.

« Au sujet du juge Cliff Thompson, on a tout fait, sauf avouer qu'il est virtuellement une *recrue* dans ce genre de travail. J'étais tout juste à côté de Richard lorsque l'incident est survenu et je dois avouer que Thompson a malmené Richard en voulant l'empêcher de continuer à se battre. Ce que je ne puis m'expliquer également, c'est qu'on affirme que Richard savait exactement ce qu'il faisait, que c'était volontaire ou voulu, quand moi, qui me trouvais tout juste à ses côtés, je suis bien enclin à croire que non seulement il était hors de lui-même, mais que sa blessure l'empêchait de se rendre compte exactement de ce qui se déroulait. Richard ne pensait qu'à une chose bien naturelle, soit celle de se défendre après avoir été attaqué », d'expliquer Doug Harvey.

« Je suis également convaincu qu'il ne savait pas du tout à qui il s'attaquait lorsqu'il a décoché un coup de poing à Cliff Thompson. La perte de Richard est désastreuse à tous les points de vue et toute l'équipe ne pourra faire autrement que ressentir vivement son absence. » a

286

conclu Harvey.

« J'aurais cru que Clarence Campbell l'aurait suspendu pour les trois dernières parties de la saison régulière mais jamais pour toutes les séries éliminatoires. Voici toutes ses chances de remporter le championnat des marqueurs pour la première fois virtuellement effacées à cause d'un incident dont personne ne portera les marques dans quelques jours », a déclaré le robuste joueur de centre, Jean Béliveau.

Doug Harvey ajouta :

« Si j'avais saigné à la tête comme le Rocket et si quelqu'un (Thompson) avait sauté sur moi de cette façon, je l'aurais frappé aussi. »

Campbell, pour sa part, n'était pas sans appréhender les résultats de sa décision ... Au moment où les journalistes le quittaient, il leur demanda : « Tout ce que je vous demande, c'est de publier mon texte au complet, non pas une simple partie. Le texte au complet fera comprendre à ceux qui le liront le pourquoi de ma décision. »

À un journaliste qui lui demanda s'il assisterait à la joute Canadien-Détroit au Forum, il répondit : « J'ai encore mes deux billets. Je ne les ai pas donnés à qui que ce soit. »

La nouvelle se répandit comme une traînée de poudre ! La population du Québec tout entière fut frappée de stupeur. À part quelques personnalités sportives qui détenaient des postes de commande, la majorité des sportifs interviewés par *La Presse* et *The Gazette* blâmaient Campbell pour la sévérité de sa sentence et surtout parce qu'elle atteignait autant, sinon plus, le club Canadien que le Rocket. Tous s'attendaient à une pénalité, mais jamais à une telle injustice.

Les seuls à se réjouir d'une telle décision étaient Jack Adams, Conny Smythe, Walter Brown et quelques joueurs comme Ted Lindsay qui, lui, n'avait pas encore digéré la mise hors de combat qu'il avait essuyée du Rocket. Il déclara que Richard avait été chanceux de n'avoir pas été suspendu à vie ...

Lindsay personnifiait bien l'attitude de certains de ses compatriotes vis-à-vis des francophones, par cette haine non camouflée qu'il portait au Rocket. Pourtant, ce même Lindsay oubliait volontairement qu'il n'avait pas été suspendu à vie la saison précédente lorsqu'il s'était battu à coups de bâtons avec Ezinicki. Il avait reçu une amende de $300 dollars et avait été suspendu pour quelques parties. Est-ce que cette sentence était comparable à celle que reçut Richard ? En aucune façon ! Mais on a toujours la mémoire courte, lorsqu'il s'agit de ses propres erreurs.

Quant à son patron, Jack Adams, il ne pouvait pas se montrer moins stupide que son élève... « J'aurais cru que Richard pouvait être suspendu jusqu'au 1er janvier prochain. »

Lui aussi souffrait d'une mémoire volontairement atrophiée. Il ne voulait pas se rappeler que lorsqu'il était instructeur des Red Wings il avait sauté sur la glace pour porter un coup de poing à l'arbitre Mel Harwood. Le « gros » Jack, s'était tiré de cette escarmouche avec une amende. Maintenant, il se posait en justicier. Deux poids, deux mesures... Une pour Adams et compagnie, une pour Richard.

Walter Brown, celui-là même qui avait demandé la tête du Rocket en jouant la « vierge offensée » lors de l'affaire Bailey, se frottait les mains : « C'est le moins qu'il (Campbell) pouvait faire », déclarat-il.

Le troisième homme, Conny Smythe, se gargarisait de déclarations ronflantes, toujours aussi vides de sens :

> « Je suis d'accord avec le président à cent pour cent et je vais l'appuyer jusqu'au bout.
>
> « Nos propres joueurs connaissent les règlement et s'y conforment. de même qu'à peu près tous les autres joueurs de la Ligue. La suspension de Richard protégera les joueurs dans le futur.
>
> « Cela prouve aussi que la L.N.H. et le hockey sont plus grands que la plus grande étoile et que tous les joueurs. Les étoiles aussi bien que les joueurs médiocres doivent se conformer aux règlements. »

Comment peut-on faire pareille déclaration sans être convaincu qu'on a en face de soi des êtres inférieurs? Il faut vraiment avoir l'esprit colonisateur ou être le plus beau des hypocrites pour affirmer de telles choses sans broncher. Surtout quand on sait que c'était le même Conny Smythe qui, en 1947, préconisait la brutalité pour gagner : « L'important c'est de gagner, disait-il. Nous devons mettre tous les atouts dans notre jeu et la rudesse en est un. » Et il citait Bill Barilko en exemple à ses jeunes recrues : « Jouez au hockey comme lui et vous resterez avec les Leafs longtemps. Il sait remettre un adversaire à sa place. »[1]

Les joueurs médiocres de la L.N.H. ne pouvaient demeurer dans le circuit qu'en devenant des spécialistes de l'accrochage.

---

1. *Les Sports*, avril 1955.

De toute façon, cette opinion ne mérite pas d'autres commentaires. On lui a déjà trop fait d'honneur en l'imprimant en ce 17 mars... Il fallait en souligner la médiocrité et l'hypocrisie !

Le plus drôle de tout cela, c'est qu'après avoir bien appuyé leur président ces trois gouverneurs, « oui messieurs », ont senti un soudain besoin de vacances... La Floride semblait encore tout indiquée.

Un autre qui se faisait dorer sous les chauds rayons de la Floride à ce moment-là, c'était l'honorable sénateur Donat Raymond...

C'est à croire que les gouverneurs de la L.N.H. s'étaient à nouveau réunis, histoire de porter un toast !

Mais à part les gouverneurs de la Ligue et la presse anglophone, les appuis du président étaient plutôt rares... La réaction du premier magistrat de la ville, le maire Jean Drapeau, ne fut pas très prisée de Campbell et de certaines autorités de la L.N.H.

Monsieur le maire, tout comme le président de la Ligue, avait reçu, lui aussi, une formation légale. Sa déclaration fut assez modérée tout en rendant bien ce que pensaient la majorité des sportifs québécois :

> « Sans entrer dans une discussion détaillée du jugement rendu par le président Campbell, j'aimerais souligner que, à mon avis, dans un cas comme celui-là, on aurait dû viser autant que possible à punir le joueur lui-même et non pas recourir à des sanctions qui visent tout le hockey ou toute une équipe. Or il me paraît évident, à la veille des séries éliminatoires, que la décision atteint encore beaucoup plus tout le hockey et tout le club Canadien que Maurice Richard lui-même. Il est à souhaiter que les responsables ou les dirigeants du hockey professionnel trouveront moyen de remédier à une situation aussi regrettable, car il ne faudrait pas beaucoup de décisions comme celle-là pour tuer le hockey à Montréal. »

Quant aux réactions des amateurs de sport en général, elles ne se firent pas attendre...

Des fervents du hockey et des admirateurs du Rocket de la région du Saguenay transformèrent un télégramme de bons souhaits à Maurice Richard en un télégramme de protestation contre Campbell.

Comme Maurice avait pratiquement le championnat des marqueurs dans sa poche et afin de l'encourager à réussir cette nouvelle marque, des sportifs de la région du Saguenay, avec à leur tête Raymond Labrecque, annonceur au poste CJMT de Chicoutimi, décidèrent de télégraphier à Maurice un message de bons souhaits.

C'est alors que cette maudite suspension vint tout gâcher... Mais Labrecque eut l'idée de convertir les bons souhaits en support moral pour Richard et en protestation contre la décision du président Campbell. Le télégramme comprenait près de 5 000 noms d'admirateurs du Rocket de la région du Saguenay. Chaque personne qui désirait y inscrire son nom devait verser dix sous à l'œuvre de l'Orphelinat Saint-François-Régis. Ce télégramme avait 160 pieds de longueur... et le télégraphe de la compagnie C.N.R. prit plus de cinq heures pour le transmettre.

Au quartier général de la Ligue nationale, les trois téléphones ne dérougissaient pas. Plusieurs menaçaient d'attenter à la vie de Campbell, d'autres se contentaient de l'accabler d'invectives tout en lui suggérant de ne pas assister à la partie contre Détroit. Pratiquement tous étaient violemment anti-Campbell.

Une secrétaire de 48 ans de Toronto, oui de Toronto, plaida à chaudes larmes et pendant 15 minutes la cause de Richard auprès de M. Campbell.

Les gens interviewés dans la rue par les postes de radio, tant anglophones que francophones, étaient pro-Richard à 97 pour cent.

M. Gordon C. Hamilton, un fervent du hockey et admirateur de Maurice Richard, adressa à *La Patrie* un long poème en anglais qui parut dans l'édition du 27 mars et dont voici un extrait en prose :

> « Certains sont jaloux et d'autres ne sont jamais justes, mais pour ceux qui sont vraiment honnêtes, les faits révélateurs sont là. Certains sont comme des chiens qui jappent aux talons des grands, mais nous connaissons les sentiments logiques qui animent la majorité.
>
> « Qu'est-ce que Campbell a fait pour le hockey en comparaison avec Richard ? Si la Ligue ne devait compter que sur Campbell, elle n'irait pas loin ; avec un sentiment aussi faussé de la justice et un tel manque de grâce, il n'est pas difficile de constater que Campbell devrait être remplacé.
>
> « Il a bafoué notre ville, il s'est moqué de notre fierté civique, il a créé de fausses impressions partout ; certains lui ont raconté des histoires fausses qu'il aurait dû accepter avec un grain de sel, sans infliger ce traitement injuste à Maurice Richard. »

Voilà qui contredisait sans équivoque les déclarations farfelues de Conny Smythe !

Cette suspension eut une telle répercussion qu'un chanteur de balades, Bob Hill, fit même un disque sur ces événements, qu'il intitula : *Saga of Rocket Richard*. On peut s'imaginer que la sympathie du chanteur ne se portait pas vers Clarence Campbell qu'il qualifiait ironiquement « *the man without fear* (l'homme sans peur) », mais bien entendu vers Maurice Richard.

Le journal *The Gazette* consacra une page entière de son édition du 17 mars, aux réactions de la population Montréalaise :

« La suspension de Maurice Richard par le président de la L.N.H., Clarence Campbell, déclencha probablement la plus grosse fureur publique à Montréal depuis la fin de la deuxième Grande Guerre. »

Les téléphones de la section des sports de ce journal commencèrent à sonner un peu après la parution de la première édition du mercredi 16 mars, soit vers 10 h 30, et n'arrêtèrent que tard dans la nuit.

Au début, les gens n'étaient préoccupés que par les conséquences de la réunion. Mais lorsque la décision fut annoncée... quel charivari !

Alors que les personnalités sportives de la ville étaient en général divisées au sujet du jugement du président, les appels des amateurs attaquaient violemment Campbell.

Un « fan » furieux avertit le président Campbell de ne pas se présenter au Forum le soir même : « Il ne quittera pas la place vivant, dit-il. Cette fois-ci, il est allé trop loin. »

Une ménagère de l'avenue Madison déclara qu'elle croyait que la suspension était « injuste pour le hockey en général. Après tout, s'il avait été suspendu pour trois parties, ç'aurait été assez. Je crois que le seul qui s'en réjouit est Jack Adams. »

Un résident du district nord estimait que cette décision « était la façon à Campbell de rendre la monnaie à Richard », à cause de sa critique ouverte contre le président, l'année précédente, au sujet de la bagarre à coups de bâton entre Bernard Geoffrion et Ron Murphy, à New York : « À ce moment-là, dit-il, Campbell laissa Richard s'en tirer assez bien, mais il s'en rappella pour l'avenir. »

Les journalistes Bob Hayes et Clayton Sinclair interviewèrent seulement les amateurs de hockey. La majorité trouvait que la décision était trop sévère et que la suspension aurait dû être reportée au début de la saison suivante. Les autres (3%) croyaient que cela donnerait une bonne leçon au Rocket...

L'opinion de John Gonery illustrait bien celle de la majorité : « Une suspension de deux parties aurait été suffisante. Mais la décision de Campbell est trop dure pour un joueur du calibre du Rocket. Je crois que les qualités qui en ont fait une étoile incomparable sont aussi responsables de son caractère prompt et de sa nature vive ! »

Tandis que celle d'un commis de bureau de Notre-Dame-de-Grâce caricaturait bien la pensée des trois pour cent et particulièrement celle des dirigeants de la L.N.H.

Il admit d'abord qu'il n'était pas un grand amateur de hockey. « Mais d'après ce que j'entends dire par mes compagnons de bureau, je crois que Richard était depuis trop longtemps sur un piédestal. Cette suspension, il l'aurait eue tôt ou tard. Ce n'est pas la première fois qu'il a du trouble, mais cette suspension, c'est peut-être sa dernière. Je crois qu'il sait qui est le « boss » maintenant... »

Même si la majorité de la presse anglophone appuyait Campbell, plusieurs de ses plus illustres chroniqueurs sportifs dénoncèrent l'extrême sévérité du jugement du président de la L.N.H. :

Baz O'Meara ouvrait la marche par ces mots :

« Le jugement de Campbell est très dur ; sa sévérité a pris tout le monde par surprise pour ne pas dire plus. Une telle décision pouvait difficilement être prise sans le plein consentement de la plupart des gouverneurs de la Ligue, dont trois étaient évidemment contre les Canadiens. (Détroit, Boston et Toronto s'étaient qualifiés pour les séries de la coupe Stanley. Les propriétaires de ces clubs étaient respectivement : Jim Norris, Conny Smythe et Walter Brown.) »

Beaucoup partageaient cette opinion très directe, dont l'éminent avocat Louis De Zwirek, C.R. : « Ce jugement fut rendu si rapidement qu'il a dû être préconçu. »

Selon Jack Kinsella, du journal *Ottawa Citizen*, ce jugement était une « pure stupidité » :

« Ce fut une erreur si grave qu'il ne serait pas surprenant que M. Campbell et la Ligue aient à regretter cette décision.

« Non pas que le Rocket soit exempt de tort, au contraire. À peu près tout le monde convient qu'il a mal agi. Mais le suspendre aussi pour les séries ? Pure stupidité ! »

« Ce fut un jugement sévère », reconnaissait Dink Carroll.

Quant à Andy O'Brien, on a vu ce qu'il pensait de cette décision. Il concluait sa chronique par ce sous-titre :

« *It is Justice ?* (Est-ce que c'est ça, la Justice ?) »

« Selon les principes de justice que le Président Campbell a appris en devenant avocat, un homme est innocent jusqu'à ce qu'il soit trouvé coupable.

« Je prétends qu'aucun juge au pays n'aurait prétendu que, frappé comme il l'a été, Richard pouvait être considéré comme responsable de ses actes dans la minute qui suivit ce coup, et tout l'incident des attaques « répétées » n'a pas duré plus longtemps que ça.

« En ce qui concerne l'injustice qui a frappé toute l'équipe des Canadiens, ce point ne devrait même pas figurer : le président Campbell n'avait qu'à s'occuper que de l'offense d'un seul homme.

« Quant aux vieilles frasques de Richard, elles auraient dû être prises en considération seulement s'il n'avait pas été frappé avec un bâton. Un Richard frustré, mais non blessé, qui aurait perdu la tête aurait été entièrement responsable de n'importe quel acte délictueux et particulièrement pour avoir persisté dans un de ces actes.

« Tout bien pesé, et reconnaissant en toute honnêteté la nécessité pour le président Campbell de prendre position, mais reconnaissant aussi l'énorme facteur atténuant, c'est-à-dire cette terrible entaille qu'a subie le contrevenant, je crois qu'une suspension pour les dernières parties de la saison — ce qui implique la possibilité de perdre le championnat des marqueurs et en plus une grosse amende — aurait été acceptée par tous comme étant une punition suffisante pour l'offense commise. »[1]

Vern De Geers, lui qui admettait : « C'est possible que Richard soit le plus grand joueur de hockey qui ait jamais vécu », blâmait les dirigeants de La ligue pour cette explosion : « Ils (les propriétaires d'équipes, les gérants et les instructeurs) se plaignent amèrement quand les arbitres appliquent strictement les règlements. »

Il expliquait plus loin que les arbitres étaient insultés et leur autorité ridiculisée ; même Campbell n'était pas épargné. M. De Geers rapportait qu'au cours d'une partie entre Détroit et le Canadien au Forum, et cela juste un peu avant l'incident de Boston, l'instructeur des Red Wings, Jim Skinner (mais oui, Jack Adams avait un instructeur . . .) s'en prit ouvertement aux arbitres. M. Campbell se rendit auprès de M. Skinner pour tenter de le calmer, mais ce dernier lui répondit : « Fiche le camp, toi. Tu n'es qu'un spectateur ici ! »

---

1. O'Brien, Andy, « Andy O'Brien Says », *The Standard*, 17 mars 1955.

C'était là le nœud du problème, selon M. De Geers qui concluait :

> « Empêché de jouer au hockey aussi bien qu'il en est capable, Richard éprouve une frustration qui, en fin de compte, le fait exploser. Richard est une perle rare aussi bien en tant qu'homme qu'en tant que joueur de hockey. C'est un artiste. Il se consacre complètement à jouer du bon hockey et à marquer des buts. »

Si les règlements avaient été appliqués, Richard n'aurait pas explosé.

Enfin, Gordon Sinclair se demandait pourquoi tout le monde faisait autant d'histoires lorsque le Rocket était impliqué dans une bagarre.

« *Stop Picking on Richard* (Arrêtez de vous en prendre à Richard) » était le titre sans équivoque de Sinclair :

> « Jamais je n'ai entendu de stupidités aussi révoltantes que lorsque le grand Maurice Richard s'énerve sur la glace.
>
> « L'ailier droit de Montréal est le plus grand joueur de hockey que le monde ait jamais vu. Il n'aura peut-être jamais son pareil pour son habileté, son esprit et sa grâce dans ses mouvements.
>
> « Toutefois, pratiquement tous les joueurs de la Ligue, accrochent, retiennent et harcèlent le grand Richard. Chaque recrue appelée pour une partie ou plus essaie de se faire un nom en chargeant ou « cross-checkant » Maurice. Parfois, lorsqu'il ne peut plus supporter coups de coude ou coups de pouce dans les yeux, Maurice s'arrête et leur rend la monnaie de leur pièce.
>
> « Aussitôt, la panique s'empare de la Ligue. Des assemblées sont convoquées, les téléphones ne dérougissent pas, les manchettes sont parsemées de mots comme *bersek* (détraqué), *mayhem* (estropier quelqu'un délibérément).
>
> « Ce serai bien fait pour la Ligue si Maurice abandonnait. Avec l'attitude qu'il démontre, il pourrait gagner probablement plus d'argent dans une centaine d'autres domaines sans subir d'abus.
>
> « Il est le grand, le plus grand, le meilleur. Chaque pouce de cet athlète est un grand champion. Vive Richard. »[1]

À part le journal *The Gazette* qui se montra impartial, un seul journal d'expression anglaise prit carrément la défense de Maurice Richard. Le croiriez-vous, ce journal était le *Boston Daily Record*, plus précisément le vétéran chroniqueur sportif, Dave Eagan. Il avait intitulé sa chronique : «*Ask Only Justice For Richard vs*

---

1. Sinclair, G., *Liberty,* vol. 32, n° 1, mars 1955.

N.H.L. (Nous demandons seulement que justice soit rendue à Richard contre la L.N.H.) »

M. Eagan ne trouvait pas cette affaire odieuse comme le laissait entendre la presse de Boston et de Toronto. Il était d'avis que Thompson, le juge de ligne impliqué — qu'il qualifiait de « bûcheron » (*Hatchet Man*) lorsqu'il était joueur de hockey — aurait dû avoir une attitude pleine d'indulgence parce qu'il pouvait comprendre la situation.

Il jouta : « Richard n'a pas encore appris à aimer la défaite. Il est toujours prêt à se battre contre l'univers et je vous dis que, pour *le bien du hockey* et pour le bien de tous les sports, cet homme devrait participer aux éliminatoires. »

Après que le verdict fut connu, il ne cessa de critiquer la position prise par Clarence Campbell et dans l'édition du vendredi 18 mars, il écrivait :

« M. Clarence (Mulligatawny — soupe au poulet) Campbell, président de la L.N.H., a fait preuve d'un certain courage moral en suspendant Richard, mais comme cela semble toujours le cas il a pris la mauvaise décision au mauvais moment.

« Dans la chaleur et la fièvre de l'heure, même les neuf membres de la Cour suprême des États-Unis ne tenteraient pas d'en venir à une décision calme et juste, mais Campbell a réussi ce tour de force. Il a rendu une décision qui pourrait bien signifier la perte du championnat et de la coupe Stanley pour le Canadien et, par des mots bien choisis, a su soulever l'opinion publique contre lui.

« Campbell ne peut ignorer la principale conséquence de cette décision. Il a informé publiquement tous les joueurs de hockey de la Ligue qu'ils pouvaient retenir et harceler, faire trébucher et abuser de Richard, le frapper et lui infliger des coupures à leur guise et que, s'il menaçait de riposter, Campbell serait présent pour le proclamer d'humeur fantasque et lui infliger d'autres amendes et suspensions. Ceci, mes amis, est la justice vue par Campbell.

« C'est du moins ce qu'il leur a visiblement laissé entendre ; le plus grand joueur des temps modernes n'est qu'un voyou dans un siège à prix populaire et il peut être traité comme tel. »

Un peu plus loin dans son article, Eagan ajouta : « J'ai dû voir Richard jouer dans plus de cinquante parties de hockey, car il se révèle *la suprême expression du sport* et je fais tout mon possible pour ne jamais manquer de le voir à l'œuvre. »[1]

Quant au reste de la presse anglophone, l'attitude d'un scribe

---

1. Eagan, Dave, *Boston Daily Record*, 8 mars 1955.

bostonien, Herb Ralby, — il était également publiciste pour les Bruins de Boston — illustrait son comportement et sa position, en particulier de Boston et de Toronto.

Au cours de la deuxième période de la partie qui déclencha toute cette agitation, Herb Ralby avait déclaré : « Ce Richard a été et sera toujours la plus forte attraction dans l'histoire du hockey. Quand il annoncera sa retraite, la L.N.H. se ressentira de son absence. »

Mais après le duel Richard-Laycoe, il lança tout indigné : « Richard mérite d'être banni du hockey. Il n'y a pas de place pour une telle brute dans ce sport. »

Comme on peut le voir, ce qu'on était obligé d'accorder à Richard d'une main, on s'empressait de le lui enlever de l'autre aussitôt qu'on en avait la chance. Ce comportement dénotait bien une agressivité et une jalousie difficiles à contenir à l'endroit de ce « French-Canadian ».

Un autre chroniqueur de Boston, Marshall Dann, versait dans les mêmes excès : « ... S'il est permis à Richard de jouer une seule autre partie cette saison, Campbell devra être congédié ! » menaça M. Dann.

Inutile de vous dire que ce genre de position, pour le moins extrémiste, n'aida pas la cause de Richard. Avec ce fanatique battage publicitaire, Campbell pouvait frapper dur ... et il frappa avec la modération dont ces journaux avaient fait preuve, soit aucune !

La seule réaction qui n'a pas encore été vue est celle du principal intéressé, le Rocket.

Après avoir quitté les bureaux du président de la L.N.H. vers 13 h 30, Maurice se rendit à l'hôpital Western pour y subir des radiographies à la suite de sa blessure au crâne. C'est là qu'il apprit que le verdict avait été rendu par la réaction des gens autour de lui. Il ne fut pas long à apprendre qu'il avait été suspendu. Voulant en savoir davantage, il sortit de l'hôpital en coup de vent et se rendit aux bureaux de la direction des Canadiens. Il était 17 heures.

En ouvrant la porte, il se trouva en face de Dick Irvin, de Ken Reardon, d'Elmer Lach et du journaliste Elmer Ferguson. Aussitôt il demanda : « Que s'est-il passé ?

— Prépare-toi à recevoir tout un choc, lui dit gravement Irvin.

Tu ne joueras plus pour le reste de la saison et pour toutes les parties de la coupe Stanley également ...

— Vous êtes pas sérieux, répliqua Maurice. C'est impossible, dites-moi la vérité.

— C'est la vérité, lui répondit Reardon. Je suis peiné, Rocket, mais c'est comme ça. »

Maurice devint soudainement blanc comme un drap. Accablé, il s'affaissa contre le mur. Scrutant chaque visage, il savait maintenant que c'était la vérité.

Comme pour diminuer un peu la douleur qui l'étreignait, Maurice demanda : « Et qu'est-il arrivé à Laycoe, lui qui m'a frappé le premier ?

— Rien », répondit laconiquement Irvin.

Incrédule, le Rocket secoua la tête ... Sous la force du désespoir qui l'envahissait, il murmura : « Je suis désolé que ma carrière prenne ainsi fin ... »

Ferguson lui demanda alors s'il projetait de prendre sa retraite. Richard répliqua : « Il y a eu assez de jugements trop hâtifs ; je n'en ferai pas un autre. Mais une chose comme celle-là ne vous donne pas envie de continuer dans le hockey, ça c'est certain. »

Irvin fit alors remarquer que c'était là un terrible coup pour les coéquipiers de Richard qui espéraient remporter le championnat.

Maurice répliqua vivement : « Non ! Je ne suis pas si important que cela. Ne je crois pas que ça fera une si grande différence. Nous avons une bonne équipe avec beaucoup d'esprit combatif. Ils vont jouer avec plus d'ardeur parce qu'ils ont perdu un joueur. Ils vont gagner le championnat de la Ligue et la coupe Stanley. »

Ça, c'était du grand Rocket ! Alors que c'était lui qu'on aurait dû consoler et soutenir, il trouvait les mots pour encourager son instructeur et les siens à garder leur esprit combatif ... Quel général magnifique ! Mais Maurice sous-estimait son importance et, une fois de plus, Irvin avait vu juste.

Dans son for intérieur, Maurice Richard a toujours été convaincu qu'il n'était pas le grand coupable dans cette histoire et qu'il avait été sacrifié par Campbell sur l'autel des gouverneurs de la Ligue, pour les satisfaire.

Avec le recul du temps, on ne peut que ressentir une certaine pitié envers le président de la Ligue nationale de hockey. Je doute fortement qu'une personne puisse donner toute sa mesure lorsqu'elle est assise entre deux chaises... et qu'elle doit servir la « justice » et l'argent de ses maîtres. C'est dans cette situation que devait fonctionner le président de cette Ligue. Personnellement, j'estime que les personnes les plus à blâmer étaient les gouverneurs de la Ligue qui se cachaient derrière leur faible président.

Après ce que nous venons de voir, je suis personnellement convaincu que c'était l'évidence même. Maurice savait déjà après la partie qu'il serait durement châtié par Campbell... Ses paroles le démontraient bien.

Le commentaire qui suit n'a pas été donné 24 heures ou dix ans après le fracas de Boston, mais bien immédiatement après la partie du 13 mars. Il n'avait pas eu le temps de consulter qui que ce soit ou d'arranger sa version, comme certains pourraient le croire.

Maurice Richard était encore assommé par le coup qu'il avait reçu lorsqu'il expliqua à Jacques Beauchamp ce qui s'était passé.

> « Richard était un homme abattu après la joute de dimanche dernier. Il avait un mal de tête terrible, était songeur et nous a expliqué comment il est sorti de ses gonds : « À un certain moment, je me suis dirigé vers les filets du Boston. Laycoe a tenté de me mettre en échec et, en me protégeant, je l'ai ébranlé. Mon rival m'a alors appliqué un coup de bâton sur la tête et quand j'ai vu le sang, je suis devenu furieux.
>
> « Je n'ai rien provoqué, mais apparemment *c'est moi qui en souffrirai le plus*. C'est vraiment dégoûtant.
>
> « Si j'ai frappé le juge de ligne, je ne m'en souviens pas. Je savais que quelqu'un me retenait et je voulais tout simplement me libérer. J'ignore complètement ce qui va m'arriver. »[1]

On sait maintenant ce qui lui arriva, mais le pire était encore à venir, soit l'incident, jugé par la Presse canadienne comme « le plus spectaculaire au Canada en 1955 » : « L'émeute Richard »...

---

1. Beauchamp, J., *Montréal-Matin*, mardi 15 mars, p. 26.

Chapitre treizième
On a tué
mon frère Richard !

Les esprits s'échauffèrent rapidement en cette journée du jeudi 17 mars 1955. Dès que le Forum ouvrit ses portes, des curieux qui sentaient la soupe chaude s'amassèrent rapidement autour des rues Sainte-Catherine et Atwater. Vers midi, les piqueteurs commencèrent à arriver. Sur une pancarte, on pouvait lire « Vive Richard ! », sur une autre, « Dehors Campbell ! », une troisième portait le nom de Campbell dans une immense poire comme toile de fond.

À l'heure de la joute, les écriteaux étaient devenus plus violents. Le nom de Campbell figurait sur le dessin d'un porc ou autres illustrations du même genre.

La foule de manifestants et de curieux se fit de plus en plus nombreuse. La circulation était presque complètement bloquée. Les détenteurs de billets avaient de la difficulté à se rendre en auto jusqu'aux abords du Forum.

La partie débuta comme à l'accoutumée, avec la différence que les joueurs du Canadiens étaient visiblement nerveux.

Les spectateurs surveillaient la partie, mais leurs pensées étaient ailleurs. Deux sièges vides semblaient fasciner la foule. Les conjectures allaient bon train ; chacun y allait de sa réflexion : « Il ne viendra pas », disait l'un ; « Jamais il n'osera », disait l'autre ; «En tout cas, s'il vient, je ne voudrais pas être dans ses souliers », assurait un

Studios David Bier

Des amateurs manifestent calmement contre la décision de Campbell devant le Forum.

troisième.

Tranquillement, la foule commençait à se concentrer sur la partie lorsque des murmures inhabituels se firent entendre. Dix minutes environ s'étaient écoulées depuis le début de cette première période lorsque M. Campbell et sa secrétaire — aujourd'hui son épouse — prirent place à leurs sièges. En une seconde, toute la foule savait que le président était dans le Forum.

Pour les spectateurs, la partie venait de perdre tout intérêt. Les joueurs du Canadien, déjà nerveux, n'avaient plus la tête au hockey. Il faut noter que le Détroit marqua trois de ses quatre buts après l'arrivée de M. Campbell, dont deux coup sur coup : leurs deuxième et troisième buts furent marqués à 11 minutes 20 secondes et 12 minutes 58 secondes, et le quatrième à 18 minutes 33 secondes. N'est-ce pas significatif ! Par sa seule présence, en plus de suspendre Richard, le président de la Ligue aida Détroit à enregistrer trois de ses quatre buts.

La foule se mit alors à manifester librement contre la suspension du Rocket. On criait individuellement ou en chœur des injures à Campbell. Les uns scandaient « On veut Richard ! », d'autres, « Dehors Campbell ! ».

300

Puis cette manifestation à caractère encore inoffensif prit tranquillement une tournure plus violente : les injures devinrent de plus en plus acerbes. Les plus audacieux se mirent à lancer des projectiles de toutes sortes : toutes les variétés de fruits et de légumes y passèrent, en plus des caoutchoucs, des pièces de monnaie, enfin de tout ce qui pouvait être lancé.

Les occupants des sièges voisins de Campbell durent évacuer le coin, tant le feu était « nourri ». Monsieur Clarence Campbell, avec ses jumelles d'opéra et ne perdant rien de sa superbe, s'essuyait avec un calme qui aurait fait mourir de jalousie l'empire Britannique. Sa fiancée, Phillis, était terrifiée et avec raison. Une photo, dit-on, vaut souvent mille mots, jugez par vous-même en page 302.

Ce déchaînement atteignit son paroxysme lorsque la sirène annonça la fin de la période. Aussitôt la foule se mit à hurler : « On sort Campbell ! », « On sort Campbell ! »

C'était effectivement ce qu'un groupe de supporters du Rocket avait décidé de faire.

Ils voulaient attraper M. Campbell, s'il se présentait au Forum, pour le dépouiller de ses vêtements et le promener sur la patinoire avec ses guêtres et ses « long John » comme seul accoutrement.

Heureusement pour Campbell, ils firent part à Maurice de leurs intentions et ce dernier les en dissuada. Ce geste *fanatique* aurait été tout aussi *réfléchi* que la décision de Campbell !

Clarence, dont on doit reconnaître le courage un peu stupide ou le très grand désir de plaire à ses « boss », jugea plus prudent cette fois-ci de ne pas se promener dans les couloirs du Forum après cette première période et demeura bien assis. C'est à ce moment qu'un jeune homme, en blouson noir, s'approcha de lui en lui présentant la main comme pour le féliciter. Au dernier moment, il essaya de le frapper au visage. Placiers et policiers intervinrent pour attraper le jeune homme, mais ce fut en vain, tant la confusion était grande. Le lendemain, M. Campbell déclara au *Montreal Star* que le jeune « fan » n'avait pas réussi à le frapper.

Pratiquement au même moment, un incident mystérieux et inattendu vint tirer le président d'embarras : quelqu'un lança une bombe lacrymogène tout près de l'endroit où était assis Campbell, devant la loge de Selke plus précisément.

Studios David Bi

Dans son arrogance, Clarence Campbell, avait décidé d'assister quand même à la partie. Il était accompagné, le brave, de trois secrétaires dont sa future épouse, qui ne partageait pas le calme de son patron.

Studios David Bie

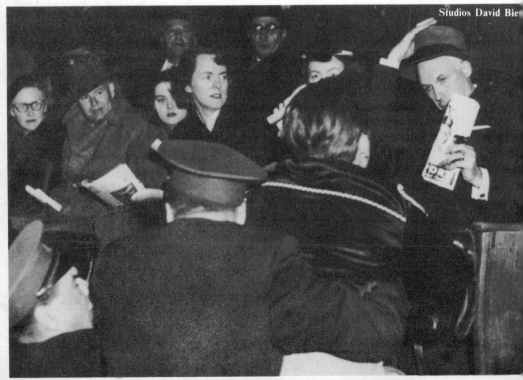

Un jeune homme tente de faire un mauvais parti à Campbell.

Dire que cela eut l'effet d'une bombe ne pourrait être plus vrai : en un clin d'œil, les sièges se vidèrent. Pleurant à chaudes larmes, mouchoir à la main, chacun quittait son siège. Dans le faîte du Forum, l'organiste qui n'avait pas encore été touché par les gaz, entonnait : « Elle pleurait comme une Madeleine » . . .

Pendant ce temps, l'annonceur officiel du Forum, Jacques Bélanger, demandait à la foule de quitter les lieux calmement, sans panique. Il y réussit car ce fut une retraite passablement ordonnée. Il reprit le micro pour annoncer que la partie avait été annulée par le directeur du Service des Incendies, M. Raymond E. Paré.

La victoire était concédée aux Red Wings de Détroit, au décompte de 4 à 1, marque enregistrée après une période de jeu . . .

Qui avait lancé cette bombe ? Qui avait intérêt à arrêter cette partie ? Certainement pas les partisans du Canadien. Une rumeur circulait dans la foule voulant que ce soit l'un des nombreux policiers dépêchés sur les lieux. Un des détectives attaché à la protection de Campbell, réalisant sans doute que la situation devenait difficile à contrôler, aurait décidé d'utiliser ce stratagème pour tirer Campbell de l'impasse.

L'inspecteur W.T. Minogue, qui dirigeait le groupe des quelque 150 policiers et détectives présents sur les lieux, qualifia cette rumeur d'entièrement fausse : « La chose est absolument impossible parce qu'aucun de nos agents n'avait de bombe (lacrymogène) en sa possession. Nous n'en possédons d'ailleurs aucune », déclara-t-il.

Même démentie, cette hypothèse demeure la plus plausible, étant donné qu'un journaliste rapporta qu'une auto de police était stationnée près du Forum, avec une cargaison de bombes lacrymogènes en cas de besoin. De plus, M. Vince Scully, de William Scully Ltd., déclara que cette bombe de modèle américain avait été vendue par sa compagnie en 1941. « Elle a pu être vendue à la police fédérale, provinciale ou municipale », dit-il. Et afin de ne mettre personne dans l'embarras, il ajouta : « Mais les dossiers de la compagnie qui remontent jusqu'en 1940 ne spécifient pas à qui fut vendue la bombe en question. »

Il est évident que les autorités policières ne voulaient pas être tenues pour responsables d'avoir lancé cette bombe et ainsi contribuer à arrêter la partie. Il est certain, de toute façon, que M. Paré ne l'avait pas annulée sans raison valable. Quoi qu'il en soit, ce point demeurera toujours obscur.

On sait que, la veille, le Rocket avait appris la nouvelle de sa suspension en fin d'après-midi. Son téléphone, même s'il avait un numéro non répertorié, n'arrêtait pas de sonner. C'était tantôt un parent ou un ami qui voulait l'encourager, tantôt un autre ami qui voulait pousser l'affaire plus loin, ou encore faire un mauvais parti à Campbell. Il dut en dissuader plusieurs qui étaient bien décidés à passer aux actes.

Pendant toute la journée du jeudi, il réfléchit longuement à toute l'affaire et en discuta de long en large avec Lucille. Il se demandait s'il ne devrait pas quitter la ville pour quelque temps. Après avoir pesé le pour et le contre, il décida qu'il se devait d'aller appuyer ses coéquipiers par sa présence.

Lorsqu'il arriva au Forum la foule le reconnut et l'acclama : « Vive Maurice ! », « Vive le Rocket ! », criait-on de toutes parts. Cette sympathie des siens le réconforta. Il en avait bien besoin.

Maurice prit une chaise et s'assit près de la patinoire, derrière le filet de Terry Sawchuck. Il était en compagnie du Dr Gordon Young. Quant à Lucille, elle prit son siège habituel.

Comme tout le monde, Richard vit Campbell arriver, puis se faire harceler. Le Rocket admit qu'au début ça le payait un peu de retour pour ce que Campbell lui faisait souffrir. Mais il se rendit vite compte que ça pouvait mal tourner et ne voulait pas qu'il soit molesté pour autant.

Il avait convenu avec Lucille de se retrouver à la clinique du Forum, en cas d'urgence. Lorsque la bombe éclata, il lui fit signe et sa femme quitta immédiatement son siège.

Quant il arriva à la clinique, Lucille y était déjà. Mais quelle ne fut pas sa surprise de se trouver face à face avec Campbell !

En effet, l'affolement créé par la bombe avait détourné l'attention de la foule de celui-ci. Des policiers s'amenèrent et conduisirent prestement le président et sa secrétaire, Phillis King, à la clinique.

À la vue de Campbell, le sang du Rocket ne fit qu'un tour : à quelques pas de lui se trouvait la source de ses cauchemars. La tentation de pouvoir assouvir ce sentiment de frustration était là, présente, très forte, difficile à contenir... Le Rocket aurait aimé administrer une ou deux bonne taloches à ce « bonze guêtré ».

Le directeur de police, le chef Liggett, qui se trouvait là devina assez facilement les intentions de Maurice. Il lui dit : « Rocket, je ne veux même pas que tu lui parles. Tout le monde est de ton côté. Reste ici en attendant que la place se vide. »

Un peu plus tard, on fit sortir Campbell et sa secrétaire par une porte de côté. Maurice et Lucille restèrent jusqu'à ce que la clinique soit vide.

Dans le vestiaire des Canadiens, les joueurs étaient assis, comme hypnotisés. Ils attendaient qu'on annonce officiellement si la partie continuait ou non.

La tête basse, encore revêtus de leur uniforme, ces athlètes gardaient un silence étrange... qui contrastait avec le vacarme qui faisait rage à l'extérieur.

C'est alors que Frank Selke entra dans la chambre et annonça que le Canadien avait concédé la victoire au Détroit. « La joute est perdue et il n'y a rien à faire. Le Détroit est vainqueur. Rhabillez-vous. Nous venons de perdre la première position et peut-être le championnat, mais nous gagnerons la coupe Stanley. Je demande à tous les joueurs de ne faire aucune déclaration, car il y en a eu trop de faites jusqu'ici. Ne vous découragez pas, car nous devons remporter deux autres victoires : ici samedi contre les Rangers, et dimanche contre les Red Wings à Détroit », déclara un Selke déçu.

Il était facile de voir que ces mots n'atteignaient pas leur but, car jamais, même à la suite d'une défaite lors d'une partie décisive pour la coupe Stanley, les porte-couleurs du Canadien n'avaient semblé aussi abattus et découragés. L'instructeur Dick Irvin n'ajouta rien aux mots de son supérieur, mais alors qu'il ne semblait pas enclin au défaitisme avant l'arrivée du gérant général de l'équipe, il avait soudain les traits tirés, le visage crispé.

« Jamais dans toute l'histoire du hockey, une joute n'a été arrêtée et concédée à cause de la suspension d'un athlète. Je suis convaincu que le président Clarence Campbell devra déménager ses bureaux dans une autre ville que celles du circuit », commenta Irvin.

Entre-temps, les joueurs du Détroit riaient et se félicitaient. La phrase de Michelet ne peut décrire plus éloquemment la situation :

La bombe éclate et les gens commencent à évacuer le Forum.

Studios David Bier

« Dix milles hommes pleuraient... Quelques Anglais riaient ou tâchaient de rire... »

Un employé frappa et glissa par la porte entrebaillée un billet à Jack Adams.

Ce billet était écrit à l'encre et se lisait comme suit :

«À Jack Adams,
Gérant général du Détroit.

La partie a été maintenant concédée au Détroit. Permission vous est accordée de vous retirer avec votre club en tout temps à partir de ce moment. M. Selke accepte cette décision, car le Service des Incendies vient d'ordonner la fermeture de l'édifice.

C.S. Campbell
F.J. Selke. »

Cette nouvelle fut évidemment reçue avec des cris de joie de la part des joueurs et suivie d'un boniment à la Jack Adams qui démontrait tout son caractère de chevalier « sans reproche »...

Cette fois-ci, Jack y mit vraiment le paquet. Il attaqua Richard avec une violence inouïe. La haine qu'il nourrissait envers le Rocket était si profonde et si intense, qu'il « perdit complètement les pédales », tenant littéralement Richard responsable de ce qui venait de se passer.

«Je vous blâme, vous les gars, (journalistes) pour ce qui vient d'arriver. Vous avez fait de Richard une idole, un homme dont la seule suspension peut rendre des amateurs de hockey hystériques... Maintenant écoutez bien : Richard n'a rien d'un héros. Il a laissé tomber son équipe, il a laissé tomber le hockey, il a laissé tomber le public.

« Lorsque vous penserez à cela, au cours de l'été, vous reconnaîtrez que c'est moi qui ai raison. Je vous dis cela en toute sincérité. Cet homme n'est pas un héros. En ce moment, il me rend honteux d'être associé à ce sport.

« Je suis écœuré, profondément écœuré et humilié. J'ai contribué toute ma vie à bâtir notre sport national et voyez ce qui se passe.

« Je n'ai jamais rien vu de pareil. Cela ne se serait jamais produit à Détroit. »

Quel hypocrite personnage ! Qui pouvait gober de telles paroles ! Comment pouvait-il être honteux de Richard, alors que celui-ci n'était absolument pas responsable des événements de ce 17 mars. D'où venait cette haine démesurée envers Maurice Richard ? Complexe d'infériorité vis-à-vis d'un Canadien français ? Racisme ? Grandeur du Rocket ?

Enfin, ce M. Jack Adams fit figure de prophète de malheur pour la ville de Détroit, car quelques années plus tard, en 1967, la ville de l'automobile allait connaître une des pires émeutes de l'histoire des États-Unis... Les gens de Dublin auraient pu dire que l'émeute de Montréal était un « petit party » comparée à celle de Détroit. Et cette fois-ci, les morts imputés à l'émeute n'étaient pas le fait de fausses rumeurs. Là aussi c'était une question de race. Là aussi, un peuple minoritaire était faboué. La seule différence, c'est que c'était des nègres noirs, alors qu'à Montréal c'était des nègres blancs...

Quant à Maurice, qui était beaucoup plus grand que le simple sport qu'il personnifiait, comme l'écrivait Jerry Trudel, il ne s'était jamais pris pour un autre. Ces attaques à la Jack Adams lui faisaient mal... « Je n'ai jamais pensé que Maurice Richard était plus grand que le hockey, comme je l'ai entendu dire par certaines gens. En tout temps, je n'ai jamais eu autre chose que le bien du hockey dans mon for intérieur. »[1] Ces paroles, Maurice les avait confiées spontanément à Lou Bramson après l'émeute, pour le compte du magazine *Liberty.*

C'était la première fois, dans les annales de la Ligue nationale qu'une partie était ainsi arrêtée. C'était également la première fois qu'une victoire était concédée après seulement une période de jeu. Pourquoi ? Pourquoi ne pas avoir continué cette partie sans le public ?

La foule rassemblée devant les portes du Forum était d'avis qu'en voulant afficher une certaine bravoure Campbell l'avait provoquée. Il lui avait en quelque sorte lancé un défi.

Le désordre était toutefois loin d'être terminé. La rue Ste-Catherine était maintenant bondée de manifestants. Il y en avait partout ; sur le toit des autos, sur les cabines téléphoniques, sur les kiosques à journaux et jusque dans le parc Cabot en face du Forum.

Au début de la soirée, la foule moins nombreuse avait manifesté sans fracas son mécontentement devant la suspension du Rocket. L'atmosphère changea toutefois lorsque Campbell fit son entrée au Forum.

L'éclatement de la bombe déclencha les hostilités à l'extérieur. Les spectateurs sortaient du Forum furieux et en pleurant. Plusieurs

---

1. Bramson, Lou, *Liberty,* novembre 1955.

La manifestation prend de l'ampleur. On brûle Campbell en effigie.

Canada Wide (Montreal Star)

se mêlèrent à ceux qui avait déjà commencé à fracasser les fenêtres du Forum. Tout ce qui leur tombait sous la main devenait un projectile : cailloux, bouteilles, morceaux de glace, caoutchoucs pleuvaient sur le Forum. Une sorte de furie collective s'était emparée de la foule. La « mitraille » était si intense qu'à un certain moment la police dut faire sortir des spectateurs par les portes de côté. D'ailleurs, les portes centrales étaient pratiquement obstruées par l'amoncellement de « claques » et de débris de toute sortes.

La circulation sur la rue Sainte-Catherine était totalement interrompue. Autobus, tramways, autos étaient immobilisés aux alentours du Forum. Les passagers devaient se coucher par terre pour éviter d'être atteints par les bouteilles ou morceaux de glace qui volaient à travers les vitres.

Un caméraman vit son projecteur exploser sous le tir précis d'un manifestant sans doute peu photogénique, et s'en fut fait du reportage télévisé.

La situation était devenue incontrôlable, on renversait des kiosques à journaux, il y en eut même un qui flamba. Des automobiles furent tournées sens dessus dessous. Plusieurs manifestants et policiers furent blessés, mais aucun gravement.

Des policiers postés près des portes centrales du Forum contenaient la foule qui voulait l'envahir et scandait : « On veut Campbell ! »

Le long de la rue Closse, au nord de la rue Sainte-Catherine, un « panier à salade » attendait les plus audacieux ou ceux qui se faisaient prendre sur le fait.

À un certain moment, deux policiers saisirent un manifestant et l'entraînèrent dans une auto-patrouille. La foule se rua alors sur l'auto et l'enpêcha d'avancer. Quelqu'un ouvrit la portière et arracha le jeune homme des mains des policiers.

Il était environ minuit en ce soir de la Saint-Patrice lorsque le Rocket reçut un coup de téléphone de Selke, lui demandant de se rendre au Forum en vitesse et de monter sur une camion pour inciter la foule au calme. Maurice répliqua : « Ils vont me prendre sur leurs épaules et me transporter sur la rue Sainte-Catherine. Ça va seulement empirer les choses. »

Vers minuit et quart, les policiers marchèrent en rangs serrés sur les manifestants, les refoulant lentement vers l'est de la rue Sainte-Catherine.

Une fois la foule dispersée, la manifestation perdit rapidement de son ampleur. La majorité des gens regagnèrent leurs foyers. Des voyous, profitant de l'occasion, étendirent leur vandalisme entre les rues Atwater et Université, saccageant et pillant les vitrines des magasins et des bijouteries. Vers deux heures du matin, la Saint-Patrice était terminée.

L'événement fit évidemment les manchettes de tous les journaux d'Amérique et de plusieurs capitales européennes : Paris, Berlin, Dublin, Londres, etc.

Dublin y porta une attention toute particulière ; des éditorialistes firent remarquer que ça prenait des Canadiens français de Mont-

Canada Wide (Montreal Sta

La foule se presse devant le Forum.

La fureur s'empare de la foule. Les projectiles pleuvent sur le Forum. Les arrestations sont nombreuses.

Canada Wide (Montreal Star)

réal pour organiser le plus gros et le plus enlevant « party » de la Saint-Patrice que Dublin ait jamais vu !

Ils avaient sans aucun doute pris leurs nouvelles en Hollande où il fut rapporté que « vingt-sept personnes ont été tuées et une centaine d'autres blessées au cours de l'émeute ».

Londres était beaucoup moins enthousiaste : « Ce n'était pas très sportif, pas très fair-play. » Il fallait s'y attendre.

Le *New York Time,* dans un geste sans précédent, y consacra une analyse détaillée.

À Montréal, dans les journaux du 18 mars, c'était la pagaille. Une guerre à l'encre se livrait entre journaux anglophones et francophones.

Des deux côtés, on relatait les événements avec force détails, dénonçant les actes de vandalisme, de destruction et de pillage, dont les dommages s'élevaient à plus de 30 000 dollars. L'agence *Canadian Press* décrivit la situation comme étant « la pire manifestation jamais vue à Montréal depuis les émeutes anticonscriptionnistes qui ont marqué la dernière guerre ».

La presse anglaise blâmait le maire Drapeau pour ses déclarations, le travail de la police ou encore, comme le *Star,* les citoyens :

« Montréal est coupable d'instabilité émotive et d'indiscipline. Elle
ne peut pas se glorifier de ce qui s'est passé. De tout cela, il ne reste
que la honte . . . »

Comme vous le voyez, l'indignation de Jack Adams avait « fait des petits ». Quel culot ! C'est tout ce qu'on pouvait trouver comme explication lorsqu'on ne voulait pas voir la réalité en face ! Des gens se révoltaient contre une injustice et contre cet homme, Campbell, qui les provoquait et se moquait d'eux ouvertement, et on qualifiait leur réaction « d'instabilité émotive et d'indiscipline ». Les racines du colonialisme atteignaient des profondeurs insoupçonnées !

Pourtant ce même journal reconnaissait l'erreur de Campbell : « *N.H.L. President's Ruling Setts Off Time Bomb* » (Le jugement du président de la L.N.H. déclenche une « bombe à retardement ») »

La majorité des chroniqueurs sportifs anglophones abondaient dans le même sens. Comme le grand-prêtre Adams, ils déchiraient eux aussi leur robe sous le coup de l'indignation. Dink Carroll, du journal *The Gazette,* déclara : « J'ai honte de ma ville. » Heureusement que le très coloré Frank Hanley, conseiller municipal, équilibra

quelque peu « cette instabilité émotive » des siens en répliquant :
« Je n'ai pas honte ! »

Par contre, d'autres journalistes, comme Red Fisher, exagéraient les faits pour nourrir cette indignation chez la population anglophone : «*Prior to the « bombing », Campbell had been slapped and punched by several fans* (Avant le « bombardement » Campbell avait été *giflé et frappé* par *plusieurs* amateurs) »

D'abord, « bombing » était un peu fort et il était inexact que Campbell ait été attaqué par plusieurs amateurs. On sait qu'un seul individu avait tenté de gifler le président.

Des chroniqueurs aussi impartiaux que Elmer Ferguson et Baz O'Meara trouvèrent *admirable* le courage de Campbell, même s'ils admettaient que sa présence était une erreur de jugement (une autre) et qu'elle avait provoqué l'émeute. O'Meara écrivit :

> « On peut s'interroger sur la justesse de sa décision, mais on ne peut mettre en doute le courage dont il a fait preuve en affrontant cette foule qui le méprisait, en courant virtuellement le risque d'être blessé, en aidant *peut-être* à déclencher une des scènes les plus dégoûtantes de l'histoire du sport à travers le monde. »

Pourquoi ce « peut-être » ? O'Meara lui-même admettait qu'il ne s'était rien passé avant l'arrivée de Campbell :

> « La foule dans le hall (du Forum), les centaines de gens qui étaient à l'extérieur et les milliers de personnes qui se trouvaient dans le stade étaient d'humeur belliqueuse avant le début de la partie, mais ils ne manifestèrent pas à l'intérieur du stade au cours des premières minutes de la partie jusqu'à l'arrivée de Campbell accompagné de sa secrétaire, dix minutes après le début du match. »

Elmer Ferguson chantait le même air :

> « On peut ne pas être d'accord avec sa décision, mais on ne peut s'empêcher d'admirer le superbe courage de Clarence Campbell. (. . .)
> « Voici un homme qui faisait face à deux extrêmes. S'il ne s'était pas présenté à la partie, il aurait été jugé comme un lâche par ses détracteurs. En se présentant il provoquait l'émeute. Alors, il y alla. Il courut le risque de se faire blesser et il en sortit tel un « gentleman » que vous ne pouvez vous empêcher d'admirer. »

Il est inconcevable qu'un individu aussi pondéré que M. Elmer Ferguson ait trouvé « admirable » le comportement d'un individu, alors qu'il admettait que ce même individu avait incité une foule à l'émeute.

La présence de Campbell au Forum était beaucoup plus un geste inconsidéré, provocateur et stupide qu'un acte de bravoure. Comment peut-on admirer un tel geste ? Cela dépasse l'entendement.

Comme l'a mentionné E. Ferguson, cette « bravoure » du président n'avait d'autre but que de sauver la face. C'est ce qu'il a d'ailleurs lui-même confirmé à toute la population canadienne, le soir du 24 mars, dans une conférence de presse télévisée.

Voici les commentaires de Phil Séguin, dans sa chronique « Les Sports à la Phil » :

> « Plusieurs de nos confrères de langue anglaise ont vanté la « bravoure » de Clarence Campbell parce qu'il a affronté une foule hostile de 15 000 personnes après avoir suspendu Maurice Richard injustement, la semaine dernière, mais ils seront peut-être portés à changer d'idée après la conférence de presse à laquelle le président de la Ligue nationale a participé à la télévision jeudi soir.
>
> « Campbell, le brave, a craint cette fois de revenir sur le sujet et d'expliquer les raisons qui avaient motivé la suspension de Richard. Il a refusé de discuter de sa décision qui a peut-être privé les Canadiens du championnat, le donnant virtuellement sur un plateau aux Red Wings de Détroit. Si Campbell était courageux en bravant la foule irritée des partisans des Canadiens, il aurait dû l'être aussi lorsqu'il a fait face aux questions des quatre journalistes à la télévision. Plutôt que d'expliquer le pourquoi de son jugement dans l'affaire Richard-Laycoe-Thompson, Campbell a préféré critiquer la police et l'administration municipale de Montréal, parce qu'il s'était produit une émeute, dont il était lui-même le grand responsable.
>
> « Campbell a blâmé tout le monde, excepté lui-même, il a manqué de politesse en oubliant d'ajouter « Monsieur » devant le nom de Maurice Richard, quand il accordait cette courtoisie à tous les autres concernés, Laycoe, les arbitres, etc., dans sa conférence de presse.
>
> « Il a refusé carrément au début de l'entrevue de discuter de la bagarre de Boston. Craignait-il de se voir poser des questions auxquelles il n'aurait pu répondre franchement sans prouver que son jugement avait été injuste ?
>
> « Il aurait été préférable pour Campbell, s'il ne voulait plus parler de la suspension de Richard, de refuser de participer à ce programme de télévision qui n'a servi qu'à lui accorder une publicité personnelle et peut-être à soulever de nouveau l'ire des fervents du hockey de Montréal, qui commençaient à s'habituer un peu à l'absence de Richard dans l'alignement des Canadiens. »

La presse francophone, pour sa part, blâmait Campbell. Gérard Filion, rédacteur en chef du journal *Le Devoir,* écrivait :

> « Si Campbell avait été un Canadien français, il aurait été tué sur le champ. ! »

En première page du journal *La Presse,* on pouvait lire en manchette : DÉFI ET PROVOCATION DE CAMPBELL et en troisième page :

MONTRES DE CINQUANTE MAGASINS FRACASSÉES.

Cette première page était consacrée pratiquement en entier à cette manifestation. La visite de M. Dulles, le Secrétaire d'État américain, passa presque inaperçue.

Les sous-titres étaient nombreux et imagés : « Soirée et nuit turbulentes », « Manifestation rageuse et désordonnée à Montréal », « Vandalisme rue Sainte-Catherine », « Le président n'aurait pas dû aller au Forum ».

Sous ce dernier titre, le maire Jean Drapeau lança un appel à la population de Montréal. Il déplora, à la suite de la décision rendue par le président Campbell dans l'affaire Richard, les manifestations de violence qui s'étaient produites la veille. Selon lui, ce désordre, tout inexcusable qu'il était, avait été provoqué par la présence de M. Campbell, au Forum.

Voici le texte complet de la déclaration du maire Drapeau :

« Les événements d'hier soir sont regrettables. Nul plus que moi ne les déplore pour la bonne renommée de la Métropole. Il est malheureux que certaines circonstances se soient conjugées pour donner à la manifestation la tournure déplorable qu'elle n'aurait jamais dû prendre.

« Il était évident, bien avant la partie de hockey d'hier soir, que la décision de M. Campbell était d'une extrême impopularité, et l'on pouvait facilement prévoir une démonstration quelconque de la part de ceux qui allaient y assister.

« J'avais raison d'avoir confiance que la population manifesterait dans l'ordre, puisque ce n'est que sur la provocation causée par la présence de M. Clarence Campbell que les protestations ont pris une autre tournure.

LES INCIDENTS ONT SUIVI L'ARRIVÉE DE CAMPBELL

« Il eut donc été sage de la part de M. Campbell de s'abstenir de se rendre au Forum, surtout de ne pas annoncer publiquement, à l'avance, sa visite. Sa présence, en effet, pouvait être interprétée comme un véritable défi. C'est un fait que durant les dix premières minutes de la partie les choses se sont bien passées et ce n'est que lorsque M. Campbell s'est rendu à son siège, accompagné de sa secrétaire, qu'elles ont pris une tournure déplorable. En conséquence, je lui demanderais donc de ne pas assister à la partie de demain soir au Forum.

« Que penser de plus de la décision de M. Campbell à l'endroit de Maurice Richard en présence de l'erreur manifeste de jugement dont il

315

a fait preuve, en assistant hier soir à la partie en dépit d'avertissements répétés de gens sérieux ?

« Cependant, la provocation n'est jamais une excuse aux actes excessifs et je demande donc à la population d'être calme et de respecter la loi. J'ai chargé les avocats de voir aux mesures à prendre pour remédier d'une façon générale à la situation, et supprimer les causes qui l'ont amenée. »

Une guerre verbale s'engagea alors entre les autorités de la ville et le président de la L.N.H. M. Campbell trouva le moyen de critiquer vertement la déclaration du maire Drapeau, lui qui ne supportait pas la critique :

« Quel triste et étrange commentaire de la part du premier magistrat de notre ville, un homme qui s'est engagé, par serment, à faire respecter la loi, un homme qui est responsable de la protection des citoyens et de leurs biens par l'intermédiaire de la force policière.

« Le maire prétend-il que j'aurais dû me plier à l'intimidation de quelques voyous ? En tant que citoyen et président de la Ligue, c'était mon droit et mon devoir d'assister à la partie. Si le maire ou les autorités du Forum avaient quelques appréhensions à propos d'une situation qu'ils ne pourraient contrôler, ils n'avaient qu'à me demander de ne pas assister à la partie et je me serais fait un plaisir de me rendre à leur demande. »

Quel triste et étrange sire que ce Clarence Campbell ! Fallait-il qu'il ait « du front tout le tour de la tête » pour reporter la responsabilité de son geste stupide sur le maire de Montréal. Heureusement, le maire s'était bien acquitté de ses responsabilités et il n'y avait eu aucun mort, seulement quelques blessures superficielles.

Il ne faut quand même pas tout embrouiller, ce que s'efforçait de faire Me Campbell. Il est inacceptable qu'une entreprise privée, en l'occurence de L.N.H., mette la vie des citoyens en danger par l'attitude et les paroles de son président et tente de rendre le gouvernement municipal responsable de ladite protection des citoyens.

Les contribuables de la ville de Montréal n'avaient pas à payer la note qu'occasionnait le déplacement de 150 policiers pour assurer l'ordre au Forum. Il appartenait à la direction du Forum d'engager le personnel nécessaire pour maintenir l'ordre. D'ailleurs, les spectateurs ont droit à cette protection à partir du moment où ils payent leur billet d'entrée. Et si ladite entreprise privée, qui est à but purement lucratif, ne peut protéger adéquatement ses propres clients, il revient aux autorités de fermer cet établissement.

Dans le cas présent, M. le maire a agi avec la lucidité et la pondération qu'on lui connaît. Devant l'intérêt de la population pour cette joute de hockey, il pouvait difficilement condamner les portes du Forum, même si tous appréhendaient des troubles à cause de la présence de Campbell. Il a alors fait confiance aux autorités policiè-res qui ont admirablement agi dans les circonstances.

Même si Campbell était dans de beaux draps, cela n'excusait pas ses paroles malicieuses. Il déforma les faits lorsqu'il demanda s'il aurait dû se plier à l'intimidation de quelques voyous... C'était en fait toute une population qu'il défiait par son intention ferme et ren-due publique de se rendre à la partie. De plus, c'était peut-être son droit d'y assister, mais c'était également celui de toute une popula-tion. Quant à son devoir, M. Campbell voulait-il nous faire croire qu'il devait assister à toutes les joutes de la L.N.H. ?

Il osait même prétendre qu'il se serait fait un plaisir de se rendre à la demande des autorités de la ville ou du Forum, alors que quel-ques lignes plus haut il affirmait que c'était « son devoir » d'être pré-sent.

Le comportement du président de la L.N.H. était contradictoire à plus d'un point de vue. Avant la partie de ce jeudi soir, il avait dé-claré aux journalistes : « Je n'ai pas demandé la protection de la po-lice et je n'en ai pas besoin. » Mais durant cette même journée, il leur téléphona pour demander qu'on le protège. Pourtant, certains journalistes anglophones blâmèrent la police pour ne pas l'avoir suffisamment protégé au cours de l'émeute.

De toute façon, le maire Drapeau affirma qu'un officier supé-rieur avait prié M. Campbell de ne pas se présenter à la joute. De plus, toute une population, des journalistes, des policiers, etc., lui avaient demandé ou suggéré, durant toute cette journée du jeudi 17 mars, par l'entremise de la radio, des journaux ou du téléphone, de ne pas se rendre au Forum.

Ainsi, l'inspecteur adjoint Boyle, du poste 10 de Montréal, décla-ra : « Si Campbell se rend à la partie, il y aura du trouble. »

Même lui, Campbell, s'attendait à quelque chose. Il ne fallait pas être sorcier... Il confia au *Montreal Star* le lendemain « qu'il s'attendait à une démonstration, suite à la suspension du Rocket, mais que les événements de la veille le renversaient ». Quelle can-deur ! Encore là, il faussa la situation. Il n'osa pas dire « suite à ma présence au Forum »...

Qu'est-ce que Campbell voulait de plus ? Une lettre officielle ? Les autorités de la ville de Montréal pouvaient difficilement faire plus, car elles se trouvaient devant un dilemme.

La population anglophone, pro ou anti-Campbell, exprimait en général une même réserve : « De quel droit les autorités municipales peuvent-elles empêcher Campbell d'aller à la joute ? » Et, de fait, les autorités ne pouvaient que lui demander ou lui suggérer de ne pas y aller et non pas l'exiger.

Par contre, après les faits, plusieurs anglophones pensèrent comme Baz O'Meara « qu'il était regrettable que ces derniers (les autorités policières) ne lui en aient pas fait la demande. » Donc, d'un côté comme de l'autre, on blâmait la Ville...

En définitive, le maire Drapeau avait agi avec tact et seul Campbell, avec son jugement, pouvait prendre « sa décision ». La crainte de passer pour un lâche a été plus forte que son jugement... Vous connaissez la suite.

Après sa dernière mise au point, M. Drapeau ne répondit plus aux attaques de Campbell. Plusieurs conseillers municipaux se ruèrent dans la mêlée et s'en chargèrent à sa place.

« M. Campbell est totalement responsable de la bagarre de jeudi soir ainsi que des dégâts causés », déclara M. J. René Ouimet, membre du Comité exécutif de la ville de Montréal.

Le conseiller Adéodat Crompt allait beaucoup plus loin. Il voulait émettre un mandat d'arrestation contre Campbell : « J'ai consulté deux avocats et je leur ai demandé si des procédures peuvent être prises contre Campbell, selon la charte de la Ville. Il a provoqué non seulement les amateurs de hockey, mais toute la population de Montréal. Il n'aurait pas dû se présenter à la partie. S'il n'avait pas été là, les gens n'auraient pas manifesté aussi violemment qu'ils l'ont fait. »

Quant au rôle de la police, le directeur adjoint Alfred Bélanger, qui avait dirigé les opérations, déclara ce qui suit :

« La situation se rattachait plus ou moins à l'émeute. Il ne s'agissait pas de troubles politiques ou ouvriers, mais d'une joute de hockey. Ce n'était pas des émeutiers ou des anarchistes appuyés par quelques sympathisants, mais toute une population en colère autour d'un incident sportif. »

M. Bélanger expliqua ensuite ce qui s'était passé la veille aux quartiers généraux. Après avoir étudié la situation et en avoir déterminé les grandes lignes, les autorités policières avaient décidé d'adopter la ligne de conduite suivante :

« Nous avons décidé de protéger avant tout la vie des milliers de citoyens présents.

« Et nos ordres ont été donnés en conséquence : pas de brutalité, mais manœuvrer pour isoler les groupes de manifestants tout en tentant de prévenir les blessures graves. »

Maintenant M. Bélanger respirait plus à l'aise :

« Je crois que notre politique a eu du bon. Voyez, aucun mort et aucune blessure grave. »

Les réactions étaient donc plus diverses et plus imprévues les unes que les autres. M. Léon Balcer, député progressiste-conservateur à Ottawa, tenta vainement de soulever à la Chambre des communes la question de la suspension de Maurice Richard. M. René Beaudoin, président de la Chambre, le rappela à l'ordre, soutenant qu'il n'avait pas le droit de soulever ce point en invoquant une « question de privilège ». Les députés libéraux se mirent à réclamer l'ordre à grands cris !

Deux semaines plus tard, le journal *Parlons Sport* présenta une analyse détaillée de l'affaire Richard-Campbell. Tout le numéro y fut consacré et fut coiffé de ce titre : TOUTE LA VÉRITÉ SUR LE JUGEMENT DE CAMPBELL CONTRE LE ROCKET !

En sous-titre et en très gros caractères, on pouvait lire : « Le Canadien trahi ou vendu par sa propre direction ». À cette interrogation légitime, on connaît maintenant la réponse.

L'article suivant intitulé : UNE INSULTE À LA RACE CANADIENNE FRANÇAISE, mérite qu'on s'y arrête :

« Un anti-Canadien français acharné, Clarence Campbell, s'est donné comme mission de détruire l'organisation du Canadien qui, pourtant, paie les plus forts montants à la Ligue en vertu de ses salles combles. Mais Campbell, qui n'avait probablement pas rencontré de Canadiens français dans les bureaux légaux de l'Armée, puisque la plupart de nos compatriotes, eux, étaient au front comme simples soldats et pâture à canon, est fermement résolu à les embêter et à les faire enrager le plus souvent possible.

« Quoi de plus facile pour atteindre son but que de s'attaquer continuellement à la plus grande idole du Canada français, Maurice Richard ? Et Clarence n'y est pas allé de main morte. Il a constamment avili et sali Richard, il l'a traîné chaque année dans son beau bureau luxueux, payé avec les amendes du Rocket, pour l'humilier et le ternir. Il lui a flanqué amende sur amende (au montant de 2 500 dollars) en plus de 2 000 dollars qu'il vient probablement de lui faire perdre pour le championnat des compteurs, *il n'a jamais voulu une seule fois lui donner raison. C'est toujours Richard qui a eu tort, c'est toujours Richard qui a payé, c'est toujours Richard qui a été coupable ;* les autres, c'étaient tous des anges déguisés en joueurs de hockey. Quand les nullités comme Ezinicky, Leswick, Kullman et Laycoe se sont attaqués à Richard, c'est Richard qui a été puni. C'était toujours le mouton noir, le baudet sur lequel il fallait crier haro.

« Richard a été littéralement flagellé en public par Campbell depuis le début de sa carrière et il a quand même réussi à devenir le plus grand joueur de hockey de tous les temps et Campbell est en même temps devenu le « cave » du siècle. »[1]

Il était à peu près temps que cette situation soit dénoncée.

En page 14, des avocats montréalais donnaient un avis juridique sur le jugement Campbell. Le titre, toujours en gros caractères, se lisait omme suit : SI MAURICE RICHARD AVAIT TUÉ LAYCOE, IL AURAIT ÉTÉ ACQUITTÉ.

Titre surprenant, direz-vous ! Moins qu'on pourrait le croire à première vue : Dans tous les pays de l'Empire britannique, le code est assez clair dans les cas de provocation :

« L'accusé sera acquitté si la provocation est telle qu'il perd son sang-froid. C'est écrit dans le code en termes plus ou moins compliqués. »

Après avoir élaboré davantage cette question, le journal concluait :

« Bref, les avocats qui s'y connaissent rejettent le jugement de Campbell.

« . . . Clarence Campbell aurait dû se contenter de suspendre Richard au début de la prochaine saison. C'est mathématique et simple, mais comment voulez-vous qu'un homme de la trempe de Clarence Campbell puisse prendre toutes ces choses en considération ? Il n'a pas même *médité deux heures* avant de se prononcer ! »

Plus loin, on expliquait que Campbell prenait sa revanche sur le Rocket parce que celui-ci avait porté des accusations contre lui dans sa chronique « Le Tour du Chapeau. »

Cette page était titrée : VENGEANCE PERSONNELLE DE CAMPBELL CONTRE LE « ROCKET » JOURNALISTE :

« . . . Il y a un an, Clarence Campbell accomplissait la première

1. *Parlons Sports,* 26 mars 1955.

étape de sa campagne de vengeance envers Maurice Richard : il lui enlevait sa plume. La semaine dernière, il savourait un triomphe total, catégorique : il enlevait au Rocket son uniforme. »

Le dernier article était écrit par M. Marc Thibeault, fondateur de *Parlons Sports*. Homme pondéré, M. Thibeault fit d'abord remarquer qu'il déplorait le fanatisme manifesté par certains envers le président Campbell parce qu'il était de descendance anglaise, mais il était forcé d'admettre que sa dernière décision ne valait pas grand'chose :

« Me Campbell est allé aussi loin que le geste, certes regrettable mais à demi-compréhensible de Richard ! Si Richard avait l'excuse d'avoir été provoqué brutalement et physiquement, Me Campbell, lui, ne peut se servir de cette excuse. (. . .)

« Il y a une autre chose, aussi et surtout, que nous déplorons à propos du verdict de Me Campbell qui s'est conduit en *bourreau plutôt qu'en juge* — et il y a certes une marge entre les deux fonctions. Et c'est que son jugement sert surtout à cacher et protéger l'incompétence d'arbitres tels que Frank Udvari et la médiocrité de joueurs tels que Laycoe, Baily, Ezinicki, Murphy et ainsi de suite. Des nullités de notre sport national sont indirectement protégées aux dépens du plus grand joueur de hockey de tous les temps, d'une vedette extraordinairement commerciale et qui a rempli les coffres de tous les amphithéâtres de la Ligue autrement mieux que les piètres joueurs que nous avons nommés. (. . .)

«Lorsque Me Campbell, enfin, ordonne à ses arbitres, dix ans en retard, de sévir contre toutes les infractions commises, au lieu d'en laisser passer 50%, on a eu enfin la joie de voir du véritable hockey et de voir le grand as et le grand champion qu'est Richard compter et jouer de l'admirable façon qui est sienne et qui lui est magnifiquement exclusive. »

M. Thibeault s'attacha ensuite à démontrer que l'explosion de Richard, même si elle n'était pas complètement excusable, était due au fait que les arbitres ne sévissaient pas contre toutes les infractions commises contre le Rocket. Toujours la même vieille histoire, en fait.

Enfin, M. Thibeault concluait son analyse par un point particulièrement pertinent :

« . . . Le plus amusant, c'est que les amateurs de Détroit, Boston, Toronto, une fois apaisés dans leur compréhensible fanatisme à l'égard de leurs propres clubs, seront les premiers, en voyant leur équipe peut-être battre les Canadiens sans Richard, à admettre que leur club n'a pas battu les Canadiens , car le Tricolore sans Richard n'est plus notre équipe. (. . .)

« Toute une nationalité, tout un peuple et presque tout un pays ont déjà, Me Campbell, renversé votre jugement. »

La revue sportive *Les Sports* très populaire à l'époque, se prononça sur l'affaire Laycoe-Richard-Campbell en réclamant avec force la tête de Clarence Campbell. Armand Lachance intitula son article : DEHORS CAMPBELL, DEHORS ! ! !

> « . . . Que prouve l'incident Laycoe-Richard ? Une seule chose ; la trop grande tolérance qui existe dans la *N.H.L.* envers ces tueurs en puissance qui n'ont rien d'autre à faire que de se promener sur la glace le bâton en l'air, en quête de victimes. Laycoe est un de ceux-là et la riposte de Richard en ce qui concerne le joueur bostonnais est parfaitement justifiée, quoi que puissent en dire les journaux torontois qui n'ont pourtant aucune raison de prendre des airs de sainte nitouche. Si Campbell avait les capacités voulues, il aurait depuis longtemps mis fin au carnage qui existe dans son circuit, depuis que les « anges » de Connie Smythe ont décidé, il y a de cela plusieurs années, que les parties étaient plus faciles à gagner avec des haches qu'avec des hockeys.[1]

Pour la première fois, la presse sportive francophone dénonçait on ne peut plus vigoureusement et unanimement cette injustice de Clarence Campbell et son incapacité à résoudre adéquatement certains problèmes.

À l'extérieur de Montréal, les réactions étaient tout aussi vives. La presse d'expression anglaise admirait le courage de Campbell et trouvait que Maurice avait mérité ce qui lui arrivait.

Quant aux journalistes de Toronto, ils y mirent le paquet : à part quelques hypocrites louanges adressées au Rocket, ils le trouvèrent tous coupable, de même que la population de Montréal, son maire, sa police ; tous avaient eu tort, excepté, on l'a deviné, l'illustre Clarence.

Ils reprirent les mêmes vieilles rengaines que Jack Adams et Connie Smythe leur refilaient si gracieusement : pour sa part, Jim Vipond, rédacteur sportif en chef du *Globe and Mail,* avait bien appris sa leçon. Il reprit le thème à la façon d'Adams et Smythe : « Campbell, qui s'était lui-même mis les pieds dans les plats, a agi *rapidement et sagement,* mais a encore imposé la sentence minimum. Il est temps que Richard, un joueur peu ordinaire, apprenne qu'il n'est pas plus important que le hockey. » Agressivité ? Manque d'imagination ?

---

1. *Les Sports,* avril 1955.

Rex Mac Leod et Gord Walker abondaient dans le même sens que leur patron.

W.R. Wheattey, du même journal, exagérait les faits : « *Campbell was slapped, punched and cursed by the fans, who crowded around his seat at the intermission.* (Campbell fut giflé, frappé et abreuvé d'injures par les partisans qui l'entourèrent au cours de la pause) ».

Des injures, il en a sûrement reçues plus qu'il pouvait en comprendre, étant donné l'esprit gaulois des Canadiens français. Mais personne ne toucha au président.

Pour Milt Dunnel, du *Toronto Star,* les gens de Montréal n'étaient que des fanatiques, et ce n'était pas la première fois qu'il utilisait ce terme à leur endroit :

> « La direction des Habitants elle-même pensait que la tension se serait dissipée si Campbell ne s'était pas présenté. Par contre, les fanatiques de Montréal ne lui ont pas laissé le choix. Il devait se présenter au Forum, afin de garder sa dignité.
>
> « Maintenant, la Ligue doit être convaincue qu'elle devrait installer ses quartiers généraux dans une autre ville que Montréal. La ville est trop petite dans sa façon de voir les choses, c'est-à-dire que ce qui s'est passé à Montréal hier soir arrive seulement dans des villages de campagne »

Quelle suffisance ! En premier lieu, s'il était plus important pour la population anglophone que M. Campbell conserve sa dignité plutôt que d'éviter une émeute, il est bien évident que sauver la face était plus important que de sauver une vie peut-être... surtout quand ce n'était pas la sienne. Cette « valeur impérialiste » a d'ailleurs entraîné la mort violente de millions d'individus, au cours de ce seul siècle. M. Campbell pouvait remercier du fond du cœur les policiers qui avaient agi de façon à éviter tout accident fatal.

En second lieu, il fallait que M. Dunnel fût profondément raciste pour accuser toute une population de fanatisme et de petitesse. De plus, les Montréalais n'auraient sûrement pas pleuré très longtemps le départ de M. Campbell pour des cieux plus cléments...

L'éditorial du *Toronto Star* reprenait les arguments de Dunnel et les présentait avec plus de force encore. Comme à l'accoutumée, on eut droit au couplet sur le « British fair-play ». En voici un bref extrait :

> « L'attaque de la population contre Clarence Campbell était plus qu'une démonstration contre un officiel impopulaire. Il s'agissait d'une

attaque contre l'autorité constituée, contre la justice et le fair-play, les fondements mêmes de notre civilisation.

« M. Campbell avait imposé une punition rigoureuse à un joueur trouvé maintes fois coupable de scènes violentes sur la glace, conduite qui, sur le trottoir, entraînerait probablement une sentence d'emprisonnement. Mais au Québec, Rocket Richard est une idole qui, aux yeux de ses adorateurs, ne peut jamais se tromper. Si un joueur ordinaire avait reçu la même punition pour la même offense, un tel vacarme n'aurait pas été entendu.

« Comment peut-on expliquer que les amateurs de hockey aient été jusqu'à adopter cette attitude honteuse. Une réponse juste, croyons-nous est que M. Campbell attendit trop longtemps avant de mettre un terme au genre de conduite popularisée par Richard. La sauvagerie de la populace montréalaise est le résultat logique du jeu malpropre qu'on a toléré ou bien légèrement puni sur la glace. Pour cette raison, les propriétaires de clubs sont aussi à blâmer. Ils n'ont pas voulu seconder Campbell en tolérant les désordres, craignant de voir l'assistance diminuer si les punitions étaient trop sévères. »

Quant à Ted Reeves, du journal *The Telegram,* il n'en était pas à ses premières attaques contre les francophones :

« Pour nous, le seul aspect intéressant de toute cette affaire est l'attitude du *colonel* Clarence Campbell. Il fit son devoir, tel qu'il le concevait et selon sa conscience, il se présenta carrément à la partie et fit face aux insultes des imbéciles, tel un « gentleman ».

« Malheureusement, sa plus grande vedette semble être en quelque sorte un individu *violent* et une *tête enflée*. Au lieu de se montrer humble vis-à-vis de ses talents comme devrait l'être tout homme fort, monsieur Richard, un joueur talentueux et puissant, semble croire que le monde entier est contre lui. »

Selon M. Reeves, la seule personne à avoir raison était évidemment l'ancien colonel Campbell. Toutes les autres étaient des imbéciles. Pour admirer ainsi un colonel, Ted avait probablement lui aussi, fait partie de l'armée et sûrement pas comme simple soldat !

Quant à son deuxième paragraphe, que vient-il faire dans cette trop superficielle analyse des causes de l'émeute ? M. Reeves jugeait, condamnait sans chercher à comprendre, utilisait les mots *blow-top* et *swollen head* à tort et à travers et, en fait, démontrait sa haine envers Richard et son ignorance de l'individu, de l'homme. Non, le monde entier n'était pas contre Richard, mais beaucoup de Canadiens anglais qui se considéraient comme le « nombril du monde » étaient contre lui.

Un autre échantillon de l'attitude lucide de certains Torontois vis-à-vis des fanatiques et des imbéciles de Montréal, venait de Don Cameron, annonceur à la Canadian Broadcasting Corporation, qui considérait que l'émeute était due au tempérament des Canadiens français et à « *une sorte de vénération d'un héros, chose que nous ne comprenons tout simplement pas à Toronto* ». On s'en doute.

Les Canadiens français n'en demandaient pas tant. Ils exigeaient seulement que leur héros soit respecté et traité avec justice. Pourquoi M. Cameron avait-il oublié d'inclure M. Campbell dans sa trop brève analyse ?

C'était à se demander s'il y avait quelqu'un à Toronto qui n'était pas anti-Richard, c'est-à-dire anti-Canadien français ! Peut-être bien Conny Smythe !

À Ottawa, l'éditorialiste du Droit affirmait carrément, pour sa part, que Richard avait été l'objet d'une provocation et que cela constituait des « circonstances atténuantes » en faveur du Rocket.

Il terminait son article comme ceci : « En somme, à feuilleter les journaux d'Ottawa, on a l'impression qu'il n'y a dans le monde que l'affaire Richard et les manifestations qu'elle a provoquées. Le reste du monde n'existe que peu ou très peu et M. Dulles... mais qui est-ce au juste, M. Dulles ?... »

Une réaction pour le moins surprenante fut celle du *New York Time*. Dans son édition du 19 mars, le *Time* consacra une page entière à la suspension de Maurice Richard et à la manifestation qui s'ensuivit. Le journal demeura très impartial, se contentant de relater les faits.

Par contre, Joseph C. Nichols, dans une rétrospective de la carrière du Rocket, lui rendit un vibrant hommage ; en voici quelques extraits. Nous en avons exclu les faits déjà connus. « *Rocket Is Symbol to His Followers* (Rocket est un symbole pour ses partisans) ». C'était ainsi qu'il titrait son article. En sous-titre : « *Richard, Ace Hockey Scorer, Is the Idol of French Canadians* (Richard, l'as des marqueurs au hockey, est l'idole des Canadiens français) ».

« Ils payeraient un dollar par tête, seulement pour le regarder pêcher.

« C'est probablement ainsi qu'on peut le mieux décrire toute l'admiration qu'éprouvent les amateurs de sport canadiens-français, dans la province de Québec, pour Maurice Richard !

« Il est pratiquement impossible pour les sportifs de ce pays de réaliser toute l'emprise de Richard — symboliquement surnommé le Rocket — sur ses compatriotes.

« Toujours férocement nationalistes, en dépit du fait qu'ils sont sujets de l'Empire britannique, les Canadiens français considèrent comme un surhomme leur fougueux ailier droit des Canadiens de Montréal.

« Il est leur symbole. Le fait qu'il soit aussi bon que le meilleur joueur de hockey qui ait jamais vécu contribue seulement à polir ce symbole qui brille d'un vif éclat.

« Les applaudissements qui sont le lot de Willie Mays, depuis qu'il excite le monde du baseball par ses performances magnifiques dans les séries mondiales, et les louanges qu'a reçues Dusty Rhodes pour son travail au bâton dans ces mêmes séries sont peu de choses comparativement aux joyeuses réactions des partisans de Montréal lorsque le Rocket est en orbite.

« Et, cette année, le Rocket a été en orbite à plusieurs reprises. Il a joué un peu plus de douze saisons avec les Canadiens et sa production totalise 422 buts. »

Il fit remarquer que cela représentait quelque cent buts de plus que le deuxième record établi par Nels Stewart, soit 324 buts.

Il ajoutait :

« Richard, toujours motivé par ce « désir brûlant » qui distingue les champions des autres joueurs, est conscient de l'estime chauvine que les supporteurs d'expression française ont pour lui. Il est fier de cette estime. »

Il résuma ensuite la carrière du Rocket et rappela que Conny Smythe offrit un jour aux Canadiens d'acheter les services du Rocket. Il conclut sa rétrospective comme suit :

« Inutile de dire que celui qui fait intrinsèquement partie de la culture canadienne-française, tant générale qu'athlétique, ne fut pas vendu à Toronto, cette citadelle britannique qui représente tout ce que les Canadiens français considèrent comme hostile à leurs intérêts nationaux.

« Maurice Richard avec ses 5 pieds et 10 pouces et ses 175 livres a fait oublier à Montréal le regretté Howie Morenz, idéal d'une autre époque. Les gens adorent « leur Rocket » et font une collecte pour lui lorsqu'il reçoit une amende. Ils lui achètent aussi des présents ou lui envoient de l'argent que le Rocket distribue à des œuvres de charité.

« Le Rocket est à l'aise et ne désire ni n'a besoin de ce genre de faveur. Tout ce qu'il veut, c'est pouvoir, par ses performances avec le Canadien, apporter la gloire *aux Habitants du Québec* »[1] (Ces quatre derniers mots étaient en français.)

---

1. Nichols, Joseph C., *New York Times,* 19 mars 1955.

Quel hommage ! Un Américain avait compris, et en outre par le biais d'un sport, ce que les Canadiens français ont tenté, mais en vain, de faire comprendre depuis près de deux siècles aux Canadiens anglais. Merci, M. Nichols !

Au lendemain de cette émeute, le calme était loin d'être complètement revenu dans la métropole. Les autorités municipales, comme les dirigeants du Forum, craignaient la répétition des scènes du jeudi, lorsque les Canadiens recevraient les Rangers le samedi soir.

Une rumeur circulait à l'effet que Campbell allait démissionner. Interrogé à ce sujet, Campbell déclara « qu'il n'avait aucune intention de démissionner et qu'au contraire, il avait été félicité par trois gouverneurs de la Ligue pour sa décision dans l'affaire Richard et pour avoir assisté à la partie... » C'est pas beau, ça ! Pauvre pantin ! Incapables de camoufler un peu leur bêtise, les trois « tireux de ficelles » Norris, Brown et Smythe le félicitaient de « sa » décision et aussi d'avoir « assisté à la partie » ! C'est inconcevable ! Cela confirme les hypothèses mentionnées auparavant !

On lui demanda s'il assisterait à la partie du samedi soir. Il refusa de répondre, prétextant que c'était aux dirigeants du Canadien et à la police de décider !

Invité à commenter l'émeute pour la presse francophone, Campbell refusa net. Mais il accepta de le faire pour la Presse canadienne : « *Personne n'est responsable.* Ce sont quelques irresponsables qui ont commencé et, par la suite, la situation est devenue incontrôlable. Les policiers ont su protéger adéquatement les amateurs et les officiels non concernés, mais ils n'avaient certainement aucune chance de prévenir ce qui est arrivé. »

Cher Clarence ! Il venait d'absoudre tout le monde, même les forces de police... et du même coup, il s'absolvait également.

De son côté, le Rocket ne voulut faire aucun commentaire. Avec son humour particulier, il lança : « C'est certainement pas le temps pour moi de déclarer quoi que ce soit... ça pourrait déclencher quelque chose ! »

Le vendredi 18 mars, Maurice rencontra quelques amis et associés afin de faire le point sur les derniers événements. C'est alors que l'un d'eux eut l'idée de lancer un appel au calme par l'intermédiaire de la radio et de la télévision. Maurice accepta parce que la réputation de sa ville avait été entachée, mais en même temps il était rempli d'amertume : « Je ne pouvais, en revanche, cacher à quel point j'étais déçu de la façon dont Campbell avait tout gâché, d'abord en me suspendant, puis en se rendant au Forum. (. . .) J'ai dit à mes concitoyens que j'avais mérité la punition. Je n'en croyais pas moins qu'elle avait été trop sévère comme je devais en faire part à des amis intimes. »

Le numéro 9 des Canadiens communiqua cette idée à son gérant général, Frank Selke, qui la trouva excellente. Il prit aussitôt les dispositions à cette fin.

À 19h.15, Maurice lançait son message en français et en anglais simultanément, dans tous les postes de radio et sur les chaînes anglaise et française de télévision de Radio-Canada. Voici ce communiqué :

> « Mes chers amis,
>
> « Parce que je joue toujours avec tant d'ardeur et que j'ai eu du trouble à Boston, j'ai été suspendu.
>
> « Je suis vraiment peiné de ne pouvoir m'aligner avec mes copains des Canadiens dans les séries de détail.
>
> « Je veux toutefois penser avant tout aux amateurs de Montréal et aux joueurs du Canadien, qui sont tous mes meilleurs amis.
>
> « Je viens donc demander aux amateurs de ne plus causer de trouble et je demande aussi à tous les partisans d'encourager les Canadiens pour qu'ils puissent l'emporter en fin de semaine contre les Rangers et le Détroit.
>
> « Nous pouvons encore nous assurer le championnat. J'accepte ma punition et je reviendrai la saison prochaine pour aider mon club et les jeunes joueurs des Canadiens à remporter la Coupe Stanley. Merci. »

Ce message eut le don de calmer Montréal immédiatement. Campbell aurait pu assister à la partie du samedi soir que rien ne se serait passé. Mais cette fois-ci, il ne se présenta pas. Pour une fois qu'il prenait une bonne décision, c'était au mauvais moment . . .

Ce n'était pas tellement ce qu'avait dit Maurice qui avait apaisé les esprits, mais la façon dont il avait parlé.

Le vestiaire des Canadiens avait été rapidement transformé en studio de télévision. Maurice était assis derrière un nombre impressionnant de micros, son chandail, le numéro 9, accroché derrière lui.

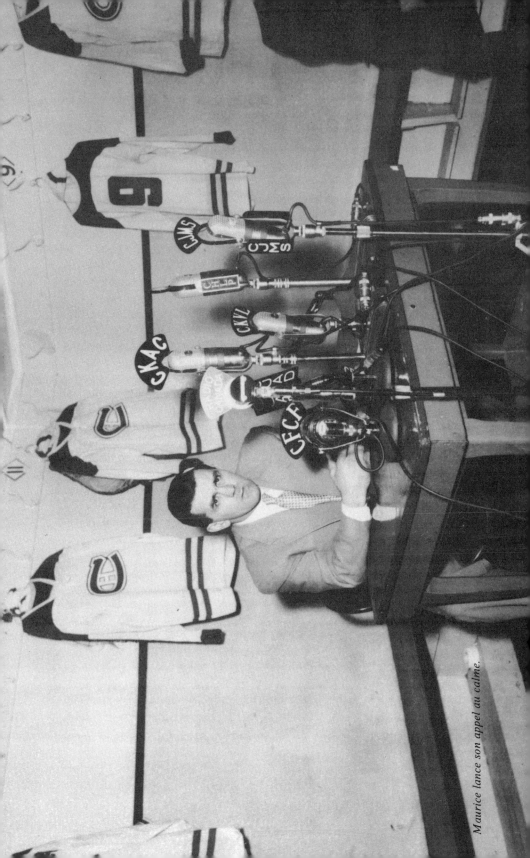

Maurice lance son appel au calme.

Il était là, accoudé à la table, blême et fatigué ... La voix plus grave qu'à l'accoutumée et parfois un peu rauque, il parla avec une sincérité qui ne laissait pas de doute.

Ce message pathétique ne fut pas ignoré. Maurice avait parlé ...

Tranquillement, le temps calma les esprits et, avec un peu de recul, plusieurs revues et journaux tentèrent d'y voir plus clair, de jeter un peu de lumière sur cette soirée de la Saint-Patrice.

Il est difficile de savoir si l'article de M. Nichols, du *Times* de New York, avait influencé certains de nos journalistes anglophones, mais des éléments nouveaux se profilèrent dans leurs analyses.

Le magazine *Maclean's,* par la voix de Sidney Katz, se demandait si l'émeute ne cachait pas une manifestation d'ordre racial : « Est-ce que les Québécois perçoivent Richard comme un chevalier moderne, capable de redresser les torts passés ? Est-ce que cette explosion ne dissimulait pas une émeute raciale ? »

Enfin, un anglophone se décidait à creuser ce problème un peu plus en profondeur. M. Katz venait de dire autre chose que ce que la majorité de ses concitoyens voulait entendre. En fait, il levait quelque peu le voile sur une situation évidente, mais que la majorité des Canadiens anglais ne voulait ni voir, ni entendre et ni comprendre.

Même si Maurice avait déclaré au *Maclean's :* « Sur glace, je ne pense qu'à une chose, compter des buts ! », selon M. Katz, il y avait beaucoup plus de choses que le hockey qui se trouvaient en jeu pour les partisans de Richard :

> « Ils ont toujours considéré Richard comme le défenseur de leur race. Plusieurs Canadiens *(Canadiens* était écrit en français dans le texte original) se croient victimes de discrimination sociale et victimes d'exploitation économique. Ils voient Richard comme un invincible héros qui abat ses persécuteurs. En s'identifiant profondément à lui, ils éprouvent, eux aussi, cette sensation de triomphe. »

À mon avis, M. Katz était tout près de la vérité. Toutefois, il se trompait passablement lorsqu'il écrivait que « plusieurs Canadiens se *croient* victimes de discrimination ... », au lieu de « sont victimes de discrimination ... » En écrivant de cette façon, M. Katz protégeait ses lecteurs qui n'auraient jamais pu supporter de faire face à cette réalité. M. Katz n'aurait eu alors d'autre alternative que d'aller écrire pour un journal de Tombouctou.

Mais on doit reconnaître que c'était bien la première fois qu'un anglophone osait suggérer que les Canadiens français étaient l'objet de discrimination, socialement et économiquement. Une chose est certaine, les Québécois d'origine française n'étaient pas victimes de leur imagination. La discrimination raciale qu'ils subissaient ne faisait aucun doute. C'était là une situation de fait qu'on retrouvait régulièrement un peu partout à travers le Québec. Ceux qui ne voulaient pas se rendre à cette évidence étaient ceux-là mêmes qui bénéficiaient de cette situation : les anglophones et certains arrivistes francophones.

Bien que dans cette « psychanalyse » des Canadiens français, M. Katz ait décrit de façon assez juste les sentiments intérieurs qui les tiraillaient, cela n'expliquait pas les *causes* de cette émeute, ce que M. Katz pensait démontrer.

S'il avait poursuivi son analyse, il n'aurait pu omettre de relever que, par cette profonde identification à leur héros Maurice Richard, les Canadiens français souffraient tout autant que lui de l'injuste décision de Campbell à son égard et ne pouvaient l'admettre. Pas plus qu'ils ne pouvaient admettre la provocation de Campbell par sa présence au Forum. Pour la première fois, ces Canadiens français s'insurgeaient contre ce symbole de domination anglophone que représentait M. Clarence Campbell. L'admission de ce point aurait forcé M. Katz à analyser également la responsabilité de celui-ci dans ce soulèvement populaire, ce qu'il n'a malheureusement pas fait. Il n'a même pas effleuré le sujet . . .

Au contraire, tout comme ses confrères torontois et montréalais, il était tombé dans la vieille rengaine de l'indignation : « Les Montréalais se réveillèrent honteux et abasourdis de leur emportemtnt émotif. » Et il répéta les phrases jumelles et déjà citées du *Montreal Star* et du *Toronto Star*.

Un autre journaliste et écrivain renommé, Hugh MacLennan, présenta une rétrospective plus approfondie de cette émeute, dans la revue *Saturday Night* du 9 avril 1955.

Dès le début de son article, M. MacLennan mêla habilement les cartes en déclarant qu'en somme le destin était la cause de toute l'affaire : « *that fate had planned the whole affair* » . . . Et il énuméra les divers ingrédients qui avaient déclenché l'explosion :

a) Ce soir-là, les Canadiens jouaient contre leurs plus grands rivaux, le club de Détroit.

b) Le championnat de la Ligue et le championnat des marqueurs étaient en jeu.

c) C'était à la fin d'une longue saison, alors que la population sortait à peine d'une épidémie de grippe.

d) De tous les joueurs, c'était Richard qui était suspendu au moment le plus crucial de cette épuisante saison.

e) Campbell fit son entrée au pire moment, alors que les quatre buts du Détroit avaient complètement démoralisé l'équipe locale.

f) De plus, cette émeute survenait à Montréal, où cet affrontement entre Richard et Campbell était taxé de « préjudice racial » par beaucoup de « gens excitables », ce qui, selon lui, n'était pas le cas.

Si l'on peut parfois affirmer que le destin joue un rôle prédominant dans certaines circonstances étranges et inexplicables, trop souvent hélas les hommes le tiennent responsable d'événements provoqués par la main de l'homme. C'était si commode... Dans le cas qui nous intéresse, MacLennan donnait un sérieux coup de main à ce destin...

Revoyons les ingrédients de cette recette pour émeute : ce n'était pas la première fois que le Canadien rencontrait Détroit à la fin de cette campagne ; il leur restait encore une partie à disputer. Ce n'était pas, non plus, la première fois que les championnats de la Ligue et des marqueurs étaient en jeu à la fin d'un saison. Mais c'était la première fois qu'un joueur était pénalisé avec une telle sévérité pour ce genre d'offense... et ce joueur était Richard ! D'autre part, tout était relativement calme avant l'arrivée de Campbell (dix minutes après le début de la joute) et le Détroit avait marqué non pas quatre buts mais un seul lorsque le président fit son entrée. Enfin, s'il y avait des « préjudices raciaux » contre Richard (M. MacLennan ne discuta pas cette assertion, il se contenta de la nier), il était inévitable que cette émeute se produisit à Montréal...

Alors, si on exclut la matière explosive de cette recette, soit la présence de Campbell au Forum, il n'y aurait pas eu d'émeute et le destin n'aurait pas été coupable...

M. MacLennan continua ensuite d'analyser les véritables causes de cette émeute. D'abord la violence, qui était encouragée par les propriétaires de la Ligue, par les gérants et par les instructeurs, afin de gagner plus d'argent (croyaient-ils) ou de remporter plus de parties. Et il citait comme exemple la phrase trop largement publicisée de Conny Smythe : « *If you can't lick them in the alley, you can't lick them in the rink* (Si vous ne pouvez les battre dans la ruelle, vous ne pouvez les battre sur la patinoire) ». De plus, cette violence était tolérée et aiguisée par une application inadéquate des règlements de la L.N.H.

Cette complicité du milieu du hockey à l'égard de la violence était donc directement responsable des affrontements, tel celui de Laycoe et de Richard à Boston. Voici le vibrant témoignage que M. MacLennan rendit à Richard à cet effet :

> « Maintenant, c'est un fait, *aucun* joueur de hockey n'a, plus que Maurice Richard, été victime de tactiques illégales. C'est un type de joueur que peu de Canadiens anglais comprennent. Il est de cette race très rare de champions qui sont aussi des artistes obsédés. Très latin, il aurait pu être facilement un grand matador s'il avait vu le jour en Espagne ; il a leur courage, leur grâce, leur intensité et leur mélancolique dignité. Lorsque vous lui parlez, vous avez l'impression qu'il a l'âge des montagnes et la vigueur d'un jeune garçon. Il est à la fois empreint de gentillesse et de férocité. Même parmi une foule, il est étrangement solitaire. Son regard est lointain et, dans le hockey, il a trouvé sa propre destinée.
>
> « Si on l'a vu exploser ainsi, c'est parce qu'on l'empêche continuellement de jouer au hockey aussi bien qu'il le pourrait, parce que les arbitres n'appliquent pas les règlements de façon adéquate. Tout grand joueur doit s'attendre à être surveillé de près. Mais depuis dix ans, le Rocket a été systématiquement harcelé par les instructeurs adverses qui savent par intuition que personne ne peut être plus abusé qu'un génie. Richard peut supporter toute rudesse qui survient naturellement dans ce jeu, mais après une soirée au cours de laquelle il a été railleusement « enfargé », cinglé, accroché, chargé et insulté par des joueurs médiocres, il est prêt à exploser. Sa rage est étrangement impersonnelle, une explosion contre la *frustration* elle-même. »

Plus loin, il faisait remarquer que, pour la première fois au cours de cette saison, les gens voyaient du hockey comme il devrait être joué parce que les autorités de la Ligue avaient ordonné aux arbitres d'appliquer les règlements à la lettre. Et il ajoutait : « *When the referees did their duty, it was noted that Richard was not a trouble-maker by nature*... (Quand les arbitres ont fait leur devoir, on a pu constater que Richard n'était pas, de par sa nature, un fomenteur de trouble . . .) »

Puis M. MacLennan boucla le cercle en déclarant :

« Ensuite survint cette bagarre à Boston. Les Canadiens étaient en léthargie ; cela faisait deux parties, en deux soirs, dont l'arbitrage était aberrant. Richard fut vicieusement coupé à la tête par un joueur de calibre inférieur et il devint fou furieux. *Délibérément* ou aveuglé par la rage et la douleur, il s'attaqua à un juge de ligne.

« Dans cette situation, Clarence Campbell ne pouvait faire rien de moins que de suspendre Richard pour la saison, même s'il savait que cela lui ferait perdre le championnat des marqueurs. S'il n'avait agi ainsi, il aurait dû abandonner toute autorité. »

Alors là, c'est à n'y rien comprendre ! M. MacLennan reconnaît que la violence était encouragée par les autorités de la L.N.H. Il reconnaît que Maurice Richard était le joueur le plus harcelé depuis dix ans. Il reconnaît que Richard était bousculé et insulté et que les règlements n'étaient pas appliqués adéquatement par les arbitres. Il reconnaît que, lorsque les règlements étaient appliqués, Richard n'était pas un fomenteur de trouble. Il reconnaît enfin que l'arbitrage avait été aberrant au cours des deux dernières parties précédant l'échauffourée de Boston et que Richard avait été vicieusement frappé à la tête. Alors, comment pouvait-il laisser supposer que Richard avait pu assaillir *délibérément* un juge de ligne dans ces conditions et surtout, comment pouvait-il conclure que, dans les circonstances, Campbell n'avait d'autre choix que de suspendre Richard pour *la saison* ? Cela est inacceptable !

D'abord, en déclarant que Richard était suspendu pour la saison, M. MacLennan, atténuait volontairement ou non, l'injuste sentence de Campbell et renseignait mal ses lecteurs. Il aurait dû ajouter « et les séries éliminatoires ». Cette petite omission représentait douze parties sur un total de quinze . . . Ensuite, si Monsieur Campbell devait se montrer injuste pour affirmer une autorité déjà inexistante, c'était là un fait plutôt désolant . . . De toute façon, « ce jugement » n'aura sûrement pas augmenté son autorité, bien au contraire.

Est-ce que M. MacLennan a soulevé la part de responsabilité de M. Campbell dans cette affaire ? Non ! Tout comme ses prédécesseurs, il n'a pas osé. Au contraire, il a blâmé la foule du Forum, la presse et les autorités de la ville pour avoir attaqué Campbell avec autant de violence. Et M. Campbell s'en est à nouveau tiré les mains blanches...

Cette obstination de la presse anglophone à ne pas reconnaître les torts du président de la L.N.H. dans cette affaire était inadmissible et agaçante. Pourtant, cette même presse avait reconnu que le président était responsable de la violence qui avait cours dans la Ligue. Elle avait aussi dénoncé la trop sévère sentence de Campbell envers Richard. Quelques journalistes anglophones avaient également dénoncé le manque de jugement manifesté par Campbell en se présentant à cette fameuse partie. Pourquoi avoir omis la participation de Campbell, alors que la logique même indiquait qu'il était un des principaux acteurs de ce drame ?

Ce qui est navrant, c'est que ces reportages biaisés étaient véhiculés à travers le Canada et souvent même les États-Unis. Il fallait donc s'y attarder pour les analyser.

Le reste de la saison et les séries éliminatoires se terminèrent dans une atmosphère assez morne : le Canadien gagna contre les Rangers mais perdit le championnat à Détroit. Dick Irvin, avec tout le mordant qu'on lui connaît, qualifia les Red Wings de « *Tear Gaz Champs* (Champions des gaz lacrymogènes) ».

Geoffrion, désireux de voir les siens remporter ce trophée Prince-de-Galles, y mit toute son ardeur et, ce faisant, remporta celui des marqueurs... battant Maurice par un point. Inutile de dire que cela brisa le cœur du Rocket.

Les Canadiens se ressaisirent dans la série semi-finale et ils éliminèrent le Boston en cinq parties.

Les journalistes de Boston étaient furieux contre Dick Irvin parce que, depuis le début de la série, ce dernier refusait de leur accorder des interviews. Irvin se rappelait leurs comptes rendus trop enflammés et trop partiaux et il ne voulait plus « que ses paroles soient mal interprétées », disait-il. Tout un homme, ce Dick Irvin !

C'était sa façon de manifester sa loyauté envers Maurice.

La série finale fut durement disputée. Il était évident que le Rocket manquait aux Canadiens. Détroit emporta la première partie par la marque de 4 à 2.

Irvin, amer, ne s'était pas encore remis de la suspension de son ailier droit. Après cette défaite, il n'était pas d'humeur à fraterniser. Le Canadien avait ses quartiers à l'hôtel Leland, à Détroit, pour ses deux premières parties.

La veille de la deuxième partie, Dick repéra le juge de ligne Babcock. Toujours d'humeur massacrante, il se dirigea rapidement vers ce dernier. On se rappelle que Babcock et Cliff Thomson étaient les juges de ligne du fiasco de Boston.

Battant 'l'air de ses bras, Irvin apostropha Babcock : « Hé, qu'est-ce que vous avez fait ? Vous trois, Udvari, Thompson et Babcock, avez persisté à dire que c'est Richard qui était en possession du disque lorsque l'affaire est arrivée. Et qu'est-ce que Laycoe a dit lors de l'enquête devant Campbell ? Il a dit que c'était lui qui avait le disque. Vous êtes tous les trois, Udvari, Thompson, Babcock, de fieffés menteurs ! »

Red Storey, qui arbitrait la partie ce soir-là avec Doug Davis et Babcock, était là tout près. Il dit à Babcock : « Rapporte ça au président ; tu n'a pas à écouter ces bêtises. »

Deux heures après cet incident, Irvin était toujours furieux : « C'est la première fois que j'avais l'occasion de rejoindre Babcock depuis l'affaire de Boston. Ces officiels n'avaient absolument pas à se trouver au même hôtel que nos joueurs ! »

Irvin en avait aussi long à dire sur l'arbitrage de Chadwick pendant cette première partie de la série finale :

> « Dès que nous prenions une avance d'un but, on nous collait une punition. Butch Bouchard fut d'abord puni, puis ce fut ensuite au tour de Dollard Saint-Laurent. Les Red Wings ont profité de chacune de ces punitions pour marquer. Et je ne sais toujours pas pourquoi nos gens ont été punis...
>
> « Je me souviens qu'une fois, dans le train qui nous ramenait de Détroit après une joute éliminatoire contre les Red Wings, il y a trois ans, j'ai aperçu Chadwick, Voss et Georges Hayes qui causaient ensemble.
>
> « J'ai demandé si c'était vrai qu'il y avait une série de règlements pour les Canadiens et d'autres règlements spéciaux pour les Red Wings.
>
> « Et Voss de me répondre : « Ils (les arbitres) sont, eux aussi, intéressés à conserver leur emploi ! »

Informé des propos de l'instructeur des Canadiens, Campbell déclara à la Presse canadienne : « En ce qui me concerne, je n'ai pas l'intention de faire quoi que ce soit dans ce cas-ci. Nous avons déjà eu assez de situations explosives depuis quelques temps ! » Pourquoi Campbell n'avait-il pas enquêté sur la remarque de Voss ? Avait-il peur de la vérité ?

Avec seulement « neuf joueurs d'avant » comme le soulignait Irvin, le Canadien força quand même la série à durer sept parties, avant de s'incliner devant les Red Wings qui avaient obtenu « l'avantage de la glace » comme disent les gens du milieu. En effet, l'équipe qui terminait au premier rang de la Ligue au cours de la saison régulière avait l'avantage de disputer les deux premières parties devant ses propres partisans. Puis les deux autres parties se jouaient à l'étranger. Les cinquième et sixième parties étaient jouées alternativement sur la patinoire des champions et sur celle des aspirants et, enfin, si la série nécessitait une septième et dernière joute, elle se jouait à nouveau sur la glace des champions. Comme chaque équipe gagna toutes les parties disputées sur sa propre glace, Détroit obtint ainsi la coupe Stanley.

Campbell, par son attitude coulante, avait ainsi aidé les Red Wings à s'approprier le championnat de la saison et la coupe Stanley, même si la dynastie du Détroit était terminée et celle du Canadien bien établie. Les *bookmakers* avaient favorisé les Habitants pour décrocher les honneurs de la série finale, après cette formidable saison qu'avaient connue et le Rocket et le Canadien . . . Les paroles de M. Thibeault prenaient maintenant toute leur signification !

Quant à Dick Irvin, il voyait sa magnifique carrière se terminer sur une bien triste note . . . Il méritait sûrement mieux que cela.

Le seul événement heureux de cette saison 1954-1955 — même si le Rocket avait été choisi une fois de plus pour la première équipe d'étoiles —, ce fut l'invitation du club Lions d'Ottawa à disputer une partie entre anciens professionnels, au profit du Ottawa Boys' Club. La foule se rendit nombreuse pour le voir évoluer : 8 600 personnes virent l'unique « ligne du Punch » à l'œuvre.

Bien entendu, Maurice enregistra le premier but de cette « partie de rêve » après cinq minutes de jeu, sur une passe de son vieux copain, Elmer Lach.

Voici ce qu'en dit Charles Daoust, le 5 avril, dans *Le Droit* d'Ottawa où il avait une chronique intitulée « Et le spectacle continue » :
L'ESPRIT SPORTIF DE RICHARD

« Sans le Rocket, nous n'aurions pas brisé les records d'assistance », avouait pour sa part Tommy Gorman, en serrant la main aux joueurs qui l'avaient jadis aidé à doter Montréal de la coupe Stanley, notamment Bill Durnan, Elmer Lach, Toe Blake, Buddy O'Connor et autres illustres compagnons de Richard.

« La partie a été l'une des plus belles que nous ayons vues à Ottawa, continua pour sa part Aurèle Joliat. Les milliers de jeunes ont pu voir évoluer des maîtres de notre sport national. Comme ils savent manier la rondelle ! Et Maurice Richard, quel délice de le voir à l'oeuvre. Comme mon vieux copain Howie Morenz, c'est un virtuose qui file droit au but avec une vitesse et une adresse hors de ce monde. Aussi est-ce une perte cruelle pour le Canadien en particulier et le hockey en général qu'il ne puisse participer aux finales de la coupe Stanley. »

« Inutile de t'avouer que je suis touché par la manifestation de ce soir, dit le Rocket. J'apprécie du fond du cœur l'attitude des journalistes canadiens-français à mon endroit, mais, dans les circonstances, je préfère ne pas commenter les récents événements. J'ai toujours donné le meilleur de moi-même au hockey et je continuerai de le faire l'hiver prochain. Un cordial merci aux amis d'Ottawa et de Hull. »

Je termine ce tumultueux chapitre de l'histoire du Rocket, par cette affirmation : je suis persuadé que le tout a été grossièrement exagéré !

Dans un accès de colère causé par un coup de bâton à la tête, Maurice Richard a tenté de remettre à Laycoe la monnaie de sa pièce. Il avait dû recevoir cinq points de suture, alors que Laycoe en sortait indemne : il jouait le soir même où Campbell rendit sa décision.

Au cours de ce duel, Maurice frappa également un juge de ligne « local » qu'on peut qualifier d'inexpérimenté et qui, de plus, l'avait molesté. Même si cela n'excuse pas Richard, on doit admettre que cela atténuait sa faute, surtout qu'il n'était pas le premier joueur à avoir frappé un officiel. Il suffit de prendre connaissance de l'histoire de la L.N.H. pour s'en convaincre.

Il ne fait aucun doute que le Rocket avait des torts : celui d'avoir utilisé son bâton et celui d'avoir frappé un officiel. Mais, dans les circonstances et avec tous les précédents de la L.N.H., la punition était totalement hors de proportion avec l'offense commise, étant donné qu'elle pénalisait tout autant le club Canadien que Maurice Richard.

Je suis également convaincu que Campbell *aurait dû retarder* sa décision au lendemain de la dernière partie de la saison régulière, soit seulement cinq jours plus tard. Personne, excepté Norris et Adams, des Red Wings de Détroit (ces deux compères savaient trop bien qu'ils avaient pratiquement le championnat de la Ligue dans leur poche si le club Canadien était privé des services de Richard), n'aurait pu le lui reprocher. Le Canadien aurait eu une chance égale à celle de Détroit dans cette course au championnat, Maurice aurait remporté le trophée Art-Ross et peut-être le trophée Hart, et il n'y aurait pas eu d'*émeute*.

Rien n'empêchait Campbell de suspendre Maurice pour les séries éliminatoires, ce qui était déjà une très grosse punition (douze parties), ou pour les quinze parties de la saison suivante (quinze étant le nombre de parties pour lesquelles Maurice Richard a été effectivement suspendu), étant donné qu'il était obligé de satisfaire ses patrons... Et c'est là qu'on ne peut blâmer complètement Clarence Campbell, parce qu'il n'était pas *le* patron ! On peut surtout le blâmer d'avoir exécuté leurs ordres sans discernement. Avec un recul de vingt ans, il attire plus la pitié qu'autre chose.

Quant à l'émeute, l'exagération en a été encore plus énorme. Un exemple typique est l'évaluation du coût des dommages causés. La nuit même, après que les policiers eurent dispersé la foule, les autorités municipales estimèrent les dégâts à 10 000 dollars. Le lendemain matin, un estimé minutieux révéla qu'il s'agissait plutôt de 30 000 dollars. On sait maintenant que les journaux du matin rapportaient pour 100 000 dollars de dommages. Dans les rétrospectives des années qui suivirent, le chiffre d'un million de dollars a été mentionné. Finalement, un journal anglophone rapportait en 1972 « *Millions of dollars worth of damage* (Des millions de dollars de dommages) ». Comme on peut le voir, l'inflation fait ses ravages dans tous les domaines...

Sur cette émeute, beaucoup d'encre a coulé. Certains journalistes et écrivains l'ont présentée comme une explosion de nationalisme canadien-français qui avait, en fait, très peu de chose à voir avec le hockey. D'autres, l'ont présentée comme une simple réaction de partisans fanatiques et de voyous en « veste de cuir ».

La vérité se compose d'un mélange de ces deux positions : une *majorité* d'honnêtes amateurs de hockey canadiens-français ont appuyé un gars de chez eux, en dénonçant le parti pris d'un anglophone contre leur idole Maurice Richard. Une *minorité* de voyous ont saisi l'occasion de donner libre cours à leurs instincts.

Prétendre que l'émeute a été causée par des fanatiques et des « veste de cuir » est une affirmation fausse et hypocrite. C'est aussi ridicule que de prétendre que les gens qui trouvent la mort dans une catastrophe se sont suicidés.

D'ailleurs, il a été bien établi que cette majorité manifesta dans le calme jusqu'à l'arrivée de Campbell : « *It broke out spontaneously outside and* inside *the Forum on the arrival of the N.H.L. president* (À l'arrivée du président de la L.N.H., la manifestation éclata spontanément à l'*extérieur* et l'*intérieur* du Forum) », écrivait Frank Teskey, correspondant du *Star*.[1]

Et qui étaient ces voyous sur qui tant de blâmes retombaient ? Un journal anglophone fit une enquête et, des 70 personnes qui furent arrêtées et incarcérées pour la nuit, 33 furent relâchées. Les 37 autres qui défilèrent devant le juge E.J. McManamy étaient en majorité des étudiants. La moyenne d'âge était d'environ 18 ou 19 ans, dont quatre adolescents.

Dix-sept furent accusés d'avoir obstrué la circulation, quatorze le furent pour attentat à l'ordre public et six pour vagabondage. Tous à l'exception d'un seul plaidèrent coupables. La majorité d'entre eux ne pouvaient même pas s'expliquer pourquoi ils avaient agi ainsi.

Étaient-ils donc vraiment des voyous ? De toute évidence, non ! Ils l'avaient été *momentanément*. Ils s'étaient laissés emporter par la frustration, devant cette joute perdue et contremandée à cause de la présence d'un seul individu, M. Campbell.

Cet individu était anglais et ce drame se jouait dans l'*ouest* de Montréal, quartier prospère et château fort de la population anglophone. Plus tard, les policiers avaient refoulé tranquillement ces manifestants canadiens-français vers l'*est* de Montréal, vers leurs quartiers défavorisés et minables et, dans certains cas, véritables ghettos de Canadiens français. Comment ne pas comprendre que certains se laissèrent aller au vandalisme sur le chemin du retour. Car c'est alors que leur raison céda le pas à leur frustration et ils s'en pri-

---

1. Teskey, F., *Montreal Star*, 18 avril 1955.

Les policiers marchent sur les manifestants. Ils étaient près de 250. « Une pre-mière pour l'escouade anti-émeute de Montréal » commente aujourd'hui Mau-rice avec humour.

rent aux magasins et édifices qui symbolisaient cette prospérité et cette domination économique des anglophones.

Il ne fait donc aucun doute que dans ce soulèvement populaire, il y avait en jeu beaucoup plus que la réaction de simples partisans de hockey en colère : il y avait toute la frustration d'un peuple écœuré d'être exploité et qui tentait timidement de redresser l'échi-ne. Un souffle de nationalisme envahissait ce « petit peuple ».

Le mot de la fin est laissé à André Laurendeau, journaliste ex-périmenté du journal *Le Devoir :*

ON A TUÉ MON FRÈRE RICHARD.

« Le nationalisme canadien-français paraît s'être réfugié dans le hockey. La foule qui clamait sa colère jeudi soir dernier n'était pas ani-mée seulement par le goût du sport ou le sentiment d'une injustice com-mise contre son idole. C'était un peuple frustré, qui protestait contre le sort. Le sort s'appelait, jeudi, M. Campbell ; mais celui-ci incarnait tous les adversaires réels ou imaginaires que ce petit peuple rencontre.

« De même que Maurice Richard est devenu un héros national. Sans doute, tous les amateurs de hockey, quelle que soit leur nationali-té, admirent le jeu de Richard, son courage et l'extraordinaire sûreté de ses réflexes. Parmi ceux qu'enrageait la décision de M. Campbell, il y avait certainement des anglophones. Mais pour ce petit peuple, au Ca-nada français, Maurice Richard est une sorte de revanche (on les prend où l'on peut). Il est vraiment le premier dans son ordre, il allait le prou-ver encore une fois cette année. Un peu de l'adoration étonnée et farou-che qui entourait Laurier se concentre sur lui : mais avec plus de familiarité, dans un sport plus simple et plus spectaculaire que la politique. C'est comme des petites gens qui n'en reviennent pas du fils qu'ils ont mis au monde et de la carrière qu'il poursuit et du bruit qu'il fait.

« Or, voici surgir Campbell pour arrêter cet élan. On prive les Canadiens français de Maurice Richard. On brise l'élan de Maurice Richard qui allait établir plus clairement sa supériorité. Et cet « on » parle anglais, cet « on » décide en vitesse contre le héros, provoque, excite. Alors il va voir. On est soudain fatigué d'avoir toujours eu des maîtres, d'avoir longtemps plié l'échine. M. Campbell va voir. On n'a pas tous les jours le mauvais sort entre les mains ; on ne peut pas tous les jours tordre le cou à la malchance.

« Les sentiments qui animaient la foule, jeudi soir, étaient assurément confus. Mais est-ce beaucoup se tromper que d'y reconnaître de vieux sentiments toujours jeunes, toujours vibrants : ceux auxquels Mercier faisait jadis appel quand il parcourait la province en criant : « On a tué mon frère Riel. »

« Sans doute il s'agit aujourd'hui de mise à mort symbolique. À peine le sang a-t-il coulé. Nul ne saurait fouetter indéfiniment la colère des gens, y sculpter une revanche politique. Et puis, il ne s'agit tout de même que de hockey.

« Tout paraît destiné à retomber dans l'oubli. Mais cette brève flambée trahit ce qui dort derrière l'apparente indifférence et la longue passivité des Canadiens français. »[1]

---

1. Laurendeau, André, *Le Devoir,* 21 mars 1955.

Chapitre quatorzième
Monsieur Hockey

Ce printemps-là, Maurice Richard voulut oublier ce cauchemar et il y parvint, grâce à l'amitié profonde de ses coéquipiers et au magnifique soleil de Miami.

En effet, les Geoffrion, Mosdell, Harvey, Bouchard et Béliveau s'envolèrent vers la Floride, emmenant avec eux un Rocket sans carburant... Mais cette chaleur humaine, dont Maurice avait un besoin absolu pour bien fonctionner, combinée aux chauds rayons du Sud, eut tôt fait de lui rendre toute son énergie : Campbell ne figurait plus dans les pensées du Rocket.

À la compétition annuelle de la Ligue nationale pour le championnat de golf, Maurice avait retrouvé tout son esprit combatif. Si bien que lui et Béliveau unirent leurs forces pour battre les représentants de Toronto : Sid Smith et Ted Kennedy. Il y a fort à parier que Richard et Béliveau ne manquaient sûrement pas de motivations pour vaincre les deux joueurs de Toronto. On prend parfois ses revanches où l'ont peut... comme le disait Laurendeau.

À ce moment de sa carrière, Maurice « Rocket » Richard avait atteint une renommée mondiale, surtout après les événements tumultueux qui venaient de se passer. En août, un peu avant le début de la saison 1955-1956, il fut l'invité d'honneur de M. Ed Sullivan à sa très populaire émission de télévision, *The Ed Sullivan Show.*

La fièvre du hockey reprenait de plus belle dans les six villes du circuit Campbell. Avec le départ de Dick Irvin pour Chicago, Frank Selke devait se trouver un nouvel instructeur. Après les événements du printemps 55, la rumeur courait qu'il choisirait un instructeur canadien-français. Avec cet amalgame de joueurs anglophones et francophones, Frank Selke devait trouver un instructeur bilingue qui aurait une emprise au moins égale à celle de Dick Irvin sur des joueurs tels que Richard, Geoffrion, Bouchard, Harvey.

De tous les candidats possibles, il y en avait un qui se méritait d'emblée le respect de tous les joueurs et également d'un membre de la direction, Kenny Reardon. L'assistant de Frank Selke avait une admiration sans borne pour un de ses anciens coéquipiers, l'incomparable « Toe » Blake.

Son opinion, de même que celle des joueurs, fit pencher la balance en faveur de Hector Blake. Surtout que « Toe » répondait aux exigences : originaire du nord de l'Ontario, donc franco-ontarien, Hector était bilingue. Lui qui avait si bien joué son rôle d'interprète et parfois de pacificateur entre Lach et Richard allait jouer le même rôle avec les joueurs du Canadien. Les jeunes recrues allaient enfin pouvoir communiquer avec leur instructeur, et cela dans leur propre langue.

« The Old Lamplighter » avait été à la bonne école, celle de Dick Irvin, et il avait pu mettre en pratique dans la Ligue senior du Québec ce qui lui avait appris le « vieux renard argenté ».

Lorsqu'on annonça son engagement, le 8 juin 1955, tout le monde se déclara satisfait de cette nomination.

Le camp d'entraînement s'ouvrit avec une pléiade de jeunes recrues. Rarement avait-on vu une atmosphère aussi excitante. Les vétérans devaient batailler ferme pour conserver leurs postes convoités par autant de recrues. Il régnait une animation peu commune.

Il y avait pourtant une recrue qui attirait tous les regards. Malheureusement pour les gardiens de buts ennemis, son nom était « Richard ».

En effet, le jeune frère de Maurice, Henri, avait été invité au camp d'entraînement du Canadien, mais sans qu'on prévoie l'intégrer à l'équipe pour la saison en cours.

Mais il n'avait pas été invité sans raison. Il était déjà l'une des plus grosses attractions du hockey junior. Des foules de 12 à 15 mille personnes se déplaçaient pour le voir évoluer. Ironiquement, c'était à Toronto qu'on l'appréciait le plus... À sa dernière année chez les juniors, il compta 33 fois et assista 33 fois en 44 parties. Il s'était donc bâti toute une réputation.

Plus petit de taille que le Rocket, il avait pourtant une force peu commune et une musculature impressionnante qui pouvait résister à tous les chocs. De plus, il avait un avantage marqué sur les autres joueurs : il était d'une rapidité incroyable et patinait avec l'aisance d'un patineur de fantaisie. Il était donc extrêmement difficile de le mettre en échec.

À 19 ans seulement, ce camp d'entraînement fut le sien. Lorsqu'il était sur la glace, il était le centre d'attraction. Patineur infatigable, il contrôlait le disque avec une grâce et une aisance déconcertantes.

Toe Blake, désireux de donner à un maximum de jeunes joueurs la chance de se faire valoir, renvoya Henri aux Royaux d'Elmer Lach.

Henri était évidemment extrêmement déçu, lui qui s'était juré de faire partie des Canadiens cette saison-là.

Il s'entraîna une semaine avec le Royal, puis on le rappela pour la dernière semaine d'entraînement du Canadien et pour les joutes hors-concours.

Henri fit mieux encore. Il se révéla un marqueur prolifique. Pendant les parties hors-concours, il enregistra un but contre le Royal et deux contre les Cataractes de Shawinigan.

Frank Selke annonça donc officiellement qu'Henri prendrait part aux trois premières parties du Canadien.

Dès sa première partie, il impressionna tous les amateurs de hockey. À la sortie du Forum, on parlait beaucoup plus de la performance du « Pocket-Rocket » que du but du Rocket ou du blanchissage de Jacques Plante, qui était le premier depuis la partie d'ouverture en 1953. Gerry McNeil avait été l'auteur de cet exploit, à l'époque.

Dans le vestiaire, après la partie, Jackie Leclair qui avait préparé le but du Rocket avec Dickie Moore déclara : « Après deux autres parties, Henri se conduira comme un vétéran. »

Le mercredi 12 octobre 1955, Frank Selke convoqua les deux frères Richard à son bureau.

Henri, tout aussi timide que le Rocket à ses débuts, ne parla pas beaucoup. Frank Selke leur expliqua qu'il serait sans doute préférable pour Henri d'accumuler une autre année d'expérience avant de faire le grand saut.

C'est alors que Maurice fit remarquer à Selke que son frère perdrait son temps dans les mineures et qu'il apprendrait davantage à jouer dès maintenant sous la grande tente, d'autant plus qu'il avait prouvé qu'il appartenait à la Ligue nationale : « Vous avez vu comme moi, M. Selke, que lorsqu'Henri met la main sur la rondelle, personne ne peut la lui enlever. »

Frank Selke, comme il le rapportera lui-même dans son livre *Behind the Cheering,* se trouva forcé, en quelque sorte, d'accorder un contrat au jeune Richard à cause de son travail, de son excellence au jeu, de son courage et de son désir de jouer.

Henri et Maurice ne discutèrent même pas les clauses du contrat. Henri aurait joué gratuitement tant il aimait le hockey ! Il apposa son nom au bas du contrat. Son cœur battait à tout rompre, c'était le plus beau jour de sa vie. Il reçut le salaire habituel pour une recrue.

Lorsqu'ils dirent au revoir à Selke, ce dernier les rappela et déchira le contrat en disant : « Il ne sera pas dit plus tard que j'ai abusé de son jeune âge. » Il lui offrit alors un contrat de deux ans, avec un boni de 5 000 dollars à la signature.

Henri, encore plus estomaqué, signa ce deuxième contrat. Ne pouvant cacher sa joie, il alla partager ce bonheur avec son père et sa mère.

Ce fut à peu près toute l'aide que Maurice apporta à Henri. Comme le Rocket le disait lui-même : « Il ne m'a jamais demandé de conseils et je ne lui en ai jamais donnés. D'ailleurs, comment aurais-je pu ? Il est meilleur patineur et meilleur manieur de bâton que moi ! »

À cette première saison d'Henri, Maurice joua un peu au policier, protégeant son jeune frère des durs-à-cuire qui voulaient « l'essayer » parce que c'était un « Richard ». Mais Maurice s'aperçut vite

TROUBLE DOUBLE—ROCKET AND POCKET ROCKET

THIS IS THAT NASTY PLACE I TOLD YOU ABOUT — NOW BE CAREFUL TO-NIGHT

Jack Reppen

Avec l'arrivée du Pocket Rocket dans la L.N.H., le Toronto Telegram *publiait cette caricature : « C'est ça le terrible endroit dont je t'ai parlé. Alors sois prudent ce soir »*

qu'Henri pouvait très bien prendre soin de lui-même et que, de plus, il jouait mieux lorsque le jeu était rude.

Le samedi qui suivit cette signature, le 15 octobre 1955, Henri enregistrait son premier but dans la L.N.H. Le Rocket, pour sa part, marqua deux fois. Ensemble, ils conduisirent le Canadien à une victoire de 4 à 1 sur les Rangers. Ce n'était qu'un début... Ils allaient répéter souvent ce genre d'exploit durant les cinq prochaines saisons.

Au moment où ces lignes sont écrites, Henri Richard vient d'annoncer qu'il prend sa retraite. Il a ainsi mis fin au plus beau contrat de sa carrière, un contrat de deux ans qui n'était pas loin du quart de million.

Lors des séries de fin de saison de 1973, le Pocket-Rocket, capitaine de son équipe depuis quelques années déjà et ayant dix-huit saisons de hockey derrière lui, démontra qu'il était toujours « le leader » du Canadien et que, tout comme son illustre frère, il était à son meilleur dans les joutes importantes. C'est ce qui lui a mérité en partie ce fabuleux contrat.

Les prophéties du Rocket, formulées en quittant les bureaux de Frank Selke à la signature de ce premier contrat, se réalisaient donc pleinement : « M. Selke, je reviendrai au Forum longtemps après avoir pris ma retraite pour voir Henri à l'œuvre. »

Studios David Bier

Henri en action — On le voit ici avec sa façon unique de contourner les défenseurs.

Avec vingt saisons de hockey à son actif, Henri a établi un record de longévité chez les Canadiens et il a porté avec honneur, pendant quinze ans après la retraite du Rocket, le fanion des « Richard ».

Le défi était de taille... Henri le releva et s'affirma comme un des plus grands joueurs de hockey et ce, après que Maurice eut été consacré comme le plus grand joueur de ce sport.

Andy O'Brien avait fait cette prédiction dès 1955, dans *Weekend Magazine* : « *Make a note about the Pocket-Rocket* », et en gros caractères rouges : *He'll be a hockey great, too.*[1]

Quant au Rocket, il avait eu le temps de bien réfléchir : une suspension pendant quinze parties et six mois d'attente... Il se présenta au camp d'entraînement avec l'idée bien arrêtée de ne plus sortir de ses gonds.

Il était détendu et manifestait souvent ce sens de l'humour que peu lui connaissaient.

---

1. O'Brien, Andy, *Weekend Magazine,* vol. 5, nᵒ 48, (1955) : « Surveillez le Pocket-Rocket, il sera lui aussi un grand du hockey. »

Studios David Bier

Un « nouveau Maurice ». Red Storey, pince-sans-rire, présente à Maurice le livre Comment se faire des amis *en ce début de saison 1955-56.*

Lors d'un exercice, Red Storey s'amena afin de retrouver tranquillement sa bonne condition physique. Le Rocket, qui appréciait beaucoup Red, même s'ils avaient eu de nombreux démêlés ensemble, lui offrit le fameux livre, si populaire à l'époque : *Comment se faire des amis, par Dale Carnegie.* La blague était de taille et tout aussi significative. Elle fut bien appréciée de Storey et des autres joueurs qui ne manquèrent pas de taquiner leur Rocket.

Inutile de dire que Storey savoura ce geste de Maurice. Les journalistes, toujours à l'affût, croquèrent sur le vif ce moment de détente.

Cette détente était due en grande partie à Toe Blake qui connaissait bien Maurice et qui savait comment l'apaiser. Parfois Maurice semblait oublier les bonnes résolutions qu'il avait prises. « Je devais alors le calmer immédiatement sur le banc des joueurs ; il me regardait de travers, mais il l'acceptait, peut-être parce que nous avions été compagnons de ligne et qu'il se rappelait que nous en avions vu bien d'autres, et plus probablement parce qu'il ne voulait pas rendre mon travail d'instructeur trop pénible à ma première saison » raconte Toe Blake.[1]

Pourtant, un soir, à New York, l'histoire de la saison précédente faillit se répéter. Lou Fontinato, des Rangers, tentait désespérément de s'affirmer comme le dur-à-cuire de la Ligue. Il était en bonne voie de réaliser son objectif, car il obtint une fiche de 202 minutes de punition. C'était un nouveau record dans la L.N.H.

Dans une mêlée à la fin de la deuxième période, Fontinato attrapa Maurice d'une solide droite à l'œil gauche, lui ouvrant la paupière. La foule manifesta bruyamment son approbation devant ce geste de Fontinato, pendant que Maurice, la tête basse, s'en retournait au vestiaire, ruminant sa vengeance.

Les joueurs qui connaissaient le point d'ébullition du Rocket savaient que quelque chose de terrible allait se passer. Personne ne parlait... C'est alors que Kenny Reardon fit son apparition. Il entra en coup de vent dans le vestiaire des joueurs et demanda au Rocket de ne rien faire. Les Canadiens ne pouvaient se permettre de perdre ses services à nouveau, cette saison-là.

Blême de rage, Maurice écouta le tout sans dire un mot. Puis Reardon quitta le vestiaire.

La tension était grande. Le silence devenait insoutenable. Avec une de ses plaisanteries dont lui seul avait le secret, Doug Harvey brisa ce silence.

Il fit allusion au fracas de l'année précédente, ce qui détendit l'atmosphère et tous les joueurs éclatèrent de rire. Maurice ne put résister et s'esclaffa à son tour. L'orage était passé...

L'ancien Rocket n'aurait jamais pu laisser passer pareil affront. Le tout aurait sans doute dégénéré en une bataille rangée. Heureusement l'influence que Toe exerçait sur Maurice portait ses fruits. Richard s'adoucissait.

Mais il débuta la saison en lion, marquant dès la partie d'ouverture au Forum. Comme vous voyez, il était toujours aussi fidèle à ses habitudes. Il démontra également qu'il n'avait rien perdu de sa touche magique de la saison précédente ; il marquait à profusion.

Il connut une autre de ses formidables saisons ! En 70 parties, il

---

1. O'Brien, Andy, *Rocket Richard,* p. 65.

réussit 38 buts et 33 passes. Il passa de 125 minutes de pénalité à 89. C'était là une amélioration considérable ... pour Maurice.

C'est toutefois pendant cette saison que le Rocket subit la plus dure mise en échec de sa carrière. Lui, que personne n'avait encore pu terrasser, fut mis hors de combat et pas par n'importe qui ... c'est le Pocket-Rocket qui réussit l'exploit.

C'était au tout début de la saison, lors d'un exercice à l'auditorium de Verdun : Maurice se dirigeait à une allure vertigineuse vers les buts adverses. À une trentaine de pieds, il décocha un puissant lancer qui trouva le fond du filet.

Maurice qui suivait la rondelle des yeux ne vit pas venir Henri qui, lui aussi, la regardait pénétrer dans les buts ... Ils entrèrent en collision, tête contre tête. Le choc fut si violent que tous deux perdirent conscience. On les transporta à l'infirmerie.

Quelqu'un téléphona aussitôt à Frank Selke pour lui annoncer que les deux Richard avaient été transportés à la clinique, inconscients. Il faillit en faire une crise cardiaque : « Les deux Richard ? » dit-il faiblement. On lui confirma qu'il s'agissait bien des *deux* Richard.

Il se dirigea rapidement vers l'infirmerie où Henri, encore vacillant, regardait son frère qu'on tentait de ranimer. Sous l'effet des sels, Maurice battit des paupières, puis entrouvrit les yeux. Voyant Henri qui soignait son œil gauche, il lui marmotta : « Fais attention, tu pourrais bien te faire mal à ce jeu-là. »

La blessure du Rocket, juste au-dessus de l'œil droit, nécessita dix points de suture et celle du Pocket, sous l'œil gauche, cinq points.

Ces dix points de suture ne parvinrent pas à ralentir le Rocket. Le 29 décembre 1955, il comptait déjà son 21e but de la saison et réussissait du même coup le 500e but de sa carrière, soit 443 pour les saisons régulières et 57 pour les séries éliminatoires.

Maurice avait réalisé cette incroyable marque sur une passe de son jeune frère, qui avait lui-même réussi un but et trois passes.

Le Pocket-Rocket avait assuré la victoire aux Canadiens en marquant son but sur une passe parfaite de Maurice. Dix minutes plus tard, le Rocket assistait le dynamique Dickie Moore pour se mériter sa deuxième passe.

La réaction des joueurs de hockey devant cette double menace « Richard » fut illustrée de façon magistrale par cette réflexion d'un des joueurs du Chicago, alors dirigé par Dick Irvin : « Dick nous dit sans arrêt comment arrêter Richard, mais il ne nous dit pas lequel... »

Après la partie, les journalistes se pressaient autour de Maurice, mais ses premières paroles furent pour le Pocket : « Mon frère Henri a bien joué. C'est sa meilleure partie depuis ses débuts dans la Ligue nationale. »

Dans le journal *La Presse,* la manchette de la section sportive se lisait comme suit : LES FRÈRES RICHARD SE SIGNALENT, ALORS QUE LE CANADIEN GAGNE. En sous-titre : « Maurice compte son 500e but et son frère, Henri, est l'étoile de la joute. »

Les paroles de Toe, après cet exploit du Rocket, décrivent bien ce que tous les spectateurs éprouvaient en observant Maurice au cours de toutes ces saisons de hockey : « Maurice Richard m'étonnait lorsque je jouais à ses côtés et maintenant qu'il joue pour moi, il m'émerveille ! »

Pourtant, après la joute des étoiles qui avait eu lieu en octobre 1955 à New York, Dick Irvin avait déclaré que le Rocket ralentirait énormément, cette saison-là : « Je crois même qu'il aura des difficultés à marquer 25 buts... »

L'exil pesait lourd à Dick Irvin. Il était resté amer. Il avait oublié que, lors du 400e but du Rocket, il avait prédit que celui-ci en marquerait plus de cent autres avant d'accrocher ses patins.

Le Rocket n'allait pas faire mentir son ancien instructeur. Il continuait de marquer.

Cette saison-là, le jeu de puissance du Canadien fut le plus dévastateur du circuit. Richard, Béliveau, Olmstead, Geoffrion et Harvey étaient responsables de 25 pour cent de la production de tous les buts du Canadien et cela, seulement lors de l'attaque à 5 contre 4.

Ce jeu était si efficace que, une fois la saison terminée, les autres clubs firent passer un règlement — malgré l'opposition de Frank Selke — afin de mettre en échec ce jeu de puissance du Canadien. Fait étrange, il n'avait jamais été question d'un tel règlement lors de la suprématie du Détroit ! Voici ce qu'ils trouvèrent : le nouveau règlement stipulait qu'un but marqué pendant une punition mineure (deux minutes) mettait automatiquement fin à cette pénalité. Sans aucun doute, ce geste était destiné à affaiblir l'impressionnante puissance du Canadien.[1]

C'était quand même insuffisant pour arrêter la machine du Bleu-Blanc-Rouge qui avait pris son élan. Les réserves étaient inépuisables et lorsque les « gros canons » se taisaient, les autres prenaient la relève. Le Canadien allait imposer sa loi pendant de nombreuses saisons.

Ce que Frank Selke avait semé en 1946 portait ses fruits dix ans plus tard. Son système de « clubs-fermes » réparti en 750 équipes, dépassait en importance tous les autres de la L.N.H. réunis.

Mais cette saison-là, les joueurs du Canadien, comme s'ils savaient qu'on allait changer « pour eux » le règlement du jeu de puissance, étaient comme des collégiens qui profitent de leurs dernières journées de vacances. Ils s'en donnaient à cœur joie ! Ils accumulaient les victoires. En janvier, ils détenaient déjà une confortable avance sur leurs grands rivaux, les Red Wings.

Au début de cette nouvelle année, coïncidence étrange, Boston et Toronto, les deux villes qui avaient réclamé avec acharnement « la tête du Rocket » l'année précédente, honorèrent le nom de Richard.

Les autorités municipales de Toronto, par la voix du maire Nathan Philipps, rendirent hommage au Rocket, le mercredi 18 janvier 1956, pour avoir réussi son 500e but dans la Ligue nationale (parties

_____

1. Il est bien évident que le système actuel favorise le jeu rude. C'est peut-être pour cela qu'on l'a institué, croyant, à tort, satisfaire le spectateur. Mais depuis longtemps les autres sports ont prouvé le contraire. Avec l'ancien règlement, les joueurs ne pouvaient se permettre des bévues, surtout quand la partie était très serrée ou virtuellement perdue, parce que *plus d'un but* pouvait être marqué pendant une pénalité. Maintenant, par contre, le joueur sait que sa punition ne peut permettre qu'un seul but et qu'en outre ce même but le renverra immédiatement dans la mêlée. C'est totalement illogique ! Il faudrait qu'il purge totalement sa peine, tandis qu'un autre joueur prendrait sa place au jeu. Pour empêcher les récidives et, ainsi, diminuer la rudesse excessive, tout joueur qui aurait accumulé trois punitions mineures dans une même partie, par exemple, pourrait être expulsé du match à la quatrième.

On aurait dû appliquer depuis longtemps un semblable système cumulatif au hockey. Cela aurait éliminé le jeu brutal, facilité la tâche des arbitres et, de ce fait, amélioré la qualité du jeu.

régulières et séries éliminatoires incluses).

Le maire Philipps remit à Maurice des boutons de manchettes en or, gravés aux armoiries de la ville.

« C'est un exploit remarquable que vous avez accompli en comptant le 500e but de votre carrière dans la Ligue nationale », déclara le premier magistrat. Il continua : « Il fut un temps où vous ne sembliez appartenir qu'à Montréal. Vous êtes un grand sportif canadien et vous représentez tout le Canada. Toronto est très fière de vous. » Cette attention délicate du premier citoyen de Toronto mettait un peu de baume sur les plaies encore vives de l'année précédente.

Pendant que le Rocket signait le Livre d'Or, « Toe » Blake fit la remarque suivante : « Maurice a toujours eu le don de se surpasser après une présentation. J'espère qu'il en sera de même quand nous affronterons les Leafs dans quelques heures. »

Le Rocket, toujours obligeant, marqua un but magnifique, son 501e, et le Canadien remporta la victoire contre les Leafs.

Un mois plus tard, soit le 14 février, Madame Onésime Richard, mère du Rocket, fut choisie par la ville de Boston comme la « Mère de l'année au hockey ». Le maire J.B. Hynes présenta à madame Richard une plaque à cet effet.

Les deux maires tentaient-ils ainsi de faire oublier au Rocket le rôle que certains citoyens de leurs deux villes avaient joué lors des troubles de la saison précédente ? De toute façon, l'intention était délicate et toute à leur honneur.

La Saint-Patrice, commémorant bien malgré elle les événements de la saison précédente, approchait à grands pas. À nouveau, Maurice faillit être évincé des séries éliminatoires, deux jours avant cette mémorable fête des Irlandais ... et une fois de plus à cause de sa fougue et de sa détermination.

Il fonçait dans le territoire des Hawks dans une de ses courses habituelles lorsque Pilote et Mortson le firent trébucher pour l'arrêter. Maurice, dans son élan, fut projeté vers les buts du Chicago. Il pénétra, tel un bolide, dans le filet d'Al Rollins, l'arrière de sa tête donnant violemment contre le poteau des buts. Geoffrion se porta rapidement au secours du Rocket. Maurice gisait inconscient au fond de la cage, le sang coulant abondamment sur la surface gelée.

Doug Harvey aida « Jeff » à le transporter jusqu'à la clinique du Forum. À quelques pas de la porte, le Rocket perdit conscience à nouveau. L'assistance était complètement figée. Bill Head lui fit quatre points de suture et l'envoya à l'hôpital pour passer des rayons X.

Après la partie, Maurice retrouva les joueurs au vestiaire. Malgré la douleur, il était tout sourire. Le médecin avait constaté qu'il n'y avait pas de fracture, ce qui voulait dire qu'il ne manquerait aucune partie. C'était tout ce que le Rocket désirait. Le capitaine, « Butch » Bouchard, fut un des premiers à s'enquérir de l'état de santé de Maurice. Après s'être assuré que tout était bien en place, il ajouta en souriant : « Il est impossible de blesser un joueur de hockey à la tête. » Ce fut un éclat de rire général.

Toe Blake respirait plus à l'aise. Des sueurs froides avaient coulé dans son dos lorsqu'il avait vu son as marqueur sans mouvement dans le fond du filet.

C'était là une fin de saison dramatique et qui démontrait une fois de plus l'esprit et la détermination qui avaient animé les joueurs du Canadien tout au long de la campagne.

Ces joueurs raflèrent pratiquement tous les honneurs, cette année-là. Ils s'assurèrent de la première position avec 45 victoires, 15 défaites et 10 parties nulles, ce qui leur conférait une fiche de 100 points. En fait, ils avaient déjà le championnat en poche dès le 25 février, avec encore dix parties à jouer. Les Red Wings venaient loin en arrière avec 30 victoires, 24 défaites et 16 parties nulles, pour une fiche de 24 points de moins que les Canadiens, soit 76.

Béliveau termina premier marqueur avec 88 points, le Rocket était troisième avec 71 ; suivaient Olmstead avec 70 et « Boum-Boum » avec 62. Quatre joueurs se méritaient une place dans la première équipe d'étoiles, soit le gros Bill, Maurice, Harvey et Plante.

Jacques Plante décrocha le trophée Vézina avec une moyenne de 1,86 buts marqués contre lui, Harvey, le trophée T-James-Norris pour le meilleur défenseur et Béliveau, le trophée Hart pour « le joueur le plus utile à son club ».

Les séries de fin de saison 1956 s'annonçaient donc des plus intéressantes, pour les partisans de Montréal du moins.

Le Canadien était favori à 7 contre 1 pour l'emporter sur les Rangers en quatre parties. Le coloré Phil Watson, bouillant instructeur des Rangers, se voulait très optimiste. Dans son langage imagé, il prédit que la série serait longue.

Le Canadien remporta cette série semi-finale quatre parties à une. Dans la première partie, le Rocket réussit un « tour du chapeau » et contribua à une victoire de 7 à 1 pour le Canadien. Le plus célèbre « money player » de l'histoire du hockey marqua le but vainqueur pour jouer le rôle du héros dans cette première partie. Il venait d'enregistrer ses 58e, 59e et 60e buts dans les séries de détail.

À la cinquième partie, les Canadiens explosèrent à nouveau, blanchissant cette fois-ci les Rangers par la marque de 7 à 0.

Maurice rata plusieurs occasions de déjouer Gordie Bell mais il se montra un fabricant de jeu hors pair, en égalant un record établi par son vieux copain Toe Blake, le 23 mars 1944. Toe avait assisté le Rocket sur ses cinq buts dans une victoire, on s'en souvient, de 5 à 1 contre les Leafs de Toronto.

Maurice montait seul en tête des marqueurs avec ses cinq passes et ses cinq buts, pour un total de dix points.

Dans le vestiaire des joueurs, après la partie, le Rocket avait un petit sourire malicieux au coin des lèvres. Tout en se dévêtant, il confia aux journalistes : « Me voilà devenu un fabricant de jeu ! »

Les Habitants continuèrent leur formidable poussée et bousculèrent leurs rivaux de toujours, les Red Wings, quatre parties à une dans les séries finales. Ils ne montrèrent pas plus de respect envers le club de Jack Adams qu'ils n'en avaient montré pour les Rangers. Ils allèrent même les blanchir à Détroit, 3 à 0.

Les trois grandes vedettes canadiennes-françaises, Jean Béliveau, Maurice Richard et « Boum-Boum » Geoffrion, s'unirent pour mettre un point final à cette série, lors de la victoire décisive remportée par la marque de 3 à 1.

La foule déjà convaincue de la victoire des siens manifesta plutôt calmement. Pour les amateurs de hockey de la métropole, la coupe Stanley avait été gagnée par leur porte-couleurs bien avant le début des éliminatoires. L'effet était moins grand car, selon eux, la coupe, ils l'avaient gagnée l'année précédente.

Par contre, les joueurs étaient beaucoup plus excités. Jacques Plante qui avait été un héros de la série ne pouvait cacher sa joie : il embrassa la coupe à plusieurs reprises. Les joueurs se félicitaient tous mutuellement. Ils transportèrent leur instructeur sur leurs épaules jusqu'au trophée tant convoité.

« Butch » Bouchard terminait sa carrière en beauté : après quinze saisons de hockey exceptionnelles, il quittait cette glorieuse formation avec un championnat et la coupe Stanley, sa quatrième d'ailleurs.

Pour sa part, Toe débutait sa carrière d'instructeur par les mêmes triomphes. Il s'affirmera comme l'un des plus grands parmi les grands.

Le maire Jean Drapeau fut un des premiers à venir visiter les nouveaux champions du monde du hockey. Il félicita chaleureusement Frank Selke, Toe Blake et les joueurs.

Toe était fou de joie. Son attitude contrastait avec celle des joueurs, chez qui la fatigue de fin de saison avait laissé sa trace. Avec son tact habituel, il allait d'un joueur à l'autre, les félicitant et les remerciant de l'effort fourni.

« Je suis plus heureux que lorsque j'ai été engagé pour diriger les Canadiens, l'été dernier », déclara-t-il.

À un journaliste qui lui faisait remarquer qu'il venait d'égaler le record de Jimmy Skinner du Détroit en remportant, à sa première année comme instructeur, le trophée Prince-de-Galles et la coupe Stanley, il répondit : « Il ne suffit pas d'égaler les records, il faut les abaisser », et il ajouta : « Il me faudra remporter la coupe à nouveau l'an prochain. »

Pendant ce temps, les joueurs finissaient de se déshabiller tout en dégustant le champagne. Tous étaient très heureux, mais personne, à part Jeff qui chantait à tue-tête dans la douche, ne semblait surexcité. C'était plutôt une atmosphère de contentement qui régnait dans le vestiaire des nouveaux détenteurs de la coupe Stanley.

Maurice était à la fois très heureux et très ému. Il avait rempli la promesse qu'il avait faite publiquement le printemps dernier, lors de sa suspension. La voix plus basse qu'à l'accoutumée, il déclara que ce triomphe le touchait profondément, songeant que c'était peut-être la dernière fois qu'il avait l'occasion de célébrer une victoire de la coupe Stanley.

Il se trompait totalement. Il allait faire ciseler son nom quatre autres fois sur cette fameuse coupe.

Sı la réaction des amateurs de hockey au Forum avait été relativement calme lors de cette huitième conquête de la coupe Stanley, celle des sportifs de Montréal, en général, fut toute autre.

Ils réservèrent à leur champion un accueil à nul autre pareil dans les annales sportives de la métropole. Plus de 500 000 personnes vinrent acclamer leurs héros par ce très froid mais très radieux samedi.

La parade qui défila dans les onze districts de la ville débuta ce matin-là à 9 heures, près du Forum, et prit fin vers 16 h 30. Les joueurs étaient fourbus, épuisés, mais heureux après avoir été portés en triomphe durant plus de sept heures.

Le défilé comprenait une trentaine de voitures décapotables, six chars allégoriques ainsi que quatre fanfares. Le parcours s'étendait sur une distance de plus de trente milles.

La parade devait se terminer vers 13 h 30, mais à cause de l'enthousiasme et du nombre de spectateurs, le défilé avançait à pas de tortue. La foule arrêtait les voitures des joueurs pour obtenir leurs autographes, leur serrer la main ou tout simplement les embrasser.

Ils firent, tout au long de ce parcours, de nombreux heureux. Ils venaient égayer la vie de leurs compatriotes. Ils les faisaient goûter aux joies de la victoire. Les Montréalais s'identifiaient totalement à leurs héros, se laissaient baigner dans cette euphorie, ce bien-être que procure la satisfaction d'avoir accompli quelque chose qui sort de l'ordinaire.

Ce besoin de fraterniser s'est manifesté constamment pendant cette grandiose journée. Une jeune Montréalaise ne l'a sans doute jamais oublié, pour plus d'une raison. Entre autres, elle était nouvelle mariée !

Vers une heure de l'après-midi, la fameuse parade était rendue rue Mont-Royal où papa Lamoureux célébrait les noces de sa fille Pauline. Naturellement, lorsque les champions approchèrent, toute la noce sortit sur le trottoir, y compris les nouveaux mariés.

Elle était là, sur le bord du trottoir, toute fraîche, toute pimpante, acclamant les joueurs des Canadiens qui, avec toute leur galanterie, ne pouvaient laisser passer une telle occasion. Un à un, ils descendirent de leur auto pour aller embrasser cette ravissante mariée, sous l'œil amusé du jeune marié qui étudiait attentivement la techni-

Cité de Montréal

Henri et Jean Béliveau participent à leur première parade de la Coupe Stanley. Claude Provost, Maurice, Henri et Jean sont ici les invités du maire Jean Drapeau au restaurant Hélène de Champlain.

que de ces champions. La foule manifestait son approbation par des cris et des applaudissements.

Ces explosions de joie, partout sur le parcours, payaient de retour ces joueurs qui oubliaient leur fatigue et le froid.

Jean Béliveau, pour qui c'était une première, en était estomaqué : « Je savais que les Montréalais aimaient le hockey, mais pas à ce point-là. Je n'oublierai jamais cette journée tant que je vivrai. »

Cette parade du 14 avril 1956 restera unique dans les annales du sport pour plusieurs raisons, mais surtout parce qu'une simple parade sportive tourna spontanément en la plus grande démonstration publique de fraternité jamais vécue jusqu'à ce jour par les citoyens de Montréal.

Cette fin de saison marquait une étape importante dans la carrière du Rocket. Pour la première fois peut-être, il était acclamé un peu partout et sans équivoque comme « le plus grand joueur de hockey de tous les temps ».

Jimmy Jemail, reporter pour le *Sports Illustrated*, demanda à douze personnages, la plupart des vétérans du hockey ou des connaisseurs, qui était le *plus grand* joueur à leur avis. Voici la répartition des votes : six pour le Rocket, deux pour Béliveau, deux pour Howe,

359

un pour Morenz, un pour Cook.

Et il faut souligner que *Sports Illustrated* n'interviewa, à part Clarence Campbell, aucun expert de Montréal. De plus, à Détroit, c'est un avocat qui fut interviewé. En quoi cela en faisait un expert, nul ne le sait. L'autre expert de Détroit était l'illustre Jack Adams. Connaissant le parti pris de ce monsieur pour son joueur Gordie Howe, il est évident que son vote alla à ce dernier.

On en arrive donc à la conclusion que Howe a récolté un vote contre six pour le Rocket, Béliveau deux contre six, Morenz un contre six et Cook un contre six.

Sans être scientifique, cette enquête démontrait la tendance des opinions et confirmait, sans l'ombre d'un doute, la supériorité du Rocket. S'il y avait un joueur qu'on pouvait qualifier de « plus grand joueur de hockey de tous les temps », c'était l'unique Rocket, M. Hockey !

De la glorieuse équipe de 1946, trois vétérans seulement faisaient partie de la non moins glorieuse équipe de 1956 : le Rocket, le capitaine « Butch » Bouchard et Kenny Mosdell.

À la fin de cette campagne, « Butch » annonça sa retraite. Il ne restait plus que deux soldats de la vieille garde, deux grands amis.

Au début de la saison suivante, le Grand Kenny quitta les Canadiens. Il fut échangé aux Black Hawks de Dick Irvin.

Travailleur infatigable, Kenny était toujours égal à lui-même. Toujours souriant et affable, il faisait son chemin sans bruit. Il passait inaperçu. Selon le Rocket, Kenny Mosdell a été le joueur le plus sous-estimé de cette époque.

Maurice restait seul, parmi tous ces jeunes joueurs qui avaient besoin d'un leader. Le Rocket était prêt.

Kenny Reardon se présenta dans le vestiaire des joueurs ce jeudi 26 septembre 1956, et il leur demanda de se choisir un capitaine.

Doug Harvey, le seul choix possible avec le Rocket, eut un noble geste : « À mon avis, il y a seulement un joueur qui mérite ce titre, et c'est Maurice Richard. Le Rocket s'est dépensé sans compter pour le Bleu-Blanc-Rouge depuis ses débuts dans la Ligue nationale et c'est un honneur qui lui revient. »

Maurice fut très touché par cette déclaration de Harvey. Les joueurs endossaient tous cette décision. Ils s'empressèrent de féliciter

Studios David Bier

Saison 1956-57. Maurice devient capitaine des Canadiens. Tous auront reconnu Toe Blake, instructeur des Habitants depuis la saison précédente.

leur nouveau capitaine.

Toe Blake était tout heureux de l'honneur qui échouait à son vieux compagnon de ligne. Il lui remit le chandail de son prédécesseur, Émile Bouchard, qui portait le « C » traditionnel.

Le nouveau capitaine du Canadien, à l'âge de 35 ans, se lança résolument à la conquête de son 500e but pour les saisons régulières. Il débutait cette quinzième saison avec l'incroyable total de 460 buts, toujours sans compter les buts des séries éliminatoires.

À l'allure qu'il gardait, plusieurs prédisaient qu'il briserait ce record dès cette saison, mais personne ne savait que Maurice jouait handicapé par son coude gauche depuis les quinze dernières parties.

En effet, la direction du Canadien se retrouvait avec un grave problème sur les bras. Ses deux ailiers droits, joueurs étoiles, étaient, fait à noter, affligés du même mal.

Le Rocket et le « Boumer » devaient tous deux se faire enlever des fragments d'os dans l'articulation du coude gauche. Ces fragments blessaient l'enveloppe de l'articulation et provoquaient une accumulation d'eau, ce qui rendait ce genre de blessure particulièrement douloureuse et pénible à supporter.

La direction se réunit avec Frank Selke, Toe Blake et le médecin du club pour décider de la conduite à suivre. Il fut entendu que Bernard serait opéré le premier. Maurice voulait continuer.

Le Rocket joua donc pendant l'absence de Jeff, qui dura dix parties jusqu'à ce qu'il fut lui-même opéré, le 27 novembre, à l'hôpital du Sacré-Cœur. On lui enleva du coude ces morceaux d'os brisés et on draina l'eau qui s'était accumulée dans l'articulation.

Son retour au jeu, après sept parties, fut souligné de façon spectaculaire. Il démontra que cette intervention chirurgicale, quand même délicate, n'avait pas altéré sa précision. Le 13 décembre 1956, contre Toronto, Maurice marqua un but et réussit deux passes qui auraient pu résulter en buts, pour aider les siens à remporter une victoire de 6 à 2. Le chiffre 13 avait été bénéfique pour le Rocket, cette fois-ci.

Il était heureux pour le Canadien que Maurice fût revenu, car « Boum-Boum » dut prendre à nouveau un repos forcé de trois semaines, n'étant pas bien rétabli de son opération.

Les champions de l'année précédente avaient un pressant besoin de leurs deux as marqueurs ; ils avaient glissé au troisième rang de la division. Heureusement que Jean Béliveau, Henri Richard et quelques autres produisaient, car la situation aurait pu être désastreuse.

Une semaine après son retour au jeu, Maurice se signala à nouveau avec deux buts et une assistance. Stimulés par cette tenue sensationnelle, les Canadiens disposèrent du Toronto 4 à 2, et rejoignirent les Red Wings en deuxième position. Ils n'étaient plus qu'à trois points de la tête du classement détenue par les Bruins de Boston.

C'est à peu près au même moment que Gordie Howe brisa à son tour le record de Nelson Stewart. Cette marque de 324 buts est donc un excellent point de repaire pour évaluer les grands du hockey. On se rappelle que Stewart avait pris 652 parties pour établir son record. Gordie Howe en prit 666, comparativement à 526 pour le Rocket... soit deux saisons complètes de plus que Maurice. Le

Rocket ne se comparait donc à aucun autre athlète comme marqueur. Personne ne pouvait prétendre à sa couronne. Maurice continuait sa poussée. Le Canadien gagnait.

Le 12 février 1957, il répéta un de ses records : celui de « cinq assistances. » Ce jour-là, son épouse Lucille mit au monde une belle fille du nom de Suzanne. C'était le *cinquième* enfant dans la famille Richard. Lucille qui désirait une fille était comblée. Maurice, pour sa part, était aussi fier et ému que lors de la venue du premier poupon.

Toutefois, les Richard n'étaient pas les seuls à avoir fêté la coupe Stanley, le printemps d'avant ! Les Béliveau, Moore et Henri Richard avaient souligné l'événement adéquatement eux aussi.

De fait, Henri était devenu l'heureux papa d'une petite fille nommée Michèle, six jours avant son frère Maurice. Henri, malgré sa réserve habituelle, ne pouvait cacher sa joie.

Voici comment il exprimait à Bill Turcotte son bonheur, avec toute la simplicité qu'on lui connait. C'était un peu avant la période des Fêtes : « Nous voulons être bien sûrs que nous ne rêvons pas ! » « Tiens ! mais pourquoi donc », lui demanda Bill ? « Tout ce que je désirais dans la vie m'a été donné si vite en l'espace d'un an et demi, que j'ai de la difficulté à suivre moi-même le cours de mon existence. J'ai signé un contrat professionnel avec les Canadiens, j'ai épousé la plus charmante des femmes et voilà que maintenant je vais avoir un héritier. Comment voulez-vous que je ne pense pas avoir rêvé tout cela, par moment ? »

Encore tout éberlué de sa chance, Henri ajoutait : « C'est vraiment formidable ! »

Henri, comme il le disait lui-même, n'avait sûrement pas perdu de temps. Immédiatement après la conquête de la coupe Stanley, il épousa le 5 mai 1956 une amie d'enfance, la très jolie Lise Villard, dont il avait conquis le cœur depuis un bon bout de temps. En effet, Henri et Lise avaient commencé à patiner ensemble vers l'âge de 12 ou 13 ans et ils ne s'étaient jamais quittés depuis.

Après les Richard, c'était au tour des Béliveau et des Moore de recevoir la visite de la cigogne. Le grand Bill hérita d'une fille de 8 livres, Hélène, et Richard Dickie Moore, d'un garçon qu'il surnomma « Richard Junior » en son honneur et aussi en l'honneur du Rocket, son illustre compagnon de ligne.

Au début de la saison, les Canadiens avaient été jugés favoris pour remporter le championnat de la saison et la coupe Stanley.

Leurs efforts pour rejoindre la tête du classement étaient toujours contrés par la malchance. Les blessures les empêchaient de pouvoir donner toute leur mesure. La machine manquait de synchronisation.

Au début de mars, ils vinrent très près de réaliser l'exploit. Maurice insuffla à son club un élan qui allait les rapprocher de la première position détenue maintenant par leurs éternels rivaux, les Red Wings. Les Bruins avaient glissé en troisième position. Il conduisit son équipe à la victoire à deux reprises dans une série de deux parties contre le Détroit.

Conspué à sa première présence sur la glace de l'Olympia, il fut ovationné à la fin de la partie. Dans une de ses étourdissantes performances, il enregistra deux buts pour aider à blanchir les Red Wings par la marque de 3 à 0. Il avait pratiquement battu les « Rouges » de Jack Adams à lui seul.

Deux jours plus tard, le 2 mars 1957, les Canadiens s'approchèrent à deux points des Red Wings, les battant 5 à 1. Maurice, par son allure, avait à nouveau stimulé les siens. Il avait, de plus, contribué à la victoire avec un but.

Ces deux victoires rendirent aux Canadiens l'espoir de remporter deux championnats de suite. Il ne restait que dix parties à jouer. Mais les Canadiens ne parvinrent pas à déloger les Red Wings qui terminèrent au premier rang.

Toutefois, le Bleu-Blanc-Rouge avait enfin retrouvé son synchronisme. De plus, le Rocket veillait personnellement à ce que ses joueurs conservent l'élan acquis en fin de saison, ce qui propulsa le club Canadien à travers les séries jusqu'à la coupe Stanley. Ils éliminèrent les Rangers en cinq parties, puis ce fut le tour des surprenants Bruins qui avaient éliminé le Détroit en cinq parties également.

Maurice Richard, à 35 ans, terminait les séries avec huit buts en dix parties. Il avait trois buts de moins que le meneur, « Boum-Boum » (Bernard) Geoffrion qui avait failli égaler le record de douze buts du Rocket.

La Presse

5 avril 1957 — Toe Blake félicite son ailier droit. Ce dernier a éliminé les Rangers des séries en marquant en période supplémentaire.

« Boum-Boum » avait inspiré les siens avec onze buts et sept assistances, Béliveau suivait avec six buts, six assistances, puis venait Maurice avec huit buts et trois passes.

Fidèle à ses habitudes et à son surnom, Maurice se révéla à nouveau le marqueur des grands moments.

C'est à la cinquième partie de la série semi-finale que le Rocket expulsa les Rangers hors des séries. Après la deuxième période de jeu, les Canadiens menaient 3 à 0. Le bouillant Phil Watson avait prédit que ses Rangers gagneraient au moins une partie à Montréal ! Voulant tenir sa promesse, on ne peut qu'imaginer ce qu'il a pu dire à ses joueurs à la mi-temps. À la fin de la troisième période, le score était 3 à 3.

La période supplémentaire débuta à vive allure. Le Canadien attaqua furieusement la forteresse de « Gump » Worsley. Après deux minutes de jeu, personne n'avait encore réussi à lancer au but. Onze secondes plus tard, le Pocket-Rocket lança vers les buts des Rangers. La rondelle frappa le gant de Fontinato, rebondit sur la poitrine de Maurice et tombe sur la glace. Lorne plongea pour faire l'arrêt. Maurice retint son lancer une fraction de seconde puis, de son revers, souleva la rondelle par-dessus Worsley. C'était son quatrième but des séries semi-finales.

Il fut entouré par les vainqueurs, puis félicité par les vaincus. Phil s'était trompé dans ses prédictions.

Le Rocket n'avait pas fini de faire parler de lui. Le soir du 6 avril 1957, dans une performance difficile à qualifier, il aurait battu son propre record de cinq buts en une partie, n'eut été de la sensationnelle tenue du gardien Don Simmons des Bruins.

C'est surtout à partir de cette saison que, très souvent, les scribes débutèrent leurs articles par des phrases comme celles-ci : « Que peut-on dire de plus sur le Rocket », ou encore : « Que peut-on ajouter à ce qui a déjà été écrit sur le Surhomme du Hockey, Maurice Richard ! » C'est ainsi que Jacques Beauchamp débuta sa chronique le lendemain.

Et ils avaient raison, il leur était de plus en plus difficile de qualifier ces exploits toujours extraordinaires.

Ce soir-là, le score était le même que celui de 1944, lorsque Maurice avait réussi cinq buts contre les Leafs de Toronto : 5 à 1. Cette fois-ci, le Rocket enregistra quatre de ces cinq buts pour donner aux siens une magnifique victoire.

À la deuxième période, Maurice égala son propre record de trois buts en une période, en série finale. Geoffrion qui avait été l'étoile de la série Canadiens-Rangers marqua le quatrième but des Canadiens.

Au troisième vingt, Maurice vit encore Simmons briller devant lui. Il rata à nouveau de bonnes chances, pour finalement compléter la marque un peu avant la fin de la partie.

Maurice avait lancé cinq fois pour réussir ce « tour du chapeau » au deuxième engagement. C'était là un exemple frappant de la précision de son tir.

Après la partie, un seul sujet était sur toutes les lèvres : l'exploit du Rocket. On avait relégué la victoire du Tricolore au deuxième plan. On ne cessait de faire son éloge : « À le voir jouer, on dirait qu'il est âgé de 21 ou 22 ans », telle était la constatation générale. « Je me demande encore comment il s'y est pris pour enregistrer son deuxième but », souligna Jerry Trudel. En un mot, tous étaient émerveillés.

Canada Wide

6 avril 1957 — Maurice déjoue Don Simmons pour la deuxième fois. Au cours de cette deuxième période, le Rocket marqua 3 buts en 5 lancers. Il en marquera un autre en troisième période pour donner aux siens une victoire de 5 à 1.

Jacques Beauchamp demanda à l'instructeur Milt Schmidt, fameux joueur de centre de la très célèbre « ligne Choucroute », ce qu'il pensait de Maurice Richard.

« Eh bien ! Le Canadien a obtenu cinq buts et le Rocket en a réussi quatre. Je ne l'ai jamais vu jouer de meilleure partie. Il n'a jamais cessé de travailler et comme la rondelle a quelque peu « roulé » pour lui, il n'a pas raté sa chance de se faire valoir. Il est un grand joueur de hockey et même s'il a 35 ans, il est encore un des plus rapides de la Ligue. Maurice a sans doute connu sa meilleure joute de la saison contre notre équipe. »

Quant au jeune Don Simmons, il était déprimé et un peu malheureux. Mais il n'avait pas à être blâmé car sans sa magnifique performance, le score aurait été beaucoup plus élevé. « Ce fut humiliant, fit-il remarquer et il expliqua : je suis venu bien près d'empêcher ce Richard de marquer ce premier but du Canadien. En effet, lorsqu'il a décoché son lancer du revers, j'ai partiellement bloqué la rondelle du bout de mon patin droit et le disque a ensuite roulé dans la cage. Sur le deuxième but, je croyais sincèrement que je l'avais à ma merci. Il n'avait presque plus d'angle et la rondelle semblait être presque dans les airs, lorsqu'il est parvenu seul devant moi. Il a toutefois réussi à s'en emparer pour ensuite la loger dans les filets. Ce fut un but spectaculaire. Quant à ses deux autres buts, il a décoché des lancers très précis pour me prendre en défaut. Je sais maintenant de quel bois se chauffe le Rocket lorsqu'il connaît une bonne joute. »

Un autre témoignage des plus élogieux a été rendu par un des adversaires les plus acharnés du Rocket, Fern Flamand, avec qui Maurice eut de nombreuses altercations. Marcel Desjardins lui demanda de décrire les buts du Rocket : « Ils ont tous été, peut-être à l'exception du dernier, des buts typiques du Rocket. Il n'y a pas d'autre expression pour les décrire ! » Desjardins lui demanda de préciser ce qu'il entendait par un « but typique du Rocket ». Il expliqua : « Il dépasse le filet dans sa course, puis revient en avant. C'est typique du Rocket. Il y avait aussi les efforts, l'acharnement, le refus d'abandonner, mais cela, tout le monde le sait. »

Dans la chambre du Canadien, c'était le délire ! « Fantastique ! », « formidable ! » « incroyable ! », entendait-on fuser de partout. Tous et chacun voulaient féliciter *Monsieur Hockey*. « Great Going Rocket ! », « Good Old Rocket » se mélangeaient aux autres exclamations.

Son jeune compagnon de ligne, l'impétueux Dickie Moore, n'en revenait pas : « Ah ! je suis chanceux de jouer aux côtés d'un tel athlète. Il n'y a pas un joueur qui arrive à sa cheville dans le hockey. Il a marqué quatre buts ce soir et tous de façon différente. Il est unique en son genre. »

Quant à Henri à qui l'on demandait s'il croyait pouvoir réussir comme Maurice, sa réponse ne se fit pas attendre : « Jamais je ne pourrai rejoindre Maurice. Je ne sais pas comment il fait d'ailleurs personne ne le sait non plus ! »[1]

En plaisantant, Tommy Johnson demanda à Frank Selke si le

---

1. On sait maintenant que cela s'est confirmé, mais en partie seulement. Sans rejoindre Maurice, Henri s'est avéré l'un des Grands du Hockey, éclipsant même son frère dans le domaine des points.

Rocket était à vendre ou à échanger. Ne pouvant réprimer sa joie, Selke répondit : « Je l'ai dit et je le répète encore, si le Canadien l'échange, il devra m'échanger également. Et si le Rocket part, je partirai avec lui ! »

Peut-être mieux que quiconque, Frank Selke expliqua la grandeur du Rocket :

« Il y a beaucoup de bons joueurs, mais il y a seulement *un* Richard. Quand la pression est au maximum, il parvient à des sommets de performance jamais atteints dans ce sport ! » Quel hommage !

L'une des réactions les plus amusantes fut celle de Camille Desroches, le publiciste du Forum. Au début de la troisième période, il décida d'aller chercher trois cigares à un dollar chacun pour souligner cet unique « tour du chapeau » du Rocket. Lorsqu'il revint au Forum, Maurice avait un quatrième but d'enregistré. Camille lui remit alors les cigares en lui disant : « Eh bien ! prends ces trois cigares en attendant, et je te remettrai l'autre plus tard. »

La « ligne du Punch » se voyait à nouveau réunie dans ce même vieux vestiaire, impassible témoin des hauts faits de ce merveilleux trio. Elmer Lach était venu féliciter le « Rock » comme il aimait l'appeler : « Il est tout aussi rapide maintenant qu'il l'était dans le temps, dit-il. Peut-être n'aurais-je pas dû me retirer si vite. Avec lui pour mettre la rondelle dans le filet, j'aurais pu durer encore cinq ans », remarqua-t-il avec un peu de nostalgie.

Il s'approcha de son vieux copain et le félicita avec son humour habituel : « Si seulement tu avais joué comme tu le fais aujourd'hui alors que j'évoluais à tes côtés, j'aurais probablement remporté le championnat des marqueurs à chaque saison ! »

« Old Lamplighter », qui continuait d'agir comme « bougie d'allumage » mais à titre d'instructeur, n'était pas loin et il ajouta : « Ce furent quatre buts typiques de Maurice Richard, les quatre marqués de façon différente, résultat de l'effort supplémentaire, de la spontanéité et du flair qui lui sont tellement caractéristiques. » Toe ajouta : « Je ne me souviens pas d'avoir vu Maurice plus rapide que ce soir. »

Doug Harvey qui s'était mérité trois assistances était celui qui avait déclenché l'attaque sur ce deuxième but. Il avait fait une passe à Maurice un peu avant la ligne bleue adverse et le Rocket déjoua tour à tour, dans un effort étonnant Jack Caffery, Doug Mohns, Fleming McKell et Bob Armstrong pour parvenir devant Don Simmons et le confondre.

Johnny Trottselig, un autre immortel du hockey de l'époque des Joliat, Morenz et Mantha, admirait sans réserve l'exploit de Maurice : « L'opiniâtreté est le secret de ses succès. Avez-vous vu comment il a marqué ce deuxième but ? Il a perdu quatre fois la rondelle. Mais chaque fois, il a refusé d'abandonner. Il a lutté furieusement pour la reprendre. Un adversaire paraissait l'avoir mis en échec et il a réussi à s'en débarrasser. Il a continué à se débattre furieusement jusqu'à ce qu'il ait mis la rondelle dans le filet. »

Maurice avait amené son fils Normand avec lui, comme il le faisait dans le passé avec ses autres fils. Un photographe demanda au petit de montrer quatre doigts pour indiquer les buts de son père. Tout le monde s'esclaffa lorsque Normand en montra cinq. Ce qui fit dire à un journaliste : « Le petit a treize ans de retard dans son geste ! »

Ce fait banal démontre de façon éloquente la profonde admiration qu'on portait au Rocket. Chacun connaissait les records de Maurice. Il occupait une place spéciale dans le coeur de chaque Canadien français.

En première page de la section sportive du *Herald* de Montréal, on pouvait lire une manchette des plus significatives :

ROCKET ! ROCKET ! ROCKET ! ROCKET !
« *A Tisket and a Tasket !*
Rocket Puts 4 in Basket ! »

C'est par cette rime que Dink Carroll débuta son article :

« Les Bruins de Boston pensent probablement qu'il devrait y avoir une loi contre Maurice (The Rocket) Richard, mais ça ne serait pas une loi naturelle, car cet homme les défie.

« À 35 ans, le plus vieux joueur de la L.N.H., le fameux Rocket, a réduit à néant les vieux clichés du hockey tels que « c'est un sport pour les jeunes » et « place à la jeunesse », en marquant quatre buts pour conduire les Canadiens à une victoire de 5 à 1 contre les Bruins de Boston.

« Le spectaculaire Rocket a connu plusieurs soirées mémorables au cours de ses quinze ans de carrière dans le hockey du « Big-Time », mais il est peu probable qu'il ait jamais procuré autant de frissons au cours d'une partie, par ses exploits de marqueur, qu'il en a procuré aux 14 538 spectateurs qui furent témoins de celle-ci.

« Au printemps de 1944, le Rocket a établi un record dans les séries de détail en marquant tous les buts de son équipe, alors que les Canadiens défirent les Maple Leafs de Toronto, 5 à 1. S'il avait eu un peu plus de chance, il aurait pu éclipser cette marque samedi soir, en enregistrant au moins deux autres buts. »[1]

En effet, Maurice rata plusieurs occasions à la première période. À la troisième, il s'échappa seul à deux reprises. La première fois, Don Simmons fit dévier son lancer à la toute dernière seconde, du bout de son patin. La deuxième fois, il déjoua Simmons, mais son lancer frappa le poteau des buts.

Le chroniqueur sportif bien connu, Vince Lunny, débutait son article comme suit : « *Magnificent ! Fantastic ! Amazing ! Incomparable !* » Cet hommage n'a besoin d'aucune traduction !

M. Lunny fit ensuite remarquer que Maurice aurait dû obtenir au moins six buts, et que s'il avait raté deux chances alors qu'il avait Don Simmons à sa merci, c'était dû à sa trop grande vitesse. « Ce qui en somme est un tribut pour un joueur de hockey qui a 35 ans et qui refuse obstinément de pénétrer dans le vestibule de Valhalla », écrivait Lunny.

Dans *La Presse* du lundi 8 avril, Marcel Desjardins louangea de belle façon, lui aussi, le Rocket. Après avoir mentionné que cette partie était la première de la série finale, que le résultat était de 5 à 1 en faveur du Tricolore, que Doug Harvey avait fourni tout un spectacle et que tel instructeur avait utilisé telle stratégie, Marcel Desjardins reconnaissait que tout cela avait maintenant peu d'importance : « Autant de points déjà oubliés lorsqu'un joueur a tourné le tout en un « grandiose succès personnel ». Est-il bien nécessaire de mentionner le nom de cet *incomparable* joueur, car tous n'auront-ils pas reconnu en ce merveilleux athlète, le seul apparemment susceptible d'un tel exploit dans une telle circonstance, c'est-à-dire Monsieur Hockey lui-même, le vétéran Maurice Richard. » Puis Marcel

---

1. Carroll, Dink, *The Gazette,* Montréal, 8 avril 1957.

Desjardins résumait ce que venait d'accomplir le plus vieux joueur de la L.N.H. pour soulever une telle vague d'enthousiasme : « Il avait enregistré quatre buts dont trois dans un intervalle de moins de six minutes à la deuxième reprise ; il était venu à une chance d'en enregistrer trois autres ; il avait fourni une des plus scintillantes performances de sa fabuleuse carrière ; il avait vaincu pour ainsi dire à lui seul la puissante équipe des Bruins à l'ouverture d'une série finale pour la coupe Stanley. »

Roger Meloche, chroniqueur de *La Patrie,* offrit un hommage tout à fait particulier à Maurice, dans sa chronique : « Le mot de la fin ». Il débuta son texte avec MAURICE RICHARD en gros caractères noirs. Le reste de la colonne qui s'étendait sur toute la page était immaculé. Puis au bas de la page, il terminait avec ces mots : « . . . quand on a mentionné ce nom, on a tout dit ! »

Cette performance du Rocket eut une conséquence incroyable et des plus heureuses. Maurice Richard a probablement été le seul joueur de hockey à rendre l'usage de la parole à un individu.

Un homme âgé qui venait de subir une crise cardiaque était paralysé et ne pouvait plus parler. Sachant combien il était un mordu du hockey, les infirmières poussèrent sa chaise roulante devant un téléviseur afin qu'il puisse regarder cette partie.

Rien ne laissait présager un pareil dénouement. Il regarda toute la partie sans bouger. Soudainement, lorsque Maurice compta son quatrième but à la troisième période, il poussa un cri terrible qui fit frémir tout l'hôpital. Il venait de recouvrer la parole.

Cette première partie de la série finale fut le début de la fin pour les Bruins de Boston qui perdirent la série 5 à 1. Les Canadiens s'assuraient leur deuxième coupe Stanley consécutive. Les deux grandes vedettes des séries, « Jeff » et Maurice, portèrent Toe Blake en triomphe !

Le Rocket accepta la coupe des mains de Cooper Smeaton. Très ému, le nouveau capitaine des Canadiens prononça ce petit discours : « Je tiens à remercier tous les admirateurs du Canadien pour le magnifique appui qu'ils nous ont accordé cette saison. Nous avons déçu durant la saison régulière, mais nous avons repris le terrain perdu dans les séries éliminatoires. Je tiens aussi à féliciter mes coéquipiers pour leur bel esprit combatif. »

Avec l'aide du gardien Jacques Plante, Maurice remercie les partisans du Canadiens.
Le no 9 remporte sa première Coupe Stanley en tant que Capitaine du tricolore.

Studios David Bier

Comme capitaine de l'équipe, Maurice eut l'honneur de verser le champagne dans la coupe Stanley, puis de boire le premier à la coupe des Champions du monde.

Encore ébranlé par la blessure qu'il s'était faite en se cognant la tête contre la glace quand il avait trébuché contre les buts de Don Simmons, le Rocket était épuisé et énervé. Il avoua qu'il n'avait pas dormi depuis des jours : « Jamais, jamais dans toute ma carrière, je n'ai passé une semaine aussi malheureuse que la dernière. Je ne me suis jamais senti aussi nerveux que depuis le début de la série finale contre le Boston. »

Au cours de ces séries de la coupe Stanley, le capitaine du Canadien avait contribué directement à neuf records d'équipe.

Toe Blake, après avoir trempé ses lèvres dans la coupe et après avoir félicité tous ses joueurs un à un déclara : « L'équipe qui a remporté le championnat ce soir était supérieure à tous les clubs pour lesquels il m'a été permis d'évoluer au cours de toute ma carrière. »

Venant de Toe Blake, joueur-instructeur, les joueurs du Canadien ne pouvaient recevoir plus bel hommage.

Handicapé au coude pendant plus de quinze parties et tenu à l'écart pendant sept autres, Maurice marqua quand même 33 buts. Ce sera là sa dernière production de plus de 30 buts.

Il souffrira de blessures graves durant ses trois dernières saisons, comme ce fut le cas au début de sa carrière alors qu'il avait été blessé dès les trois premières. Comme nous l'avons dé à mentionné, ce destin étrange était marqué du sceau de la grandeur de l'extraordinaire, de l'inusité.

Chapitre quinzième
Plus invulnérable
qu'Achille

La direction du Canadien et Toe Blake ne ménageaient rien pour créer des liens d'amitié solides entre les joueurs. C'est cet été-là en 1957, que l'équipe de « fastball » du Canadien fut reconstituée. Les joueurs apprenaient ainsi à mieux se connaître, à mieux s'apprécier.

De plus, le 18 septembre 1957 eut lieu une première. Un bal masqué fut organisé au Forum dans le but de faire connaître les joueurs au public. Tout ce monde se retrouva costumé et en patins sur la glace du Forum.

Maurice était déguisé en Frontenac ; il avait vraiment fière allure ! Il était prêt à faire tonner ses canons. Harvey avait choisi un costume de cosaque et « Boum-Boum » s'était déguisé en « Harpo ». Quant à Jean Béliveau, Jacques Plante et Henri Richard, ils s'étaient transformés respectivement en maharadjah, en chevalier du Guesclin et en vieillard. Toe Blake, lui, avait emprunté les habits de Daniel Boone.

Cette soirée connut un vif succès. Toutes ces initiatives contribuaient à renforcer l'esprit d'équipe déjà formidable du Canadien. Il régnait chez les joueurs une franche camaraderie. Ils formaient une « grande famille » comme diront souvent Blake et Selke. Cet esprit d'équipe était un des facteurs qui rendaient les Canadiens si redoutables.

Quant à Maurice, c'est surtout dans sa vie familiale qu'il puisait le désir et l'énergie mentale qui faisaient de lui plus qu'un simple athlète. Il s'en tenait strictement à une certaine façon de vivre, ce qui explique qu'il ait si longtemps tenu le coup dans ce qui est sans doute le plus violent et le plus épuisant de tous les sports imaginés par l'homme.

Le plus étonnant dans son cas, c'est que ce dynamisme explosif dont il faisait preuve faisait de lui un candidat idéal pour les blessures graves et que, malgré tout, il n'abandonnait pas.

Il y a d'autres joueurs de hockey qui ont pu prolonger leur carrière, mais tous, à peu d'exception près, déclinèrent après douze ou treize saisons de hockey et leur production diminua de plus en plus.

Ce n'était pas encore le cas pour le Rocket. À 36 ans et dans sa seizième saison, il était toujours aussi productif. Et cela, il le devait à son mode de vie rangé et à sa bonne condition physique.

Il connut un camp d'entraînement qui laissa présager qu'il décrocherait peut-être, cette saison-là, le fameux trophée Art-Ross ! Il fit la barbe aux jeunes, de même qu'aux vétérans. Toe Blake avait su créer une atmosphère de compétition peu commune entre les joueurs. L'émulation était grande ! Le Rocket était donc à son meilleur ! Il était évident que son objectif de 500 buts serait vite atteint. Il avait terminé la saison précédente avec 493 buts pour les saisons régulières seulement.

Détroit allait s'en rendre compte à ses dépens ! Dès la première rencontre, à l'Olympia, le Tricolore blanchit 6 à 0 les champions de la saison précédente. La ligue de Richard et de Moore obtint les six buts ! Maurice compta ses 495e, 496e et 497e buts pour réussir son 32e « tour du chapeau », Dickie imita la performance du Rocket et réalisa lui aussi un « tour du chapeau ».

Le Rocket, hué à chacune de ses apparitions sur la glace, eut besoin d'une escorte de policiers pour quitter le vestiaire des joueurs. Des centaines de spectateurs l'attendaient à la sortie du vestiaire pour l'ovationner.

Lucille, comme d'habitude, alla à la gare accueillir son héros de mari qui déclara, toujours aussi modeste, que Sawchuck avait été faible et qu'il avait été chanceux : « Je crois que la dernière fois que j'ai compté trois buts dans une partie à Détroit, Toe Blake et Elmer

Bal masqué au Forum. Maurice Richard ou Frontenac ?

Canada Wide

Lach étaient mes compagnons de ligne », ajouta-t-il songeur.

Quatre jours plus tard, Henri réussissait son premier « tour du chapeau », et Maurice comptait son 498e but... puis son 499e, dans une victoire de 9 à 2 contre les Leafs.

À la sortie du Forum, on ne parlait que des Richard. Il y avait de quoi ! Ensemble, ils avaient participé à six des neuf buts du Canadien. Henri se méritait trois buts et trois assistances et Maurice deux buts et deux assistances, dont l'une sur le but du jeune Dickie Moore.

Dans la chambre des joueurs, Maurice et Henri étaient la cible des photographes.

Le Rocket était fatigué, mais satisfait de sa soirée. Lui qui avait défoncé la défensive adverse pour deux buts, le premier à 16 minutes 5 secondes de la deuxième période, et le deuxième à 1 minute 48 secondes de la troisième, rata plusieurs occasions de marquer son troisième but de la partie et son 500e en saisons régulières.

Après ce deuxième but de Maurice, les spectateurs du Forum se levaient de leurs sièges comme une seule personne, chaque fois que M. Hockey touchait à la rondelle, s'encourageant de toute la force de leurs poumons ; un bruit aussi assourdissant que la foudre emplissait le stade.

Le Rocket n'y mit peut-être pas tout l'enthousiasme dont il était capable, car il ne réussit pas d'exploit ce jeudi soir.

Ses admirateurs attachaient beaucoup plus d'importance que lui à ce 500e but, semblait-il. Il avait déclaré à un reporter : « Mon seul

Maurice et Henri ont raison d'être fiers d'eux ; ensemble, ils ont participé à 6 des buts du Canadien. Henri a obtenu 3 buts et 3 aides et Maurice 2 buts et 3 aides, dont l'une sur le but de Dickie Moore. Canadiens 9, Toronto 2.

objectif quand je compte un but, c'est d'aider mon club à gagner une partie. » Il ajouta : « Quelle différence y a-t-il entre le 499e, le 500e ou le 501e ? Le plus important sera le dernier que je compterai. »

Toutefois, on peut le soupçonner d'avoir réservé son 500e but pour le samedi soir suivant afin que tous ses compatriotes soient témoins de ce but historique ; autrement, le Rocket n'aurait pas été satisfait de sa soirée. Les paroles qu'il a prononcées après la partie trahissaient ses intentions : « J'espère compter mon 500e but samedi et devant des milliers de téléspectateurs. »

Ce fait démontre bien, à nouveau, toute la place qu'occupaient ses compatriotes dans le cœur du Rocket. Il voulait partager cet honneur avec tous ses supporteurs. Il voulait que la province et le pays tout entiers soient témoins de cette nouvelle marque, sachant que c'était important pour les siens.

Geoffrion regardait le Rocket, celui-là même qui avait été l'idole de sa jeunesse, et tout en hochant doucement la tête, répétait : « 499 buts... c'est formidable ! »

Son instructeur, Toe Blake, commenta cet exploit en tant que joueur de hockey : « Il faut être joueur ou ancien joueur pour se rendre compte du formidable succès de Richard. Demandez à n'importe quel joueur comme il est difficile d'obtenir des buts dans la Ligue nationale. »

En cinq parties, le Rocket avait déjà six buts. Il était lui-même étonné de ce début de saison : « Je ne crois pas avoir déjà commencé une saison avec d'aussi bons résultats dans le passé. N'oubliez pas cependant que mon frère Henri et Dickie Moore connaissent eux-mêmes un début extraordinaire. »

Maurice tint parole ! Deux jours plus tard, le samedi 19 octobre 1957, il ouvrit le score à 15 minutes 52 secondes avec le 500e but de sa carrière en saisons régulières, contre le fameux Glen Hall du Chicago. Il participa de plus avec Bernard Geoffrion au but gagnant enregistré par Doug Harvey. La marque finale : 3-1 pour nos Habitants !

Un enthousiasme indescriptible s'empara des 14 405 spectateurs lorsque la lumière rouge s'alluma derrière le filet des Black Hawks. Un amateur assis tout près de la patinoire déroula une large banderole où était inscrit : « Rocket Richard Record, 500e but. »

Les acclamations retentirent pendant plus de deux minutes ! L'organiste du Forum, ne voulant pas être en reste, entonna le plus fort possible « Il a gagné ses épaulettes ». Puis Jacques Bélanger, annonceur du Forum, attendit que le tintamarre perde de son intensité pour proclamer : « Le but du Canadien, compté par M. Hockey lui-même, Maurice Richard ! » Les acclamations reprirent de plus belle. Au dire des journalistes, ils n'avaient jamais entendu pareille ovation. Plus de dix minutes s'écoulèrent avant que la partie ne redémarrât et que les gens ne reprissent leurs sièges.

Maurice venait de tomber à genoux lorsqu'il vit la rondelle pénétrer dans les buts. Fou de joie, il se leva d'un bond, lança son bâton dans les airs et se jeta dans les bras de Jean Béliveau qui lui avait fait une passe parfaite, et les deux joueurs s'écrasèrent sur la glace. Puis il étreignit Dickie Moore qui avait débuté le jeu. En moins de temps qu'il n'en faut pour le dire, tous les joueurs du Canadien avaient entouré leur capitaine, le félicitant vigoureusement !

Cette scène ressemblait étrangement à celle où Maurice avait failli envoyer Elmer Lach au pays des rêves, en 1953, après que ce dernier eut compté le but victorieux en supplémentaire, ce qui rapatriait la coupe Stanley dans la métropole après une absence de plus de sept ans.

Moore avait été l'instigateur de ce fameux but. Il avait porté la

Studios David Bier

19 octobre 1957 — Maurice enregistre son 500e but contre Glen Hall du Chicago.

rondelle dans le coin de la patinoire dans le territoire des Hawks. Il passa à Béliveau derrière les buts de Glen Hall. Le Gros Bill, voyant le Rocket, évinça un joueur et passa à Maurice posté à 20 pieds en avant du filet. Sans perdre un instant, le Rocket lança. C'était plus un lancer frappé qu'autre chose, la rondelle leva à peine de six pouces et Hall n'eut pas la moindre chance d'arrêter ce boulet.

Dans son élan, Maurice tomba sur la glace et regarda la rondelle pénétrer dans le filet avant de sauter sur Béliveau et Moore. Pendant ce temps, le juge de ligne Georges Hayes alla chercher la rondelle dans les buts de Hall et la donna au Rocket. Maurice était très ému lorsqu'il se dirigea vers le banc des joueurs. Il remit la rondelle à l'entraîneur Hector Dubois et reçut les félicitations de son ami et instructeur, « Toe » (Hector) Blake. Quelle sensibilité, sous cette rude écorce !

Il était bien évident que ce but l'émouvait très profondément. S'il avait voulu laisser croire l'inverse, c'était beaucoup plus par modestie et parce que c'était sa façon de détourner l'embarrassante et inévitable attention dont il était l'objet.

Toe, son compagnon de la « Punch Line » pendant sept ans, expliqua : « Je ne l'ai jamais vu aussi touché par un but que lorsqu'il réussit ce 500e. Habituellement, lorsqu'il marque un but important, les joueurs viennent le féliciter et Maurice accepte leurs félicitations en inclinant la tête. Mais cette fois-ci, il a dit « Merci » à chacun d'eux. »

380

Studios David Bier (La Presse)

Après la partie, deux admirateurs soulignent à leur façon ce nouveau record du Rocket.

Maurice avait un plan tout à fait particulier concernant cette rondelle historique. « Dick Irvin avait toujours désiré obtenir cette rondelle et je m'étais promis de le lui remettre, mais la mort a passé avant que je puisse réussir, déclara Maurice. Je désire en faire un trophée souvenir en mémoire de mon ancien instructeur. La dernière fois que nous nous sommes vus, il m'avait laissé entendre qu'il ne serait plus là pour assister à ce but et je m'étais alors promis de l'utiliser de façon quelconque en mémoire de Dick. » C'était là une autre manifestation de la grandeur d'âme du Rocket.

Depuis longtemps, en effet, Dick avait souhaité recevoir cette fameuse rondelle. Mais la maladie l'emporta sans qu'il ait pu voir son désir se réaliser.

Lorsque Maurice marqua ce fameux 500e but, Frank Selke, cet homme profondément humain, eut des paroles admirables : « Je suis certain que, là où il est, Dick Irvin est au courant et en est très fier. »

Dick Irvin avait toujours manifesté à l'égard de Maurice cette fierté qu'une personne peut éprouver pour celui ou celle issu de sa chair et de son sang. Pour lui, Maurice était beaucoup plus qu'un joueur de hockey. Il était quelque chose de spécial, un homme de « destinée » et quasiment un fils.

Maurice manifeste sa joie.

Centre de photographie du gouv. canadien

Sur le banc après le 500e but.

Après ce but, la partie aurait pu se terminer là, les spectateurs étaient venus pour voir leur héros réussir ce 500e but ! Ils étaient satisfaits et le sort de la partie leur importait peu maintenant.

Les journalistes, caméramen, personnalités diverses et les joueurs réunis dans le vestiaire du Canadien donnaient l'impression que le Tricolore venait de s'assurer la coupe Stanley.

Maurice ne fit son apparition que quinze minutes plus tard. Il avait été interviewé par la radio et la télévision sur la patinoire.

Quand il fit son entrée, les éclairs de magnésium crépitèrent de toutes parts, pendant que tous tentaient de le féliciter et de lui serrer la main. Ses vieux compagnons d'armes étaient tous là ; Kenny Reardon, Ken Mosdell, Émile Bouchard, pour ne nommer que ceux-là.

«Quelqu'un là-haut doit aimer Maurice Richard et les Canadiens français », énonça Frank Selke d'un ton songeur. Ce Canadien anglais avait compris beaucoup de choses que bien des anglophones du Québec et d'ailleurs ne voulaient pas comprendre.

Toe qui avait vécu à peu près tous les grands moments de la fulgurante carrière de son compagnon, Maurice, était débordant de cette émotion qu'on ressent dans chaque fibre de son corps, qui vous remplit de joie, mais qui vous laisse en même temps une impression de « creux » à l'estomac comme si vous aviez soudain très faim. « Dans ma carrière, comme joueur ou instructeur, j'ai été témoin de plusieurs buts, mais aucun ne m'a procuré une émotion aussi forte que celui de maurice Richard ce soir, déclara-t-il. C'est la première fois de toute ma carrière sportive que l'émotion me paralyse », ajou-ᵗᵃ-t-il.

Quant à Maurice, jamais on ne l'avait vu aussi détendu. Il souriait, donnait inlassablement la main à tous ceux qui voulaient le féliciter. En entrant dans la chambre, il accueillit les journalistes par ces simples paroles : « C'est fini et j'en suis bien aise. Je tenais vraiment à réussir ce but devant nos partisans de Montréal et je suis heureux que ce soit arrivé. »

Il était d'une sérénité qu'on ne retrouvait pas facilement chez lui : « Ce but, je devais bien le compter un jour ou l'autre. C'était une grande étape à franchir et c'est fait. Je n'ai ressenti cette même tension nerveuse que lors de mon 325e but. J'étais beaucoup plus surexcité dans ce temps-là, car il s'agissait là d'un record à abaisser. Aujourd'hui même si c'était l'un des grands objectifs de ma vie sportive, je ne puis m'empêcher de constater avec quel calme j'ai réussi. »

Tout juste à ses côtés, le Grand Bill, habituellement peu démonstratif, ne pouvait cacher sa joie d'avoir été celui qui avait « assisté » le Rocket, avec Dickie Moore, sur ce but unique. « Cela me vaut bien des buts, car c'est une passe que je n'oublierai pas de sitôt. »

Un petit garçon, les yeux brillants d'admiration, se tenait près du Rocket ; c'était son jeune fils Normand. Tout en répondant aux questions des journalistes, Maurice faisait imperceptiblement attention à Normand. Ses yeux, qui pouvaient parfois prendre une expression féroce, étaient remplis d'affection lorsqu'ils se posaient sur Normand. S'il s'apercevait que le petit était mal à l'aise, il le rassurait en lui passant la main dans les cheveux.

Lorsqu'un journaliste demanda à Normand de poser avec son père, celui-ci ne se fit pas prier. Fièrement, il leva très haut le bras de son papa.

Maurice résuma en quelques mots ce qu'il avait ressenti depuis près de deux mois. Alors qu'il s'apprêtait à aller vers la douche, il se retourna soudainement, le visage tout souriant : « Maintenant, je pourrai dormir en paix au cours de mes 99 autres buts. »

Il avait expliqué à un journaliste qu'il était nerveux depuis le mois d'août, alors qu'une publicité tapageuse avait commencé à entourer ce 500e but.

Les hommages que Maurice « Rocket » Richard reçut après cet exploit étaient innombrables. En voici quelques-uns :

Cooper Smeaton, le gardien de la coupe Stanley, émit l'opinion que Richard était « le joueur par excellence de son époque ».

« Richard est un grand, très grand joueur et une gloire pour le hockey. C'est un joueur qui est arrivé au succès par ses talents naturels de hockeyeur, mais surtout par sa détermination, son énergie farouche », affirma Tommy Ivan, gérant du Chicago.

Gus Morton, solide défenseur des Hawks avec qui Maurice avait eu de nombreux démêlés, exprima tout le respect que les joueurs du circuit portaient au Rocket, même s'il était âgé de 36 ans :

> « Richard atteindra un total de plus de 600 buts avant de prendre sa retraite. Le vieux Rocket ne fournit plus ses sorties d'autrefois ou du moins il les exécute moins souvent. Il ne s'élance plus en direction du filet avec un ou deux joueurs accrochés à lui. Il ne tente plus de se frayer un chemin à travers toute l'équipe adverse. Il calcule plus ses mouvements. Il guette les passes, les occasions de marquer. Il met à profit sa longue expérience pour distinguer les vrais occasions des autres. C'est pour cette raison qu'il est toujours aussi dangereux, même s'il ne dépense plus la même énergie. C'est parce qu'il ne s'épuise pas en efforts inutiles qu'il conserve ses forces pour les occasions de marquer et qu'il est plus habile que jamais dans ses lancers que je pense qu'il atteindra 600 buts avant sa retraite. »

Nombreux étaient ceux qui étaient convaincus que M. Hockey atteindrait 600 buts et plus, s'il ne subissait pas de blessures graves.

Après qu'il eut compté ce 500e but, une personne déclara : « Maintenant nous pouvons attendre le 1000e but. » Il est certain que Maurice ne pouvait pas doubler sa production, mais cette remarque traduisait bien l'attitude du public envers ce formidable athlète. Maurice avait su susciter chez ses admirateurs cet enthousiasme et cette foi inébranlables.

Quant à Ted Lindsay, maintenant avec les Black Hawks, il ne se

Sports Illustrated

Béliveau congratule Richard après l'avoir assisté dans ce but historique.

En présence de ses coéquipiers et amis, et en compagnie de Lucille, Maurice tranche le gâteau commémorant son 500e but chez Butch.

montra pas des plus expressifs. Le représentant de *La Presse* eut de la difficulté à obtenir une déclaration du président de l'Association des joueurs de hockey, et pour cause ; celui-ci ne s'était pas encore remis de la mise en échec de son vice-président, Doug Harvey. En effet, Doug ne montra pas grand respect pour son président en le « dompant » vigoureusement devant les yeux de Frank Udvari. Le bouillant Ted exigea une punition. Il fut bien servi, il reçut un dix minutes de mauvaise conduite.

Lorsque Marcel Desjardins lui demanda ses impressions, il répliqua effrontément en demandant quel genre de commentaires Marcel désirait obtenir ! Celui-ci riposta que ce n'était pas au journaliste de suggérer les déclarations. Il répondit alors cyniquement que 500 buts, c'était beaucoup, mais que cent d'entre eux avaient été marqués pendant la guerre ! Pauvre Ted . . .

Lui aussi, il avait joué au hockey durant la guerre et qu'avait-il fait ? Au cours de la saison 1944-1945, lorsque l'ailier droit du Canadien obtint l'unique marque d'un but par partie en cinquante parties, monsieur Ted Lindsay avait accumulé 17 buts en 45 parties. Ce grand joueur venait de montrer sa petitesse . . .

Deux personnes dans l'assistance n'avaient pu retenir leurs larmes lorsque le Rocket réalisa ce haut fait sportif. L'épouse de Maurice, Lucille, et son fils Normand, en proie à une émotion intense, se laissèrent aller à cette manifestation de bonheur profond.

À l'instar de Blake, Mme Richard avait prédit que le 500e but de son Maurice serait enregistré ce soir-là : « Il fallait s'attendre à ce que ce 500e but soit marqué ce soir. Maurice était très fatigué et travaillé par toute la publicité soulevée par ce but qu'il considérait semblable à tous les autres. Il va maintenant pouvoir jouer plus librement, plus reposé ! »

Pour sa part, Toe ne trouva aucun candidat avec qui parier ! Il confirma l'impression de plusieurs spectateurs : « Avez-vous remarqué la façon dont le Rocket fixait les buts de Glen Hall et Hall lui-même avant la rencontre. Jamais je ne l'ai vu agir de la sorte. Tout en patinant avec ses coéquipiers, il ne quitta pas des yeux, un seul instant, les buts du Chicago, comme obsédé par une ferme détermination : loger la rondelle dans ce filet. »

Un autre grand admirateur du Rocket applaudit à tout rompre ce but historique, c'était le Premier ministre de la province de Québec, l'Honorable Maurice Duplessis.

Monsieur Duplessis, qui manquait rarement une partie des Canadiens à Montréal, fit parvenir à Maurice une lettre personnelle de félicitations.

Richard reçut de nombreux télégrammes pour saluer cet exploit. L'un d'eux venait du nouveau propriétaire du Canadien, Hartland M. Molson :

> « Mes plus chaleureuses félicitations pour le plus grand exploit historique de notre sport national. Stop. Un autre fleuron s'ajoute à ta merveilleuse carrière de grand joueur et de champion marqueur. »

Évidemment tous les journaux du pays et plusieurs grands quotidiens américains tirèrent cet exploit à la une. L'agence de presse B.U.P. traça un portrait fidèle de la carrière du Rocket, en voici un extrait.

> « Tout geste du Rocket sur la glace a de l'éclat. Qu'il compte un but, qu'il rate un but, qu'il se batte, gesticule ou discute avec un arbitre, qu'il patine en cercle après un but, tout ce que Richard fait a de la couleur. Il détient au partage quinze records individuels de la Ligue nationale. Aucun joueur ne s'est jamais approché de son fameux record de cinquante buts en cinquante parties réalisé au cours de la saison 1944-1945.

« Et il aurait pu enregistrer 75 buts cette année-là, ajoutait l'instructeur Toe Blake, du Canadien, qui complétait le trio de la « Punch Line », composée de Blake-Lach-Richard à cette époque. » Et l'agence de citer Blake à nouveau :

> « Mais Richard est surtout dangereux dans une joute serrée. C'est pourquoi il a toujours été un véritable joueur d'équipe. Vous le voyez rarement marquer plusieurs buts dans une victoire facile. Comptez seulement le nombre de buts gagnants qu'il a marqués. »
>
> « Selon le livre des records, Maurice Richard a enregistré 79 buts gagnants dans sa carrière. « C'est plus de buts que certains joueurs ont marqués dans toute leur vie, » assura Blake. »

« *Maurice « Rocket » Richard is still the Babe Ruth of Hockey* », c'est ainsi que le rédacteur sportif Dink Carrol, du journal *The Gazette,* débuta son article au lendemain de cet exploit.

Ce même journaliste écrivit un article pour le programme-souvenir de « la soirée Maurice Richard » organisée le 10 décembre 1957 par The Syrian Canadian Association.

« *An All-Time Great* » était le titre de son article dont voici un passage :

« Le voici maintenant, à l'âge de 36 ans, à sa seizième saison dans la Ligue et avec l'incroyable record de 500 buts. Cela le place tout de suite parmi les grands de n'importe quel sport.

« Le joueur avec qui le Rocket a été le plus souvent comparé est le regretté Howie Morenz, probablement parce qu'ils étaient tous les deux spectaculaires sur la glace. Mais Howie n'est pas toujours demeuré au sommet comme l'a fait le Rocket, et ce dernier l'a déjà dépassé en jouant beaucoup plus longtemps.

« L'hommage qui lui est rendu ce soir ne vise pas seulement à reconnaître ce fameux 500e but, mais c'est aussi un tribut à une grande personne et à un athlète fabuleux ! »

Ce soir-là, un autre hommage fut offert au Rocket et pas par n'importe qui... Devinez qui était celui qui avait été invité à prendre la parole à cette occasion ? Hé oui ! celui-là même qui s'était acharné sur Maurice tout au long de sa carrière : l'imperturbable M. Campbell.

Lorsqu'on le présenta, une très forte tension se fit aussitôt sentir à travers la salle. Voici son petit discours :

« Nous avons tous une leçon à apprendre de cet homme remarquable. Le fait que Richard ait marqué plus de 500 buts en saisons régulières est secondaire. Ce que cet homme a accompli en se consacrant complètement et totalement à son travail est la leçon que nous devons apprendre. Jamais, au cours de mon travail dans le sport ou en tout autre domaine, je n'ai rencontré un homme capable de poursuivre un objectif en se donnant aussi intensément et aussi totalement à sa profession. »

Puis, il fit remarquer qu'il avait déjà assisté à plusieurs rencontres où Maurice Richard était l'invité d'honneur, mais pas pour des motifs aussi heureux... Ce « dry sense of humor » comme disent nos compatriotes anglophones, dérida l'assemblée. Il continua :

« Toutefois, ces questions de régie interne n'ont pas changé d'un iota l'admiration que j'ai pour lui en tant qu'athlète. Durant les 40 ans que j'ai pu observer le hockey, personne n'a su me faire frissonner comme l'a fait le Rocket. »

Je suis persuadé que M. Campbell ne réalisait pas jusqu'à quel point il pouvait dire juste. Il a dû ressentir des frissons à plus d'un titre, pas uniquement comme amateur de hockey... Néanmoins, ce témoignage d'estime était sincère, car il faut reconnaître que c'était quand même l'opinion d'un gars qui avait vu en action tous les grands du hockey.

« *The most accomplished attacking genius in the game* (Le joueur d'attaque le plus génial de ce sport) ».[1] C'est ainsi que Robert Walker qualifia le numéro 9 des Habitants dans une rétrospective détaillée de la carrière de Richard, qu'il intitula d'un titre tout aussi clair : « *Hockey's Best Pro* (Le meilleur pro du Hockey) ».

Le journal *Nouvelles et Potins* en fit autant dans son édition du 25 janvier 1958 et publia un cahier de 24 pages sur la carrière de Maurice, intitulé : RICHARD, UN SURHOMME.

La veille, le Centre sportif Immaculée-Conception avait fait toute une fête au « grand numéro 9 ». Plus de 500 enfants s'étaient massés dans l'auditorium du centre pour célébrer l'exploit de leur idole. « C'est la première fois que je suis l'objet d'une telle fête et j'en suis profondément ému », confia Maurice. Il y avait de quoi. Ce centre avait été bâti là où Maurice avait disputé ses premières parties dans le hockey organisé, c'est-à-dire tout près du Parc La Fontaine. Et ces enfants, qu'il aimait par-dessus tout, jouaient sur les mêmes patinoires où Maurice s'était illustré. Ce retour en arrière était très émouvant pour Maurice. Ces 500 enfants représentaient une merveilleuse façon d'honorer ses 500 buts.

Il déclara aux enfants : « Jamais je n'oublierai cette fête et pour répondre à vos vœux, je vais tâcher de me rendre à 600 buts ! »

Vous avez là un aperçu des hommages qui pleuvaient sur Richard. Ils venaient de partout, même de Toronto.

Lors de la première visite du Rocket dans cette ville, après son exploit, Scott Young, du *Globe and Mail,* écrivit un papier sur Maurice qu'il intitula « *The Magnificient Five Hundred* » :

> « La plus belle chose que je puisse dire, c'est que lorsque vous surveillerez le Rocket ce soir, vous devrez admettre qu'il peut se rendre à 600 buts et, en effet, si l'on fait abstraction de blessures sérieuses, il sera sûrementt très près de la marque des 700 avant qu'il n'accroche ses patins.
>
> « Je me souviens de lui quand il était dans sa forme la meilleure et il n'en est pas très loin en ce début de saison, quoi qu'en disent certains. (...)
>
> « Il est certainement aussi rapide que jamais pour laisser partir son lancer.

---

1. Walker, Robert, *Liberty,* décembre 1957.

Caricature dans l'édition du 29 octobre 1957 du Toronto Telegram, *après le 500e but du Rocket.*

« Son 500e but est un exemple magnifique qui démontre à quel point il lance toujours aussi vite.

« On peut se demander combien de douzaines ou de centaines d'autres buts il a marqués alors qu'il était apparemment immobilisé ou mis en échec.

« Personne ne peut le dire, mais aucun but, même parmi ses premiers, ne pouvait être plus rapide ou plus sûr que ce 500e. »

Quant à Margaret Scott, elle déclara que les Torontois étaient privilégiés :

« Si vous êtes un partisan de Richard, vous êtes rempli d'orgueil face à ses exploits, et si vous n'êtes pas un partisan de l'illustre ailier droit, vous allez au moins lever votre chapeau et admettre qu'il est le plus grand artiste pour marquer des buts que le hockey ait jamais vu.

« Nous sommes un groupe de « fans » privilégiés, ce soir. Depuis que des foules remplissent le Garden, aucune n'a encore vu un marqueur de 500 buts. Nous serons là, à regarder un de ceux qui font l'histoire et dont nous ne verrons sans doute jamais l'égal. »

Un autre hommage lui fut rendu par un supporteur de Scarborough qui lui écrivit ce poème :

NOTRE ROCKET

Les Russes prétendent être les premiers
A avoir un satellite lancé
Dans l'espace par une fusée ;
Mais ils se sont sûrement trompés !
Nous devons leur disputer le droit de revendiquer
Qu'il sont les premiers à cet égard.
N'ont-ils pas entendu parler
   du fabuleux Richard ?

390

Notre Rocket, dans la stratosphère,
Est en orbite depuis seize hivers.
Sa réputation est rehaussée
Avec chaque but marqué !
Le Spoutnik suit Maurice Richard
Avec tant de retard
Que la Lune rouge, par comparaison,
N'est qu'un bruyant garçon !

Georges A. Adams

Dans un geste sans précédent, le Gouverneur général du Canada reçut Maurice Richard et son épouse, le 8 novembre 1957, pour le féliciter personnellement de son récent exploit. La rencontre eut lieu dans un wagon privé du Pacifique Canadien, à la gare Windsor. Ils s'entretinrent durant 35 minutes de divers sujets, mais surtout de hockey et aussi de la venue prochaine de la reine d'Angleterre.

Ce geste était tout à fait significatif du respect porté au Rocket, autant pour sa valeur en tant qu'homme que comme athlète. Ainsi que le déclara Jerry Trudel : « En somme, c'est l'accolade royale à un autre roi ! »

Cinq jours plus tard, le 13 novembre, le monde du hockey était consterné ! Victime de la fatalité, Maurice faillit se faire sectionner complètement le tendon d'Achille.

Maurice fonçait à toute allure dans la zone des Leafs. Il réussit à saisir une passe de Moore et lança avec force sur Chadwick. En tentant de reprendre son propre retour, Maurice tomba avec Marc Rhéaume par-dessus lui. Quand il voulut se relever, Rhéaume infligea une profonde entaille à la cheville droite du Rocket. Son patin sectionna le tendon aux trois quarts. À 36 ans, avec une telle blessure, la carrière de Maurice était sérieusement compromise...

Voici comment Gérard Champagne débuta son reportage le jour suivant dans *La Presse* :

« Si le regretté Dick Irvin avait été là, il aurait probablement dit : « La main invisible a frappé Maurice Richard. » L'une des plus grandes ambitions que caresse Maurice Richard depuis le début de sa carrière dans le hockey est le championnat des marqueurs de la Ligue nationale. Mais, toujours, lorsqu'il arrive près de son but, quelque chose survient pour lui mettre les bois dans les roues. Richard n'est pas un homme superstitieux mais, hier soir, le chiffre 13 ne lui a pas porté chance ! »[1]

---

1. *La Presse,* 14 novembre 1957.

Montage publié dans le programme du Maple Leaf Garden à Toronto, après le 500e but.

On sutura la blessure et on immobilisa la cheville du Rocket dans un plâtre. Maurice commença à ronger son frein...

En décembre, il était choisi « l'athlète de l'année » pour 1957. Un peu plus tard, il recevait le trophée Lou-Marsh pour l'athlète canadien qui s'était mis le plus en évidence au cours de 1957.

Partout à travers le pays, on le réclamait. Il se rendait à ces invitations dans la mesure du possible. Le 18 janvier, il s'envola pour Vancouver où il avait été invité à arbitrer la partie des « Old Timers ». Le lendemain, il fut honoré par la tribu indienne des Burrard. On lui conféra le titre honorifique de « Chief Richard » et on lui remit un trophée en forme de totem. L'inscription se lisait : *To Maurice Richard, a symbol of greatness in Canada.*[1]

Maurice Richard fut un ambassadeur sans pareil pour les Canadiens français et il se fit, comme toujours, une légion d'amis, comme en font foi les deux témoignages suivants :

Mlle Stroma Sinclair, de Horseshoe Bay en Colombie britannique, fit parvenir une lettre au journal *Le Devoir :*

« Monsieur le Directeur,

Je voudrais dire en français ce que nous, en Colombie britannique,

---

1. « À Maurice Richard, symbole de grandeur du Canada. »

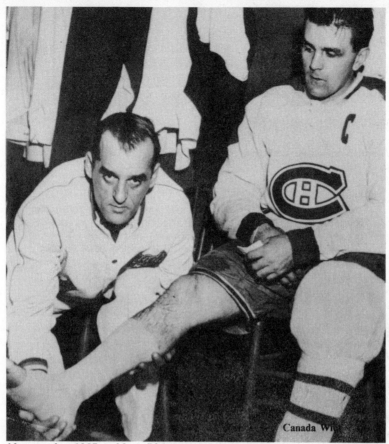

13 novembre 1957 — Marc Rhéaume du Toronto coupe le tendon d'Achille du Rocket. La carrière de Maurice est compromise.

avons pensé de la récente visite de monsieur Maurice Richard à Vancouver, mais je ne parle pas assez bien votre langue pour expliquer tout ce que je veux dire à propos du « Rocket ».
(la partie qui suit était écrite en anglais)

« Il arriva à titre de grand joueur de hockey : l'athlète de l'année au Canada ; lorsqu'il nous quitta, nous tous, jeunes et vieux, qui avons eu l'honneur de le voir, de le rencontrer ou de l'entendre, nous nous le rappellerons toujours pour son inlassable courtoisie, sa charmante personnalité et par-dessus tout pour sa gentillesse et ses attentions envers la multitude de jeunes pour qui il demeurera toujours un héros.

« Merci à Montréal à M. Selke et au club de hockey Canadien de nous avoir envoyé un ambassadeur canadien-français comme Maurice.

« Avec l'assurance de mes meilleurs sentiments,

Votre toute dévouée,
Stroma Sinclair. »

Peu d'hommes publics et encore moins de personnalités sportives ont reçu pareil témoignage d'appréciation. C'était tout à l'honneur de notre compatriote.

Et tout cela n'était pas exagéré. Le journaliste Jack Richards, de Vancouver, dans son reportage « *Richard Made Big Hit At Old Timers Party* », confirma la déclaration de Mlle Sinclair :

« Maurice Richard a plus de 5 000 amis personnels à Vancouver, aujourd'hui.

« Il les a conquis par l'une des plus grandes démonstrations de courtoisie jamais offertes aux amateurs d'ici, lundi soir, à l'occasion de la partie de hockey annuelle des « Old Timers », au Forum.

« Pendant trois heures, l'étoile des étoiles des Canadiens de Montréal est demeurée sur la glace. Il n'essaya même pas de quitter la patinoire entre les périodes de la partie qu'il a arbitrée. Il signa des autographes et donna la main à tous ceux qui pouvaient l'approcher.

« Et tout ça était fait avec un sourire timide et l'attitude sincère de celui qui reçoit plutôt que de celui qui donne.

« À partir du moment où il apparut portant le trophée indien qui lui fut présenté dimanche, et longtemps après que les joueurs des Old Timers eurent regagné les vestiaires, il signa, signa et signa ! »

À nouveau, c'est ce genre de comportement qui a fait que la grandeur de l'homme a dépassé celle de l'athlète. En voici un autre exemple.

Maurice fut invité, le soir du 14 février 1958, au sixième Salon national de l'Agriculture. Il y fit l'acquisition d'un bœuf de 985 livres qu'il donna aussitôt au cardinal de Montréal, Paul-Émile Léger, pour ses œuvres de charité.

Un journaliste lui fit remarquer que c'était là un beau geste. Le Rocket, toujours un peu embarrassé lorsqu'on le complimente, répliqua avec humour : « J'ai pensé que ça prendrait trop de place dans notre frigidaire. »

Toujours pendant la période d'inactivité de Richard, une autre tragédie frappa le club Canadien. Le 28 janvier, lors d'un exercice, le joueur étoile Bernard Geoffrion entra en collision avec André Pronovost et se perfora l'intestin. Seule l'intervention rapide de Bill Head, le physiothérapeute du Forum, lui sauva la vie.

Les joueurs, croyant à un autre bon tour du « Boumer », n'étaient pas intervenus aussitôt. Voyant qu'il ne bougeait pas, ils s'en approchèrent et firent appeler Bill Head. On transporta Bernard d'urgence à l'hôpital. Le lendemain, on pouvait lire dans les journaux de la métropole : « Bernard Geoffrion à l'article de la mort » . . .

Le Cardinal Léger félicite Maurice pour son geste et en profite pour lui souhaiter bonne chance à l'occasion de ce retour mémorable du 20 février 1958.

Studios David Bier

« Vous m'avez probablement sauvé la vie par vos soins lorsque je suis tombé sur la glace pendant l'exercice. » Ce sont là les paroles que Bernard a adressées avec émotion à Bill Head, le soir où le Rocket tenta un retour au jeu après plus de *trois mois* d'absence...

L'incomparable Rocket surmonta l'adversité tout comme à ses débuts et réalisa le plus formidable retour au jeu de sa carrière, avec deux buts et deux quasi réussites. C'était le 20 février 1958. Maurice avait près de 37 ans. 14 528 spectateurs, cent de plus que le record de l'année précédente, étaient venus voir avec beaucoup d'appréhension si « leur Rocket » était toujours aussi rapide, aussi efficace.

Des journalistes sportifs de Boston, de New York, de Chicago, de Détroit, d'Ottawa et de Toronto assistaient au Forum, au retour au jeu du meilleur joueur de hockey au monde.

Personne ne fut déçu. Stimulé par la performance de son capitaine, le Canadien blanchit les puissants Bostoniens 4 à 0. « Il n'y a rien à faire avec un joueur de la trempe de Maurice Richard ! remarqua laconiquement Milt Schmidt, l'instructeur des Bruins. Son premier but portait certainement sa marque de commerce. Quant à son deuxième, la chance l'a aidé, mais il ne faudrait pas oublier que celle-ci sourit toujours aux grandes étoiles. »

Quant à Harry Lumly, victime du Rocket sur ces deux buts, il n'en revenait pas : « Son deuxième but a été quelque peu chanceux », et avec un hochement de tête qui admettait son impuissance, il ajouta : « Mais le premier était tout un chef-d'œuvre. »

Un chroniqueur sportif de Boston fit la remarque suivante : « Il est surprenant que Richard n'ait pas marqué de son lit d'hôpital. » Un autre chroniqueur de l'étranger en fit sourire plusieurs lorsqu'il déclara qu'il ferait ses titres de la façon suivante : « *Rocket Fails. Misses Hat Trick. Depression League Bond* (Richard faiblit. Manque le « tour du chapeau ». Sera cédé à la Ligue Dépression) ».

Lorsque l'ailier droit du Canadien prit connaissance de l'anecdote, il ne put s'empêcher d'éclater de rire en ajoutant : « Je me contenterais bien toujours de deux buts. »

Tout contribuait à faire de cette soirée le plus formidable scénario auquel ait jamais rêvé un producteur d'Hollywood : une victoire de 4 à 0 ! Deux buts de la part du héros ! Des prédictions réalisées ! Des paris ! La présence de tous les joueurs ! Et des fleurs !

Avant la partie, tous les joueurs s'étaient réunis, y compris les blessés comme Jean-Guy Talbot, Bert Olmstead et Bernard Geoffrion, pour souhaiter la bienvenue à leur capitaine et ami. Et comme pour un grand soir de première, au théâtre ou au cinéma, ces hommes présentèrent un magnifique bouquet de fleurs à leur grande vedette. Ce geste sans précédent, montrait bien toute l'affection et l'admiration que lui portaient ses coéquipiers.

Maurice fut bouleversé par cette grande marque d'amitié : « À mon arrivée dans la chambre du Canadien, mes coéquipiers m'ont entouré et ils m'ont présenté des fleurs comme on le fait pour une grande vedette de cinéma. Je savais que tout le monde désirait rigoler, mais j'ai été touché par leur geste. J'ai compris que j'étais de nouveau un gars de l'équipe et qu'on comptait sur moi. »

Maurice fut tout aussi ému par l'accueil frénétique que lui réservèrent ses partisans : « J'ai également été touché par l'ovation de la foule lors de ma première apparition sur la glace et surtout après mon premier but. »

Il ne fait aucun doute que l'accueil chaleureux de ses coéquipiers et, quelques minutes plus tard, de la foule contribua grandement à cette étincelante démonstration du Rocket. Car, comme on l'a mentionné plusieurs fois, Maurice ne savait pas décevoir ses partisans et ses amis, et aucun joueur de toute l'histoire du hockey ne

La Presse

20 février 1958 —. Retour du Rocket. Les joueurs du Canadien offrent des fleurs à leur capitaine pour souligner son retour.

savait mieux que lui répondre à leurs espérances. Et ce soir-là, comme seules les super-vedettes peuvent le faire, il fournit une autre de ses plus brillantes performances individuelles. Il domina la partie !

Le rideau tombé, le Grand Rocket fut vite submergé par ses amis et par les journalistes. La fatigue se lisait sur ses traits tirés, accentuée par la sueur qui perlait sur son front large et volontaire. Détendu et très heureux, il accepta les félicitations de tout le monde et répondit gentiment à toutes les questions des journalistes.

Prié de commenter l'incident qui était survenu à la troisième période entre lui et Hillman (ce dernier avait laissé tomber ses gants et son bâton sur la glace pour se rendre compte que Maurice l'avait laissé seul pour continuer une montée), le Rocket fit bien rire tout le monde lorsqu'il déclara en souriant : « À mon âge, on tente d'éviter les combats de boxe. » Quelques secondes après cet incident, il s'était mérité une punition pour avoir *cross-checké* Johnny Bucyk.

Toujours aussi porté vers les enfants, Maurice avait dédié son premier but de la soirée à son fils André : « Mon 505e but, je l'ai compté pour mon fils André. J'ai tenu à garder la rondelle parce que j'ai l'intention de la placer sur un trophée qui m'a été présenté au Festival de l'école Saint-Étienne. Sur le trophée, on peut lire l'inscription suivante : « À André, de Papa ». Mon 506e, je l'ai compté pour les orphelins de Sherbrooke. J'ai promis la rondelle de mon 507e but à un garçonnet bien sympathique du nom de Maurice Richard Stewart. Je tiens à signaler le fait que Toe Blake a prédit que je compterais le deuxième but de la partie ; il ne s'est pas trompé. » Avec le Rocket, les chances de se tromper étaient minces et Blake, qui le connaissait bien, le savait mieux que quiconque.

À un journaliste qui demanda à Blake s'il était surpris de ce retour spectaculaire, Toe riposta : « Surpris ? Moi ? Sachez que Maurice Richard ne peut plus me surprendre. J'ai assisté à un trop grand nombre de ses exploits. Je m'attends à tout de lui. Non, monsieur Richard ne peut plus me surprendre. Une des plus grandes joies de ma vie est celle d'avoir eu l'honneur de jouer avec lui, puis de devenir plus tard son instructeur. Que voulez-vous que je vous dise ? J'ai eu le privilège de voir évoluer de grandes étoiles dans tous les sports. J'ai vu à l'œuvre de fameux joueurs de hockey, mais je n'ai jamais vu un athlète aussi spectaculaire que Maurice Richard. Cet homme n'a jamais eu besoin de scénariste, tout ce qu'il fait sur la glace est presque dramatique. »

Le gérant général des Habitants était tout aussi enthousiaste que son instructeur, car il avait prédit à grands cris que son ailier droit serait de retour avec les Canadiens et avec tout son éclat.

Voici ce que Frank Selke avait confié à Jim Vipond, le 12 janvier 1958, alors que le Rocket avait été choisi l'athlète de l'année 1957 au Canada :

> « S'il y a jamais eu un surhomme à mon époque, c'est lui. À 36 ans, il est plus accompli que vous et moi l'avons jamais été ou espérions l'être. Ce qui s'applique aux autres dans des cas comme celui-ci ne s'applique tout simplement pas à lui.
>
> « Habituellement je ne suis pas un homme qui aime gager, mais je suis prêt à parier qu'il sera de retour aussi en forme que jamais. »

Jim Vipond concluait :

> « Les experts du hockey choisiront Howe comme joueur polyvalent, mais admettons franchement que le dossier de Richard en fait le plus grand ailier droit de tous les temps. »

Maintenant Frank Selke jubilait : « Je me suis levé debout quand il a obtenu son premier but et « Boum-Boum » Geoffrion, qui était assis avec moi, a sauté lui aussi dans les airs. Il était plus excité que les fans présents ». Et il compléta sa pensée : « Il n'y a pas de

Jerry Donati

Bernard Geoffrion, blessé, est le premier à féliciter Maurice.

mot pour LE décrire, c'est tout. Que peut-on dire ! »

Bernard Geoffrion fut un des premiers à aller féliciter le héros de cette soirée. Il déclara : « J'ai assisté à la joute debout, mais je ne regrette rien. J'ai vu un spectacle remarquable et je ne suis pas prêt de l'oublier. J'espère connaître autant de succès lors de mon retour au jeu. »

Suivant les traces de Maurice, Bernard fit, lui aussi un magnifique retour au jeu le 25 mars suivant. Il marqua un but et eut une assistance, et ce fut le Rocket qui assista « Jeff » sur son but.

Un gars qui n'en revenait pas d'une pareille performance après une si longue absence, c'était Henri, le frère de Maurice : « Oui, j'ai été surpris et je l'avoue franchement. Il faut vous dire que j'ai vu mon frère à l'hôpital, j'ai constaté combien il a souffert, combien il a eu de la difficulté à marcher même avec ses béquilles. Récemment, je l'ai vu patiner lors des exercices et il semblait rapide. Mais un exercice n'est pas une partie. Ce soir, il patinait presque aussi rapidement que moi et Moore. Ce qui m'a le plus émerveillé, ç'a été la précision de ses lancers. Maurice jouait ce soir comme s'il avait manqué seulement une ou deux parties. Vous pouvez ajouter qu'il jouait aussi bien qu'au début de la saison, alors qu'il était *en tête des marqueurs.* »

Dans un autre coin du vestiaire, Doug Harvey s'amusait ferme en dépit d'une blessure à la jambe qui le faisait souffrir. Il se payait la tête d'un journaliste avec qui il avait fait un pari : « Personne ne connaît Maurice Richard mieux que moi, disait-il. J'ai parié un dollar avec un journaliste de langue anglaise que Maurice marquerait au moins un but. J'étais sûr de gagner mon pari bien avant le début de la joute. Et voilà, c'est chose faite. J'ai été payé. »

Dans tous les journaux du 21 février 1958, on ne parlait que du RETOUR DU ROCKET.

Ce retour en force de Richard ne faisait que confirmer ce que la plupart des journalistes d'expression française prônaient depuis quelques années déjà : pour eux, Rocket Richard était plus que jamais un SURHOMME ! Il y avait donc peu de changement dans le ton de leurs articles. Pour la presse sportive anglophone, c'était une tout autre histoire ; jamais Maurice Richard ne fut acclamé avec autant de ferveur qu'à cette occasion. Même si Richard avait toujours été le favori de certains chroniqueurs anglophones, la majorité d'entre eux avait été lente à le consacrer ROI. Par cette performance unique, Maurice venait de briser les toutes dernières résistances.

Jim Hunt, dans « Feat of the Weak » du journal *Hockey News*, qualifia Maurice « *the game's greatest player* (le plus grand joueur de hockey) ».

> « Il était impossible pour n'importe quel autre joueur de faire ce que le Rocket a accompli ici, jeudi soir. Il y avait plus de trois mois et 43 parties qu'il avait joué au hockey pour la dernière fois. »

Il citait ensuite Toe Blake qui disait que Richard avait réussi l'impossible pendant toute sa vie. Il concluait, comme beaucoup d'autres, que, tel un grand artiste, Maurice était toujours à son meilleur le soir d'une première.

L'un de ceux qui partageaient cette opinion était Elmer Ferguson qui avait exprimé avant ce spectaculaire retour sa confiance en « The Great Guy », comme il appelait Maurice.

> « Le Rocket est comme un grand acteur. Il est possédé du même feu brûlant qui animait les grands du théâtre comme John Barrymore, Beerbohm Tree et Sir Henry Irving. Ceux-ci et d'autres grands de la scène se montraient invariablement à la hauteur de la situation. Et c'est la même chose avec le Rocket. »

Après avoir décrit cette partie où Maurice aurait pu obtenir deux buts de plus, selon lui, il écrivait :

> « C'est ainsi que s'effectua le retour du Rocket, cette personnalité stupéfiante. Nous allions oublier de noter que les partisans ont ébranlé le Forum à la première présence du Rocket et ils l'ont pratiquement démoli quand il a marqué.

> « Jamais un individu n'a eu un tel pouvoir d'attraction sur les foules, ni une personnalité aussi magnétique que Richard, dans toute l'histoire du hockey à Montréal. Hier soir, son retour attira des chroniqueurs sportifs de Boston, de Toronto et d'Ottawa, ce qui congestionna

la galerie de la presse. »[1]

D'Ottawa, Jack Kinsella déclarait : « *No Doubt About It, Rocket's Not Human* (Cela ne fait aucun doute, le Rocket n'est pas humain) ».

C'était là le titre de sa chronique. Expliquant que Maurice ne paraissait pas tellement impressionné par la commotion qu'il venait de créer, il continuait :

« Mais si le Rocket, qui est tout simplement le plus grand chef de file et le principal représentant du hockey, n'était pas impressionné outre mesure par ce qui venait de se passer un peu plus tôt dans la soirée, il en allait tout autrement de son public. Même les vétérans du corps journalistique jouaient du coude et rivalisaient d'efforts pour s'approcher de « l'Homme ».

« C'était en fait tout un événement. Ce n'est pas tous les soirs de la semaine qu'un joueur de hockey effectue un retour après une convalescence de 99 jours, due à une très sérieuse blessure, pour marquer deux buts et, à toutes fins utiles, reprendre exactement la tâche là où il l'avait laissée, le mémorable soir du 13 novembre.

« Aussi il n'y a pas beaucoup de joueurs comme ce Montréalais, Rocket Richard. En fait, il y en a seulement un et il devient de plus en plus évident qu'*il n'y en aura probablement jamais un autre comme lui.*

« En une seule partie et à l'âge avancé de 36 ans (pour un joueur de hockey), le fabuleux Rocket a démontré hier soir, et sans l'ombre d'un doute, qu'il est *l'athlète le plus prodigieux de notre époque.* Il enregistra deux buts, aurait dû en marquer trois et aurait pu en obtenir cinq.

« Voici un homme qui a été complètement oublié par le temps »[2]

De Boston, Roger Barry déclara simplement : « *Superman Is Back* (Le surhomme est de retour) ».

« Il ne fait plus aucun doute que Richard est le joueur le plus spectaculaire, le plus explosif et le plus excitant marqueur de tous les temps », rapportait Trent Frayne.

« Cette revue d'hommages se termine par celle de Baz O'Meara, maître incontesté de l'« understatement » de cette époque :

« *Dust off the dictionary, ransack recollection, beggar description if you can, and you will still fall short in eulogy of the most amazing Canadian hockeyist of this or any other time.* Sortez vos dictionnaires, fouillez dans vos souvenirs, épuisez les ressources de la prose si vous le pouvez, vous serez toujours à court de mots pour faire l'éloge du plus prodi-

---

1. Ferguson, Elmer, *The Herald*, 21 février 1958.
2. Kinsella, Jack, *Ottawa Citizens,* Ottawa, 21 février 1958.

gieux hockeyeur canadien de cette époque ou de n'importe quelle autre. »

Après ce haut fait, Richard avait une fiche de treize buts en quinze joutes. Au cours des treize parties qu'il restait à disputer, il ne marqua que deux buts. Plusieurs « fins analystes » de la scène sportive sautèrent sur l'occasion pour déclarer que c'était la fin du Rocket. Sa performance du 20 février avait été son chant du cygne, invoquaient-ils.

Cependant, ni l'instructeur Toe Blake ni Maurice ne se montraient inquiets : « Je ne m'en fais pas pour lui, révéla Toe. Mauricce sait que les dernières joutes de la saison ne signifient rien. Nous avons gagné le championnat le 27 février. »

Maurice, pour sa part, partageait cette attitude. Lui qui, d'habitude, supportait très mal une période sans but, était des plus détendus. Il était certain de retrouver son aplomb pour les séries : « Je ne peux absolument pas m'expliquer ou expliquer comment cela se produit, mais je me sens tout autre dans les détails. »

Ce grand compétiteur devait avoir un objectif pour donner toute sa mesure. Alors il devenait presque impossible de l'arrêter. C'est pour cela qu'il s'était mérité, haut la main, le titre de meilleur joueur de hockey sous pression, de plus habile dans les situations critiques, de plus grand « money player » que la Ligue nationale ait jamais produit.

Mais, à la veille des séries semi-finales contre leurs rivaux de toujours les Red Wings de Détroit, peu de gens s'aventuraient à prédire des succès pour l'ailier droit du Canadien, surtout à cause de cette très sérieuse blessure qu'il avait subie et aussi à cause de son âge. Pourtant son dossier prouvait sans l'ombre d'un doute, toute sa puissance offensive. En 28 parties Richard avait obtenu 15 buts et 19 assistances pour 34 points. Un gars comme Frank Mahovlich s'était classé deux places en avant du Rocket avec 36 points. En 67 parties, il avait réussi 20 buts et 16 assistances. Même une étoile comme Ted Lindsay, des Black Hawks de Chicago, n'avait pu accumuler plus de 39 points et cela en 68 parties, soit 15 buts et 24 assistances.

Néanmoins, les supporteurs de « Old Blinky », comme certains journalistes appelaient Gordie Howe, étaient tous convaincus que ce dernier, dans la force de l'âge (30 ans) et avec douze saisons derrière lui dans la L.N.H., allait démontrer une fois pour toutes qu'il était supérieur à Richard.

À l'âge de 36 ans, pratiquement 37, Maurice Rocket Richard faillit rééditer son exploit de douze buts en neuf parties qu'il avait réussi quatorze ans plus tôt lors des séries finales de 1943-1944.

Treize ans après la fin de la guerre (pour ceux que ça peut intéresser), à un âge où la majorité des athlètes ne produisent plus ou très peu, particulièrement au hockey, et après avoir vu son tendon d'Achille quasi sectionné, le Rocket marqua onze buts en dix parties et se mérita quatre assistances.

Le « Babe Ruth du hockey », Maurice le Magnifique, Monsieur Hockey exécuta sans doute une des plus belles performances individuelles de l'histoire des séries éliminatoires de la L.N.H. Ce fut le début de l'apothéose !

Dès la première partie, le Rocket marqua deux buts en l'espace de 1 minute 45 secondes. Son premier but ouvrit le décompte, tandis que son deuxième s'avéra le but vainqueur. Ces buts déclenchèrent une poussée irrésistible des Canadiens qui écrasèrent le Détroit par la marque de 8 à 1. En plus de ses deux buts, Maurice avait obtenu deux passes, ce qui portait à 1000 points son record à vie.

Henri Richard, qui avait été le seul joueur des Canadiens à se prononcer sur la longueur des séries, était encore plus optimiste après la victoire. Il avait favorisé le Canadien en cinq parties, maintenant il parlait de quatre matchs.

La deuxième partie fut pratiquement une réplique de la première. Les Habitants de Montréal défirent les Red Wings de Détroit, 5 à 1. Le héros du match ? Maurice Richard avec une autre paire de buts. Ce qui était à peu près infaisable pour un autre athlète devenait simple routine pour le Rocket !

Ces deux premières défaites, les Red Wings de Détroit les avaient subies à Montréal. Les deux prochaines parties allaient maintenant se jouer dans la Ville de l'automobile et, selon les joueurs des Wings, la série était loin d'être terminée. Effectivement, les joueurs de Jack Adams montrèrent les dents lors de cette troisième partie. Après trois périodes de jeu, le score était 1 à 1. Richard avait préparé le jeu pour le but des siens. Après 11 minutes 52 secondes de la première période supplémentaire, André Pronovost, des Canadiens, mit un terme à cette partie âprement disputée.

L'élan que Détroit avait pris au cours de cette troisième partie s'accentua lors de la quatrième rencontre. Le scénario était « pacté au coton » comme diraient certains. À la fin de la deuxième période, le Détroit avait retrouvé tout son rythme et menait par la marque de 3 à 1. Gordie Howe, qui avait été tenu en respect au cours des trois premières parties, avait réussi un but et une assistance. Maurice avait à nouveau inscrit l'unique but des Canadiens. Coïncidence on ne peut plus étrange, c'était la millième partie de hockey à laquelle prenait part Maurice Richard. Une victoire du Canadien signifiait l'élimination du Détroit. Et c'était un premier avril !

Au cours de la première période de jeu, aucune des deux équipes ne réussit à percer la défensive adverse. À 5 minutes 49 secondes du deuxième vingt, Détroit ouvrit le score avec un but de McIntyre, sur une passe de Gordie Howe. Trois minutes plus tard, le Canadien repliqua ; bien que durement frappé par Marcel Pronovost et « Red » Kelly, Henri Richard parvint à passer le disque à Maurice. Le Rocket capta cette passe et fut à son tour solidement frappé par Bob Bailey. Maurice tomba à genoux et lança dans cette position : le score était maintenant égal : 1-1, après 8 minutes 45 secondes de jeu.

En moins de trois minutes, Détroit riposta avec deux buts. D'abord Gordie Howe à 10 minutes 27 secondes, puis McNeil à 11 minutes 13 secondes. Les Red Wings retournaient au vestiaire avec une confortable avance de deux buts... et une période à jouer.

Dès le début de la troisième période, Billy McNeil, du Détroit, écopa d'une punition. Le jeu de puissance du Canadien se mit en marche et le Rocket commença à s'agiter. Terry Sawchuck écarta un lancer de Béliveau. C'est alors que Maurice surgit d'on ne sait où, batailla ferme à l'entrée des buts du Détroit et poussa la rondelle derrière Sawchuck. Le décompte : Détroit 3, Canadien 2.

Cinq minutes venaient à peine de s'écouler que Dickie Moore, le champion marqueur de la saison régulière, handicapé par un plâtre au poignet, égalait les chances. Quarante-neuf secondes après le but de Dickie, tel un fauve qui fond sur sa proie, le Rocket bondit sur une passe parfaite de Henri, feinta Warren Godfrey hors de ses patins et laissa partir un boulet de 20 pieds qu'aucun gardien de but au monde n'aurait pu bloquer. Après 9 minutes 56 secondes de jeu, le score était Canadien 4, Détroit 3. Maurice venait de mettre K.O. les joueurs du Détroit. Ils ne s'en relevèrent pas ! Le troisième but du Rocket était une fois de plus le point vainqueur !

Ce but marquait le sixième « tour du chapeau » et le 77e but du Rocket en 115 parties de séries éliminatoires. En saisons régulières, Maurice avait réussi 27 fois cet incroyable exploit qui consiste à marquer trois buts en une partie, ce qui portait son total à vie à 33 « tours du chapeau ». De tous les joueurs de la L.N.H., actifs ou à la retraite, personne n'approchait cette marque, et même en 1975 personne ne l'a encore dépassée.

Le roi des marqueurs venait d'enregistrer sept buts en quatre parties, soit un de plus que l'équipe des Red Wings tout entière. Si à ces sept buts on ajoute les trois assistances que Maurice avait obtenues, on s'aperçoit qu'il avait participé à dix des dix-neuf buts du Canadien, et cela contre la puissante machine rouge du Détroit. C'était pas mal formidable pour un joueur de 36 ans qui sortait à peine d'une convalescence de trois mois et qui était sensé être en léthargie... Son jeune rival, Gordie Howe, à 30 ans, au sommet de sa forme et de sa force physique, avait réussi un but et une passe en ce même laps de temps. Il n'y avait donc pas d'équivoque possible ; à nouveau la supériorité du Rocket sur Howe ne faisait aucun doute.

Ce 33e « tour du chapeau » de Richard a sûrement été le plus beau « poisson d'avril » jamais présenté à Jack Adams et compagnie ! Si tout donnait à penser que c'était un cauchemar, M. Adams n'avait qu'à se pincer pour réaliser toute l'horreur de la réalité. La prédiction d'Henri venait de se réaliser et c'est son frère Maurice qui s'était chargé, presque tout seul de lui donner raison.

En somme, le Rocket venait de faire ravaler une fois de plus les paroles de ses éternels détracteurs, et ce, de façon magistrale ! Il y en a plusieurs qui se sont probablement étouffés... Il était temps !

Dans le vestiaire des joueurs, c'était évidemment l'euphorie ; éliminer les Red Wings de Détroit en quatre parties, c'était tout un exploit et une grande satisfaction pour les joueurs du Canadien.

Au dire de Blake, Maurice les avait sauvés d'une défaite certaine : « À la fin de la deuxième période, j'étais sûr que nous allions prendre toute une dégelée. Les Wings nous avaient essoufflés et ces

1er avril 1958 —. À sa 1 000 partie, Maurice enregistre son 6e « tour du chapeau » en séries éliminatoires, ce qui porte à 33 son total à vie. Ici, il déjoue Terry Sawchuck malgré l'effort défensif de Gordie Howe. C'était son deuxième but de la soirée.

deux buts d'avance paraissaient insurmontables. Mais le Rocket nous a sauvés. Ce gars-là est fabuleux, n'est-ce pas ? »

Fabuleux n'était pas trop fort ! Jim Proudfoot, dans la chronique « Feat of the Week » du journal *Hockey News*, écrivait en gros titre : « *Rocket is Greatest of Great Rank with Ruth and Dempsey. 1000th Game was an Epic Show* (Rocket est le plus grand des grands. Il est du même calibre que Ruth et Dempsey. Cette millième partie fut un spectacle mémorable) ».

Pour la première fois, Maurice « Rocket » Richard était acclamé sans aucune restriction par la population anglophone. M. Proudfoot ajoutait :

« Êtes-vous convaincu *maintenant* que Richard est le plus grand des grands ou allez-vous vous obstiner contre ce fait ? Vous feriez bien de vous joindre à la parade en l'honneur de Richard, tout comme nous tous. »

Sa phrase suivante résumait bien cette caractéristique de Richard qui le distinguait de tous les autres joueurs et, en même temps, démontrait le respect que le Rocket s'était acquis par la régularité de ses prouesses :

« Le seul danger qu'on court en complimentant Richard pour un de ses exploits, c'est de le voir accomplir quelque chose d'encore plus grand à la partie suivante. »

Quel joueur, dans toute l'histoire de la L.N.H., peut se vanter d'avoir accumulé exploit après exploit avec une régularité aussi déconcertante et toujours en fonction du succès de son équipe ? Aucun plus que Richard !

Jacques Beauchamp, dans sa chronique « Le Sport en Général », fit l'éloge du Rocket et reconnut sa supériorité sur Gordie Howe :

ENCORE MAURICE RICHARD !

« Gordie Howe sera toujours le joueur favori des admirateurs des Red Wings de Détroit, mais les amateurs de hockey de la Ville de l'automobile ont constaté une fois de plus, mardi dernier, qu'il n'y avait qu'un seul Maurice Richard. On ne peut reprocher à Howe d'avoir été nonchalant au cours de la dernière série entre les Canadiens et les Red Wings de Détroit. Au contraire, nous ne l'avons jamais vu se montrer aussi agressif, tout particulièrement au cours de la dernière partie. Mais sa performance a encore été éclipsée par le magnifique rendement du « Rocket » qui a prouvé une fois de plus qu'il était la plus grande vedette dans l'histoire de notre sport national. »

Quant à Maurice, toujours égal à lui-même, il déclara qu'il avait été chanceux.

Interrogé par les journalistes, Gordie Howe rendit hommage au Rocket en s'exclamant : « Que puis-je dire ? Ce gars-là est tout simplement fantastique ! »

Terry Sawchuck, dans son coin favori, la tête penchée, le regard perdu, grillait lentement une cigarette : « Je ne dis pas que nous aurions pu continuer à tenir, mais nous aurions dû finir vainqueurs ce soir. Il est difficile de comprendre parfois comment on a pu perdre un si bel avantage de deux buts avec une seule période à jouer. Oh ! je sais, ces buts du Canadien ont été marqués contre moi, mais le gardien de but n'est pas seul sur la glace. Il doit compter sur des coéquipiers qui peuvent mettre l'adversaire en échec, éviter des situations fort dangereuses, comme pour les buts de Moore et le troisième de Maurice Richard.

« Ce Richard, je ne le comprend plus, je n'ai jamais oublié les deux buts qu'il a marqués contre moi dans la série de 1951. À la quatrième période supplémentaire de la première joute, il m'a fait sortir de mes filets avant d'y loger le disque. Et lors de la deuxième partie, qui a nécessité trois périodes supplémentaires, il m'a déjoué sur un lancer de revers. Il a marqué d'autres buts contre moi depuis, mais au cours de la série qui vient de prendre fin il a été à son meilleur. Il a enregistré sept buts et je peux dire qu'il m'a pris en défaut de sept façons différentes. Il est unique en son genre et un gardien de but ne sait jamais comment se tenir dans ses filets quand il est en possession du disque. Je suis peiné de voir que mon club a été éliminé, mais je ne suis pas humilié parce que Richard a enregistré un si grand nombre de buts contre moi. Un cerbère ne doit pas avoir honte quand il se fait déjouer par un marqueur aussi prolifique.

« Je suis content pour Richard et je lui souhaite toute la chance au monde dans la série finale », conclut Terry.

Jack Adams, comme à l'accoutumée, critiquait le travail des arbitres. Pourtant, sur treize punitions, le Canadien en avait reçu huit... Un journaliste s'approcha du gérant général et lui dit que Détroit ne semblait pas savoir comment arrêter Richard. Jack Adams grogna : « Certainement que nous connaissons un moyen : le fusiller ! Mais ce n'est pas permis. »

Pendant cette millième partie, Maurice avait obtenu quatre lancers sur les filets et il compta trois fois. Sa réputation de « money player », de joueur passé maître dans les situations cruciales était loin d'être surfaite.

Dans le train qui ramenait les Canadiens à Montréal, Camil DesRoches, le directeur des relations extérieures du Forum, n'en revenait pas de la performance du Rocket : « Qu'est-ce que l'on peut bien dire maintenant de ce gars-là, s'exclama-t-il, il est tout simplement un phénomène. Je m'en vais justement le voir pour lui remettre un cigare de marque Garcia y Vega et j'espère qu'il éprouvera autant de plaisir à le fumer que moi-même j'en ai eu à le voir éliminer les Red Wings presque à lui seul. »

« Le fabuleux Rocket a écrit personnellement l'épitaphe des Red Wings de 1957-1958 » C'est ainsi que Marshall Dann de Détroit débutait son reportage qu'il avait intitulé « *Rocket Ends Wings Misery,* 4-3 (Le Rocket met fin aux misères des Wings, 4-3) ».

Il continuait : « Plus précis, plus rapide et plus affamé que jamais, le vétéran joueur étoile de 36 ans explosa avec un « tour du chapeau » qui expulsa le Détroit hors des séries. »[1]

C'était fini pour Détroit ! Au tour du Boston !

Don Simmons, le fameux gardien de but des Bruins, avait déclaré qu'il réduirait le Rocket au silence dans les séries finales.

---

1. Dann, Marshall, *Free Press*, Détroit, 2 avril 1958.

Montréal gagna la première joute, 2 à 1. Boston gagna la suivante 5-2. Maurice avait été réduit au silence. Puis à la troisième partie, les Richard firent mentir Simmons de la plus belle des façons : comme Herb Ralby, du *Boston Daily Globe,* le rapportait, le « gros Rocket » explosa deux fois et le « petit Rocket » une fois, pour procurer aux Canadiens une magnifique victoire de 3 à 0. Et qui avait réussi le but victorieux ? Évidemment M. Hockey !

Après la partie, Dickie Moore était complètement survolté par la performance du Rocket : « Vous avez vu de quoi il est capable. Je crois que ces deux buts prouvent bien que le Rocket est aussi bon que jamais. » Maurice, en enlevant ses patins délicatement, soupira : « C'est impossible. Je ne suis plus le même « Old Rocket » depuis ma blessure. Je ne peux plus patiner comme avant, ma vitesse n'est plus la même. » Il faisait, bien sûr, allusion à cette blessure subie au tendon d'Achille. « J'ai dû changer complètement mon style de patinage à cause de cette blessure. Et ce n'est pas facile pour un homme de mon âge. Je ne peux plus enfoncer la pointe de mon patin dans la glace pour démarrer rapidement. Maintenant, je dois partir lentement et patiner sur le plat de la lame. Cela me ralentit beaucoup. »

Mais il était évident que ces deux buts avaient redonné confiance au Rocket et il envisageait l'avenir avec plus d'optimisme.

Toe Blake, qui était littéralement vidé, accepta de répondre aux nombreuses questions des journalistes de Boston. Il les aborda avec son humour coutumier : « Vous aviez probablement raison de penser que le Rocket aurait dû prendre sa retraite depuis longtemps », déclara-t-il en badinant.

Un journaliste de Boston lui demanda alors : « Meilleur que Morenz ? » Toe Blake n'hésita pas une seconde. Il répéta la question et répondit : « Définitivement ! Regardez seulement le dossier de ce gars-là. Regardez ce qu'il a fait : 98 buts gagnants jusqu'ici, 79 buts dans les séries éliminatoires, 508 buts en saisons régulières. L'autre gars était très bon, mais il ne peut pas approcher le Rocket. »

Et Toe conclut : « Je détesterais sûrement diriger une équipe qui ferait face au Rocket. »

Toe pouvait difficilement parler autrement. Comme lui-même le rappelait souvent, combien de fois le Rocket l'avait-il sorti de l'eau bouillante depuis trois ans ? « Il me tirait du pétrin avec tous ces buts gagnants. Après notre départ, jeudi, de Montréal, on aurait cru à un cataclysme national. Tout le monde parlait de cette défaite. On aurait pu croire que nous avions déjà perdu la coupe Stanley. « J'avais peur de monter à bord du train pour Boston samedi soir. Mais nous gagnons la partie suivante et tout est oublié. Maintenant tout le monde parle à nouveau de la coupe Stanley. Je suis redevenu un bon instructeur. »

À deux pas de là, Moore ne tarissait toujours pas d'éloges à l'endroit de son compagnon de ligne ; « Il s'améliore ! Il patine et lance mieux que jamais. Croyez-moi, je joue sur sa ligne et je sais de quoi il est capable. C'est sûr, si vous me demandez si je suis rapide, je dois dire non. Je dois être modeste. C'est la même chose pour le « Rock ». Mais je vous le dis, il est des plus rapides ! Après ces deux buts, il va vraiment y aller ! Avant il se tracassait un peu, de même que son frère. Maintenant, surveillez-les bien tous les deux ! »

Toutefois, les Bostoniens ne s'en laissèrent pas imposer et se ressaisirent à la quatrième partie. Avec une victoire de 3 à 1 ils égalaient les chances dans la série.

La cinquième joute, le soir du 17 avril, était donc particulièrement cruciale ; le point tournant, quoi ! Est-ce que Moore s'était laissé emporter par son enthousiasme ? Maurice n'avait rien fait qui vaille au cours de la quatrième joute ... Mais déjà, on se doute que Moore avait vu juste. Maurice « Rocket » Richard donna à nouveau la victoire aux siens, et cela en période supplémentaire ! L'incomparable Rocket marqua le but gagnant à 5 minutes 45 secondes de la première période supplémentaire, assisté du Pocket-Rocket et de Moore.

Cette ligne des Richard et de Moore était extrêmement efficace. Au cours de cette saison, elle se révéla comme la meilleure à l'attaque et à la défensive de toute la L.N.H., faisant mentir une fois de plus certains détracteurs acharnés qui prétendaient encore que le Rocket négligeait sa défensive.

C'est lors de cette fameuse partie que Frank Selke avait prédit devant plusieurs milliers de téléspectateurs que Maurice Richard procurerait la victoire aux Canadiens.

Après trois périodes de jeu, le score était 2-2, ce qui entraîna une prolongation. Au cours de la pause, Tom Foley interviewa

M. Selke et Ted Kennedy pour le réseau national anglais de Radio-Canada. L'émission était retransmise dans plusieurs villes américaines. Interrogé sur l'issue de la partie, M. Selke avoua : « Surveillez Maurice Richard. Il n'a pas encore marqué et il ne m'a jamais laissé tombé. »

Six minutes plus tard, Maurice brisait l'égalité et donnait cette précieuse victoire aux siens et raison à M. Selke.

Lorsqu'il entra dans la chambre des joueurs, Toe l'accueillit en lui donnant l'accolade. Ce geste valait bien des paroles. Maurice avait retrouvé tout son enthousiasme : « Compter le but gagnant en période supplémentaire te donne une telle sensation de jeunesse que tu aurais envie de jouer au hockey indéfiniment », lança le Rocket.

Notre compatriote avait aussi marqué son 598e but depuis ses débuts, son 18e but gagnant dans les séries et six de ces buts victorieux avaient été marqués en périodes supplémentaires.

Simmons, qui avait gardé les buts de façon superbe depuis les débuts des séries, avait les larmes aux yeux quand la partie prit fin. Il n'était vraiment pas à blâmer.

Jacques Plante, « Boum-Boum » et le Grand Bill pour ne nommer que ceux-là, avaient tous brillé d'un vif éclat.

La sixième joute vit les canons du Canadien tonner cinq fois, et les Habitants remportèrent leur dixième coupe Stanley dont trois consécutives. Le Rocket était maintenant le seul joueur de la L.N.H. à avoir participé à six victoires de la coupe Stanley. Bob Goldham et Ted Kennedy suivaient avec cinq victoires chacun.

« Boum-Boum » (Bernard) Geoffrion, le « Grand Jean », Doug Harvey, Jacques Plante et Maurice Richard avaient été les héros du match.

Le « Boumer » avait été la grande vedette de cette partie avec deux buts et une assistance. On se souvient qu'il avait été grièvement blessé à l'intestin et avait subi une intervention chirurgicale très sérieuse. Malgré l'avis des médecins qui lui avaient conseillé d'attendre encore un peu avant d'effectuer un retour au jeu, Bernard avait décidé d'aider les siens à conquérir cette troisième coupe Stanley consécutive.

Tout comme le Rocket, Bernard Geoffrion était un « blue chip performer », c'est-à-dire qu'il était à son meilleur quand l'enjeu était important.

Cette détermination du « Boumer », comme celle du Rocket, était la qualité première des grands champions de cette époque. Chaque joueur en était imbibé.

Jacques Plante, à cette dernière partie, en était un exemple vivant. En dépit d'une violente crise d'asthme, il tint à rester au poste. Il avait reçu des injections et s'était bourré de pilules toute la journée pour calmer cette crise. Il était si épuisé à la fin de la partie qu'il avait fallu le soutenir jusqu'au vestiaire des joueurs. Il a été, sans contredit, l'un de ceux qui ont le plus contribué à cette dixième conquête de la coupe Stanley.

Ce désir de vaincre que manifestaient les joueurs leur était insufflé par un autre grand champion, leur général « Toe » (Hector) Blake. Il savait communiquer cette volonté aux joueurs.

Malgré toutes les blessures qui avaient frappé son équipe, Toe ne s'était pas découragé. Comme son ancien maître Dick Irvin, il avait eu un geste astucieux : il avait ordonné aux entraîneurs de laisser les équipements des joueurs blessés à leur place dans le vestiaire : « Les blessés vont revenir avant la fin des séries », leur dit-il.

Ce grand stratège du hockey avait encore vu juste. Il connaissait bien ses joueurs et, étant lui-même un ancien joueur, il savait jusqu'où il pouvait aller. Dollard Saint-Laurent fit un retour au jeu avec un masque protecteur. Tom Johnson revint également lorsque Saint-Laurent fut mis hors de combat par Léo Labine. Même si les médecins lui avaient dit que la saison de hockey était finie pour lui, Tom joua avec un protecteur au genou. Dickie joua pendant deux mois avec un poignet cassé, enrobé d'un emplâtre. Bert Olmstead était lui aussi hors de combat, mais il préféra quand même jouer avec un protecteur au genou.

Tous les joueurs, et il ne faudrait pas oublier les Henri Richard, Doug Harvey, Floyd Cury, Don Marshall, Claude Provost, Jean-Guy Talbot, John Turner, Phil Goyette, Marcel Bonin, Connie Bedan, Charlie Hodge, Albert « Junior » Langlois, André Pronovost, Gerry McNeil, Alvin McDonald, démontrèrent un acharnement, un courage et un esprit d'équipe qui frustrèrent les Bruins de Boston d'une première coupe Stanley depuis 1941.

Le Boston avait une puissante équipe, il avait démontré une rapidité et une combativité sans pareilles. Ces séries resteront mémorables dans les annales de la coupe Stanley.

Toe Blake résuma l'opinion de plusieurs experts : « Les Canadiens de 1958 devraient passer à l'histoire comme l'équipe la mieux équilibrée de la Ligue nationale. »

C'était du beau hockey !

Une fois que tout a été dit sur ces séries de fin de saison 1958, un fait demeure, le reste est déjà oublié : Maurice « Rocket » Richard a été, sans l'ombre d'un doute, l'étoile par excellence de ces séries. Un journal illustra ce fait en publiant une caricature où le Rocket était représenté sous les traits du « Surhomme » des bandes illustrées bien connues : « *Hats off to the greatest Flying Frenchman of them all — Maurice Richard* (Levons notre fhapeau devant le plus grand des « *Flying Frenchmen* » — Maurice Richard) ». Ces mots étaient tirés d'un article d'Eric Whitehead, intitulé « *The Rocket's comeback and other phenomena* (Le Retour du Rocket et autres phénomènes) ».

> « Il y a à peine quelques semaines, nous étions tentés d'inclure le Rocket comme meilleur joueur de hockey de tous les temps avec des immortels comme Howie Morenz et Cyclone Taylor, mais pas depuis Le Retour.
>
> « Encore en février dernier, lors de sa visite, les boîtements du Rocket laissaient présager un avenir peu reluisant. Il était pratiquement certain qu'avec sa vilaine blessure au tendon, sa très spectaculaire carrière, était à son déclin, touchant même peut-être à sa fin.
>
> « Vint « Le Retour », couronné par sa brillante tenue qui conduisit ses chers Canadiens au récent triomphe de la coupe Stanley. Le Rocket est — et ne peut être que — très loin de tous les autres, dans une catégorie à part où, simplement, il est *le plus grand.* »[1]

De Boston, dans sa chronique « Once Over Lightly », M. Jerry Nason déclarait : « *M. Richard' Clutch King' OF ALL SPORTS* (M. Richard « Clutch King » *de tous les Sports*) ».[2]

Voici ce témoignage unique de Jerry Nason :

---

1. Whitehead, Eric, Vancouver Province, 22 avril 1958.

2. « Clutch King », « Top money-player », « Blue chip performer » : Ces trois expressions signifient sensiblement la même chose, c'est-à-dire que le joueur en question est capable de marquer « le but » important dans les situations critiques, quand les enjeux sont de taille, enfin au moment où son équipe en a le plus pressant besoin, donc au moment le plus opportun.

« Le plus grand joueur dans les situations critiques, le gars qui peut réussir le circuit, le touché, le but, le panier, comme personne d'autre.

« Je ne les ai pas tous vus — mais je pense à Babe Ruth . . . et Bob Cousy . . . et Chuckin' Charles O'Rourke . . . et M'sieur M. Richard.

« Et le plus grand de tous est Richard. Il est possible que la production de buts décisifs réalisée par cet athlète n'ait jamais été égalée dans aucun autre sport.

« Le sien, c'est le hockey, comme vous le savez bien et il y a évidemment quelque chose dans la chimie de Richard qui le différencie de la plupart des hommes qui pratiquent ce jeu — ou tout autre jeu.

« Ruth était une véritable chaîne de production lors de ces situations critiques (par exemple, il a réussi 32 circuits en 41 matchs des séries mondiales), mais il est douteux que Ruth ou tout autre athlète puisse rivaliser avec M'sieur Richard à ce genre de jeu.

« À 36 ans et après 42 parties d'inactivité à cause d'un tendon d'Achille pratiquement sectionné, il a vaincu les Bruins avec un but en période supplémentaire, l'autre soir, lors de la partie clef pour la coupe, soit la cinquième joute.

« Il n'y a aucune porte de sortie dans une partie de hockey en supplémentaire — car la première équipe qui compte un but gagne la joute. À l'exception du basketball, on ne retrouve cette situation ni au baseball, ni au football.

« Vous êtes acculé au pied du mur et vous devez vous battre pour sauver votre peau. Une seule petite erreur en période de surtemps et il n'y a pas de lendemain. En finale pour la coupe Stanley, vous multipliez tout simplement ce genre de pression par dix.

« C'est ce genre de tension que doit subir M'sieur Richard. SIX fois il a compté le but gagnant en supplémentaire pour la coupe . . . la sixième fois étant jeudi soir dernier. »

Pour appuyer ses dires, M. Nason rappela les exploits de Maurice au cours des séries de 1951 et cita quelques statistiques pour illustrer les performances de Richard. Maurice avait lancé 588 fois dans les filets ennemis au cours de sa carrière et 98 de ses buts étaient des buts gagnants, soit une victoire à tous les six buts du Rocket.

À l'inverse de tous les autres joueurs, Maurice augmentait sa production pendant les séries éliminatoires. À ce moment-là de sa carrière, le numéro 9 des Canadiens avait pris part à 120 parties de détail. Son équipe avait obtenu 348 buts lors de ces joutes, alors que le Rocket en avait marqué 80 à lui seul, soit 22.9 pour 100 ou près du quart de toute la production du Tricolore. De ces 80 buts, 18 étaient des buts gagnants, soit, à nouveau, une proportion de 1 à 4 !

414

Maurice sable le champagne dans cette Coupe Stanley pour une troisième an-
née consécutive.

Studios David Bier

Les Habitants ont gagné 75 de ces 120 parties. Si on considère que Richard en a gagné 18, on réalise qu'il a remporté à lui seul 24 pour 100 de ces parties. M. Nason avait donc raison de parler de « Clutch King ».

Et il conclut :

> « Maurice est maintenant classé comme « vétéran » dans ce sport qui est très exigeant physiquement pour ceux qui s'y adonnent. Mais la flamme qui l'anime et qui consume ses rivaux de la L.N.H., brûle toujours avec une intensité sans pareille.

> « En cours de route, il y a peut-être eu de semblables compétiteurs — possiblement Marciano — mais je crois qu'ils ont fait disparaître le patron, après avoir taillé le costume de Maurice Richard. »[1]

Au cours des séries de 1957-1958, sur les huit victoires qu'il aura fallu aux Canadiens pour obtenir la coupe Stanley, « Le Plus Grand » d'entre Les Grands, en aura obtenu quatre à lui seul... Qui a fait mieux ?

1. Nason, Jerry, *The Boston Daily Globe*, 19 avril 1958.

Chapitre seizième
Le plus grand joueur de hockey de tous les temps

*« And the man called Richard had
something of the passionnate glittering
fatal alien quality of snakes. »
William Faulkner*

Je n'ai pas l'intention de reprendre ici les arguments et les témoignages déjà cités et qui plaident en faveur de Maurice Richard pour l'obtention de ce titre de gloire : le plus grand joueur de hockey de tous les temps. Je suis parfaitement convaincu qu'aucun joueur au monde ne peut prétendre davantage à ce titre que Maurice Richard. Remarquez que, bien intentionnellement, j'ai utilisé les mots « le plus grand joueur » et non « le meilleur joueur », car de meilleurs joueurs de hockey que « Rocket » Richard, il y en a peut-être, comme Maurice lui-même l'a si souvent déclaré.

Cette question, « qui est le meilleur *who's the best* », porte directement sur la performance de l'athlète, en laissant de côté l'élément humain. Les critères d'évaluation doivent alors se situer au niveau de l'efficacité, du rendement, de l'aisance de l'exécution, de la technique et du comportement stratégique. « Qui est le plus grand » englobe aussi la performance mais on ne doit pas chercher la réponse uniquement dans le muscle, on doit « sonder le cœur », ce qui n'est pas chose facile. L'élément humain dans le comportement d'un athlète sera toujours difficile à évaluer ; par contre les effets de ce comportement sont plus facilement perceptibles. Cela peut, d'une certaine façon, se mesurer par l'intérêt, l'enthousiasme, voire même l'ido-

Efficace, surtout dans les situations difficiles...

lâtrie que peut susciter un athlète plutôt qu'un autre. Dans ce domaine, les chapitres précédents démontrent, à mon avis, que personne ne peut approcher Maurice « Rocket » Richard !

Mais pour prétendre à la couronne « du plus grand », tout joueur doit aussi être « un des meilleurs ». Là aussi, les pages précédentes démontrent que Richard a été l'un des meilleurs à une époque où, selon les observateurs avertis, la Ligue nationale de hockey était la plus sélecte des fraternités et où ses joueurs étaient les meilleurs. Les nombreux témoignages de joueurs, d'instructeurs, de gérants et, plus nombreux encore, les témoignages des journalistes sont là pour le prouver.

Par contre, sur la question proprement dite du « plus grand joueur » de hockey de tous les temps, j'aimerais vous livrer comme ça, en vrac, d'autres témoignages qui concernent directement ce point et qui viennent en quelque sorte étayer ceux déjà cités.

Maurice, vous le savez, a été comparé à Howie Morenz très tôt dans sa carrière. Andy O'Brien, dans un article publié dans *Weekend Magazine* du 3 décembre 1949, avait analysé la question.

« Abstraction faite des sentiments et si j'en juge par le Howie avec lequel j'ai joué et le Richard que j'ai vu jouer en tant qu'amateur et professionnel, je choisis sans hésiter Richard. Pourquoi ? Parce que, fondamentalement, Howie avec ses montées était un individualiste, alors que Richard n'est pas seulement un marqueur de première force, mais aussi un joueur d'équipe à l'attaque », commentait

« Pit » Lépine, un autre grand de ce sport. Andy O'Brien, qui avait vu le grand Howie en action, optait catégoriquement, lui aussi, pour Richard.

Dick Irvin partageait cette opinion :

> « Certainement qu'il était un grand joueur (Morenz). Mais « Rocket » Richard est le plus grand qui ait jamais vécu. Lorsqu'il s'agit d'exploit explosif, les joueurs canadiens-français sont insurpassables. »

Frank Selke était tout aussi enthousiaste quant au jeu des joueurs canadiens-français : « Il y a l'esprit latin de nos Canadiens français. Ils sont les vrais « artistes » du hockey. Ils aiment fabriquer des jeux de façon dramatique et spectaculaire en se passant la rondelle dangereusement. » Mais au sujet de la comparaison Morenz-Richard, son cœur balançait et il ne pouvait pas se prononcer. Il expliqua qu'il n'y avait eu qu'un seul Morenz et qu'il n'y avait qu'un seul Richard. Beaucoup plus tard, il pencha du côté de Richard : « Il est le plus grand joueur de hockey qui ait jamais vécu. Je peux paraître me contredire en disant que dix ou quinze joueurs sont meilleurs techniquement, mais ce sont les résultats qui comptent. »

Le deuxième instructeur du Rocket, « Toe » Blake, avait été beaucoup plus catégorique dans son choix entre Morenz et Richard, on s'en rappelle. Plus tard, il évalua Richard sous un autre angle :

> « Si vous faisiez une liste des « durs » de l'histoire du hockey, Richard viendrait au premier rang. Si une équipe avait quinze joueurs ayant la résistance et la détermination de Richard, elle ne perdrait probablement jamais une partie.
>
> « Quand tous étaient affectés par la pression des joutes importantes, le Rocket, lui, était à son meilleur.
>
> « Si j'avais un choix à faire entre toutes les « Super étoiles » qu'a connues la L.N.H. — passées et présentes — j'opterais pour Maurice « Rocket » Richard. »

C'était là l'opinion de l'instructeur qui a conservé la plus belle fiche de l'histoire de la L.N.H. En 914 parties, il a obtenu 500 victoires, 255 défaites, 159 nulles pour la plus haute moyenne parmi tous les instructeurs avec .634 point par partie. De plus, en treize ans de « coaching », il a conduit son équipe à neuf championnats de Ligue, dont cinq consécutifs et à huit coupes Stanley, dont cinq de suite également. Blake était donc un expert, un vrai !

Un autre « expert » pouvait parler avec autant d'autorité du Rocket ; c'était Jacques Plante, le célèbre gardien du Tricolore. Voici

« Rocket », un surnom qui ne peut mieux dépeindre ce grand joueur.

ce qu'il avait confié à Andy O'Brien :

> « Peut-être bien que je suis partial. Après tout, je l'ai vu jouer dans plus de 400 parties régulières et de fin de saison en tant que gardien de but. Peut-être que Gordy Howe, Bobby Hull, Jean Béliveau qui vient de se retirer et même Phil Esposito sont meilleurs que Maurice. Mais il y a une chose dont je suis sûr, si j'avais besoin d'un but — un seul *gros but* — et que je pouvais choisir un joueur pour aller me le chercher, de tous les grands avants, passés et présents, je prendrais le Rocket.
>
> « Si vous croyez que c'est le sentiment qui me fait parler ainsi, consultez les statistiques de la coupe Stanley. »

En 1956, Jimmy Jemail avait interrogé, pour le compte de *Sports Illustrated,* douze personnalités sur l'épineuse question : EST-CE QUE MAURICE (ROCKET) RICHARD EST VRAIMENT LE PLUS GRAND JOUEUR DE HOCKEY DE TOUS LES TEMPS ? Maurice, on le sait, avait recueilli six votes, Jean Béliveau deux, Gordie Howe deux, Howie Morenz un et Bill Cook un. Voici l'opinion de cinq de ces personnes qui étaient en étroite relation avec le milieu du hockey.

Conny Smythe (propriétaire des Maple Leaf de Toronto) :

> « Oui. Pour la couleur et pour le hockey robuste, il se compare avec Reardon, Shore et Horner. Pour la vitesse et les jeux spectaculaires, il est comme Morenz et Apps. Pour marquer des buts, il a un petit avantage sur Nels Stewart et Bill Cook.
>
> « On pourrait dire que seulement un « two-way player » (un joueur offensif-défensif) comme Ted Kennedy était plus grand. »

Voilà qui est plutôt incohérent. Mais, que voulez-vous, on ne pouvait s'attendre à autre chose de la part de Conny Smythe.

Général John Reed Kilpatrick (président du Madison Square Garden) :

« Oui. Richard a établi de grands records pendant longtemps et il est toujours parmi les meneurs au hockey. Aucun des « Old-Timers » ne l'approche. Gordon Howe et le coéquipier du Rocket, Béliveau, sont les seuls joueurs actifs qui peuvent lui être comparés. »

Muzz Patrick (gérant général des Rangers de New York) :

« Quand vous songez à Bill Cook, anciennement des Rangers, Gordon Howe des Red Wings et Jean Béliveau, c'est très difficile de dire si l'un d'eux est plus grand. Mais le Rocket, lui, est le plus près de ce qualificatif. Personne ne pourra me contredire lorsque je dis qu'il est le plus intéressant à regarder, le plus excitant et le joueur le plus explosif de tous les temps. »

Milt Dunnel (rédacteur en chef des pages sportives du *Toronto Star*) :

« Toutes comparaisons entre athlètes, anciens et contemporains, sont difficiles, parce que les conditions changent. Toutefois, aucun fervent du hockey ne peut nier que ce jeu est maintenant joué à un tempo plus rapide qu'autrefois. En évaluant Richard, le Rocket, je dois me guider sur ce que je vois sur la glace, ce que je vois dans les livres de records et ce que j'ai vu par le passé. Le Rocket a marqué plus de buts que tout autre joueur de l'histoire de ce sport. Il a enregistré le plus de buts en une saison. Il détient tous les records pour les séries éliminatoires. Richard est dans le hockey majeur depuis 1942 et il a toujours excellé avec des combinaisons de joueurs différents. Jusqu'à ce que quelqu'un fasse autant de choses pendant aussi longtemps, je dois dire que Richard est le plus grand. »

Clarence Campbell (président de la Ligue nationale de hockey) :

« Il n'est peut-être pas raisonnable de choisir un joueur et de le nommer « le plus grand joueur de tous les temps ». De plus, je ne suis pas de ceux qui ont vu tous les grands. Mais aucun homme ne peut prétendre à un tel titre autant que Richard. Aucun autre joueur ne m'a donné autant de satisfaction à le regarder évoluer. »

Enfin, je termine cette revue d'opinions en rappelant ce qui s'est produit le 25 janvier 1966, à l'occasion d'une partie entre les « Old-Timers » de Détroit et ceux du Canadien. La plus grosse foule de cette saison-là, 15 653 spectateurs, se présenta au Forum pour voir une fois de plus le légendaire « Rocket » Richard en action. Les fameuses « Punch Line » et « Production Line » étaient là au complet. Tout un duel en perspective !

Gordie Howe en était à sa vingtième saison. Maurice Richard, à 44 ans, en aurait été à sa vingt-quatrième, eut-il poursuivi sa carrière. Le Rocket avoua qu'il était aussi nerveux qu'à sa première partie

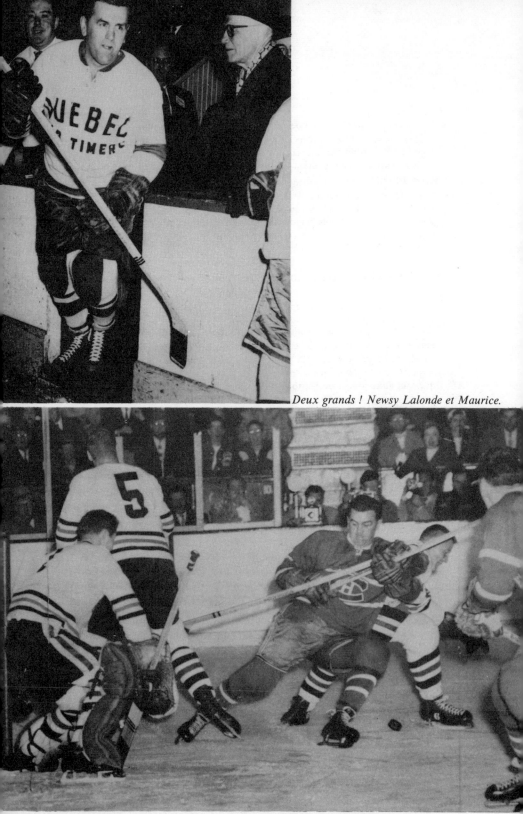

Deux grands ! Newsy Lalonde et Maurice.

Un génie, quand il s'agit de percer les défensives ennemies.

dans la L.N.H. L'annonceur commença à présenter les joueurs à la foule. Elle se mit à applaudir plus chaudement lorsqu'il nomma « Butch » Bouchard, Marcel Bonin, Toe Blake et Floyd Curry. La première grosse réaction de la foule se fit sentir lorsque le nom de Ted « The Terrible » Lindsay fut prononcé. Puis le nom de Gordie Howe répercuta dans le Forum, et les spectateurs réagirent plus vivement encore, enfin, lorsque retentit le nom de Maurice Richard. Un courant électrique traversa la foule et la charpente du Forum fut ébranlée par un joyeux rugissement qui rappela à tous des souvenirs impérissables. Maurice, sur la ligne bleue du Montréal, faisait de petits cercles comme il avait l'habitude d'en faire après avoir marqué un but. Devant l'insistance de la foule, Glen Harmon invita le Rocket à aller la saluer de nouveau. Maurice s'exécuta et le bruit devint plus assourdissant encore.

Maurice prouva à tous que, même à 44 ans, il était toujours le Rocket. Il marqua deux buts et s'en fit voler beaucoup d'autres par Harry Lumley qui ne voulait pas céder. Après quinze minutes de jeu à la première période, Elmer Lach vit Maurice se démarquer et il lui passa la rondelle. Sans hésiter, Maurice qui s'en venait à pleine vitesse lança et les applaudissements de la foule éclatèrent au moment même où la rondelle toucha le filet de Lumley. La foule était prise par la magie du jeu. Le temps n'existait plus. On n'était plus en 1966. 1946, 1956 peut-être...

À la deuxième période, les Red Wings de Détroit menaient 4 à 2. Le grand Kenny Mosdell qui avait, lui aussi, marqué deux buts, connut sa minute de gloire lorsqu'il porta le score à 4 à 3. À la troisième période, le temps s'écoulait sans que les Canadiens semblent pouvoir égaler les chances. Comme dans le bon vieux temps, le Rocket lui, redoublait d'ardeur au fur et à mesure que la période progressait. Trois fois, Lumley lui vola un but certain. Maurice revenait toujours à la charge, plus dangereux encore. Il restait trois minutes dans la partie lorsqu'il s'empara de la rondelle dans une mêlée et, d'un lancer du revers, il égala la marque. La foule trépigna de joie. Elle venait de voir un autre but « à la Richard ». Quelques minutes plus tard, « les vieux » Canadiens marquaient à nouveau, arrachant la victoire au Détroit par le score de 5 à 4.

Gordie Howe se dirigea vers le Rocket et lui demanda s'il voulait bien autographier son hockey et le lui remettre. Maurice se rendit à la demande de Gordie. Vern de Geer qui commentait cette partie déclara : « C'était comme si Mickey Mantle demandait l'autographe de Joe DiMaggio. »

Si tous les spectateurs étaient émerveillés par la performance de Richard, ils trouvaient pourtant cela tout naturel car ils n'en attendaient pas moins de lui. Encore une fois, ce grand acteur n'avait désappointé personne. Il démontra à cette partie que s'il n'avait pas été proclamé dieu, il aurait pu jouer encore pendant plusieurs autres saisons.

Ces derniers témoignages, ajoutés à tout ce qui a déjà été dit, devraient être suffisants pour faire admettre que Richard est « le plus grand joueur de tous les temps ». Mais il y aura toujours des sceptiques dont les souvenirs s'estompent trop rapidement et qui ne retiennent que les chiffres. Hé bien, les chiffres sont là, à la portée de tous. Mais peu de gens se donnent la peine de les regarder de près. Plusieurs soutiendront même que l'homme ne passe pas à la postérité à cause d'un chiffre plus grand ou d'une moyenne plus forte. Je suis bien d'accord ! Mais pourquoi, alors, les conserver ! Pourquoi les athlètes se surpassent-ils pour établir de nouveaux records ? Pourquoi courir le mille en 3 minutes 53 secondes et 5/10 plutôt qu'en 3 minutes 53 secondes et 7/10 ! Pourquoi tenir compte du vent lors des épreuves olympiques ! Parce que toujours l'homme a aimé se mesurer, se comparer, se surpasser. On ne mesure pas un homme à ses records, mais ses records peuvent vous aider à percevoir sa mesure.

Est-ce que ce « petit quelque chose » qui fait qu'un joueur est « grand » alors qu'un autre est « excellent » ne devrait pas se détacher à travers de froides statistiques ? Personnellement, je crois que si ! Tout grand joueur qui aurait peur de comparer son rendement à d'autres grands joueurs ferait, à mon avis, preuve de petitesse.

Je vous propose donc une analyse statistique comparative des plus grands du hockey. Soyez tranquille, je n'alimenterai pas ici la polémique Howe-Richard. Cette question a déjà été trop souvent mal engagée, parce qu'elle reposait uniquement sur des opinions, parfois sur des préjugés, presque toujours dépourvus de tout caractère d'évaluation. Ainsi présentée, cette polémique partisane a toujours causé trop d'injustices à l'un ou à l'autre et tout autant à d'autres grands de ce sport, tels que Jean Béliveau, Bobby Hull et Frank Mahovlich.

Quel critère nous guidera pour établir une différence entre une super-vedette du hockey et le plus grand joueur de hockey ? À travers toutes mes recherches, deux critères sont revenus plus souvent que les autres. Le premier était énoncé dans ces termes : « Dans n'importe quel sport, on peut toujours reconnaître le véritable « grand joueur », par la façon dont il relève les gros défis. » Dans des termes à peu près semblables, d'autres ont dit : « C'est la caractéristique d'un « grand » joueur que d'être toujours à son meilleur dans les moments critiques. »

Cela nous amène à notre deuxième critère : « En évaluant un joueur, on doit aussi évaluer le rendement de son équipe. »

Étant donné que le mot « expansion » sera utilisé à plusieurs reprises dans la discussion qui va suivre, on doit en parler maintenant. Celui qui oserait prétendre que l'expansion n'a pas affaibli le calibre de jeu, de même que le calibre des joueurs de la Ligue nationale de hockey, serait naïf, aveugle et de mauvaise foi. Il suffit de consulter un peu les statistiques de la L.N.H.

a) Le score des joutes ressemble à celui des parties de football serrées. Des quantités de buts sont marqués.

b) Tous les records sont en train de disparaître à un rythme effarant, de même que les anciens standards d'excellence.[1]

Par exemple, avant l'expansion, la moyenne offensive des Canadiens était de + 0.504, alors que leur moyenne durant l'expansion est de + 1.049, soit plus d'un demi-but par partie. Boston avait une moyenne à vie avant l'expansion de − 0.09 ; depuis l'expansion, leur

---

1. Il est impérieux, selon moi, que la L.N.H. revise sa politique relative aux livres des records. L'expansion nous a fait réaliser que les records de l'époque d'avant-guerre sont difficilement comparables aux records du hockey moderne et encore moins à ceux de l'expansion. On pourrait alors avoir trois sections : une pour l'époque d'avant-guerre (1917-18 à 1939-40), une pour l'époque d'après-guerre jusqu'à l'expansion (1940-41 à 1966-67), et une dernière qui serait revisée à chaque année pour le hockey d'après l'expansion. Pourquoi pas ? Est-ce qu'un lancer du poids de 12 livres est comparable à un lancer de 16 livres ?

moyenne est de + 1.474, soit plus d'un but et demi par partie. Quant aux autres clubs, ils présentent tous un rendement offensif négatif à l'exception de Philadelphie (voir tableau I).

TABLEAU I

	BUTS POUR	BUTS CONTRE	NOMBRE DE PARTIES	MOYENNE DE BUTS PAR PARTIE
CANADIEN * avant l'expansion ** après l'expansion	8053 1735	6698 1248	2688 464	+ 0.504 + 1.049
BOSTON * avant l'expansion ** après l'expansion	7023 1988	7252 1304	2528 464	−0.090 + 1.474
SAINT-LOUIS	1475	1481	538	−0.011
PHILADELPHIE	1520	1510	538	+ 0.018
MINNESOTA	1496	1672	538	−0.326
PITTSBURG	1506	1742	538	−0.438
LOS ANGELES	1463	1858	538	−0.734
CALIFORNIE	1364	1986	538	−1.156

* Record à vie jusqu'à la saison 1967-1968 inclusivement.
** Record de la saison 1967-1968 à la saison 1973-1974 inclusivement.

TABLEAU II

	324e BUT			SAISONS RÉGULIÈRES				
	DATE	NOMBRE DE PARTIES	MOYENNE DE BUTS/PARTIES	MOYENNE DE PARTIES/SAISON	NOMBRE DE SAISONS	TOTAL DE BUTS	NOMBRE DE PARTIES	MOYENNE DE BUTS/PARTIE
NELS STEWART**	16/3/40	652	.497	44	15	324	653	0.496
M. RICHARD**	29/10/52	526	.616	54 / 65*	18 / 15	544	978	0.556
G. HOWE	9/12/56	666	.486	68	21(1) 4(2) 25	649 137 786	1398 289 1687	0.464 0.474 0.466
B. GEOFFRION**	10/3/62	660	.490	56 / 68*	16 / 13	393	883	0.445
J. BÉLIVEAU	18/12/63	645	.523	63	14(1) 4(2) 18	399 108 507	864 261 1125	0.462 0.413 0.451
B. HULL	13/11/66	614	.527	69	10(1) 5(2) 15	370 234 604	674 362 1036	0.549 0.646 0.583
F. MAHOVLICH	1/1/69	773	.419	70	10(1) 7(2) 17	277 256 533	670 511 1181	0.413 0.501 0.451
S. MIKITA	21/3/70	764	.424	71	8(1) 8(2) 16	215 252 467	549 582 1131	0.391 0.432 0.412
P. ESPOSITO	17/2/72	595	.544	71	4(1) 8(2) 12	74 453 527	235 613 848	0.315 0.739 0.621
Y. COURNOYER	24/11/74	701	.462	69	3(1) 8(2) 11	54 291 345	194 560 754	0.278 0.520 0.457

* Maurice Richard a joué dix-huit saisons, mais il a manqué 172 parties pour cause de blessure, soit près de trois saisons.

* Bernard Geoffrion a joué seize saisons, mais il a manqué 189 parties pour cause de blessure, soit près de trois saisons.

** Stewart et Richard n'ont pas joué pendant l'expansion. Geoffrion a joué une saison. Les statistiques de la saison 1974-1975 sont incluses dans ce tableau.

1. Les chiffres du haut indiquent le rendement des joueurs *avant* l'expansion.
2. Les chiffres du bas indiquent le rendement des joueurs *après* l'expansion.

427

TABLEAU III

SAISONS RÉGULIÈRES

	NOMBRE DE SAISONS	BUTS VICTORIEUX	BUTS SANS AIDE	NOMBRE DE « 2 BUTS »	« 3 BUTS »	« 4 BUTS »	« 5 BUTS »	PREMIER BUT DE LA PARTIE	BUTS ÉGALISATEURS	NOMBRE DE PARTIES	NOMBRE DE BUTS	MOYENNE DE BUTS PAR PARTIE	CHAMPIONNAT DE LA SAISON
MAURICE RICHARD	18	83	61	117	26	3	1	109	28	978	544	0.556	7
JEAN BÉLIVEAU	18	80	39	88	18	3	0	84	21	1125	507	0.451	10
GORDIE HOWE*	25	94	45	85	13	0	0	84	25	1133	545	0.481	9
		118	58	145	19	0	0	123	29	1687	786	0.466	
BOBBY HULL	15	94	23	93	28	4	0	104	30	1036	604	0.583	2
PHIL ESPOSITO	12	94	17	113	26	4	0	80	14	848	527	0.621	4
FRANK MAHOVLICH	17	83	26	83	14	3	0	86	16	1181	533	0.451	2

COUPE STANLEY

	NOMBRE DE SÉRIES	BUTS SUPPLÉMENTAIRES	BUTS VICTORIEUX	BUTS SANS AIDE	NOMBRE DE « 2 BUTS »	« 3 BUTS »	« 4 BUTS »	« 5 BUTS »	PREMIER BUT DE LA PARTIE	NOMBRE DE PARTIES	NOMBRE DE BUTS	MOYENNE DE BUTS PAR PARTIE	COUPE STANLEY
MAURICE RICHARD	15	6	18	10	17	7	3	1	11	133	82	0.616	8
JEAN BÉLIVEAU	17	0	10	4	12	1	0	0	17	162	79	0.488	10
GORDIE HOWE	19	0	10	8	8	1	0	0	10	154	67	0.435	4
BOBBY HULL	13	0	10	1	14	2	0	0	15	113	62	0.548	1
PHIL ESPOSITO	12	0	9	2	9	4	1	0	9	100	50	0.500	2
FRANK MAHOVLICH	14	2	9	3	6	0	0	0	9	137	51	0.372	6

Les statistiques de la saison 1974-1975 sont incluses dans ce tableau.
* Les chiffres du haut indiquent le rendement de Gordie Howe après 545 buts, ceux du bas, son rendement après 786 buts.
SONT INCLUS DANS CE TABLEAU LES JOUEURS AYANT MARQUÉ 500 BUTS ET PLUS ET QUI ONT CONSERVÉ UNE MOYENNE DE .400 BUT PAR PARTIE ET PLUS.

Howie Morenz.

Plus concrètement le tableau II nous fait voir le rendement des joueurs qui ont atteint 324 buts, avant et après l'expansion et qui ont conservé une moyenne de plus de .400 but par partie.

Nous constatons que tous les joueurs ont augmenté leur production de buts après l'expansion, sauf Jean Béliveau. Cela confirme donc ce qui a été avancé précédemment, mais, en même temps, m'incite à prendre la défense d'un excellent joueur de hockey, le grand Phil Esposito. Trop longtemps, Phil a été affublé du titre de « *Garbage goals collector* (Ramasseur de mauvais buts) ». À ceux-là qui l'ont dénigré, je dis : « Placez-vous à quinze pieds du gardien dans cette surface communément appelée « slot » et essayez de compter 94 buts victorieux. » Comme le dit si bien Phil, il n'est peut-être pas spectaculaire, mais il est efficace : « Je fais mon travail et je le fais bien et sobrement. »

En somme, il est normal que l'expansion ait affaibli les équipes, mais elle aura été une excellente chose pour tous ces jeunes joueurs et aussi ces moins jeunes qui croupissaient dans les ligues senior professionnelles. Elle leur aura permis de percer dans le grand circuit et de se tailler une carrière au hockey. Tranquillement le calibre de jeu et des joueurs va augmenter et très bientôt si, évidemment, l'expansion est arrêtée, nous verrons à nouveau de l'excellent hockey. Ici, nous devons lever notre chapeau devant M. Clarence Campbell pour la façon dont il a manœuvré afin d'élargir les cadres de son circuit. Il s'est révélé meilleur administrateur que juge.

Nous pouvons maintenant nous engager plus avant dans notre analyse. Évidemment, je n'ai pas connu les grands de l'avant-guerre. Mais un standard de comparaison pour cette époque a été le grand Howie Morenz. La « Comète » de Stratford a conservé l'excellente moyenne de près d'un demi-but par partie, au cours de quatorze saisons de hockey. Par contre, Howie n'a pas aussi bien fait dans les séries de la coupe Stanley. Il a obtenu quinze buts en 43 parties, pour une moyenne de .344 but par partie. C'est tout de même un dossier très impressionnant.

Sa façon de jouer au hockey était plus impressionnante encore et un consensus s'est établi autour du fait que Howie Morenz était sans contredit, « le plus grand joueur » de son époque. De même, comme on a pu le constater, Richard a été reconnu comme supérieur à Morenz. Il semble donc raisonnable de conclure que les prétendants à la couronne du Rocket se trouvent dans les deux dernières époques.

Au cours de l'après-guerre, ou l'âge d'or du hockey, la marque de 324 buts établie par Nelson Stewart le 16 mars 1940, est devenue une borne importante pour évaluer les joueurs qui atteignaient ce sommet. Le tableau II met donc en comparaison les joueurs qui ont dépassé cette marque, mais qui ont conservé une moyenne de .400 but par partie et plus. Pourquoi ce critère de sélection ? Parce qu'il permet de comparer « la crème de la crème » sans causer d'injustice aux autres.

Avant d'aller plus loin dans cette comparaison, je ferai remarquer que je tiens *chacun* de ces dix joueurs pour des joueurs exceptionnels et je ne voudrais diminuer leurs mérites pour aucune considération. Je suis convaincu que *tous* ces joueurs auraient tiré leur épingle du jeu à n'importe quelle époque du hockey.

Ceci dit, les grandes lignes qui se dégagent de ce tableau sont les suivantes :

1) Maurice Richard est en avance sur tous ses rivaux avec une moyenne formidable de .616 but par partie. Béliveau, Hull et Esposito sont sur un pied d'égalité. Je concède ici une avance à Béliveau parce qu'il a atteint cette marque avant l'expansion et parce que Hull est un ailier. Geoffrion et Howe forment le deuxième peloton et Mikita, Mahovlich et Cournoyer, le troisième.

2) Si l'on poursuit la comparaison avec leurs records à vie, l'on constate que Richard, Howe, Geoffrion et Béliveau ont diminué quelque peu leur production, alors que Mikita et Cournoyer sont pratiquement demeurés stationnaires et que Hull, Mahovlich et Esposito ont augmenté leur moyenne. Cela s'explique surtout parce que les quatre premiers n'ont pas ou peu joué pendant l'expansion. Dans ces moyennes à vie, Esposito, Hull et Richard font bande à part.

Enfin, le tableau III nous présente le rendement *détaillé* des joueurs qui ont marqué au moins 500 buts et qui ont conservé une moyenne de 0.400 but et plus par partie en saisons régulières. Ce tableau ne se veut pas limitatif. D'autres joueurs appartiennent à cette élite. Je suis persuadé que si Bernard Geoffrion n'avait pas été blessé pendant un total de 189 parties, soit près de trois saisons, il aurait atteint cette marque de 500 buts. Si l'on regarde sa moyenne à vie, 0.445, et celle de la Coupe Stanley, 0.439, on se rend compte qu'il est sur un pied d'égalité avec Gordie Howe. Bernard Geoffrion appartient définitivement à cette élite. Stan Mikita en est un autre. Il dépassera probablement ce cap des 500 buts au cours de la saison prochaine.

En regardant le tableau de près, on réalise vite que la polémique Howe-Richard a relégué aux oubliettes des gars comme Béliveau, Hull et Mahovlich. Mais le grand oublié a été, à mon avis, Jean Béliveau. Le grand Jean, un centre, dont la stratégie du temps exigeait qu'il « nourrît » ses ailiers et qui a quand même atteint la marque de 324 buts avec l'incroyable moyenne de 0.523 but par partie, méritait un meilleur sort. Pourquoi ne l'a-t-on jamais comparé à Howe ? Pourtant, comme Howe, « il savait tout faire » et il le faisait avec une grâce et une finesse qui n'ont pas eu leur pareille dans la L.N.H. depuis son départ. Son tableau de chasse de 507 buts se compare avantageusement aux 545 premiers buts de Howe ; de même, leur moyenne à vie est quasi identique. Enfin, Béliveau a participé à dix championnats de son équipe et Howe, à neuf. Mais la comparaison s'arrête là ; le nom de Béliveau figure dix fois sur la coupe Stanley, alors que celui de Howe y figure quatre fois. Je n'ai aucune hésitation à conclure que Jean Béliveau a fait preuve d'une certaine supériorité sur Howe. Jean a dépassé les espérances que tous avaient mises sur lui lorsqu'il quitta les As de Québec pour les Canadiens de Montréal. Bien sûr, on l'a acclamé, mais pas autant qu'on aurait dû.

Indiscutablement, l'homme de fer de la L.N.H. avec ses 25 saisons de hockey professionnel, Gordie Howe, ce Titan du hockey est mon troisième choix. Tout au long de sa carrière, il a démontré une régularité sans pareille dans l'art de marquer des buts. Mon choix est motivé par les raisons mentionnées plus haut, mais surtout par le fait que Béliveau, un *centre,* a conservé une moyenne identique à celle de Howe, un ailier, et particulièrement parce que Howe a toujours faibli dans les séries de la coupe Stanley.

Je place Hull et Esposito *ex æquo* au quatrième rang. Leur rendement se ressemble beaucoup, ils sont prolifiques, explosifs et tous deux accusent une diminution de production en coupe Stanley, particulièrement Phil qui passe de 0.621 à 0.500 de moyenne. Mais Phil se reprend en ce qui a trait à notre deuxième critère d'évaluation et c'est Bobby qui déçoit : Phil a participé à quatre championnats et deux coupes Stanley, comparativement à deux championnats et une coupe Stanley pour Bobby.

Au cinquième rang vient Mahovlich. Son dossier avec ses 83 buts victorieux ne manquera pas d'en surprendre plusieurs. Frank a été grandement sous-estimé, car il a toujours eu pour caractéristique d'arriver avec des buts importants. Par contre, sa production tombe de .451 en saisons régulières à .372 en séries éliminatoires. Le grand Frank a tout de même récolté cinq coupes Stanley et deux championnats.

Le deuxième point qui est frappant, quand on examine le tableau, c'est que malgré l'inflation de buts due à l'expansion, Maurice Richard domine toujours dans la plupart des secteurs, alors qu'il est à égalité dans les autres et cela en saisons régulières, même si, à l'exception de Phil Esposito (848), il est celui qui a joué le moins de parties, soit 978.

Il domine Jean Béliveau, excepté pour les « 4 buts ».

Il domine Gordie Howe, sauf pour les buts victorieux et égalisateurs.

Avec soixante parties de moins, il domine Bobby Hull, à part les buts victorieux, les « 3 buts » et les buts égalisateurs.

Il domine Phil Esposito, à l'exception des buts victorieux. Ils sont à égalité pour les « 3 buts ».

Il domine Frank Mahovlich, sauf pour les buts victorieux et les « 4 buts » où ils sont à égalité.

Lorsqu'on en arrive à la coupe Stanley, on se rend compte que sa réputation de relever les grands défis quand la compétition est à son point le plus fort n'était pas surfaite : il surclasse tous ses rivaux, et de loin, dans tous les domaines, à l'exception du « premier but » de la partie. Et, argument suprême, sa moyenne passe de .556 en

Spectaculaire ! Ce n'est pas la quantité de buts qui compte, mais la façon dont ils sont marqués.

Le plus grand ! (Sur la photo est écrit : « Tour du chapeau » contre Toronto le 20 janvier 1955.)

Studios David Bier

saisons régulières à .616 pour la coupe, c'est-à-dire qu'il retrouve le même rythme que lorsqu'il a atteint son 324e but. Je crois que cela ne peut pas répondre plus adéquatement à notre premier critère d'évaluation ; Maurice « Rocket » Richard était à son meilleur dans les situations difficiles et importantes.

Quant à notre deuxième critère, à savoir le rendement de l'équipe du joueur à évaluer, voyons ce qui suit : Les Canadiens ont remporté sept championnats et huit coupes Stanley avec Maurice. Certains oseront peut-être avancer que les cinq dernières coupes ont été remportées à cause d'une très forte équipe. Peut-être ! Mais après le départ de Richard, il aura fallu attendre cinq saisons avant que le Tricolore ne s'empare à nouveau de la coupe Stanley. Au cours des sept saisons qui précèderont l'expansion, les Canadiens sans Richard auront conquis la coupe Stanley deux fois seulement même s'ils avaient terminé en tête du classement à quatre reprises et toujours avec une équipe de grande classe.

Les chiffres nous prouvent donc que Richard est toujours un des meilleurs, sinon « le meilleur ». Les experts nous disent qu'il est aussi le plus grand. Il est donc évident que le Rocket remporte la palme et pour la performance et pour le côté humain « ce petit quelque chose d'indéfinissable », et que nul autre que lui ne saurait être proclamé « le plus grand joueur de hockey de tous les temps ». Maurice Richard sera le détenteur incontesté de ce titre, jusqu'à ce qu'un autre joueur en fasse autant, avec tout l'éclat, le spectaculaire et le flamboyant dont il était seul capable.

Chapitre dix-septième
L'apothéose

Le Rocket terminera sa carrière comme il l'avait commencée : accablé de nombreuses blessures ...

Ralenti par toutes ces blessures et ne pouvant donner sa pleine mesure, le Grand Rocket connaîtra, à l'inverse des grandes étoiles sportives, ses plus grands moments de gloire à la fin de cette incroyable carrière digne d'un conte de fée.

Dans cette Gaspésie, si chère à Maurice, au-delà du majestueux fleuve Saint-Laurent, on peut assister à des couchers de soleil absolument grandioses qui, avant de disparaître à l'horizon, se parent des couleurs les plus riches. Tel ces couchers de soleil, Maurice Richard brillera de tous ses feux, sera acclamé et honoré comme jamais auparavant. Ce sera l'apothéose avant même que ne se taise le Rocket ...

Cette apothéose avait débuté avec cette percutante fin de saison 57-58. Les hommages et les honneurs fusaient de partout ; voici les plus importants.

Conrad Bernier, dans l'édition du 25 avril 1958 de *Parlons Sports,* où l'image de « Babe » Ruth était juxtaposée à celle du Rocket, présenta une analyse fort intéressante de « Maurice le Magnifique ».

Il intitula son article comme suit :

APRÈS SEIZE SAISONS FABULEUSES, POUR DES MILLIONS D'AMATEURS, LE CÉLÈBRE « ROCKET » DEMEURE LE JOUEUR-ÉNIGME ET LA PLUS GRANDE ATTRACTION DU HOCKEY MAJEUR.

« Il semble bien, cependant, que les rédacteurs sportifs sont taris. Leurs provisions de qualificatifs sont à sec. Ils ne trouvent plus rien à analyser chez ce fameux bonhomme. Ils l'ont tassé, disséqué, analysé, harassé, accablé, épié, surveillé, critiqué, louangé, éreinté, fouillé. *Ils sont épuisés.* Comme les amateurs, ils sont à la recherche du mot, de la phrase qui pourrait le cataloguer une fois pour toute. Maurice Richard a eu non seulement raison de la rondelle, il a eu raison des rédacteurs sportifs.

« Pourtant, il est probable que les rédacteurs sportifs ne capituleront jamais. Ils se fouilleront le cervelet pour trouver des explications nouvelles. Réussiront-ils jamais ? Il y aura toujours une part d'impondérable dans la carrière du Rocket, quelque chose d'insaisissable, et les explications les plus audacieuses n'apporteront guère de lumière. Richard est discuté passionnément.

« Maurice Richard, c'est l'homme qui sait exactement ce qu'il veut. Et ce qu'il veut depuis quinze ans, avec une énergie farouche, c'est compter des buts, « planter » la rondelle dans les filets ennemis, même quand la chose paraît impossible.

« Ces derniers mots sont d'une importance capitale. Maurice Richard, disent les nombreux chroniqueurs sportifs, c'est « l'homme des grands moments ». L'expression ne nous semble pas tout à fait juste. Il nous semblerait plus exact et plus précis de dire : « Maurice Richard, c'est l'homme qui croit à l'impossible. Il n'est l'homme des grands moments que parce qu'il est d'abord l'homme de l'impossible ». (. . .)

« Le Rocket a compté des buts qu'il doit à son opportunisme savant et méthodique. Mais ces buts les plus étourdissants, il les doit à sa foi dans l'impossible. Tout ce que l'on appelle « spectaculaire » chez Maurice Richard colle à sa détermination d'une part, à cette foi dans l'impossible, d'autre part. (. . .)

« On demandait à Newton comment il avait découvert la loi de la gravitation. « En y pensant toujours », répondit-il. C'est, en effet, le secret de toutes les réussites magistrales. Mais l'obstination est aussi un style de vie. Maurice Richard est un obstiné. C'est pourquoi il ne ressemble à personne. Il ne pense qu'au hockey, et, par un surcroît d'obstination, qu'à son hockey. (. . .)

« Nous ne croyons pas qu'il puisse faire école. On fera sans doute autre chose qui ne sera pas comparable, mais on n'imitera pas Maurice Richard. Le Rocket est inimitable. Dans cette façon de jouer au hockey, on n'a probablement jamais été aussi loin. (. . .)

> « Maurice Richard a compris depuis toujours que tout homme fe-
> rait plus de choses s'il en croyait moins d'impossibles. »[1]

Il était difficile de cerner avec autant de relief la silhouette, la personnalité de « Rocket » Richard : « Réaliser l'impossible » faisait partie intégrante du comportement du Rocket. Enfin, les années ont complètement donné raison à M. Bernier : Maurice Richard n'a pas fait école ; depuis quinze ans, aucun joueur ne s'est approché de son style flamboyant ! Personne ne saurait l'imiter !

Jim Proudfoot, pour sa part, avait trouvé ce « mot », auquel faisait allusion Conrad Bernier, qui pourrait cataloguer une fois pour toutes le Rocket.

Sa chronique « Feat of the Week », débutait ainsi : « *Among the Myriad of Words to Describe the Rocket's Feats, « Inevitability » Seems the Best* (Parmi les milliers de mots pour décrire les exploits du Rocket, « inévitable » semble le meilleur) ».

Et il expliquait :

> « Rocket Richard accomplit ses exploits pour les Canadiens de Montréal de façon aussi inévitable que Danny Warbucks (héros de ban-de dessinée) sauve Annie la petite orpheline chaque fois qu'elle est en péril.
>
> « Inévitablement est probablement le meilleur mot. C'est devenu tellement coutumier pour « Maurice le Magnifique » de briser une égali-té, particulièrement si l'enjeu est la coupe Stanley, que Frank Selke, son patron, a pu jouer au devin, jeudi soir, 17 avril 1958, en prédisant à la télévision que le Rocket serait celui qui marquerait le but en supplé-mentaire et procurerait ainsi une avance aux Canadiens dans leur série contre Boston. Quelques millions de personnes ont fait la même prédic-tion que Selke. Et évidemment, comme le faisait remarquer le gérant des Habitants : « Il ne m'a encore jamais laissé tomber. »

Même Jim Coleman, de Toronto, le journaliste qui était demeu-ré le plus longtemps hostile au Rocket, ne pouvait plus refréner son enthousiasme envers le grand ailier droit du Canadien : « *There's No One Like The Rocket* (Personne ne peut se comparer au Rocket) », écrivait-il.

> « Même au crépuscule de la carrière de Maurice Richard, il est bien évident que cet incomparable joueur est la plus grande étoile à briller dans le firmament de la Ligue nationale de hockey. Chaque soir, avant de se glisser sous leurs couvertures, les propriétaires des clubs de

---

1. Bernier, Conrad, *Parlons Sports*, 25 avril 1958.

hockey devraient dire quelques mots de remerciement à Maurice Richard qui, grâce à son flamboyant brio, a maintenu la popularité du
hockey à une époque où les autres sports commençaient à souffrir du
fardeau financier. » (...)

« Richard a été le plus grand atout individuel du hockey professionnel depuis les seize dernières années. Son nom a attiré des centaines
et des milliers de nouveaux spectateurs. »

Après avoir reconnu qu'il avait été l'un des Torontois les plus
lents à accepter Maurice Richard, Jim Coleman concluait :

« La « couleur » est absolument indispensable dans le sport professionnel.

« En ce qui concerne la « couleur », cet homme dépasse de cent
coudées le reste de la masse.

« Certains instructeurs et gérants prétendent que Gordie Howe est
un meilleur joueur de hockey. Avec tout le respect que je leur dois, ils
peuvent avoir Gordie Howe, les spectateurs prendront Maurice Richard ».[1]

Peu de temps après ces mémorables séries, soit le 2 mai 1958, la
Presse canadienne lança une nouvelle à l'effet que Maurice Richard
serait nommé sénateur. Les réactions ne tardèrent pas à se faire sentir. Celle de Roland Faucher, homme d'affaires averti, traduisait
bien la réaction des Canadiens français : il était emballé par l'idée !
« Tout le Canada en est fier et vous avez dû remarquer aussi que
son prestige dépasse les frontières de notre pays. Pas plus tard que la
semaine dernière, un scribe de Boston le disait supérieur aux idoles
américaines comme Ted Williams et Babe Ruth ; ce qui ne peut que
flatter notre orgueil de Canadiens-Français », déclara M. Faucher, et
il ajouta avec enthousiasme : « J'endosse à cent pour cent cette idée,
qu'elle soit à l'état de rumeur ou autrement, de le faire nommer sénateur. ».

Quant au journaliste Robert Desjardins, auteur de l'article, il
partageait cette opinion : « Si l'on songe que la reine Elizabeth
d'Angleterre a plusieurs fois nommé chevalier les remarquables personnalités du monde sportif, dont le champion boxeur poids plume
« Kid » (Hogan) Bassey, on ne peut qu'approuver l'idée d'honorer
de la sorte un athlète aussi brillant, aussi renommé que Maurice, qui
a fait, plus que tout autre, connaître notre pays à travers le monde
entier par ses prodigieux exploits comme ailier droit au hockey. »

1. Coleman, Jim, *The Globe and Mail,* Toronto, 18 avril 1958.

438

Star

Maurice reçoit le trophée Lou Marsh récompensant "l'athlète qui s'est le plus distingué en 1958". M. Marsh fait la présentation en présence du Premier ministre du Canada, M.J. Diefenbaker.

Nul autre que le Rocket ne pouvait susciter pareille démarche. Même s'il n'y a jamais eu de suite à cette histoire — d'ailleurs il est plus que probable que Maurice Richard aurait décliné l'honneur —, il n'en demeure pas moins que « l'idée » même était un hommage sans précédent rendu à une personnalité sportive.

Rome ne reconnaissait-elle pas l'héroïsme de ses guerriers en les nommant au Sénat ?

En 1958, un tel parallèle aurait sombré dans le ridicule s'il s'était agi d'une autre vedette sportive que Maurice Richard. Mais pour cet homme, qui forçait l'admiration par sa valeur en tant qu'athlète, il était « naturel » qu'on pense à lui rendre de pareils honneurs.

Et de fait, le 20 août 1958, lors de l'inauguration du Temple de la Renommée à Toronto, Maurice reçut pour la deuxième année consécutive le trophée Lou-Marsh accordé à « l'athlète qui s'était le plus distingué en 1958 ».

L'excentrique Phil Watson avait alors déclaré que Maurice ne terminerait pas la saison 1958-1959. Dès la première partie Canadien-Rangers, Maurice répliqua ouvertement à l'ami Phil. Il compta deux buts et assista sur un autre.

Deux mois plus tard, le 25 novembre, il choisit à nouveau les Rangers pour inscrire une nouvelle marque avec son 600e but devant 16 000 spectateurs, au Garden de New York. La foule lui démontra toute son admiration et son appréciation en lui accordant

25 novembre 1958 — Les New-Yor-kais sont témoins du 600e but du Rocket. Ce but marqué en contournant les buts par en arrière, est empreint de spectaculaire.

Cette photo prise en 1951 démontre de façon éloquente comment le Rocket s'y prenait pour réussir de tels buts.

une ovation comme n'en avait jamais reçu un joueur étranger.

Ce 600e but, extrêmement spectaculaire, fut ciselé avec cette virtuosité et cet art que seul M. Hockey possédait : filant à pleine vapeur, il contourna Lou Fontinato sur la droite pour se retrouver trop en arrière du filet pour pouvoir lancer. Il continua sa poussée vertigineuse derrière les buts des Rangers et, battant Worsley de vitesse, lança du revers la rondelle dans le coin que Worsley n'avait pu couvrir à temps.

« Gump » Worsley n'avait pas à s'en faire, car il n'était pas la première victime du Rocket sur cette façon unique de marquer un but. Maurice en avait fait sa marque de commerce et peu de joueurs pouvaient ou peuvent réussir ce genre de but.

Le plus étonnant, c'est que cet exploit demande une rapidité incroyable et une précision parfaite. On peut alors imaginer et comprendre toute la rapidité dont était capable le *Rocket,* même âgé de 37 ans. À cette occasion, la Presse canadienne avait dit de Maurice qu'il était : « *Pantherquick at 37* (Vif comme une panthère, à 37 ans) ».

Et ça continuait. Le 23 décembre 1958, Rocket Richard était nommé « l'athlète de l'année au Canada » pour la deuxième année consécutive.

Puis, dès le début de l'année 1959, nos voisins du sud, par la revue *Sports Illustrated,* le proclamèrent « Heroe of the Year » pour 1958 au hockey. C'est Kenneth Rudeen qui présenta le Rocket aux lecteurs de cette revue :

> « Proclamer que Maurice « Rocket » Richard a été le joueur de hockey par excellence en 1958, c'est tout comme annoncer que l'eau était mouillée l'année dernière. »
>
> « Durant les séries de la coupe Stanley, alors qu'il se remettait d'une très grave blessure au tendon d'Achille, jouait avec des jambes vieilles de 36 ans et se trouvait en compétition avec les brillants jeunes joueurs de l'une des plus grandes équipes de Montréal, il démontra à nouveau ses formidables talents en excellant chaque fois que la pression était à son maximum. À la quatrième partie de la série semi-finale avec Détroit — partie décisive — il marqua trois buts dans cette victoire de 4-3 des Canadiens. À la joute-clé de la série finale contre Boston, la cinquième, il enregistra le but victorieux, le but qui brisait et l'égalité en temps supplémentaire et le cœur du Boston. En novembre, il marqua le 600e but de sa longue, orageuse, illustre et incomparable carrière. Ni le

Newton

Maurice succède à M. L. B. Pearson comme « Big Brother » pour l'année 1959.

record ni l'homme ne seront probablement jamais dépassés. »[1]

À la mi-janvier, Maurice succéda à M. Lester B. Pearson, ex-premier ministre du Canada, récipiendaire du prix Nobel de la Paix et alors chef de l'opposition, comme « Big Brother of the Year ». Cette association s'occupait d'aider les enfants défavorisés.

Le trophée annuel de l'Association « Big Brother » est décerné à « un citoyen canadien qui peut être cité en exemple à la jeunesse, comme un citoyen idéal ».

En recevant Maurice Richard comme « Grand Frère » pour l'année 1958, on reconnaissait à nouveau *l'homme* et ses hautes qualités morales.

En lui remettant le trophée, M. Pearson révéla, que lors de sa dernière tournée dans l'Ouest Canadien, un jeune garçon lui avait déclaré « que son autographe valait un cinquième de celui d'une vedette de cinéma et un dixième de celui de Maurice Richard ».

Maurice accepta ce compliment et le trophée et remercia M. Pearson par une bonne poignée de main.

Maurice, on le sait, affectionne particulièrement les enfants. Il fut donc des plus touchés par cet hommage. C'était reconnaître la patience et le dévouement inlassables dont il avait fait preuve envers

1. *Sports Illustrated,* 5 janvier 1959.

la jeunesse canadienne, tout au long de sa carrière et plus tard, lorsqu'il devint ambassadeur de bonne entente pour le Canadien.

Des centaines d'anecdotes pourraient confirmer ce dévouement et cet attachement qu'il a toujours manifestés à la jeunesse. En voici une qui n'est pas connue du public : aussi souvent qu'il le pouvait, Maurice allait encourager de sa présence ses fils à leurs joutes de hockey. Après une victoire de 11 à 0 du Midget d'Ahuntsic contre les Aigles du Nord, où « Rocket junior » avait réussi deux buts et deux passes, Maurice se rendit dans le vestiaire du Ahuntsic pour féliciter les jeunes joueurs. Puis il s'en alla, mais revint aussitôt. Il semblait chercher quelque chose. Pierre Corbin, l'instructeur, lui demanda ce qu'il cherchait. « Le vestiaire de l'autre équipe » répondit Maurice.

Le Rocket se rendit dans le vestiaire de l'équipe qui avait subi l'humiliant blanchissage, afin de la réconforter...

Cette préoccupation constante du Rocket vis-à-vis des jeunes faisait bien de lui le « Grand Frère » idéal.

Les honneurs étaient nombreux, mais les blessures l'étaient encore davantage. La « main invisible » pesait de plus en plus lourd sur Maurice.

« Je ne suis vraiment pas chanceux depuis le début de 1959, faisait remarquer Maurice. J'ai été blessé au dos à Toronto, un peu plus tard à un orteil, à Boston je me suis blessé au coude gauche, il reste encore un peu d'infection et enfin, je me fracture une cheville. »

En effet, le 18 janvier 1959 à Chicago, lors d'un jeu de puissance, le « Boumer » laissa partir un de ses boulets qui atteignit le Rocket à la cheville. Quelques instants plus tard, Maurice se tordit la même cheville derrière le filet du Chicago. Il en résulta une double fracture de la maléole. Il avait alors une fiche de 17 buts et de 21 assistances, ce qui le plaçait au huitième rang des compteurs.

Les spéculations allaient bon train. Plusieurs avançaient que cette blessure, à 37 ans, mettrait un terme à sa carrière. Par contre, Bill Head, le physiothérapeute du Forum, affirmait catégoriquement que Maurice serait de retour dans six semaines : « Cette fracture est grave, mais la blessure a été bien soignée dès le début ; je ne redoute aucune complication. Rocket a déjà subi des blessures encore plus graves et il est toujours revenu au jeu, plus fort que jamais. C'est ce qui arrivera cette fois encore. »

Quant à « Toe » Blake, il était consterné : « Si cette blessure est trop sérieuse, cela peut mettre un terme à sa carrière », déclara-t-il. Toe parlait en connaissance de cause puisqu'on se rappelle que c'était une blessure semblable qui l'avait expulsé de la L.N.H.

Hochant la tête, il se ravisa : « Peut-être que ce n'est pas fini, le Rocket est tellement imprévisible... Il est capable de renverser les calculs de tout le monde, une fois de plus. » Comme pour appuyer ses dires, il ajouta : « Le Rocket est animé d'un tel désir et d'une telle force... »

Mais la guigne allait continuer de s'abattre sur lui.

Le 4 mars, le Rocket s'amena à l'Hôpital Général afin de se faire enlever son plâtre. Il était tout sourire et se voyait déjà en train de chausser ses patins.

Après avoir examiné les radiographies, le Dr Laurence Hampson lui annonça qu'il ne pourrait pas jouer avant les éliminatoires : « Cette double fracture en forme de V n'est pas complètement suturée par le calcium. Si tu jouais dans quelques jours, tu risquerais une autre fracture qui pourrait mettre définitivement fin à ta carrière au hockey. » Le visage du numéro 9 s'assombrit...

Mais Maurice n'avait pas dit son dernier mot : malgré toutes ses blessures, le Rocket avant quand même réussi son deuxième « tour du chapeau », le 3 février 1959. Il était papa pour la sixième fois. Son épouse Lucille donna naissance à Paul, le quatrième fils Richard et leur sixième enfant. Soit un enfant pour chaque centaine de buts, et ce record tient toujours !

Avec ce jeune nourrisson sur les bras, Lucille ne put accompagner son héros de mari derrière le rideau de fer, en Tchécoslovaquie. Maurice répondait ainsi à une invitation du gouvernement de Prague comme invité d'honneur au tournoi mondial du hockey amateur.

Cette accolade internationale, aucun autre athlète de l'histoire ne l'a reçue au cours de sa carrière, sauf peut-être Babe Ruth.

Il ne fait aucun doute que c'était parce qu'il était « le plus grand », parce qu'il était M. HOCKEY, qu'il fut invité par la Tchécoslovaquie.

André et Suzanne regardent leur papa préparer ses valises. Lucille est triste à la pensée de ne pas pouvoir accompagner son Maurice.

Avant le départ de Maurice pour Prague, Frank Selke reçut un télégramme qui lui procura un bon moment de détente. Il le refila de bon cœur à la presse. En voici la teneur :

« Cher M. Selke,

Selon la presse et la radio, M. Maurice (Rocket) Richard envisage de visiter la Tchécoslovaquie et nous, les sous-signés, nous suggérons respectueusement d'utiliser toute votre influence pour qu'il ajoute à sa visite un long séjour en Sibérie.

Croyez-nous, cher Monsieur, sincèrement vôtres.

S/ Glen Hall, Don Simmons, Lorne Worsley,
Terry Sawchuck, Ed Chadwick. »

Cette farce fut particulièrement bien prisée par les Montréalais mais pouvait-on en dire autant pour ces cinq gardiens de la L.N.H. ?

Le Rocket n'inclut pas la Sibérie dans ses projets de voyage. C'est avec la « patte » dans le plâtre qu'il s'envola pour Prague, le 9 mars. Il est étonnant de constater une fois de plus que la réalité dépasse souvent la fiction dans la vie du Rocket : sans ce deuxième plâtre, Maurice n'aurait pu accepter l'invitation de Prague et connaître ainsi l'accueil et l'hospitalité chaleureux que les Tchèques lui réservaient.

Maurice Richard fut reçu tel un grand homme d'État, avec tous les égards dus à ce rang. Comme les hauts dignitaires, il n'eut pas à passer les douanes ou à se soumettre à des formalités de ce genre. On lui offrit en outre le même cadeau qu'au président de la France, M. René Coty, soit un magnifique ensemble de verres translucides.

Maurice demanda à tous ceux qui étaient présents de signer leurs noms sur la soie immaculée à l'intérieur du coffret. Tous trouvèrent l'idée formidable et M. Shocholaty, gérant de la Chambre de commerce du verre de Bohème en Tchécoslovaquie, déclara que cela serait dorénavant une coutume.

Par sa gentillesse et sa simplicité, Maurice venait de créer un agréable précédent.

Une vingtaine de photographes et une centaine de personnes étaient venus l'accueillir à l'aéroport. On mit alors une voiture et un chauffeur à sa disposition pour toute la durée du séjour.

Lorsqu'il arriva à l'hôtel International, une foule considérable l'attendait à l'entrée et réclamait son autographe. Maurice n'en revenait pas : « As-tu déjà vu une affaire semblable », disait-il à Robert Allard. Il signa des autographes pendant plus de vingt minutes avant de pouvoir entrer.

Le soir même, Maurice était officiellement présenté au peuple tchèque. Dès son entrée dans le stade d'hiver, les gens le reconnurent, à son grand étonnement.

« Raketa » était sur toutes les lèvres. Et lorsque Maurice Richard fit son apparition sur la patinoire avant la partie États-Unis-Suède, il éprouva sans doute une émotion que nul athlète au monde n'avait jamais ressentie : dès que l'annonceur prononça le nom de Maurice « Rocket » Richard, toute la foule se leva d'un seul bond et l'applaudit. Tout à coup, il se fit un mouvement d'ensemble étonnant, 15 000 spectateurs se mirent à scander MAURICE ! MAURICE ! MAURICE ! Pendant cinq minutes, on n'entendit rien d'autre que cet immense chœur de 15 000 personnes. Bouleversé, Maurice enleva son chapeau et salua timidement.

Ce fut le coup de foudre ! La foule aima ce geste gauche qui avait toute la simplicité de celui qui ne veut pas s'imposer. Toute autre attitude aurait rompu le charme.

Le sport réussissait là où la diplomatie des politiciens échoue trop souvent hélas. Maurice Richard venait de rapprocher deux peuples, sinon deux continents... les bons capitalistes et les méchants communistes.

Être ainsi acclamé dans un pays étranger bouleversa notre compatriote qui avouait volontiers, par la suite, qu'il n'avait pu retenir ses larmes sous la force de l'émotion.

Entre les périodes, Maurice était assailli de tous côtés. Tous voulaient obtenir sa signature. Il dut refuser de donner la main et de signer des autographes pour ne pas distraire la foule du spectacle qui commençait.

Après la partie, on se rua à nouveau sur le Rocket qui dut signer encore pendant trente minutes. Son cicérone, M. Havelka, vint à son secours et le libéra en empruntant une sortie d'urgence.

« Jamais je ne m'attendais à une réception semblable », ne cessait de répéter Maurice à Robert Allard, de *Parlons Sport,* qui accompagna Maurice tout au long de son voyage.

En manchette, dans l'édition du samedi 21 mars 1959 du journal *Parlons Sport,* on pouvait lire : LE ROCKET ENFONCE LE RIDEAU DE FER ET REÇOIT LE PLUS BEL HOMMAGE DE SA CARRIÈRE.

« Dès l'instant de son lever jusqu'au coucher, chaque jour de la semaine dernière durant notre séjour à Prague, les ovations, les réceptions réservées à notre héros national n'auraient jamais été plus grandes, ce fut-il agi du passage de Krustchev », rapportait Robert Allard.

Partout notre « Rocket » a été accueilli par des foules délirantes. Il a reçu des centaines de cadeaux et il a dû signer des milliers d'autographes. On lui remettait en retour l'épingle ou la médaille de sa corporation. Maurice a amassé plus de 200 de ces épingles.

Les Tchèques n'avaient rien laissé au hasard. Ils voulaient savoir comment se jouait le hockey professionnel au Canada et ils en prirent les moyens ; ils avaient préparé une rencontre à l'Institut de culture populaire où 329 instructeurs et joueurs de hockey s'étaient réunis pour poser 150 questions officielles, préparées en français pour Maurice et en tchèque pour l'auditoire. Ils enregistrèrent le tout soigneusement. Maurice répondait sans hésitation. Des murmures de surprise suivaient souvent les remarques du Rocket, puis le silence se faisait à nouveau, chacun s'empressant de prendre des notes.

Selon Robert Allard, une conférence de savants sur la Bombe H n'aurait pas été plus sérieuse. Les résultats ne se firent pas attendre, car on sait que suite à ce voyage Maurice avait prédit : « D'ici 5 à 10 ans les Tchèques seront une puissance en hockey international. » Depuis, les hockeyeurs de ce pays se sont fait un malin plaisir de donner raison au Rocket, remportant plusieurs championnats mondiaux. D'ailleurs le monde entier a pu le constater lors des compétitions pour la Coupe Canada, alors que les Tchèques se sont classés au 2e rang, disputant âprement la 1re position à l'équipe Canada.

Devant une foule immense, au cours d'une cérémonie qui fut télévisée et radiodiffusée, la compagnie Skoda lui remit un cadeau princier : une Skoda blanche décapotable.

Le directeur qui le lui offrit parla en ces termes : « M. Richard, ce cadeau est bien humble en comparaison de ce que vous venez accomplir ici pour le progrès du hockey et du sport en général en Tchécoslovaquie. Votre présence, les précieux conseils que vous avez si généreusement distribués, l'exemple de vos hautes vertus morales et physiques font beaucoup plus pour notre jeunesse que ce que cette voiture représente. »

Les remerciements de Maurice Richard furent pleins de cette sobriété et cette sincérité qui le caractérisent si bien :

« Je suis très touché de cette marque de générosité et je pense surtout à mes enfants et à ma femme qui pourront partager ce bonheur avec moi. En me faisant ce cadeau, un des plus beaux de ma carrière, vous causez un plaisir à chacun des miens et j'en suis très heureux. »

Maurice riait, saluait la foule, regardait sa voiture et n'en croyait pas ses yeux !

Déjà propriétaire d'une voiture, Maurice avait offert à son épouse une superbe Pontiac blanche décapotable, juste avant son départ pour Prague.

En recevant ce magnifique cadeau, il déclara en riant : « Ouais, ça va nous faire trois autos et il n'y avait déjà pas trop de place à la porte de la maison. » Mais il ne pouvait s'empêcher de rire et il ajouta : « Les enfants vont être fous de joie ! »

Cette adulation mêlée d'affection que les Tchèques portaient à notre compatriote se cristallisa dans un des événements les plus émouvants de ce voyage.

Maurice Richard et le coureur de fond Émile Zatopek, le plus grand athlète de la Tchécoslovaquie, celui qui participa à trois olympiades et remporta trois médailles d'or aux Jeux de 1952, se donnèrent l'accolade lors d'une rencontre qui eut lieu à l'hôtel Palace.

Émile et Maurice se regardèrent intensément, se serrèrent la main, puis spontanément, comme deux vieux copains, s'étreignirent.

Très ému, Émile ne put retenir ses larmes. Lui et son épouse of-

Les Tchèques remettent à Maurice une Skoda blanche. En attendant, il se promène dans les rues de Prague au volant de ce convertible.

frirent une écharpe à un Maurice tout confus. Mais avec spontanéité, il les remercia : « Je n'ai jamais porté d'écharpe de ma vie ! Mais celle-ci, je la porterai. »

Maurice qui n'avait pas été prévenu aurait bien voulu rendre la pareille aux Zatopek. Émile, voyant son embarras, vint à son secours en lui demandant son autographe. Toujours aussi prévenant, M. Havelka avait fait venir de grandes photos du Rocket en action que Maurice s'empressa d'autographier et de remettre aux Zatopek.

Sur cette grande marque d'amitié, Maurice quitta la Tchécoslovaquie. Il venait de vivre des moments magnifiques qu'il n'oublierait pas de sitôt. Cette reconnaissance incroyable le payait de bien des désillusions.

À 6h 35, en ce mercredi 18 mars, l'avion d'Air France venant de Paris fit son entrée à Dorval.

Maurice, radieux, avec un plâtre qui en avait vu de toutes les couleurs, descendit de l'avion allègrement. Il boitait avec élégance, si l'on peut dire. Il se dirigea vers son épouse qu'il embrassa tendrement et aux journalistes qui étaient venus accueillir « le meilleur compteur de l'histoire du hockey », il déclara d'un trait : « Mon voyage en Tchécoslovaquie a été tout simplement merveilleux. J'ai été acclamé partout. On m'a comblé d'honneurs. On m'a donné un cabriolet décapotable, une verrerie et de nombreux souvenirs de ma tournée. J'étais constamment accompagné d'un interprète et tout le monde me posait des questions concernant le hockey. Les joueurs de l'équipe tchèque m'ont demandé une conférence spéciale pour eux. Ils voulaient savoir comment je lançais et comment le hockey était organisé au Canada. Je ne m'attendais jamais avant mon départ à une telle réception ! »

Heureux d'être revenu au pays, Maurice avait maintenant deux préoccupations : enlever ce plâtre afin de participer aux séries éliminatoires et revoir ses enfants au plus tôt.

Maurice avait confié à Robert Allard, au cours du voyage, qu'il avait beaucoup de peine à la pensée que ses deux aînés, Huguette et Maurice Junior, tous deux adolescents, croyaient à tort que leur père aimait davantage les plus jeunes, leur portait plus d'affection, de considération.

Très sensible et loin des siens, Maurice était affecté par ces pensées. En serrant les lèvres, il avait ajouté : « Ils ne savent pas comme ils me font de la peine... Je n'ai pas de préférence pour mes enfants, je les aime tous également. »

Il était donc anxieux de les voir et de les serrer tous dans ses bras.

Quant à sa deuxième préoccupation, Maurice allait connaître à nouveau une amère déception... Sa cheville ne répondait pas aux traitements aussi vite qu'il l'aurait souhaité, pas assez vite pour qu'il soit prêt pour les éliminatoires.

Pour le capitaine du Canadien, cette dix-septième saison se terminait bien tristement. Lui qui n'avait participé qu'à 42 des 70 parties de son club avait tout de même compté 17 buts et obtenu 21 passes, malgré toutes ces blessures qui le ralentissaient. En 70 parties, Bobby Hull, du Chicago, avait obtenu un but de plus que le Rocket, soit 18 et 32 assistances, pour un total de 50 points, comparativement à 38 pour le « vieux » Rocket. Ce n'était donc pas si mal pour une saison de 42 parties.

À l'idée de ne point participer aux séries de la coupe Stanley, Maurice était plus triste encore. Ces séries de fin de saison étaient pour lui un défi qu'il aimait relever. Il s'y révélait d'ailleurs toujours à son meilleur. Mais l'ailier droit du Canadien dut se contenter d'assister au triomphe des siens en spectateur. Maurice s'habilla pour quatre parties et il ne fit que de très rares apparitions sur la glace. Il était visible qu'il avait de la peine à patiner. Évidemment, il ne participa pas au score.

C'est pendant ces séries que Red Storey, l'un des meilleurs arbitres de la Ligue nationale de hockey démissionna et prit sa retraite, le 12 avril, après une virulente sortie contre le président Clarence Campbell.

Le soir du 5 avril 1959, les Canadiens rencontraient les Black Hawks à Chicago. C'était la sixième rencontre de la semi-finale et les Hawks faisaient face à l'élimination.

Dans les dernières minutes de la troisième période, Eddie Litzenberger et Bobby Hull tombèrent délibérément, selon Storey, lorsque Marcel Bonin et « Junior » Langlois les mirent en échec, afin de faire donner une punition aux Canadiens. Chaque fois la marque était égale, et chaque fois un revirement de jeu permit au Tricolore de marquer un but parce que Red Storey refusa de se laisser prendre à ce « vieux truc » (encore couramment utilisé dans la L.N.H.) et ne siffla pas d'infraction.

Lorsque Storey refusa de pénaliser les Canadiens, la foule sauta donc sur l'occasion pour manifester sa frustration. Pendant trente minutes, tout ce qui pouvait être lancé se retrouva sur la glace. Un spectateur fut même laissé libre de courir le long de la patinoire jusqu'à l'endroit où se tenait Storey. Il enjamba la bande en secouant sa cannette de bière et lança le liquide à la face de ce dernier. Storey était livide. Heureusement, Tod Sloan vint à son secours : il ne restait que deux minutes dans cette partie lorsque Storey s'avança pour remettre la rondelle au jeu. Sloan, du Chicago, qui était désigné pour la mise au jeu regarda Storey et lui demanda candidement : « Red, si t'avais su que c'était de la bière qu'il y avait dans cette cannette, est-ce que t'aurais ouvert la bouche lorsqu'il t'a arrosé ? »

Red Storey éclata de rire et il prit encore deux minutes avant de pouvoir redémarrer la partie... que Canadien gagna 4 à 3.

Convaincu qu'il avait arbitré une de ses meilleures joutes, Red était en train de se détendre confortablement dans sa chambre d'hôtel, en dégustant une bière de son choix. Pendant ce temps, M. Clarence Campbell rencontrait un journaliste d'Ottawa et critiqua ouvertement la façon dont Red Storey avait arbitré cette partie. Évidemment, ce reportage fut repris et publié dans toutes les villes du Canada et des États-Unis où le hockey était pouplaire :

La manchette : « *Storey Froze, Campbell* (Storey paralysé, déclare Campbell) ». Ce n'était pas la première fois que Campbell mettait ainsi ses arbitres au pilori. Quelques années auparavant, une déclaration similaire, dans une situation similaire, avait fait les manchettes des journaux : « *Mehlenbacker Goofed — Campbell* (Mehlenbacker se fourvoie, affirma Campbell) ». Campbell, on le sait maintenant, n'en était plus à une maladresse près en matière de diplomatie.

Il avait confié à ce journaliste que la façon d'arbitrer de Storey lui avait causé un profond malaise. Et il laissa planer le doute sur le courage de Red.

Selon Campbell, Storey aurait dû : 1) réclamer une punition contre « Junior » Langlois ; 2) réclamer une punition contre Marcel Bonin ; et 3) redémarrer la partie beaucoup plus tôt afin d'éviter cette quasi-émeute.

Après 36 heures d'intenses et pénibles réflexions, Red Storey remit sa décision à la L.N.H. Avait-il le choix ? Non ! Il fit ce que tout homme digne de ce nom aurait fait.

Une fois de plus, l'incompétence avait eu raison de la compétence. Rapelons-nous le départ de l'arbitre Léo Gravel...

Carrément exposé, Red Storey ne voulait plus être le dindon de la farce, le clown de la L.N.H. :

> « La L.N.H. devient un cirque et les arbitres en sont les clowns. C'est là ce qui m'a poussé à démissionné. Il est trop tard pour que quelqu'un me transforme en « clown » professionnel. En tant que cirque, je crois que la L.N.H. ne pourrait offrir qu'un spectacle de deuxième ordre à la place de ce qui est encore un magnifique sport national. Ce sont des termes sévères et je le sais. Je ne les utiliserais pas si je n'étais pas certain que ce laisser-aller qui tend vers ce spectacle de mauvais

goût est une menace sérieuse pour le hockey majeur.

« En cours de route, les dirigeants de la L.N.H. — les gouverneurs et leur principal administrateur, le président Campbell — ont oublié de faire la différence entre du hockey rude et rapide et du jeu violent et désordonné.

« La solution est une autorité forte — assez forte pour préserver le respect qui est à la base de ce jeu.

« Selon mon expérience dans le sport,[1] je suis convaincu que la L.N.H. obtiendra ce genre d'autorité si cette Ligue est dirigée par un *commissaire* qui aurait le dernier mot dans toutes les décisions relatives au hockey en tant que sport. Les gouverneurs de la Ligue sont des hommes d'affaires qui dirigent le hockey uniquement pour en retirer des profits. Le sport a besoin de plus que cela, comme le baseball l'a démontré il y a plusieurs années et comme le football le démontre actuellement. Un commissaire tout-puissant — un tsar si vous voulez —, c'est ce dont le hockey a besoin en tant que commerce lucratif et en tant que sport. »[1,2]

---

1. *Maclean's Magazine*, 24 octobre 1959.

2. Si je me suis attardé sur cet incident, c'est qu'il revêt, à mon avis, une importance particulière. Il est représentatif d'une des faiblesses du hockey professionnel qui, aujourd'hui, en 1976, est toujours au même point qu'en 1959. Les deux problèmes soulevés par Storey n'ont toujours pas été corrigés.

Le hockey majeur est en train de perdre le respect de ses amateurs parce que l'arbitrage est trop « souple », et, par conséquent, inadéquat et révoltant. En principe, l'arbitre ne devrait pas pouvoir influencer le résultat d'une partie par ses décisions. Les joueurs seuls, par leur jeu et leur comportement, devraient permettre ce résultat, ce qui n'est pas toujours le cas. Souvent, par cette trop grande « souplesse », l'arbitre tente de partager à peu près également les punitions entre les deux équipes (cette façon de faire est communément appelée « nivelage » dans le milieu du hockey) ou laisse passer trop d'infractions flagrantes, toujours pour augmenter le tempo. L'arbitre perd souvent le contrôle de la partie, et des scènes disgracieuses de violence et d'accrochage en résultent. Évidemment, pour l'amateur sophistiqué, cela devient vite du mauvais hockey, accentué par la pauvre qualité du jeu qui est présenté depuis quelques années dans la L.N.H. et dans L.M.H.

En second lieu, comme l'indiquaient Red Storey et beaucoup d'autres, afin que le hockey obtienne ses titres de noblesse en tant que sport majeur, il est plus que temps qu'un commissaire, complètement indépendant des propriétaires de clubs de hockey, soit nommé. Des sports comme le baseball et le football ont démontré l'efficacité de cette formule ; alors, qu'est-ce qu'on attend pour faire de même au hockey ?

Maurice, en compagnie de Michel Normandin, participe à sa quatrième conquête consécutive de la Coupe Stanley avec beaucoup moins d'enthousiasme, on le comprend.

C'est donc sur cette controverse que prit fin la série semi-finale. Les Canadiens, inspirés par la tenue sensationnelle de Marcel Bonin en particulier (Marcel accumula dix buts et cinq assistances en onze parties), disposèrent en cinq joutes des Maple Leafs de Toronto, lors des séries finales.

Le Bleu-Blanc-Rouge se méritait ainsi la coupe Stanley pour une quatrième année consécutive. Maurice, considérant qu'il n'avait pas contribué à cette victoire, refusa de se laisser interviewer par René Lecavalier pour les téléspectateurs, dans le vestiaire des joueurs : « J'ai pensé que je ne méritais aucun honneur dans cette conquête d'une autre coupe Stanley. Tous les autres joueurs méritaient les louanges et je suis fier pour eux. Moi, j'ai eu mon tour. D'ailleurs, qu'est-ce que j'avais fait durant cette série ? Je n'ai même pas joué ! »

Selon le Rocket, donc, il devait s'effacer afin que ses coéquipiers reçoivent tous les honneurs et le mérite qui revenaient à chacun. Il était facile de reconnaître le Rocket à ces paroles.

Il n'avait pas complètement tort, mais il allait être à nouveau honoré et de magistrale façon.

Le soir du 24 juin, fête nationale des Canadiens français, la brasserie Dow remit un trophée à M. Hockey, le consacrant le meilleur athlète canadien-français de sa génération.

Entre temps, l'honorable Vincent Massey, Gouverneur général du Canada, avait adressé à Maurice et à son épouse une invitation à dîner en compagnie de la reine Elizabeth et du prince Philipp, le premier juillet 1959, à sa résidence, à Ottawa.

Cette nouvelle marque d'appréciation de la reine d'Angleterre donne un aperçu de l'importance qu'avait M. Hockey pour les gens de sa génération. Le Rocket en eut le souffle coupé : « Je ne le croyais pas tout d'abord. La vérité est que je ne suis pas encore remis de cette surprise. Vous admettrez que c'est une nouvelle susceptible de bouleverser une personne. C'est un bonheur que j'apprécie haute-

*La reine Elizabeth et le prince Philipp reçoivent Maurice et Lucille à la rési-
dence du Gouverneur général du Canada, l'honorable Vincent Massey.*

ment. Vous comprenez toute la joie que j'aurais à accepter l'invitation. »

M. et Mme Maurice Richard, élégamment vêtus, furent reçus
par la reine et le prince ; évidemment, cet événement fit les manchettes des journaux du lendemain, à travers tout le pays. Tous deux
gardent de cette rencontre un souvenir impérissable.

Toujours aussi franc dans ses opinions, Maurice craignait que ce
ne soit l'un de ces dîners où tous les convives ont la face longue
comme ça. Mais Lucille et Maurice furent agréablement surpris par
l'atmosphère détendue qui régna à ce dîner.

Pour sa part, Maurice fit remarquer que la grande différence entre ce dîner et les autres dîners officiels auxquels il avait assisté, était
que « cette fois-ci, lorsque les invités portaient un toast à la reine,
elle était là en personne devant nous. Ça fait toute une différence ! »

Quant à Mme Richard, elle apprécia grandement ce moment du
dîner où on éteignit les lumières pour poursuivre le repas aux chandelles. « Il en résulta un caractère d'intimité des plus émouvants... » fit-elle remarquer.

Après ces agapes, les invités quittèrent la table. « Si, je me souviens de vous. J'étais allé vous voir jouer en 1951 au Forum et vous aviez marqué deux buts. Comme tout le monde, je criais « Come on Rocket ». Et me trouvant très près, je vous avais même encouragé d'une tape dans le dos. »

C'est ainsi que le prince Philipp engagea la conversation avec le Rocket. Ils bavardèrent longuement ensemble, Maurice appelait le prince Philipp « Your Highness », puis à un moment donné il lança un « Philipp » tout court. « Mais un ... seul », déclara Maurice en riant. Le prince ne s'en offusqua pas et il appela Maurice par son prénom ou par son surnom de Rocket.

Ils parlèrent évidemment de hockey, pendant que Mme Richard et la reine parlaient de leurs enfants et leur éducation. « Je n'en reviendrai jamais », dit Lucille, qui avait été conquise par le charme et la simplicité de la reine.

Un mois s'était à peine écoulé. Le numéro 9 des Canadiens venait tout juste de fêter ses 38 ans qu'il était à nouveau honoré de façon exceptionnelle ... le 9 août 1959.

Devant quelque 2 000 congressistes de l'Ordre fraternel des Aigles, réunis à l'hôtel Royal York à Toronto, Maurice Richard se vit présenter une plaque avec l'inscription suivante : « Ordre fraternel des Aigles — Trophée international du sport présenté à Monsieur « Rocket » Richard pour sa contribution à l'amitié internationale, à titre d'ambassadeur des sports le plus en vedette au Canada. »

Cet honneur était d'autant plus grand que le Rocket fut le seul à recevoir un trophée, bien qu'il fût entouré de vedettes de renommée internationale telles que Jack Dempsey et Max Baer, anciens champions poids lourd à la boxe, Charlie Grimm du baseball, « Moose » (Edward) Krause, directeur de l'athlétisme de l'Université Notre-Dame, Steve Owens, instructeur des Argonauts de Toronto, Pop Ivy, des Cardinals de Chicago, Henri Richard, Rudy Pilous, instructeur des Black Hawks, « Allie » (Albert) Brandt, fameux champion de quilles, « Pinky » (Dave) Higgins, étoile de la balle molle, et bien d'autres encore.

Très ému, M. Hockey remercia ces délégués qui venaient de tous les coins des États-Unis et du Canada afin de rendre hommage à cet homme incomparable !

Chapitre dix-huitième
La légende est établie

Maurice qui caressait depuis quelques années l'idée de former une « ligne Richard » crut pouvoir réaliser ce rêve au début de cette dix-huitième saison.

Le doyen des joueurs de la L.N.H. et capitaine des Canadiens recevait un autre Richard au camp d'entraînement, Claude, le bébé de la famille.

Comme pour Henri, Maurice ne fit aucune pression afin que Claude soit favorisé parce qu'il était le frère de M. Hockey.

Le 19 septembre 1959, lors d'une partie hors concours, le rêve de Maurice se réalisa : la « ligne Richard » était à l'œuvre. Mais le rêve fut de courte durée.

Après avoir mis Claude à l'essai pendant une ou deux parties, ce qui était nettement insuffisant pour juger de ses possibilités dans la L.N.H., on le renvoya à Ottawa au club de Sam Pollock.

Le Rocket restera convaincu que Claude était du calibre de la L.N.H. et que la direction du Canadien aurait dû lui faire confiance : « Je crois que si le Forum ne s'était rempli qu'à moitié, ils l'auraient essayé. Mais ils n'avaient pas besoin de lui pour remplir l'aréna. »

Le plus grand marqueur de tous les temps ne pouvait si bien dire. Deux Richard pour remplir les coffres du Forum c'était suffi-

Maurice boit dans cette Coupe Stanley pour la dernière fois. . . Béliveau et les autres prendront la relève.

Studios David Bier

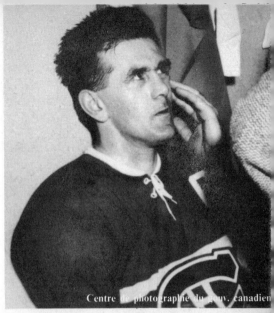

26 novembre 1959 — Maurice a subi une triple fracture à l'os de la joue.

Centre de photographie du gouv. canadien

sant. Pourtant le Rocket était assez fin connaisseur pour apprécier le talent des autres, et il en avait vu des joueurs de hockey...

À la signature de son dix-huitième contrat, on le sentait inquiet : « Je ne ferai aucune prédiction... mais je devrais compter encore quelques buts, si je ne suis pas blessé. Et j'espère que la malchance cessera de s'acharner sur moi. »

À Détroit, le soir du 26 septembre, les Canadiens défirent les Red Wings par la marque de 4 à 2. Il restait 90 secondes de jeu lorsque Maurice plongea pour bloquer un lancer de Murray Balfour. Il reçut le disque en plein visage.

Cette fois-ci, il subit une triple fracture à l'os de la joue gauche qui fit de lui un spectateur pendant plus d'un mois. Il était à nouveau la victime de la fatalité, lui qui avait su la vaincre si souvent au cours de sa carrière. On dut recourir à la chirurgie pour refaire l'os de la joue qui avait été enfoncé.

Parmi les journalistes qui s'étaient rués dans le vestiaire des joueurs, certains ne daignaient même pas s'informer de la nature de la blessure mais demandaient sans délicatesse aucune si cette blessure allait forcer le roi des marqueurs à prendre sa retraite... Quel manque de tact ! Déjà, les chacals étaient aux trousses du vieux lion.

Dans le train le ramenant de Détroit à Toronto, Maurice ne put fermer l'œil, même si on lui avait fait des injections avant le départ. Il se bourrait de pilules pour engourdir la douleur, mais rien n'y faisait : le moral du Rocket était au plus bas.

À Toronto, il prit le premier avion à destination de Montréal avec Jean Béliveau qui était blessé lui aussi.

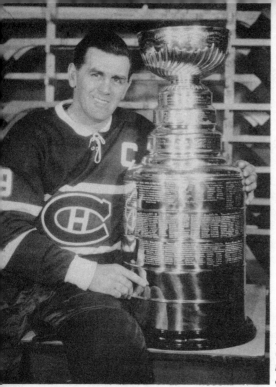

Maurice Richard est synonyme de Coupe Stanley. Huit fois, il a pu mettre la main sur ce trophée tant convoité.

Dans l'avion, le grand Bill, muet, observait le Rocket : « Maurice tenait un sac de glace sur sa joue et ne parlait pas, il semblait triste. À Toronto, un journaliste est venu directement lui demander s'il prenait sa retraite. Je n'ai pas pu rester là. C'était trop triste... Je crois que Maurice ne ressentait pas la douleur, mais son moral avait été particulièrement atteint », raconta Jean.

À sa descente d'avion, à Dorval, Maurice fut heureux d'apercevoir son épouse qui l'attendait. Mieux que quiconque, Lucille, qui connaissait bien son homme, savait comment lui remonter le moral.

Lorsqu'il apprit qu'il allait pouvoir revenir au jeu un mois plus tard, le Rocket retrouva un peu de son entrain.

Hélas ! avec toutes ces blessures qui se succédaient à un rythme effarant, Maurice avait de plus en plus de difficulté à rester en bonne condition physique. L'inactivité contribuait à augmenter son poids. Lui qui pesait ordinairement 185 livres accusait maintenant un excédent de 15 livres, ce qui le rendait beaucoup moins rapide et lui demandait un surplus d'effort considérable.

Avec le retour du Rocket, le Canadien avait tout de même entrepris une remontée vers la première position du circuit. Le Bleu-Blanc-Rouge remporta le trophée Prince-de-Galle et se mérita un cinquième championnat consécutif. C'était le douzième de son histoire.

Au cours des cinq dernières années, sous le règne de « Toe » Blake et de Frank Selke, le Canadien s'était emparé de cinq coupes Stanley consécutives et de quatre championnats. Jacques Plante avait égalé le record de Bill Durnan, en méritant cinq fois de suite le Trophée Vézina.

En 51 parties, Maurice détenait tout de même une fiche de 35 points, soit 19 buts et 16 assistances, ce qui le classait encore parmi les meneurs du circuit. Plusieurs hockeyeurs considérés comme de bons joueurs auraient aimé pouvoir montrer une aussi bonne fiche avec 70 parties à leur actif... Seulement 20 joueurs avaient marqué plus de buts que Maurice.

Johnny Bower, le dernier gardien que « Rocket » Richard aura pris en défaut, commentait : « *He's still dynamite around the net* (Il est toujours aussi dangereux autour du filet) ». Et il ajoutait : « Je n'oublie pas des gars comme Eddie Shore et Bill Cook qui jouèrent jusqu'à 40 ans. Mais ce qu'ils ont fait, le Rocket peut le faire mieux encore. Il est un surhomme. » Ces paroles de Bower exprimaient bien tout le respect du gardien envers ce prolifique marqueur.

Cependant, Maurice Richard avait gâté ses partisans avec des performances de trente buts et plus par saison et il savait que les gens en voulaient davantage, et les journalistes aussi. Ça, Maurice le ressentait très bien et cette obstination à ne vouloir décevoir personne le rendait de plus en plus nerveux, spécialement à la veille des éliminatoires.

L'appréhension du Rocket se confirma. Le Canadien disposa des Black Hawks de Chicago en quatre parties, mais Maurice fut tenu en échec au cours de cette série semi-finale.

L'histoire se répéta pour la série finale ; Toronto fut aussi éliminé en quatre partie. Fidèle à son incroyable et étrange destinée, Maurice, à la troisième période de la troisième partie au Garden de Toronto, prit Johnny Bower en défaut avec un lancer du revers dans le plus pur style « richardien ». La lumière rouge venait à peine de scintiller que le Rocket, telle une recrue, plongea tête première dans les filets du Toronto pour aller chercher cette rondelle.

Après la partie, tous les journalistes s'empressèrent de lui de-

461

mander pourquoi il avait ramassé la rondelle. La réponse du Rocket se fit un peu attendre, puis lentement il leur dit : « Je ne sais pas pourquoi je l'ai ramassée. » Ces paroles exprimaient bien l'état d'âme de Maurice. Il avait agi sur l'impulsion du moment. Comme pour justifier son geste, il ajouta : « Je n'ai pas la rondelle de mon premier but. Mais j'aimerais bien avoir celle de mon dernier. Si j'en obtiens un autre, je donnerai celle-ci à mon garçon. » Pour ne laisser planer aucun doute, il continua avec un léger sourire : « Cela ne veut pas dire que je vais me retirer, parce que je ne sais vraiment pas ce que je vais faire. Non, je désire tout simplement la conserver. Ce sera peut-être mon dernier but dans la L.N.H. »

Avant ces séries, les Tchèques avaient pris le monde du sport par surprise en invitant à nouveau le plus grand joueur de hockey au monde à l'une des plus grandioses manifestations sportives qu'on puisse imaginer.

Le gouvernement de la Tchécoslovaquie, par son consul M. Oldrish Toser, invita M. Hockey et son épouse aux deuxièmes Spartakiades nationales de Prague (olympiades tchécoslovaques) où le Rocket fut reçu officiellement. Ces manifestations se tenaient dans le plus grand stade du monde où 20 000 athlètes pouvaient évoluer simultanément devant 350 000 personnes.

Cet hommage unique démontre éloquemment l'impression durable qu'avait laissée la visite de notre compatriote dans ce pays, l'année précédente. Cette grande marque d'appréciation à l'endroit de Maurice Richard était sûrement l'un des plus beaux gestes de reconnaissance internationale qu'aient reçu les Québécois par l'intermédiaire de « Maurice le Magnifique ».

La saison était à peine terminée que déjà les spéculations allaient bon train au sujet de la retraite de Maurice Richard.

ADIEU MAURICE RICHARD, écrivait le journal *Nouvelles Illustrées* en immenses lettres rouges. Robert Desjardins avait intitulé son article LE « ROCKET » ENTRE DANS L'HISTOIRE. Il demandait à Maurice de se retirer en PLEINE GLOIRE.[1]

Dans l'édition du 22 mai 1960 de *La Patrie,* on pouvait lire en première page : ULTIMATUM AU ROCKET. Jacques Barrette fai-

---

1. *Nouvelles Illustrées,* samedi 23 avril 1960.

sait remarquer que la direction du Canadien exigerait que « Maurice Richard réduise son poids et se présente en bonne condition physique s'il veut poursuivre sa carrière. »

M. Barrette attirait également l'attention des lecteurs sur le fait qu'après 18 ans de loyaux services qui avaient permis à la Canadian Arena de faire fortune, M. Hockey allait être traité comme une simple recrue. C'était en quelque sorte l'histoire de Morenz et de Babe Ruth qui allait se répéter.

Pour Frank Selke qui considérait Maurice comme un fils, il est clair qu'il ne voulait pas que le Rocket subisse à nouveau des blessures graves à cause d'une mauvaise condition physique. Connaissant Maurice à fond, il savait pertinemment que si le Rocket décidait de poursuivre sa carrière, il se présenterait au camp d'entraînement en bonne condition physique comme il l'avait toujours fait tout au long de sa carrière.

Si au cours de ces deux dernières saisons, Maurice avait accusé de l'embonpoint, c'était uniquement à cause des multiples blessures qui l'avaient tenu inactif. Plus d'une saison complète d'inactivité en trois ans, 89 parties pour être plus exact.

Connaissant la détermination du Rocket et ses retours fantastiques après des blessures extrêmement graves, les amateurs de hockey et Frank Selke étaient convaincus que le Rocket pouvait grandement aider la cause des Canadiens pendant quelques années encore.

Ce que les partisans ne soupçonnaient pas, c'est que des gars comme David Molson et le futur gérant général Sam Pollock ne voulaient plus du Rocket. Ils se servaient astucieusement de l'embonpoint du numéro 9 pour le forcer à prendre sa retraite. Sensible et très fier, Maurice Richard n'a jamais voulu s'imposer là où il ne se sentait pas le bienvenu.

Les pressions que la direction du Canadien exerçaient sur le gérant général Frank Selke étaient évidentes. L'entrevue qu'il accorda à Jean Aucoin du *Petit Journal* ne laissa aucun doute.

M. Aucoin demanda à Frank Selke de quoi il discuterait avec le Rocket.

« —De son avenir (avec les Canadiens !). J'ai toujours dit à Maurice qu'il pourrait jouer jusqu'à l'âge de 40 ans avec les Canadiens s'il le veut. *S'il le veut*, remarquez bien. Je n'ai absolument rien contre le Rocket. Il a tout fait depuis 18 ans pour remporter des victoires, pour marquer des buts, pour tenir l'adversaire à sa place. C'est le joueur jamais satisfait. Un athlète extraordinaire. Un jour, je lui ai dit qu'il avait fait sa large part dans les succès du club. Je lui ai demandé de jouer au hockey, un point c'est tout. Il a merveilleusement réussi. Depuis quelques années cependant, il n'est pas en bonne condition physique. Je ne serais pas surpris que la plupart de ses dernières blessures soient dues à un surplus d'embonpoint. Si Maurice avait été moins gras, il aurait été plus rapide. Autant sur ses patins que dans ses réflexes.

« —Mais vous personnellement, souhaitez-vous le retour du Rocket ?

« —Si Maurice veut continuer sa carrière et s'il me promet d'arriver au camp d'entraînement pesant 187 livres (son meilleur poids), je serai très heureux de compter encore sur lui, car si le Rocket promet de réduire son poids à 187 livres, il tiendra parole. Il a toujours tenu ses promesses avec moi. C'est un gars franc et loyal. »[1]

Oser affirmer que les dernières blessures du Rocket avaient été causées uniquement par un surplus d'embonpoint était sûrement le résultat de pressions très fortes . . .

Qu'on se rappelle les trois premières années du Rocket dans le hockey professionnel. Ses réflexes étaient à leur meilleur, il était des plus rapides et ne faisait pas d'embonpoint. Pourtant il avait subi trois fractures consécutives une à chaque cheville et une au poignet, qui auraient mis fin à la carrière de tout joueur ordinaire.

Un coup de patin faillit lui sectionner le tendon d'Achille, un lancer frappé du plus dur lanceur de la L.N.H., Bernard Geoffrion, lui fractura la cheville, et un autre lancer de Murray Balfour lui enfonça l'os de la joue. Tout cela n'avait rien à voir avec l'embonpoint. C'était purement accidentel !

La réponse, alors ! Les intérêts de certains, l'argent, l'hostilité . . .

Sans son ami et protecteur Frank Selke, il aurait été rapidement relégué aux oubliettes. C'est ce qui arriva d'ailleurs quelques années plus tard à Frank Selke, lorsqu'il fut galamment remercié et remplacé par Sam Pollock qui avait su tirer habilement ses ficelles.

On aurait pu croire que le cas du « Rocket » serait différent de ceux de tous ces athlètes qui ont été bafoués à la fin de leur carrière. Dans une certaine mesure, c'est ce qui est arrivé au Rocket, mais de façon plus subtile.

Maurice sentait bien que seulement un membre ou deux de la

---

1. Aucoin, Jean, *Le Petit Journal*, 8 au 15 mai 1960.

direction du Canadien désiraient son retour. Il était donc tiraillé par ce sentiment de non-appartenance qu'il ne pouvait divulguer au grand public. Il était aussi conscient qu'il n'était plus le spectaculaire Rocket auquel le public était habitué. Et l'on sait combien un public peut être exigeant et même impitoyable ... Il savait aussi combien il est difficile de retrouver sa forme physique à 38 ans. Il n'était pas sans constater que ses blessures mettaient plus de temps à guérir. C'est ce qu'il fit remarquer à un journaliste qui était venu l'interviewer au club de golf Islemere, au cours de l'été qui suivit les dernières séries de détail : « Regardez ce pied ! Ça m'est arrivé dans une mêlée en avant des buts du Toronto en finale. Quelqu'un m'a frappé avec son bâton et c'est pas encore guéri. Je ne peux pas encore attacher mon soulier très serré. C'est ce qui arrive lorsque l'âge se fait sentir. »

Sur ces paroles, il sortit du club pour aller former une « Foursome ». Comme il n'était pas homme à s'apitoyer sur son sort, il lança, les yeux pleins de malice et avec un sourire en coin : « Ça c'est un sport pour les vieux. » Et tout en prenant son sac de golf, il ajouta : « C'est pour ça que j'en joue maintenant. »

D'un autre côté, le feu sacré qui l'avait animé au cours de ces dix-huit saisons brûlait toujours avec autant d'ardeur. Cette passion du hockey le dévorait tout comme à sa première saison. De plus, il était profondément convaincu qu'il pourrait encore aider la cause du Canadien, si on voulait bien de lui.

Dans de telles conditions, il est facile de comprendre l'hésitation du Rocket, son désir de retarder à la toute dernière minute une décision si lourde de conséquence.

De cette indécision, Mario Cardinal, dans sa chronique « Hors Jeu », nous en parle de façon très éloquente :

> « Un homme dont le nom s'est identifié à sa profession au point qu'aujourd'hui il se sent déchiré au plus profond de son être au moment de l'abandonner ... Un homme à qui, pas plus qu'au monde entier, on n'a réussi à prouver qu'il était irrémédiablement fini et bon pour les rebuts. D'autres part, il y a la marée des jeunes qui montent et qui se cherchent une place au soleil.
>
> « Maurice Richard n'a pu en venir à une décision définitive. Ce n'est ni par caprice ni par politique. Ceux qui connaissent le Rocket le jureraient. L'indécision dans un tournant de cette importance s'identifie à un confrontement perpétuel entre deux êtres — plus qu'entre deux

projets — en une même personne. Il s'est sûrement trouvé des heures, depuis un an, où Maurice a irrémédiablement décidé de tout lâcher et de se retirer dans la gloire. Mais à chaque fois, la passion reprenait le dessus, aussi implacable et aussi définitive. Une passion qui cependant n'origine pas d'un fond d'égoïsme... Richard n'a pas besoin d'argent, il a des intérêts dans suffisamment de commerces pour passer le reste de sa vie à ressasser de vieux souvenirs. Il n'a plus besoin de gloire, non plus. Il a atteint le sommet, le plus haut point de l'adoration populaire auquel peut tendre un athlète, dans quelque domaine que ce soit. Mais la passion est toujours là. Compter le point qui donne la victoire. Semer derrière soi un tel désir de vaincre que plus rien ne tient devant soi... Créer encore des émotions aux spectateurs de Montréal.

« Mais il y a des personnes pour qui la compréhension, tout aussi bien que le sentiment, ne signifient rien. À ceux-là, il faut des chiffres. Eh bien, des chiffres, il en traîne encore au bout du nom de Maurice Richard, sur la feuille des statistiques de la L.N.H. L'an dernier, la très grande majorité des joueurs de la L.N.H. n'ont pas compté vingt buts, même parmi ceux qui ont joué les 70 parties au calendrier. Maurice, avec ses 38 ans, en a compté 19. Et cela, malgré une absence de 19 parties. Phil Watson et Punch Imlach sont deux hommes spectaculaires, mais si l'un est fantaisiste, l'autre est, par contre, un chef-d'œuvre de réalisme. Pendant que Phil disait : « Moi, j'achèterais Maurice pour l'enfermer dans une cage de verre au Madison Square Garden, et pour dire aux spectateurs : Venez voir le plus grand joueur de hockey de tous les temps ». Imlach se contentait de dire : « Il y aura toujours une place sur mes lignes d'attaques pour Maurice Richard ! » Ce témoignage, il a été rendu par un adversaire, non pas il y a dix ans ou cinq ans, mais l'an dernier.

« Obligation... Le mot est échappé. Obligation de la part du Canadien envers Maurice Richard, comme envers les Montréalais eux-mêmes. Si faire de l'argent constituera toujours le but principal de toute entreprise professionnelle, il n'en demeure pas moins qu'un club gagnant n'est pas toujours la seule garantie d'une grosse recette. Que le Canadien place Maurice sur la liste du repêchage, il apprendra ce que c'est qu'une foule qui ne pardonne pas. Les dénigreurs du Rocket — car il y en a — auront le bon bout de la ficelle d'ici la prochaine saison pour reprocher à Selke et compagnie d'avoir obéi à un premier élan de sentimentalisme. Ils le tiendront responsable peut-être plus longtemps encore si Maurice est trahi dans ses espérances. Mais ce ne sont là, de toute évidence, que des jugements basés sur une stricte recherche d'originalité... à moins que ce ne soit tout simplement un manque de jugement. Et l'opinion générale demeure à l'effet que si Maurice Richard n'est plus que l'ombre de ce qu'il a déjà été, *il y a des ombres qui parviennent à éclipser les plus brillantes lumières.* »

Mais Phil Watson, pas plus que « Punch » Imlach, n'eut la chance de s'approprier Maurice Richard.

En effet, le nom du Rocket avait été placé sur la liste des joueurs protégés par les Canadiens, lors des assises annuelles de la Ligue nationale, le 7 juin 1960.

À l'annonce de cette décision, le vieux maître du hockey, l'immortel Aurèle Joliat, fit la déclaration suivante : « Voilà un geste qui honore à la fois M. Selke et le Rocket. Si le Canadien n'avait pas laissé aller Howie Morenz à Chicago, il ne serait pas mort le cœur brisé après son accident, une fois rapatrié à Montréal. Ainsi Maurice Richard, qui aura 39 ans le 4 août, ne se fera ni bousculer ni humilier. »

Ce geste était du Frank Selke à 100 pour 100. C'était sa façon à lui de rendre hommage à celui qui s'était donné tout entier à la cause du Canadien pendant dix-huit ans. M. Selke avait déjà déclaré publiquement que Maurice ne l'avait jamais laissé tomber. On peut en dire autant de M. Selke !

Il connaissait bien son Maurice et savait dans quel dilemme celui-ci se débattait. Toujours soucieux de respecter les autres, il comprenait et acceptait cette indécision du Rocket même si, au fond de lui-même, il souhaitait ardemment que Maurice mette fin à sa carrière, craignant de le voir subir des blessures graves.

À la suite de cette décision de protéger Maurice Richard, les spéculations sur la retraite éventuelle du Rocket reprirent de plus belle. Toe, pour sa part, ne partageait pas l'opinion de Frank Selke : « Rien ne me ferait plus de peine que de voir Maurice se retirer dès cette saison. D'ailleurs, vous n'avez qu'à jeter un regard sur son record dans la saison 59-60. Même s'il a manqué 19 joutes, le Rocket a néanmoins réussi 19 buts, soit seulement neuf de moins que Gordie Howe qui, lui, a joué dans 70 joutes. Si Maurice n'avait pas été blessé, il aurait sûrement enregistré trente buts ! »

Pour bien faire comprendre aux journalistes ce que représentait Maurice Richard pour les Canadiens, il ajouta : « De toute façon, pour nous, il est beaucoup plus qu'un marqueur. Non seulement il obtient de « gros buts », les buts égalisateurs quand vous en avez besoin ou les buts gagnants qui font une telle différence au cours d'une saison, mais il est surtout l'*inspiration* de notre équipe. »

Puis, chiffres en mains, Toe démontra que Richard avait probablement le meilleur dossier défensif des meilleurs ailiers droits. Par exemple, la ligne du Rocket n'avait alloué que quatre buts en 24 parties consécutives. Et Toe conclut : « C'est tout un record, n'est-ce pas ? Vous comprenez maintenant ce qu'il signifie pour nous. »

Pour des raisons bien différentes, Clarence Campbell était du même avis que Toe Blake. Les Romains, lorsqu'ils envoyaient un gladiateur dans l'arène face aux lions, savaient très bien distinguer entre un bon et un mauvais gladiateur... « J'espère sincèrement que Maurice Richard continuera à jouer. Le Rocket est encore la plus grande attraction dans toutes les villes de notre circuit. Il n'a pas besoin de marquer pour soulever l'enthousiasme des amateurs, il n'a qu'à se tenir debout, au centre de la patinoire ! »

L'astucieux et coloré « Punch » Imlach, un des plus grands admirateurs du Rocket, partageait aussi cette opinion. Il s'était joint dans *Parlons Sport* à la parade des amateurs qui ne voulaient pas voir Maurice prendre sa retraite : « Certainement que je souhaite la meilleure des chances au Rocket pour la prochaine campagne. S'il décidait de prendre sa retraite, j'en serais même très désappointé. Faisons face à la réalité. Même âgé de 39 ans, Maurice demeure toujours la plus grande attraction du hockey. Et il le demeurera aussi longtemps qu'il continuera à chausser ses patins. Vous vous souvenez qu'avant la dernière séance de repêchage à Montréal j'ai déclaré que si le Canadien ne protégeait pas le Rocket, je n'hésiterais pas à le repêcher. J'étais très sérieux et la direction du Forum l'a vite compris puisqu'elle l'a protégé. Non seulement je souhaite le retour de Maurice Richard en 60-61, mais si je sais que je lui devrai probablement plusieurs cauchemars au cours de la prochaine saison. »

Imlach n'était pas le seul à vouloir mettre la main sur le Rocket. Tous les gérants et instructeurs des autres clubs, peut-être à l'exception de Jack Adams, auraient posé le même geste, le cas échéant. La déclaration du gérant des Rangers de New York, L.B. Patrick, réflétait bien l'opinion de ses confrères : « Le Rocket, c'est encore un joueur extraordinaire. Si les Canadiens ne le protègent pas, nous le réclamerons. Je doute que quelqu'un ose l'ignorer. Même s'il va avoir 39 ans au début de la prochaine saison, il créerait un embouteillage aux portes du Madison Square Garden. » Cela illustre, une fois de plus, toute la force d'attraction que Maurice Richard exerçait sur les foules . . . et sur les gérants.

Parmi tous ces grands admirateurs du Rocket, une personne leur damait le pion à tous. C'était une admiratrice. Sa Lucille ! Pendant dix-huit ans, sa fidèle compagne n'avait manqué que deux joutes de hockey à Montréal. De plus, elle se faisait un devoir d'aller à la gare Centrale pour « recevoir » son époux, après chaque partie jouée à l'extérieur. N'est-ce pas extraordinaire ? Quelle formidable compagne pour Maurice !

Plus que tous, Lucille craignait les blessures pour « son Rocket », mais elle désirait quand même le voir poursuivre sa carrière : « Si Maurice a joué pendant dix-huit saisons consécutives, il est bien capable d'en jouer une dix-neuvième n'est-ce pas ? Ça, c'est ma version. Maurice n'est pas très parlant, il ne m'a pas encore donné la sienne ! »

Profondément touché par de pareils témoignages, Maurice se sentait l' « obligé » de ses fidèles supporteurs. Pouvait-il les lâcher alors qu'on le réclamait à grands cris ?

Maurice avait annoncé à la séance de repêchage qu'il se prononcerait après le camp d'entraînement : « Je me sens actuellement en très bonne forme, même si je suis un peu plus lourd. Toutefois, je joue à la balle-au-mur aussi souvent que l'occasion m'est fournie et je regagne graduellement ma forme. Mais je saurai mieux à quoi m'en tenir à l'entraînement. En somme, les premières pratiques sauront amplement me renseigner ! » Il ajouta tranquillement : « Le moment venu, je saurai qu'il me faut me retirer et alors je me retirerai . . . »

Il était devenu de plus en plus difficile pour Maurice d'y voir clair. Surtout que M. Frank Selke lui avait fait une offre alléchante. Il lui avait proposé de devenir « ambassadeur de bonne entente » pour le club Canadien, au même salaire qu'à son dernier contrat et pour les deux prochaines années à venir : « C'est vraiment une splendide proposition que m'a faite M. Selke, déclara le Rocket. D'ailleurs, il m'avait promis un jour qu'il verrait à s'occuper de moi une fois ma carrière terminée et il a certes tenu parole. »

L'opinion publique, la sécurité de sa famille, les blessures, son âge, son avenir, la proposition de M. Selke, la pensée obsédante que certains membres de la direction ne voulaient plus de lui et sa passion du hockey, tels étaient les éléments de cette mer houleuse dans laquelle était balloté le Rocket, où seul il devait livrer ce qui était, sans aucun doute, sa plus dure bataille.

Au fur et à mesure que la date du camp d'entraînement approchait, les journalistes, espérant avoir une primeur, le talonnaient de plus près. N'en pouvant plus, il s'écria devant Jean-Paul Jarry qui l'interviewait : « Les journalistes réclament ma décision depuis le printemps dernier. Ils croient, eux, que c'est facile pour moi de me décider. Eh bien ! ce ne l'est pas. J'aime trop le hockey et il y a trop longtemps que je joue pour tout effacer avec quelques paroles. En somme, je n'ai jamais fait face à une situation aussi difficile dans toute ma vie. La chose me tourmente plus qu'on ne le pense ! »

Pourquoi cette réaction ? C'est que, même si la majorité des amateurs de hockey demandaient à Maurice, par l'entremise des postes de radio, par les journaux ou par des lettres personnelles, de *continuer,* ils s'en trouvaient (ses détracteurs de toujours, il les aura eus jusqu'à la fin de sa carrière) pour lui lancer qu'il tenait à jouer pour l'argent et la gloire. Ou encore qu'il prenait la place d'un jeune joueur qui aurait pu se tailler une place au soleil. Quelles absurdités !

Certains journalistes, par le biais de leurs lecteurs, exploitaient ces thèmes. Connaissant la sensibilité de Maurice et la place que les jeunes ont toujours occupée dans son cœur, cette pensée qu'il pourrait priver un jeune de l'occasion de jouer pour les Canadiens le tourmentait profondément et les intentions que ses détracteurs lui prêtaient l'attristaient encore davantage.

Pas plus que Punch Imlach, Toe Blake et les autres, les Tchèques ne pouvaient comprendre qu'on demandât au « plus grand joueur de hockey de tous les temps » de prendre sa retraite.

Dans le sport professionnel, on ne donne pas une place à un jeune. Il doit la gagner, la mériter. Il doit se montrer supérieur à un autre et cet autre est rejeté. C'est la loi de la jungle ! Est-ce que Archie Moore a laissé Yvon Durelle lui ravir son titre de champion du monde des mi-lourds parce qu'Yvon Durelle était plus jeune et qu'il voulait se tailler une place au soleil ?

Pour ces raisons, Maurice n'aurait pas dû tenir compte de cette idée. Mais il n'en demeure pas moins que cela n'a pas été sans influencer sa décision.

Jean-Paul Jarry et Gérald Alarie, du journal *Parlons Sport,* expliquèrent bien l'attitude de Maurice. Le premier, « par le fait que Maurice a fait le saut avec les Canadiens en 1942-1943, le hockey n'a pas seulement été un sport pour lui ou un simple gagne-pain, *ce fut sa vie entière.* Un perfectionniste dans la force du mot, cet extraordinaire athlète de Bordeaux s'est toujours dépensé corps et âme pour son art. Le Rocket est en réalité un « grand artiste » sur le même plan que les célèbres peintres, musiciens, etc. Le hockey, c'est la vie même de Maurice, quoi ! Le jour où Richard abandonnera le hockey, il laissera derrière lui la moitié de son cœur et de sa vie ! »

Quant à Gérard Alarie, il démontra dans son billet intitulé : ET PUIS, QUI LE REMPLACERA ? que jamais personne, dans la L.N.H., n'avait projeté une image aussi étincelante que le Rocket.

> « Un tas de choses se rattachent à la décision que Maurice Richard va prendre quant à son avenir immédiat. S'il ne s'agissait que de la retraite d'un joueur de hockey, les sportifs n'auraient rien à dire, aucune pression à faire pour empêcher cette retraite ou la favoriser. Mais (on l'a assez souvent répété !), le Rocket n'est pas un simple joueur ; ses exploits lui ont bâti la plus belle réputation d'athlète au monde. Par là, par ce qu'il représente et par le rayonnement qu'il exerce, Maurice Richard n'est pas libre de dire qu'il abandonne ou qu'il continue sans s'efforcer d'entrevoir les conséquences que sa décision produira. Avec sa retraite, le brillant symbole qu'il a été pour tous les sportifs de tous les pays se glissera hors du jeu et de l'action, dans l'ombre peut-être. »

Le lundi 12 septembre 1960, Maurice Richard se rapporta à son dix-neuvième camp d'entraînement. Selon lui, il devait se mériter un poste, tout comme les 42 autres joueurs qui y avaient été invités.

Cette journée-là avait, de plus, un caractère spécial : c'était le dix-huitième anniversaire de mariage des Richard. Accompagnés de quelques amis, ils allèrent fêter cet événement dans un restaurant de Montréal. Par hasard, le chroniqueur sportif de *La Presse,* Gérard Champagne, était sur les lieux. Naturellement, il s'enquit des premières impressions sur l'exercice du matin : « Pas très bonnes, mais c'était la première pratique », répondit Maurice.

D'une chose à l'autre, ils en vinrent à parler des blessures et de « Boum-Boum » Geoffrion. Maurice fit remarquer que ce dernier n'avait pas été chanceux, lui non plus, depuis quelques saisons, et qu'il

La prédiction de Richard se réalisa. Geoffrion compta 50 buts en 64 parties dès la saison suivante, 1960-61. Maurice voulait être le premier à féliciter celui-ci.

En 1961-62, Bobby Hull suivit les traces de Boum-Boum avec 50 buts en 70 parties. Les trois premiers marqueurs de 50 buts en une saison se trouvaient réunis.

avait été blessé plus souvent qu'à son tour. Il ajouta : « S'il existe actuellement un joueur qui peut briser mon record de cinquante buts en une saison, ce joueur est Bernard Geoffrion. Si Bernard n'est pas blessé, il peut fort bien compter plus de 50 buts en 70 parties. Bernard n'a pas connu une saison complète depuis longtemps et il mérite d'être plus chanceux. »

Cette prédiction du Rocket fin connaisseur, n'allait pas tarder à se réaliser. Bernard sera le premier à briser ce record, suivi de Bobby Hull. D'autres joueurs réussiront l'exploit, mais ce sera après l'expansion de la L.N.H.

Lorsque Gérard Champagne prit congé, Maurice lui annonça qu'il ne serait pas présent à l'exercice du mercredi et lui dit de ne pas interpréter ce geste comme un signe de retraite. Il devait se rendre à Toronto pour un voyage d'affaires.

Ses amis le taquinèrent alors en lui demandant s'il ne se rendait pas à Toronto pour signer un contrat avec les Leafs ! Maurice rigola de bon cœur.

Le jeudi suivant, Maurice était à son poste. Il avait manqué trois exercices. Lorsqu'il sauta sur la glace, il y avait, quelque chose de changé dans son attitude.

Ce n'était plus le Rocket soucieux, inquiet et taciturne des derniers jours. Maurice avait l'allure d'un gars qui, à la fin des séries finales, venait de remporter la coupe Stanley pour une cinquième fois consécutive.

L'instinct des photographes ne fit pas défaut ; c'est l'image d'un Rocket souriant et complètement dégagé qu'ils captèrent au moment où celui-ci mit le patin sur la patinoire.

M. Hockey, Maurice « Rocket » Richard, fit ce geste pour la dernière fois !

Quelques heures plus tard, Maurice annonçait sa décision lors d'une conférence de presse tenue à l'hôtel Reine-Elizabeth.

Mais avant d'accrocher ses patins, le Rocket démontra par une performance éblouissante qu'il était toujours M. Hockey.

Assisté de deux recrues, Guy Black et Bob Rousseau, un Rocket libéré et plein de fougue y alla de quatre buts et trois assistances, ce qui procura une victoire de 9 à 5 à son équipe.

Son instinct ne l'avait donc pas trompé. Ce but du 12 avril 1960 qu'il avait marqué contre Johnny Bower avait été le dernier de sa carrière. Maurice possédait la rondelle de son dernier but.

Maintenant le Rocket venait de marquer ses derniers buts dans l'uniforme du Canadien. C'était le chant du cygne. L'exercice terminé, les joueurs, étreints par l'émotion, regagnèrent le vestiaire en silence. Tous connaissaient maintenant la décision du plus grand joueur de hockey de tous les temps.

Ce matin-là, au déjeuner, alors que Lucille s'affairait nerveusement à faire manger tout son petit monde, Maurice qui pouvait difficilement contenir son émotion annonça à sa petite famille, d'une voix qui se voulait rassurante, que le temps était venu pour lui de se retirer.

Consternés, les enfants regardèrent leur père sans mot dire. Puis le moment de stupéfaction passé, ils se pressèrent autour de lui, le suppliant de ne pas abandonner : « Non, non, papa, tu peux encore continuer ! On aime ça aller au Forum pour te voir jouer ! On ne te verra plus à la télévision ! On ne te verra plus dans l'uniforme du Canadien !

Huguette 17 ans, Maurice junior 15 ans, Normand 10 ans, et André 6 ans, essayaient de le dissuader. Maurice qui adorait ses enfants était bouleversé devant ces paroles pleines de loyauté, de sincérité et d'affection.

Mais sa décision était prise et c'était en partie pour eux qu'il lâchait ; mais maintenant, il avait un peu l'impression que c'était lui qui les lâchait... Il craignait que les enfants ne lui en tiennent rigueur.

Encore sous l'effet de cette tension, Maurice se rendit au Forum pour l'entraînement du matin. Bien que très tendu, Maurice se sentait libéré d'un grand poids. Et c'est avec une fougue peu commune qu'il s'abandonna à la griserie de la vitesse et de la rudesse du hockey. Dans une performance que l'on connaît maintenant, il se libéra de toute cette tension, de toutes ces émotions trop fortes qu'il ne pouvait plus contenir, qui le brisaient.

Le reste de la journée, Maurice dut voir aux derniers préparatifs, avec la direction du Forum.

Lorsqu'il revint chez lui, il déclara à Lucille : « Je ne peux pas croire que c'était ma dernière pratique ! » Puis il ne parla presque plus de sa décision.

Il soupa silencieusement avec toute la famille et ensuite il tondit le gazon. La tension augmentait avec l'heure qui approchait. Il prit un bain et se changea nerveusement. Lucille avait les nerfs si tendus qu'elle sentait l'engourdissement s'emparer d'elle. Comme à l'accoutumée, Maurice aida son fils aîné et Normand à faire leurs devoirs.

Vers 21 heures, il se leva, enlaça Lucille et lui dit : bonsoir « Il semblait très ému. Je l'étais plus que lui, mais j'ai réussi à ne pas pleurer. Je suis certaine que si je l'avais accompagné, j'aurais éclaté en sanglots et lui aussi », expliqua Lucille.

Lorsqu'elle vit son Maurice annoncer sa retraite à la télévision, Lucille, qui avait jusque-là contenu son émotion, éclata en sanglots.

« J'ai les bras engourdis comme si je faisais du rhumatisme, tellement je suis nerveuse. C'est effrayant comme ça m'affecte ! Ça me fait bien de la peine ! Imaginez, ça faisait vingt ans que je suivais Maurice . . .

« J'ai connu Maurice, alors que j'étais âgée de treize ans. Il jouait alors au hockey pour l'équipe de mon frère, le club Paquette. J'ai toujours vu Maurice jouer au hockey, vous comprendrez probablement mon émotion quand, vers 21 heures, il m'a embrassée et m'a dit « bonsoir ».

« Je savais qu'il partait pour annoncer à tout le monde la plus grande décision de sa vie, sa retraite du hockey. Je voulais parler, je voulais l'accompagner, mais je n'ai rien dit et je suis restée avec les enfants en pensant à lui. Je l'attend actuellement. Je sais qu'il aura un fardeau de moins sur les épaules, mais il aura le cœur bien gros.

« Depuis longtemps, Maurice me parlait de sa décision. Mais comme tout le monde, je ne voulais pas y croire. Quand il m'a annoncé mardi qu'il avait pris sa décision et qu'elle était irrévocable, ce fut un grand choc pour moi. J'ai pleuré. Je ne peux pas encore croire que j'irai voir jouer le Canadien et que Maurice ne sera pas sur la glace. Je me répète que cela devait arriver un jour, mais il me semble que c'est impossible.

« C'est sa décision, c'est lui seul qui a décidé et c'est bien comme ça. Ce sera dur pendant un bout de temps, mais on va s'habituer . . . Les enfants n'en reviennent pas, ils sont attristés. Ils aimaient bien ça aller au Forum et voir jouer leur père.

« Depuis deux ans, il y pensait jour et nuit à cette terrible décision. Il ne connaissait pas, depuis des années, ce que c'était qu'une nuit complète de sommeil. Il dormait en moyenne cinq à six heures par nuit ; il restait là étendu, à remâcher toute la question : « Depuis que je sentais mes jambes faiblir, depuis que je ne pouvais pas accomplir les exploits d'autrefois, il m'arrivait chaque nuit de rester éveillé en pensant à cette décision qui devrait venir un jour. »

Voulant toujours bien faire, ne pas décevoir ses partisans, la nervosité du Rocket allait croissante au point de le rendre malade. Ce trac ne le quittait plus et le rendait malheureux. « J'étais malade avant chaque partie. Dans ce moment-là, j'avais mauvais caractère. Je disputais pour rien. »

À cela, Lucille ajouta : « Il était vraiment malade. Il ne digérait plus. Il était pris de diarrhées presque chaque fois. C'est pas normal de vivre comme ça. »

Lucille souffrait de voir Maurice se débattre dans cette situation, mais sachant à quel point il tenait à jouer au hockey, elle ne voulait pas l'influencer de quelque façon que ce fût, de crainte qu'il regrette un jour la décision qu'il aurait prise.

Durant leur voyage en Europe et en Tchécoslovaquie, les conversations entre Lucille et Maurice tournèrent constamment autour de ce sujet. Cette réflexion à voix haute, loin du contexte dans lequel évoluaient les Richard, permit à Maurice de faire le point calmement et de façon beaucoup plus objective.

Puis les premiers exercices vinrent confirmer la décision que Maurice avait déjà prise dans son subconscient. Il ne restait plus qu'à l'annoncer...

Le mardi 13 septembre, Maurice fit part de sa décision à son épouse, puis à son gérant et ami, Frank Selke.

« Lorsque je me retirerai, je vous réunirai tous pour vous apprendre la nouvelle en même temps. Aucun de vous n'aura la primeur, car vous avez tous été mes amis et je ne veux pas causer de frictions. »

Fidèle à cette promesse qu'il avait faite aux journalistes, quelques années auparavant, Maurice et M. Selke convoquèrent ceux-ci à une conférence de presse au Reine-Elizabeth, pour le jeudi 15 septembre.

Studios David Bier

Studios David Bier

Maurice est écrasé sous le poids de l'émotion.

Le Rocket annonce les motifs de cette réunion.

C'est fini ! Le no 9 ne fait plus partie de l'équipe des Canadiens en tant que joueur actif. Tout le désarroi qui habite Maurice se lit dans ses yeux.

Laconiquement, le télégramme annonçait : « Des informations vous seront communiquées concernant la partie d'étoiles de 1960, le Temple de la Renommée du Hockey et les politiques du club pour les saisons à venir ! »

Même s'il n'était pas question du Rocket dans ce communiqué, les journalistes savaient que la minute de vérité avait sonné. La rumeur que Maurice Richard allait annoncer sa retraite se répandit comme une traînée de poudre et créa chez tous un malaise indéfinissable.

Ce malaise, tous les journalistes présents le ressentirent davantage lorsque M. Frank Selke prononça ces mots : « Je cède la parole au célèbre numéro 9. »

La sobriété de son apparence accentuait ce sentiment de grand calme que dégageait Maurice. Ce calme troublant, inquiétant, menaçant... qui précède les grandes tempêtes.

Il était vêtu d'un complet foncé, d'une cravate bleue et d'une chemise blanche. Les yeux ne pouvaient que se poser sur cette puissante silhouette qui se dessinait sur le mur du salon, et ensuite se fixer sur ce visage qui paraissait plus pâle encore sous l'éclairage des réflecteurs, impression qu'accentuaient ses cheveux de jais et son complet foncé.

Maurice leva les yeux et regarda l'assistance. Ce regard perçant et brûlant qui avait si souvent intimidé nombre de joueurs, d'arbitres et de journalistes ne brillait pas de cette flamme qui avait suscité tant de commentaires et d'admiration.

Toute la tristesse et le désarroi qui envahissaient Maurice s'exprimaient avec on ne peut plus de force dans ce regard lointain, brouillé et un peu perdu.

D'une voix rauque, étouffée par l'émotion, Maurice déclara : « C'est maintenant officiel, je ne suis plus un membre actif du club de hockey Canadien. À ce moment même, je prends ma retraite ! »

S'il subsistait encore des doutes quant aux sentiments exacts qui animaient le Rocket au sujet de cette retraite, ils venaient de se dissiper.

Lui qui avait le don de communiquer aux foules sa combativité, sa fougue et cette sensation bizarre de serrement au creux de l'estomac chaque fois qu'il touchait à la rondelle, venait, le temps d'un regard et de quelques paroles, de faire vivre aux gens présents toute l'ampleur du drame qui se jouait au plus profond de son être.

Cette sensation de tristesse, de vide était quasi palpable dans ce salon du Reine-Elizabeth : rares étaient ceux qui n'avaient pas un peu les yeux brouillés. D'autres, tel son ami et instructeur Toe Blake, essuyèrent discrètement une larme qu'ils n'avaient pu retenir. Quant à Frank Selke, ému et bouleversé, il voila son regard de sa main droite.

Maurice Richard fit alors ses adieux dans un bref discours de quatre minutes. Il parla en français, puis en anglais :

Mes chers amis,

« Je suis sûr que vous êtes tous surpris de me voir ici ce soir. Cette réunion devait être un meeting pour dévoiler certains détails en marge de la partie des étoiles du 1er octobre, mais je dois vous dire que la véritable raison de cette réunion était de vous rassembler tous en même temps, les journalistes et les commentateurs de la radio et de la télévision. J'ai toujours dit que j'annoncerais ma retraite du jeu actif à tout le monde en même temps et je veux tenir parole. Ma décision est maintenant prise et je m'excuse si je vous ai fait languir tous, depuis déjà plusieurs mois, avant de prendre une décision finale. Vous admettrez avec moi que cette décision ne fut pas facile à prendre. Ça fait déjà deux ans que j'y songe presque jour et nuit, et vous devinez donc que ces deux dernières saisons ont été très dures pour moi.

« J'ai toujours fait mon possible et j'ai toujours travaillé bien fort pour bien servir le hockey et le club Canadien et je profite de l'occasion qui m'est offerte pour souhaiter bonne chance au club et à tous les joueurs qui resteront avec le Bleu-Blanc-Rouge. J'espère bien qu'il remportera une sixième coupe Stanley de suite le printemps prochain.

« Je voudrais aussi remercier le public, tous les amateurs de hockey de Montréal, de la province et d'ailleurs, sans exception et particulièrement chacun de mes supporteurs qui m'ont tous si bien encouragé durant dix-huit ans. Je m'en voudrais d'oublier la direction du club Canadien. J'ai toujours reçu un magnifique support de la direction du club et surtout de M. Frank Selke qui m'a grandement aidé à prendre ma décision en m'offrant un contrat alléchant, tout en étant libre de faire ce que je voulais faire.

« J'ai donc décidé de demeurer avec l'équipe, non pas comme joueur, mais comme ambassadeur du club de hockey Canadien et j'espère avoir l'occasion d'être encore utile au club et de demeurer avec l'organisation aussi longtemps que je l'ai fait comme joueur.

« En terminant, je tiens à vous remercier tous, messieurs, (de la presse) vous tous sans exception qui avez tant fait pour moi et pour le

Maurice est soulagé. Une dernière pose avec son ami Frank Selke.

club Canadien. J'espère par dessus tout que nous resterons toujours de bons amis et, en tout temps, il me fera bien plaisir de vous rencontrer et de répondre de mon mieux à toutes les questions que vous pourrez vouloir me poser. Merci beaucoup. »

M. Hockey venait d'annoncer la fin d'un rêve magnifique... d'une réalité incroyable... 15 septembre 1960... C'ÉTAIT FINI !

C'est par ces paroles que Jacques Beauchamp débuta l'hommage qu'il rendit au Rocket :

> À 39 ans, après avoir consacré près de la moitié de sa vie au hockey, Maurice Richard vient de prendre sa retraite. Le plus grand joueur de hockey de tous les temps, « M. Hockey » ou le Rocket, comme on l'a surnommé, a décidé d'accrocher ses patins. C'est dire qu'il part en pleine gloire et que, durant toute sa carrière, Maurice aura été, une grande vedette, un joueur incomparable. Il n'aura pas connu cette période de déclin qui, malheureusement, vient parfois ternir l'éclat d'une carrière magnifique.
>
> « Celui qui a compté le plus de buts, (544 dans les joutes régulières et 82 dans les séries éliminatoires) dans toute l'histoire du hockey, celui qui, par ses sautes d'humeur, son courage, son adresse et ses montées spectaculaires s'est créé une réputation universelle, a eu la sagesse de se retirer avant de connaître une saison banale. »[1]

C'était là l'expression de l'opinion d'un grand nombre. Même si ses plus fervents admirateurs voulaient encore le voir à l'œuvre, ils n'auraient pas aimé que le Rocket soit l'ombre de lui-même et qu'il soit ensuite hué.

Frank Selke était un de ceux qui partageaient cette opinion. S'il était content que le Rocket prenne sa retraite, c'était surtout parce que ce dernier se retirait en pleine santé.

---

1. Beauchamp, J., *Montréal-Matin*, 16 septembre 1960, p. 38.

Après les cérémonies d'usage, M. Selke parla de Maurice en termes émouvants : « Maurice m'a fourni beaucoup d'émotion ces quatorze dernières années. Mais je n'ai jamais été aussi bouleversé que ce soir. Pour moi, le Rocket est plus qu'un joueur de hockey, oui, je suis peiné de perdre ce « fils »... mais j'en suis également soulagé. Comme plusieurs de ses plus fervents supporteurs, je craignais, moi aussi, que Maurice soit sérieusement blessé. J'étais confiant qu'il aurait pu marquer vingt buts encore cette saison, mais cela en valait-il réellement le risque ? Non. Qu'il se repose maintenant et qu'il jouisse de la vie, il ne l'aura pas volé ! »

Puis, pressé de questions par les journalistes qui voulaient connaître l'avis d'un connaisseur sur les immortels du hockey, cet ancien Torontois qui les avait pratiquement tous vus à l'œuvre ne se fit pas prier.

À un journaliste qui lui demanda d'oser une dernière fois une comparaison entre Gordie Howe et Maurice Richard, il répondit : « Ce sont deux brillants hockeyeurs au style bien différent. Si l'on tient compte de l'aspect méthodique, Howe est un meilleur joueur de hockey que Maurice. Mais dans les moments critiques, le Rocket a toujours été dans une classe à part. Pour gagner une partie décisive, on a toujours pu se fier sur Maurice, alors que Howe a presque toujours désappointé dans ce domaine.

« Permettez-moi de faire cette petite comparaison. Si vous aviez deux stades l'un en face de l'autre, et que le même soir Maurice soit à l'œuvre dans l'un et Howe dans l'autre, je suis prêt à parier tout ce que je possède que le stade du Rocket serait plein à craquer et que celui de Howe serait pratiquement vide ! »

Gordie Howe, ce puissant athlète qui allait établir un record de longévité dans la L.N.H., soit 25 ans, et qui allait devenir par la suite le plus grand marqueur de tous les temps, rendit ce témoignage : « Je suis peiné d'apprendre que le Rocket s'est retiré. Il était toute une tête d'affiche, « a drawing card ». C'est lui qui attirait les foules qui payent en quelque sorte nos salaires. Richard a sans aucun doute été l'un des plus grands joueurs de l'histoire du hockey et il nous manquera ! »[1]

---

1. *The Gazette*, 16 septembre 1960.

Le Rocket allait manquer à plusieurs, mais particulièrement à son vieux compagnon de ligne, « Toe » (Hector) Blake. Toe respectait la décision de son ami Maurice, mais il aurait aimé le voir encore à l'œuvre : « J'aurais souhaité qu'il joue jusqu'à 50 ans. La seule chose qui me tracassait, c'était les blessures. Je crois qu'il a pris une bonne décision.

« Ce fut un grand joueur, un athlète complet. Il ne m'a jamais donné d'ennuis depuis que je dirige le club. Ses plus grandes qualités de joueur étaient sa détermination, son désir de vaincre et son grand amour du jeu.

« Richard m'a permis personnellement de prolonger ma carrière dans la Ligue nationale. À la suite de sa décision de quitter le jeu actif, je perds non seulement un joueur de grande classe, mais aussi un ami. Il était une inspiration pour toute l'équipe et son absence laissera un très grand vide.

« On dit qu'un joueur se remplace toujours. Mais dans le cas de Maurice Richard, je crois qu'il faut faire une exception. Le Rocket ne sera jamais remplacé adéquatement. »

« Punch » Imlach, toujours aussi perspicace, avait pressenti ce que Maurice n'avait confié à personne, à l'exception de son épouse Lucille ; il ne voulait pas que ses enfants et les Canadiens français le voient à son déclin : « Le Rocket ne s'est jamais contenté d'être seulement bon ; il voulait être le meilleur et il n'aurait jamais rien accepté de moins », expliqua « Punch ».

Une autre réaction qui mérite d'être soulignée est celle d'un des bâtisseurs du hockey professionnel, le très connu Léo Dandurand, ancien instructeur, gérant et ex-propriétaire des Canadiens de Montréal :

« Je suis content, très content même, que Maurice Richard ait décidé de se retirer. J'ai déjà connu une bien amère expérience dans le cas d'une autre super-vedette, Howie Morenz, et pour rien au monde je n'aurais voulu que la chose se répète.

« Si je suis fier de le voir se retirer, c'est que cela vaut la peine d'abandonner, alors qu'il a atteint les plus hauts sommets de la gloire sportive. Rien de plus triste que de voir un athlète devenir soudainement la cible d'un public cruel quand, après avoir été extraordinaire, il commet une erreur.

« Howie Morenz et lui se sont virtuellement succédés pour créer la légende du Canadien. Tous deux se ressemblaient dans leur façon de soulever les foules. Mon club de 1924 avec ses Morenz, Vézina, Sylvio Mantha, Boucher, a attiré l'attention des foules sur le hockey et ce sport a connu alors un grand épanouissement. *Puis Richard est entré en scène et tout a recommencé.* Multipliant les exploits, fournissant l'étincelle par sa tenue extraordinaire, il a à son tour soulevé les foules sans cesse pendant dix-huit saisons.

« Pour vous montrer un peu ce que représente Maurice Richard à mes yeux, je vous dirai que, lorsque ce dernier ne pouvait jouer à cause d'une blessure, je manquais vraiment d'enthousiasme pour regarder le hockey à la télévision, encore moins pour me rendre au Forum assister à une joute. »

C'était là des opinions d'experts du milieu. Mais qu'en pensaient les amateurs de hockey. Ceux-là même qui payaient pour voir leur idole à l'œuvre ? Jusqu'à la dernière minute, par l'entremise des journaux ou par des lettres personnelles, ils demandèrent au Rocket de continuer.

Voici deux exemples typiques de ces lettres :

Parlons Sport À qui de droit :

Un joueur qui compte 19 buts et 51 parties (sans oublier les quatre buts que les arbitres lui ont enlevés) mérite certainement une place régulière avec le club Canadien.

De l'avis de tous les membres de ma famille, nous devrions voir le Rocket en action pour longtemps. Sur 18 compagnons de travail à qui j'ai demandé si Maurice devrait jouer une autre saison, 14 ont répondu « oui ». On te veut Rocket !
Jacques R. Henri
1218 rue Livingstone
Ottawa. »
« Mon cher Maurice,

Continue, Maurice ! Cela fera plaisir à beaucoup de Beaucerons de te revoir évoluer avec le club Canadien. Ne t'occupe pas de ceux qui veulent ta retraite. Vas-y Maurice et montre-leur que tu es encore le meilleur parmi les meilleurs.

Bonne chance Maurice ! Je suis une admiratrice !
Jeanne Dulac
Saint-Georges-de-Beauce. »

Des milliers de lettres semblables parvenaient aux journaux. Elles venaient de tous les coins de la province, du Canada, des États-

Unis. Elles venaient de toutes les classes sociales, de tous les milieux, de tous les groupes d'âge.

Hélas, le rideau venait de tomber sur le dernier acte d'une des plus formidables œuvres dramatiques jamais vécues. L'acteur principal venait de tirer sa dernière révérence. Les applaudissements s'étaient tus. Les spectateurs avaient quitté l'amphithéâtre. Maurice Richard, ce grand artiste, demeurait seul dans cette immense et froide solitude de la gloire.

Il avait besoin d'oublier cette réalité. Il devait oublier cette nuit-là. Quelqu'un suggéra de terminer la soirée au Cercle des journalistes. Quelle ne fut pas leur surprise de voir Maurice accepter de se joindre au groupe, lui qui était toujours le premier à quitter les réunions d'amis.

Tard dans la nuit, il évoqua de vieux souvenirs en compagnie de ceux qui avaient décrit ses exploits, épié ses faits et gestes : l'époque Toe Blake, Elmer Lach, Dick Irvin. Maurice Richard, l'*Idole de tout un peuple,* se vidait le cœur, se déchargeait, se détendait.

Silencieusement, Maurice Richard et Jean Aucoin marchaient d'un pas rapide devant la cathédrale Notre-Dame de Montréal. L'exorcisme était terminé. Le joueur de hockey avait fait place à l'ambassadeur de bonne entente. Maurice Richard pouvait maintenant regagner son foyer. Il était 4 heures du matin.

Une carrière de joueur de hockey, qualifiée par les journalistes de tout un continent de fantastique, d'éblouissante, de phénoménale, d'étincelante prenait fin, tandis que se propageait une légende, celle de Maurice « Rocket » Richard.

Si, pendant sa carrière, certains mirent du temps à reconnaître en lui « l'étincelle du génie » ou le très grand joueur de hockey, il n'en fut pas de même après sa retraite.

L'HOMME LE PLUS EXTRAORDINAIRE QUE J'AIE RENCONTRÉ. C'est par ces mots sans équivoque que Guy Fournier débuta son article dans *Perspective :*

> « Lorsque le 15 septembre, dans un salon bondé de journalistes, Maurice Richard annonça qu'il se retirait du hockey, Frank Selke dit :
> « Il n'y aura peut-être jamais d'autre joueur comme lui ! »
> « Le gérant des Canadiens de Montréal était en-deçà de la vérité.
> « Je n'ai connu ni Howie Morenz, ni Aurèle Joliat. J'ai vu jouer, comme tout le monde, Gordie Howe et Jean Béliveau. Je sais qu'ils ont

la chance tous deux d'abaisser des records qui appartiennent maintenant à Richard, mais ces exploits qu'avec soin les rédacteurs sportifs consignent dans leurs fiches ne sont pas tout Maurice Richard.

« Quand le temps nous aura fait perdre de vue la véritable dimension de l'homme, j'ai peur qu'on ne puisse le situer ailleurs que dans le contexte du sport. *À ce monde qu'il dépasse, il n'appartient pourtant que par sa carrière.*

« Richard n'en a peut-être jamais pris conscience tout à fait, mais cette force qui l'a propulsé au sommet du hockey se serait probablement manifestée dans n'importe quelle sphère de l'activité humaine.

« L'ancien maire de Montréal avait fait sourire en disant que « Richard avait l'étincelle du génie », mais il a suffi de quelques heures en sa compagnie pour me convaincre que Camilien Houde, lui, n'était pas loin de la vérité.

« Trop tard sans doute, j'ai été moi aussi saisi par le magnétisme de cet homme impénétrable qui, avant l'affection, commande le respect et l'admiration.

« Il n'était pas né nécessairement pour le sport, mais bien pour s'exprimer avec puissance là où l'acheminerait la vie. »[1]

Vince Lunny rendit lui aussi au Rocket un hommage tout aussi vibrant :

« Un homme aux actions extravagantes et à la vie pleine d'événements tragiques et étranges, le Rocket se classe en effet comme le joueur de hockey du demi-siècle, un honneur qui lui fut accordé, il y a quelques années, par les rédacteurs sportifs, dans un « poll » national qui fut dirigé par la presse canadienne.

« Tout comme « Newsy » Lalonde qui était un exemple typique de la rapidité et de la fougue du Tricolore et Howie Morenz qui caractérisait l'étonnante vitesse des « Flying Frenchmen », Richard est synonyme du club connu à notre époque sous le nom des Habitants.

« Déjà légendaire de son vivant, le Rocket a chambardé des records considérés comme sacro-saints, a provoqué quelques-unes des plus violentes controverses du sport, a été soumis à toutes les mises en échec illégales par les plus habiles défenseurs et, en revanche, a déclenché des torrents d'animosité lors de quelques-unes des batailles les plus épiques de cette génération. Même les officiels furent impliqués dans ces désordres.

« Le Rocket, en dehors de la patinoire, a été un excellent et honnête citoyen et a largement fourni, à sa façon, sans faire de bruit, sa contribution à la collectivité qui l'adule. »[2]

1. Fournier, Guy, *Perspective*, vol. 2, n° 44, 29 octobre 1960.

2. Lunny, Vince, *The Habs and their History*, pour un programme des Canadiens, Forum de Montréal, printemps 1959.

Maurice aura été l'objet de nombreuses marques de reconnaissance comme celles-ci. Mais l'une des plus grandes a sans aucun doute été sa réception au Temple de la Renommée !

On créa alors un précédent : Alors qu'un règlement stipulait qu'un athlète ne pouvait être accepté au Temple que cinq ans après la fin de sa carrière, M. Hockey fut proclamé illustre membre du Temple de la Renommée, un an à peine après avoir annoncé sa retraite.

Cette reconnaissance, qui mieux que Maurice la méritait ? Le souhait d'un vieil ami du Rocket, Paul de Saint-Georges, avait été presque exaucé.

Quelques mois plus tard, le 10 décembre 1961, Maurice était à nouveau honoré et, cette fois-ci, par la métropole du Canada : Un stade, construit au coût de 3 000 000 dollars, fut nommé « Aréna Maurice Richard ».

Lors de l'inauguration, le maire Sarto Fournier fit la déclaration suivante : « En payant ce tribut à Maurice Richard, nous invitons la jeunesse à marcher sur ses traces et à s'inspirer de sa conscience, de ses aptitudes physiques et de son intelligence. Si cette aréna porte son nom, ce n'est pas seulement parce qu'il est Maurice Richard, mais parce qu'il est un symbole d'honnêteté et de probité. »

Enfin, moins de six mois après sa retraite, Maurice Richard se vit accorder une très grande marque d'estime. Notre compatriote fut reconnu comme un des plus grands athlètes de tous les temps par B'Nai B'rith Sports Lodge, l'une des organisations les plus sophistiquées d'Amérique du Nord, qui l'admit parmi les très sélects « Nine Men of the Age ». On y retrouvait des noms aussi prestigieux que ceux de Jack Dempsey pour la boxe, Bobby Jones pour le golf, Ty Cobb pour le baseball, « Red » (Harold) Grange pour le football, Jesse Owens pour l'athlétisme, Don Budge pour le tennis, et pour le hockey : Maurice « Rocket » Richard !

C'est à cette occasion que M. Clarence Campbell offrit à Maurice Richard, au nom de la Ligue nationale de hockey, un magnifique trophée, un plateau d'argent, pour « conduite exemplaire ». Ce n'était pas le trophée Lady-Bing[1], mais c'était quand même un té-

---

1. Trophée annuel décerné au joueur le plus gentilhomme et le plus efficace.

moignage de taille, venant de la L.N.H. et de son président.

Arthur Dailey, célèbre chroniqueur du *New York Time,* rendit un magnifique hommage au Rocket, pour souligner cet événement.

Son article, retransmis dans l'édition du 22 janvier 1961 du *Boston Sunday Herald,* s'intitulait ainsi : «*Rocket never too far from fantasy* (Le Rocket, jamais très loin du monde de la fantaisie) ».

> « Dix-huit ans de hockey « super sensationnel » viennent de prendre fin. Il n'y a jamais eu un marqueur aussi prolifique que le Rocket ; cette personnalité dynamique et des plus colorées dégageait un tel magnétisme que ses partisans de Montréal l'adulaient avec une ferveur fanatique. Aucun son dans le monde du sport ne peut s'approcher du bruit d'enfer qui éclatait au Forum de Montréal, lorsque l'annonceur prononçait les paroles suivantes : « Le but du Canadien compté par Mohr-iss Ree-sharr ! »

> « Ce splendide Canadien français aux cheveux noirs doit visiter New York ce soir et Boston demain, alors que la fraternité des sports B'nai B'rith offrira un dîner en l'honneur des « bâtisseurs de l'histoire », un groupe de personnalités légendaires qui ont fait leur marque dans le domaine du sport. Et qui, mieux que le Rocket, a écrit les plus belles pages de l'histoire du hockey ? »

Après avoir passé en revue quelques-unes des plus spectaculaires performances du Rocket, M. Daley termina cet article comme suit :

> « Mais maintenant, cet électrisant et explosif Rocket a brillé de tous ses feux pour la dernière fois. Plus jamais il n'illuminera le ciel de sa scintillante splendeur par ses envolées fulgurantes. *Son passage restera inoubliable.* »[1]

Presque au même moment, Maurice fut choisi « Athlète de la décennie » par la S. Rae Hickok Company de New York.

Onze athlètes de onze sports différents furent ainsi sélectionnés, entre autres, Rocky Marciano pour la boxe, Arnold Palmer pour le golf.

Pour le hockey, nul autre que Maurice Richard ne pouvait être désigné. Justice était faite ! Ces deux honneurs valaient à eux seuls tous ceux qu'on lui avait refusés et démontrait de façon irréfutable que quelque chose n'allait pas dans le système des trophées de la L.N.H.

Enfin, au mois de juillet 1967, à l'occasion du Centenaire de la Confédération, Maurice Richard reçut la plus haute décoration civile

---

1. Daley, Arthur, *New York Time,* 21 janvier 1961.

United Press

Maurice reconnu « Man of the Age » par le B'nai B'rith. De gauche à droite, Jack Dempsey, boxe ; Ty Cobb, baseball ; Harold « Red » Grange, football ; Jesse Owens, athlétisme ; Maurice Richard, hockey ; Don Budge, tennis, et au premier plan, Bobby Jones, golf.

22 janvier 1961 — Maurice est reconnu « l'athlète de la décennie en hockey » par la « S. Rae Hickok Co. » de New York. Maurice est entouré de Warren Spahn, Baseball, Welly Mays, baseball et Bob Cousy, basket.

du Canada, c'est-à-dire la « Médaille pour Services rendus, » lui donnant droit d'ajouter les lettres M.S. à son nom.

Par cet autre honneur, on reconnaissait officiellement les grandes qualités humaines du plus grand joueur de hockey qu'on ait jamais connu.

Je laisse maintenant à deux journalistes chevronnés le soin d'exalter les vertus du « plus grand joueur de hockey de tous les temps », au moment où prit fin cette carrière qui tient du prodige.

UNE CARRIÈRE FABULEUSE SE TERMINE... MAURICE RICHARD SE RETIRE DU HOCKEY. Ce titre se lisait en grosses lettres rouges, il y a de cela quinze ans. C'est ainsi que Phil Séguin rendit hommage au Rocket dans l'édition du 18 septembre 1960 de *La Patrie du Dimanche.*

« La retraite de Maurice Richard enlève au hockey l'athlète le plus extraordinaire de l'histoire de notre sport national, l'homme qui a établi une foule de records et qui, par ses performances quasi incroyables, a provoqué chez les foules un enthousiasme délirant, partout où il a évolué depuis ses débuts avec les Canadiens au cours de la saison 42-43 jusqu'à ce qu'il accroche définitivement ses patins cette semaine.

« Les records de Maurice Richard seront peut-être tous abaissés un jour, mais jamais un joueur de hockey n'aura soulevé l'intérêt général que Maurice a provoqué durant ses dix-huit saisons dans la Ligue nationale.

« Maurice a compté 544 buts durant les saisons régulières et 82 dans les éliminatoires, soit un total de 626 ; il a amassé en plus 467 assistances, formant un total de 1 090 points pour sa carrière. Gordie Howe aura accumulé plus de points avant de se retirer, mais il ne pourrait être comparé à Maurice pour la « couleur » et le don de soulever les foules par chacun de ses gestes.

« L'admiration des partisans de Maurice Richard était un véritable culte. Nous en avons eu une preuve lorsque les amateurs ont déclenché une émeute au Forum, après que Maurice eut été suspendu pour le reste de la saison et les éliminatoires par le président Clarence Campbell en 1955.

« Maurice Richard a contribué, plus que tout autre athlète, à donner au hockey la popularité immense que notre sport national connaît aujourd'hui. Partout où les Canadiens allaient jouer, il suffisait de mentionner le nom du Rocket pour assurer une salle comble.

« Le souvenir de Maurice Richard demeurera impérissable dans la mémoire des amateurs de hockey. Ses courses fulgurantes, ses buts comptés d'une façon incroyable, ses prises de bec avec les adversaires et les arbitres, au fait, chacun de ses gestes formeront dans l'histoire du hockey un chapitre, un volume même, racontant la carrière la plus extraordinaire du monde sportif.

« Les Gordie Howe et autres grands joueurs seront oubliés depuis longtemps qu'on parlera encore de Maurice Richard et qu'on se racontera la longue série de ses exploits. »

Louis Chantigny, rédacteur sportif au *Petit Journal,* traça un remarquable portrait de notre compatriote, que nous citons intégralement.

MAURICE RICHARD, C'EST VOUS, C'EST MOI, C'EST NOUS TOUS, CANADIENS FRANÇAIS !

« Il est des joueurs de hockey dont les magistrales performances suscitent plus l'admiration de l'intelligence que l'idolâtrie du cœur.

« À mesure que se déroule la joute qui fait toile de fond à leur superbe talent, à mesure que se produisent les incidents qui soulignent, ici, la beauté de leur coup de patin, là, l'astuce de leurs feintes et la perfection de leur jeu, le spectateur se fait de moins en moins partisan pour ne devenir peu à peu qu'un cerveau qui goûte et qui admire. Et lorsque ses mains traduisent chaleureusement son enthousiasme, c'est son intelligence, davantage encore, qui, de l'amphithéâtre obscur à la patinoire illuminée, salue une sœur complice dans son moment d'apothéose et de gloire.

« Jean Béliveau, Henri Richard, Gordie Howe et Doug Harvey sont de ces athlètes.

« Il est, par contre, de ces joueurs de hockey d'une espèce rarissime. Un ou deux illuminent de leur présence une génération, rarement davantage. Toujours la leur est une carrière frappée au sceau du légendaire, de l'invraisemblable et du fantastique. Plus que des étoiles, des bolides qui déchirent le firmament du sport dans un sillage d'éclairs fulgurants. Et tandis que les prouesses des Béliveau et des Howe soulèvent des applaudissements chaleureux, celles de ces titans vous soulèvent de votre siège, et vous arrachent littéralement du ventre des cris et des ovations que seul peut inspirer le spectacle du sublime et de la grandeur.

« Vous l'avez sans doute deviné, c'est du grand, du fabuleux Maurice Richard qu'il s'agit.

« Parler de Maurice Richard est aussi difficile que périlleux.

« Les amateurs de hockey, qui ont l'idôlatrie facile et la haine tenace, n'en sont jamais satisfaits et le chroniqueur sportif doit sans cesse affronter la colère des fidèles qui trouvent la louange trop parcimonieuse, ou celles des railleurs et des cyniques qui la tiennent pour exagérée.

« De plus, comme les grandes douleurs, les grandes admirations sont muettes. La parole me manque donc et les moyens m'abandonnent lorsque, dans une inquiétude entremêlée de respect, je cherche, d'une main craintive et d'une plume hésitante, à tracer de Maurice Richard un portrait qui soit un hommage, et non une trahison.

« Parler de Maurice Richard, c'est aussi s'interdire et les mots et les épithètes et les superlatifs que notre plume a plus ou moins prostitués à l'usage courant ; et c'est s'interdire les formules stéréotypées dans lesquelles le rédacteur sportif coule depuis toujours, pêle-mêle et au petit bonheur, facilité et talent, promesses d'un jour et réalisations, médiocrité et demi-grandeur.

« Les athlètes, en général, ne m'impressionnent guère. Des humains, des mortels comme vous et moi, et rien de plus. Mais ce personnage qu'est Maurice Richard, cet homme dont les yeux brûlent au fond de leurs orbites et jettent par à-coups des lueurs farouches et bizarres, eh ! bien oui, je l'avoue, il m'écrase de sa présence. En pénétrant dans son intimité, en l'abordant pour la première fois, une émotion inqualifiable et qui ressemble de près à de l'angoisse vous assèche la gorge et vous étreint la poitrine. Une angoisse qu'il faut néanmoins vite dissiper, avant qu'elle n'endorme le peu d'esprit critique qui nous reste.

« Mais il ne faudrait tout de même pas, au nom de la prudence et de la modération, chicaner aux grands ce qu'on accorde si volontiers aux petits. Et par crainte d'être accusé d'emballement et de sentimentalité puérils, il ne faudrait pas non plus dispenser au compte-gouttes les éloges et les hommages que Maurice Richard mérite et que ses exploits justifient.

« Mais voilà, que n'a-t-on pas encore dit sur Maurice Richard ? Des milliers d'articles ont déjà souligné chacun de ses records, et des millions de mots, d'épithètes et de superlatifs, les uns plus élogieux que les autres, ont chanté à qui mieux mieux sa louange.

« Ne reste-t-il donc rien à dire, sinon de reprendre la comparaison qui oppose Maurice Richard à son rival Gordie Howe, et de tenter, après tant d'autres, de trancher une fois pour toutes l'éternelle question : qui des deux est supérieur à l'autre ?

« Non, je n'alimenterai pas davantage cette polémique, mais je reprendrai néanmoins la question d'une autre manière ; où s'arrête le grand athlète qu'est incontestablement Gordie Howe, et où commence le génial qu'est sans contredit Maurice Richard ? Pourquoi, de ces deux athlètes également compétents, le premier sombrera-t-il un jour dans un oubli relatif, et le second s'inscrira-t-il à tout jamais dans la mémoire des hommes ? Quelle est, bref, la différence entre un Maurice Richard et un Gordie Howe ?

« L'un est plus adroit, plus agile, plus vigoureux que l'autre ? Je ne crois pas. Tout compte fait, ces athlètes s'équivalent et, seul, le muscle ne peut pas fournir la véritable réponse. Pour trouver la différence, il faut dépasser l'athlète pour joindre l'homme, et derrière le muscle, sonder le cœur.

« Là se dissimule le secret, le je ne sais quoi, la petite étincelle qui provoque l'explosion et qui marque toute la différence entre d'une part le talent, et de l'autre, pourquoi taire le mot, le génie.

« Une fois de plus, c'est l'orgeuil, l'Orgeuil avec un O majuscule qui nous donne la clé de l'énigme. L'orgueil insondable de l'athlète fier de ses exploits, l'orgueil superbe du champion qui a pleinement conscience de sa valeur et de l'idéal qu'il représente. L'orgueil, enfin, incommensurable, dramatique et émouvant du « grand maître » vieillissant qui refuse de s'avouer vaincu devant les multiples blessures qui tentent de ponctuer à tout jamais sa carrière, et devant la marée montante des jeunes qui entendent surpasser ses records, éclipser sa gloire et s'approprier ses titres.

« Pour cet homme qu'habite et que tourmente le démon de l'orgueil, du juste orgueil, le sport est certes un métier, mais davantage encore une religion, un exutoire, une soupape de sûreté et, pour tout dire, une raison de vivre.

« Alors que nombre d'athlètes professionnels encaissent le revers de la fortune sportive de façon plus ou moins résignée, plus ou moins philosophique, la défaite demeure toujours un drame, un affront personnel, une cause de désespoir et une source d'humiliation pour un homme de la trempe de Maurice Richard.

« On croirait qu'après des années et des années de hockey professionnel Maurice Richard serait enfin content de soi, satisfait de se reposer sur ses lauriers et en mesure de se dire : « Je suis le plus grand compteur de tous les temps, j'ai accompli tous les exploits, brisé tous les records possibles et imaginables ; il ne me reste donc plus rien à prouver, à qui que ce soit. »

« Tôt ou tard, presque tous les athlètes adoptent cette attitude ; Maurice Richard, jamais ! Chaque joute de hockey représente pour lui une épreuve de sa supériorité ; chaque nouveau Gordie Howe, une menace à son titre et un ennemi irréductible qu'il lui faut aussitôt abattre ; et chaque nouvelle saison de hockey, une conquête à refaire, une cause à plaider, — celle de sa réputation, et qui plus est, de sa légende qui déjà commence à poindre.

« La légende de Maurice Richard ... En effet, et aussi inouï que cela puisse sembler, en Maurice Richard l'Homme a depuis longtemps dépassé l'athlète, et le héros de la légende, celui de l'histoire.

« Maurice Richard, c'est vous, c'est moi, c'est nous tous Canadiens français. Maurice Richard, c'est la magistrale revanche des déboires et des défaites que nous essuyons au courant de notre vie obscure. Maurice Richard, c'est l'homme qui est devenu le symbole de toute une race.

« Lorsqu'il compte un but, il lave les humiliations de notre vie quotidienne. Et lorsqu'on s'attaque à lui, c'est nous tous qu'on maltraite. Voilà pourquoi Maurice Richard est devenu un personnage intouchable, et voilà aussi pourquoi il entre déjà, de plein-pied, dans le mythe et la légende. »

Chapitre dix-neuvième
L'homme et sa famille

Ce que représentait Maurice Richard pour les Canadiens en général et pour les Canadiens français en particulier, on en a maintenant une très bonne idée : c'était LEUR HÉROS !

On lui vouait donc un véritable culte. Même Howie Morenz, qui avait su conquérir le cœur des Canadiens français par son impétuosité, n'avait pu engendrer pareille idolâtrie chez ceux qui l'avaient adopté comme un des leurs. Le fameux chroniqueur sportif Paul Parizeau, du journal *Le Canada,* qui avait vu le grand Morenz à son meilleur exprima un jour les sentiments qui emplissaient le cœur des Canadiens français vis-à-vis des deux formidables athlètes en ces termes fort judicieux : « Ce n'est pas que nous aimons moins Howie, c'est que nous aimons davantage Maurice. »

Qui était ce demi-dieu qui provoquait tant d'enthousiasme et de passions ? Le journaliste Léon Gray, du journal *La Patrie,* en avait tracé un portrait particulièrement précis au milieu de la saison 51-52 :

> « C'est une personnalité presque mystérieuse que celle de Maurice Richard. Une personnalité qui parle aussi peu qu'elle fait beaucoup parler et qui force magiquement les portes de la publicité, sans du tout la rechercher.
>
> « Il incarne au maximum cette impétuosité française que Machiavel appelait déjà, au XVe siècle, la « furia francese ». Et il a renversé

L'idole d'un peuple . . .

les rôles, au point de ne pas être à la merci du Canadien : c'est plutôt ce club qui est à la sienne, mais il n'en tire aucune vanité. Assidu et ponctuel comme peu de joueurs le sont, il s'oublie, surtout depuis deux mois, jusqu'à l'imprudence pour faire sa part qui est léonine et brillante. (Maurice s'était déchiré des ligaments à l'aine, à ce moment-là.) Son comportement est exemplaire. On ne faisait pas mieux en Hellade à l'ère sacrée des Jeux Olympiques. »

Trois grands traits se dégagent de ce portrait : personnalité mystérieuse, taciturne et modeste. Quant à sa personnalité de hockeyeur, on est déjà fixé. Qu'est-ce qui pouvait mieux la décrire que ces deux mots : « Furia francese » ?

D'où lui venait cette personnalité mystérieuse ? Ayant rapidement perdu toute illusion sur les hommes, Maurice s'était entouré d'une muraille qui décourageait les intrus, les intéressés, les profiteurs, en un mot les parasites et les faux amis. Seuls ceux qui avaient la persévérance de percer cette muraille se méritaient son indéfectible amitié. Cet homme dont la modestie commandait le respect s'était replié sur lui-même. Apparemment impassible, il était pourtant en proie à de violents tiraillements intérieurs, car tout son être exigeait de lui qu'il s'affirme, qu'il s'impose. L'intensité de cette vie intérieure qui le dévorait se reflétait avec une telle force dans ses yeux si noirs et si perçants que cela contrastait étrangement avec cette at-

494

titude renfermée et modeste qu'il projetait. C'était là en partie ce qui lui conférait cette personnalité mystérieuse à laquelle faisait allusion M. Gray.

Un autre facteur qui contribuait à cet aspect mystérieux et inaccessible était la barrière de la langue. On se rappelle qu'à ses débuts dans la Ligue nationale de hockey, Maurice ne pouvait pas dire un traître mot d'anglais et c'était évidemment la seule langue qu'on y parlait. Vivre dans cet univers était pour lui un véritable supplice. Pis encore, aller jouer à Toronto était un cauchemar. Comme Maurice le faisait lui-même remarquer : « Les journalistes anglophones croyaient que je ne voulais par leur parler, la vérité est beaucoup plus simple ; je ne pouvais pas. » Petit à petit, il apprit à maîtriser la langue de Shakespeare. Cela contribua considérablement à améliorer ses relations avec la presse anglophone et à lui donner une attitude plus décontractée, moins rébarbative. Au début, Maurice ne pouvait cacher son ressentiment vis-à-vis des Canadiens anglais qui ne voulaient pas parler notre langue. Même si, fondamentalement, ce refus de communiquer dans la langue française, langue de la majorité au Québec, n'était pas nécessairement une manifestation de mauvaise volonté, il est évident que les anglophones profitaient de la situation. Ils laissaient aux francophones le soin de se débrouiller en anglais. D'autres, tel Carl Voss, l'arbitre en chef de la Ligue nationale, détestaient notre peuple et ne s'en cachaient pas. Vis-à-vis de ceux-là, Maurice manifesta toujours une animosité certaine. Il se rappelait alors les événements de 1955 : « Un que je n'ai pas aimé dans cette histoire-là, c'est Carl Voss. Je n'ai pas apprécié ses remarques sur les Canadiens français. Il a dit, entre autres, que nous ne savions pas nous conduire, qu'il était temps que les autorités de la Ligue agissent et que je méritais une bonne suspension. »

Il n'était donc pas étonnant que Maurice se sentît noyé, perdu dans cet univers où il évoluait et où il avait la nette impression d'être un corps étranger qu'on voulait rejeter. Dans cette situation, son mécanisme de défense consistait à se replier sur lui-même. Quand à son mutisme, c'était aussi une façon de se défendre, même si cela faisait partie de son caractère : chez lui, son père, comme tout bon pêcheur, parlait peu. De même, entre frères et sœurs, ils ne s'engageaient pas dans de longues conversations. C'était devenu une cou-.

tume, une façon de vivre. Ken Reardon appelait Maurice « Richard le Sphinx » À cet égard, Henri était aussi impénétrable. Il était avec le club depuis deux ans lorsqu'un journaliste, après une partie, demanda à Blake s'il pouvait interviewer Henri « Certainement, vasy, » de dire Blake.

— Est-ce qu'il parle anglais ? demanda le journaliste.

— Maudit, je ne sais même pas s'il parle français, répliqua Toe.

Les coéquipiers de Richard partageaient l'opinion de Reardon. Pour sa part, Buddy O'Connor faisait remarquer que Maurice s'habillait toujours en silence, un silence lourd et menaçant. « Qu'il marque cinq buts ou qu'il n'en marque pas, le Rocket est toujours le même. Il ne fait jamais de grandes déclarations », remarqua O'Connor.

S'il parlait peu, en revanche il observait beaucoup. Il avait d'ailleurs démontré un sens aigu de l'observation dès son jeune âge ; il dessinait avec beaucoup de succès. Ce mutisme, allié à cette qualité de pouvoir scruter des détails souvent insignifiants à première vue, fera de lui un observateur et un fin connaisseur de la nature humaine.

Ses dehors brusques laissaient soupçonner un être trop facilement meurtri. Avec ses yeux tournés sur le monde extérieur, cet « introverti » ne demandait pas mieux que de s'ouvrir et de participer à cette vie qui était là, invitante. Cet enthousiasme intérieur faisait souvent de lui une victime de la fourberie humaine et, partant, un être méfiant. En effet, on pouvait tromper Maurice Richard, mais on ne le trompait pas impunément et on le trompait qu'une seule fois.

Par exemple, en mai 1964, la tornade Sam (Pollock) s'abattit sur les Canadiens. Elle avait pris naissance plusieurs années auparavant, discrètement, pour finalement tout balayer sur son passage, dont Ken Reardon, Maurice Richard et même Frank Selke, celui-là même qui l'avait initié en 1947-1948.

Le sénateur Hartland Molson laissa son siège de président des Canadiens à son neveu David. Kenny Reardon, l'héritier présomptif de Frank Selke, fut tassé du pied. Il démissionna ! On offrit à Frank Selke le poste de vice-président de la Canadian Arena Co. Selke démissionna ! Sam Pollock devint gérant général du club Canadien... « Je me sens perdu », déclara aux journalistes un Frank Selke déçu et brisé.

Pour arroser le tout, on annonça, en même temps, que Maurice Richard devenait « l'assistant du président David Molson ! » On avait sans doute apprécié ses services « d'ambassadeur de bonne entente ». Hé oui, il avait été nommé ambassadeur de bonne entente pour le club Canadien, tout de suite après sa retraite et il se donna corps et âme à sa nouvelle fonction. Il devait traverser le pays d'un océan à l'autre cinq ou six fois par mois. Inlassablement, il signait des autographes, donnait la main, répondait aux questions, se laissait photographier et interviewer. C'était tantôt pour des enfants, tantôt pour des groupes sociaux, et Richard répondait toujours avec la même courtoisie et la même patience. Après six mois de ce régime, il était épuisé : il avait parcouru près de 200 000 milles à travers le Canada. Il affirma qu'il aurait préféré jouer deux autres saisons plutôt que de continuer ce genre de vie.

Cette fois-ci, il était responsable des « relations publiques ». Le club Canadien avait grand besoin d'un homme à ce poste parce que Maurice lui-même avait appris sa nomination par la voix des journaux ...

D'abord, on coupa son salaire de moitié. Maurice accepta tout de même, anxieux qu'il était de participer au développement et à l'administration de son ancienne équipe. Il s'installa dans un petit bureau où il put faire, à volonté, des volutes de fumée parce qu'il ne fut jamais invité à aucune réunion. On ne fit jamais appel à ses connaissances du hockey. On se contenta de l'exhiber.

Le 30 août 1965, Maurice annonça sa démission du poste de vice-président des Canadiens. Pour le très suave et élégant David Molson, le départ de Richard, « c'était une chose très simple : Maurice ne voulait pas commencer au bas de l'échelle dans la hiérarchie administrative ou prendre un cours en administration, comme nous le lui avions suggéré. Je crois que nous l'avons traité honnêtement », de conclure David. Que d'hypocrisie !

Ce Canadien français était tout simplement un embarras pour eux. Sammy et David s'en débarrassèrent en le laissant pourrir dans son petit bureau jusqu'à ce que, par trop humilié, le Rocket en vint à donner sa démission. La Canadian Arena Co. venait de tromper Maurice Richard pour la dernière fois.

Le mercredi 6 décembre 1972, le Forum organisa une fête splendide pour « Toe » (Hector) Blake, par l'entremise de Camil Desroches, son publiciste. Grâce au travail acharné de Camil, ils étaient tous là, les Aurèle Joliat, Gerry McNeil, Doug Harvey, Butch Bouchard, Elmer Lach, etc. Un seul était absent, Maurice Richard. Cette absence, lourde de signification, fut en quelque sorte plus remarquée que la présence de cette pléiade de vedettes du Canadien. Comme aurait dit Dick Irvin : « Maurice a encore volé le show. »

Mais cette fois-ci c'était bien malgré lui. Il avait d'abord annoncé dans sa chronique du *Samedi-Dimanche* qu'il n'irait pas à la fête de son ami « Toe » Blake. Puis il changea d'idée et laissa entendre qu'il se présenterait seulement à la réception qui avait lieu avant le match. Finalement, il ne se présenta pas du tout. Cette indécision du Rocket illustrait bien le conflit qui le déchirait. Il était tiraillé entre l'idée de peiner son ami et celle d'avoir une attitude de complaisance envers les dirigeants du Forum.

Il était donc secoué par une violente tempête intérieure, comme l'analysait si bien Jerry Trudel dans son article du 8 décembre 1972, dans *Montréal-Matin,* qu'il titra : L'ABSENCE DE MAURICE RICHARD.

> « Oui et c'est justement que Maurice est un homme de tempête, un homme de violence. Violence et tempête sur la patinoire, violence et tempête dans ses idées, violence et tempête dans sa vie de tous les jours.
>
> « Mais tout de suite, vous aurez noté aussi une continuité. Une continuité que j'appelle de l'honnêteté, de la dignité. « Ma ligne droite à moi, c'est ça. C'est ma ligne, elle est droite et je la suis... en tout temps, envers et contre tous », pourrait-il dire. »

M. Trudel avait bien saisi cet aspect de la personnalité de Maurice, et cette remarque explique clairement pourquoi le Rocket ne pouvait pas se présenter après s'être excusé publiquement auprès de « Toe » Blake.

Il lui était impossible de faire acte de présence au Forum, parce qu'il ne pouvait pas en « sentir » les dirigeants. Il se rappelait trop bien l'humiliation qu'on lui avait fait subir en mai 1964. Il se rappelait aussi les deux billets de saison pour les joutes du Canadien qu'on lui avait retirés parce qu'il était devenu instructeur des Nordiques de Québec, quelques mois plus tôt, pour l'Association mondiale

Bill Cunningham

Un ambassadeur hors-pair.

de Hockey.[1] Quel geste mesquin !

> « Bien sûr qu'il s'est fait du tort. Il le savait le premier. Mais il a toujours refusé de déroger à ses principes, de composer avec son honnêteté pour ne pas se faire de tort », expliqua Jerry Trudel. Et Jerry terminait son article en applaudissant le courage du Rocket pour ses convictions.

Sa ligne de conduite, à laquelle il ne dérogeait pas, se manifestait également par une franchise parfois brutale. On se rappelle qu'il ne camouflait jamais son opinion, que ce soit vis-à-vis des « paper assists », de Campbell, des arbitres, des spectateurs ou des joueurs.

Une autre facette de cette honnêteté faisait qu'il se portait à la rescousse de ses coéquipiers, d'un ami, d'un parent, ou dénonçait à tort ou à raison ce qu'il considérait comme injuste. Ces prises de position visant à défendre ceux qu'il aimait étaient pour lui une obliga-

---

1. Maurice avait aussitôt démissionné de ce poste avec les Nordiques, parce qu'il ne pouvait supporter ce genre de tension : « Diriger une équipe, c'est beaucoup trop de tension pour Maurice, confia son épouse Lucille. Il a connu ce genre de tension pendant les vingt ans qu'il a pratiqué ce sport et il ne peut plus en prendre maintenant. Mais il voulait essayer parce qu'il voulait savoir comment il réagirait. Maintenant, il le sait ! Il veut avoir un autre genre de vie, une vie plus tranquille ! » De plus, il réalisa très vite qu'il avait trop d'attaches à Montréal. Mais l'idée de diriger une équipe de joueurs à majorité francophone, dans une ville francophone, n'était pas sans le fasciner.

tion. Sa loyauté l'exigeait ! Rappelez-vous sa sortie contre Campbell en 1954 pour défendre « Boum-Boum » Geoffrion.

Le fait que Maurice ne jouait pas à la vedette, n'essayait pas de plaire, disait ce qu'il pensait, advienne que pourra, faisait de lui un joyau brut mais rare. Ceux qui se donnaient la peine de le connaître ne pouvaient s'empêcher d'apprécier son attitude. C'est, sans contredit, cette « dimension de l'homme » qui lui a conservé une stature de géant auprès du grand public.

Tout ça, c'était Maurice Richard. Il était en perpétuelle controverse avec lui-même. Le respect d'autrui s'opposait à ce souci de dire la vérité, sa vérité. Cette ambivalence de sa personnalité se manifestait partout. Aux apparences extérieures de « l'introverti » se butait toute l'exubérance du comportement de « l'extroverti ».

Même sa manière de s'habiller révélait cette dualité d'attitude chez Maurice. À la maison, il aimait les vêtements aux couleurs vives, alors qu'en ville il s'habillait toujours avec une grande sobriété. Très aimable avec ses intimes, il se montrait froid avec les étrangers. En même temps qu'il aimait les gens, il était mal à l'aise pour communiquer. Il aurait aimé pouvoir se laisser aller, mais sa timidité héréditaire était difficile à vaincre. Lorsqu'il devint capitaine des Canadiens en 1956-1957, il avait pratiquement maîtrisé cet aspect de sa personnalité ; puis, lorsqu'il devint ambassadeur de bonne entente, les gens connurent alors un tout autre Rocket que celui auquel ils étaient habitué ; il était maintenant souriant, dégagé. Ce n'était pas de l'exubérance, mais pour Maurice c'était tout comme.

Ce comportement était beaucoup plus conforme avec sa vraie nature, celle qu'il démontrait par à-coups dans sa jeunesse. À cet égard, sa mère racontait qu'il adorait jouer des tours à ses frères et sœurs. Ce trait de caractère était bien imprégné en lui. Plus tard, ses victimes favorites furent Bernard Geoffrion pendant les voyages et Jacques Plante sur la glace.

Contrairement à ce que beaucoup croyaient, Maurice adorait rire et blaguer. À l'occasion, il se « tiraillait » même avec son ami Bernard. Il appréciait également beaucoup ces moments où il pouvait observer les joueurs, riant de leurs histoires et de leurs plaisanteries, tout en tirant quelques bonnes bouffées de son cigare.

À ce côté enjoué de sa personnalité, que peu de gens lui connaissaient, s'ajoutait un sens de l'humour remarquable et incisif. L'été qui suivit l'affaire MacLean en 1951, Maurice fit un voyage à Halifax. Bien sûr, il rencontra beaucoup de Canadiens de descendance écossaise dans ce coin du pays. Dans sa chronique suivante, il fit ses excuses à Messieurs MacLean et Campbell en ces termes : « J'apprends en effet ici que les « Scots » sont les meilleurs garçons du monde et j'envoie, par la présente, mes excuses à M. MacLean. On est fier, encore ici, du fait que M. Campbell, le président de la L.N.H., est d'origine écossaise. Si tel est le cas, on va bien s'entendre tous les deux et j'accepte d'avance les amendes qu'il m'imposera l'hiver prochain. Tous des bons gars que ces Écossais ! » On sait que M. Campbell n'avait pas manqué de lui en imposer, des amendes...

À une autre occasion, il fut interviewé pour le réseau anglais de Radio-Canada. L'animateur lui demanda alors si le développement physique de l'individu devrait se poursuivre aux dépens de son développement intellectuel. Sans broncher, Maurice répondit : « aux dépens du gouvernement ! » Ce fut un éclat de rire général.

Quelqu'un qui a côtoyé Richard au cours de sa carrière et qui l'a bien connu est sans contredit le soigneur des Canadiens, le physiothérapeute Bill Head. Head a été le témoin des innombrables souffrances qui ont été le lot de Maurice. Selon un dicton populaire, c'est dans la souffrance qu'on peut bien connaître un homme ; Bill Head pouvait donc, mieux que quiconque, lever le voile sur d'autres aspects de la personnalité du Rocket : « Du joueur étoile qu'il était, je l'ai vu se développer en une très forte personnalité et, tout de suite, je l'ai admiré énormément. »

Lorsque Head arriva à Montréal comme soigneur des Canadiens, Maurice devait subir deux traitements par jour pour une blessure subie à l'avant-cuisse (*Charley-Horse*). Ce jour-là, Bill oublia le premier traitement et rentra chez lui. Il reçut alors un appel téléphonique du Rocket. Head s'excusa, mais Maurice lui répondit tout de suite : « Non, non, ça va. Est-ce que vous pouvez me donner ce traitement chez vous ? » Bill répondit par l'affirmative. Maurice traversa alors la ville sur une distance de 20 milles pour se rendre chez Head.

« Il se présenta chez moi, sans faire la moindre allusion à l'inconvénient que je venais de lui faire subir. Il était une étoile et j'étais un nouveau venu au Forum. Il était donc en mesure de rouspéter, mais j'ai appris par la suite que ce comportement était typique de Richard. Je n'ai jamais entendu le Rocket blâmer un autre joueur pour une erreur commise sur la glace, comme faire une mauvaise passe ou rater un jeu. Bien au contraire, à ces occasions, il prenait le blâme sur lui-même, plus souvent qu'autrement », racontait Bill.

Cela illustre bien jusqu'à quel point Maurice se donnait à sa profession avec une fierté qui ne se démentissait jamais. Beaucoup de joueurs auraient laissé passer ce traitement, mais pas Maurice Richard. Pour lui, pouvoir revenir au jeu et donner 100 pour 100 de lui-même était une obligation envers ses employeurs, envers les spectateurs et envers lui-même. Son désir de réussir était pratiquement terrifiant, selon Bill, et il considérait que Richard aurait été un « Grand » dans n'importe quel sport. Il était l'athlète le plus robuste qu'il lui ait été donné de rencontrer. Ces paroles, Bill les avait prononcées après la retraite du Rocket, alors que ses fonctions l'amenaient à soigner les meilleurs athlètes du football professionnel américain.

Pour appuyer ses dires, Bill rappelait l'épisode où Maurice s'était presque sectionné le tendon d'Achille : « Après une telle blessure, lorsque le plâtre a été enlevé, une personne doit prendre entre quatre ou cinq semaines avant de pouvoir poser le talon au sol. Richard a accompli ce travail en cinq heures. » Selon Bill, c'était là la plus grande séance de concentration physique qu'il avait jamais vue.

Maurice portait donc à sa profession toute l'attention qu'un artisan porte à ses œuvres et, comme lui, il entretenait minutieusement ses outils. Maurice prenait un soin jaloux de son corps qui était en fait son meilleur outil. De plus, il participait à la fabrication de ses propres bâtons de hockey. Il se rendait alors à la manufacture de Côte Saint-Michel, à Montréal, pour choisir le bois qui servirait à cette fin. Il choisissait un bois à la fois rigide et souple. Lorsque les bâtons avaient été usinés, c'était Maurice qui les sablait. Son bâton, un « gaucher numéro 5 » devait être toujours bien balancé entre la tige et la palette.

Malgré toutes ces attentions, il lui arrivait, comme à tous les autres joueurs, de connaître des périodes creuses où rien ne semblait vouloir fonctionner. Dans ces cas-là, loin de se décourager, Maurice redoublait d'efforts et d'ardeur. Après les exercices réguliers, il passait des heures à s'entraîner afin de retrouver son synchronisme. De même, il travaillait son lancer contre le mur de brique de sa maison afin d'en conserver toute la précision.

Maurice était un perfectionniste et on peut dire qu'il n'était jamais complètement satisfait de lui-même. Il croyait sincèrement pouvoir toujours faire mieux. Lorsque son équipe perdait ou que lui-même connaissait une longue période sans marquer, il valait mieux l'éviter. Comme il le disait lui-même, il « n'était pas parlable ». Même avec Lucille, sa conversation se limitait au strict minimum : « Il se promenait alors de long en large dans la maison, tout en marmottant. Il ne parlait à personne et restait dans cet état tant qu'il n'avait pas marqué un but. Un but, ou même plusieurs, ne le rendait pas heureux si les Canadiens avaient perdu », révéla Lucille. Il ne voulait pas voir de journaux et encore moins en lire. Mentalement, il passait et repassait les dernières parties, essayant de découvrir ce qui n'allait pas. Les nuits étaient interminables. Il restait là, étendu sur le dos, les mains derrière la nuque, sans pouvoir trouver le sommeil. Peu à peu, tel un volcan avant l'irruption, il se créait une telle tension que, tôt ou tard, il devait exploser. Ce n'était pas par hasard si cette comparaison avec un volcan fut reprise si souvent au cours de sa carrière. Habituellement, ces explosions se soldaient par une performance électrisante ou, parfois, par une bagarre terrifiante.

Plus que tout autre joueur, il mettait en pratique cette citation d'Abraham Lincoln que le très sagace Irvin avait affiché dans le vestiaire des joueurs du Canadien : « *I do the very best I know — the very best I can — and I mean to keep on doing so until the end* (J'agis aux meilleures de mes connaissances — aux meilleures de mes possibilités — et j'ai l'intention d'agir ainsi, jusqu'au bout) ». Chaque fois que Maurice passait devant cette affiche, il arrêtait et s'imprégnait de cette pensée. La défaite devenait un affront personnel et il ne pouvait la supporter. L'indifférence de ses coéquipiers ou de toute autre personne rattachée à l'organisation du Canadien devant la défaite le mettait hors de lui. Il ne parlait pas, mais son regard insoutenable suffisait parfois à redonner de l'ardeur aux plus vacillants. Autant l'indifférence au jeu ou devant la défaite était exclue de son attitude, autant la fraternisation avec les joueurs adverses lui était impensable. Pour Maurice, il n'y avait pas de demi-mesures.

Ses adversaires demeuraient ses adversaires et lorsqu'il compétitionnait, c'était toujours pour gagner.

Jacques Plante confiait, à ce sujet, qu'une personne ne pouvait pas jouer dans la même équipe que Richard sans être imprégnée de ce farouche désir de vaincre qui animait le Rocket. Cette flamme qui consumait Maurice était souvent prise à tort comme la manifestation d'un esprit agressif et querelleur. Selon Toe Blake qui le connaissait depuis ses débuts, Maurice n'avait pas une nature agressive, mais le harcèlement et les insultes qu'il subissait avaient développé chez lui un tempérament vif : « Quand je jouais avec Richard, je lui ai souvent fait remarquer que je n'aurais pas supporté tout le harcèlement qu'il endurait. Et je dois vous dire que le jeu était beaucoup plus rude à cette époque. »

Ken Reardon, un autre gars aussi déterminé que Blake et Richard, partageait cette opinion : « Quand il explosait, c'était terrible ! Mais personne n'aurait pu en prendre aussi longtemps que lui et user de si peu de représailles en retour. »

Si on additionne ces témoignages à ceux qui ont déjà été mentionnés, on doit reconnaître que Maurice Richard n'était pas un fauteur de trouble, comme certains voulaient le laisser croire. Il aimait son métier passionnément et tout ce qu'il voulait, c'était l'exercer de son mieux. Quand on l'en empêchait, inévitablement, il finissait par éclater. C'est sans doute pourquoi il était si malheureux quand une blessure l'immobilisait.

C'était à ce point que Maurice Richard aimait le hockey. Mais ce qu'il aimait le plus au monde, c'était sa famille. On peut donc s'imaginer combien le bien-être des siens le préoccupait.

Sa famille et le hockey auront été les deux préoccupations majeures du Rocket, et il y aura consacré toutes ses énergies. Le hockey lui permettait, en plus de pouvoir s'exprimer totalement, de subvenir aux besoins de ses proches.

Cet esprit de famille était profondément ancré en lui. Malgré ses nombreuses préoccupations, il trouvait le moyen de consacrer beaucoup de temps à ses enfants. Il les adorait et aucun sacrifice n'était trop grand pour leur faire plaisir. Pendant toute sa carrière, il traîna, tour à tour, tous ses enfants avec lui. C'était tantôt au Forum, tantôt à la campagne, tantôt en tournée ou encore dans une excursion dans

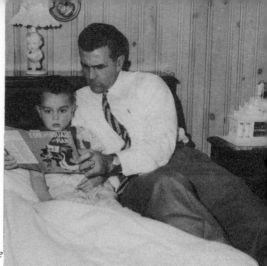

Il était une fois le plus grand... et le petit André.

les Laurentides.

Quand il arrivait à la maison, son premier souci était d'aider les enfants pour leurs devoirs et leurs leçons. Il adorait aussi leur lire des contes à haute voix. Chez lui, il ne fallait pas parler de hockey. Son foyer était sa religion. Maurice y vivait heureux et en aimait l'atmosphère qui contribuait à le détendre. Regarder la fameuse série télévisée *La Famille Plouffe* ou un film d'action et écouter de la musique de jazz, lui procurait la détente supplémentaire dont il avait besoin.

Maurice aimait avoir ses enfants près de lui. Il se tracassait beaucoup pour eux et leur avenir. Selon lui, il les gâtait trop. Il aurait aimé changer, mais ça lui était difficile car il ne les voyait pas assez souvent. Sur la route, il s'ennuyait d'eux énormément. Lucille le taquinait à ce sujet. À chacun de ses voyages, Maurice ne manquait pas de lui téléphoner. Il commençait invariablement : « Comment vont les enfants ? » et Lucille de répondre : « Et moi alors ? » Lucille ajoutait en riant : « Je viens avant le hockey, mais après ses enfants. »

L'hiver, il leur construisait une patinoire, comme son père l'avait fait pour lui, et lorsqu'il avait une minute, il allait s'y amuser. Il aimait follement les enfants et les enfants l'adoraient. Il refusait rarement une invitation, lorsqu'il s'agissait d'aider un groupe de jeunes. Peu d'hommes publics peuvent se vanter d'avoir donner autant de temps à la jeunesse canadienne !

La saison de hockey terminée, Maurice se remettait à son régime habituel. Il s'occupait de sa famille, bricolait à la maison et se maintenait en bonne condition physique par la pratique du golf, de la natation et surtout du tennis. Pour se détendre complètement, il

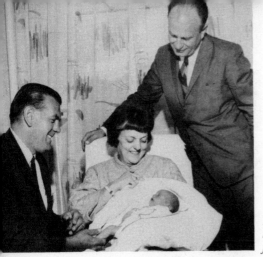

*Maurice et Lucille contemplent leur der-
nier né, Jean. Debout, le médecin de
famille.*

n'y avait rien comme la pêche. « C'est un passionné de la pêche.
C'est son seul vice, disait Lucille en le taquinant. Il remplit le frigidaire de truites, de dorés et de saumons. » À travers tout cela, il
voyageait beaucoup pour les groupes sociaux ou sportifs qui le réclamaient à travers le Canada. Chaque fois que cela lui était possible,
Lucille l'accompagnait lors de ces voyages.

Comment pouvait-il arriver à remplir toutes ses obligations ? On
pourrait répondre : Dieu seul le sait, mais ça ne serait pas complètement juste. Il faudrait ajouter le nom de Lucille. Elle le secondait si
bien avec sa bonne humeur, son entrain et surtout son amour que
c'est là l'une des grandes raisons qui aura permis à Maurice Richard
d'atteindre des sommets aussi élevés.

Avec ses sept enfants (Jean était venu s'ajouter à la famille), le
travail ne lui manquait pas et Lucille n'avait pas le temps de chô-
mer. Malgré ses nombreuses occupations, elle était sans aucun doute
la plus fidèle admiratrice de son célèbre mari, mais aussi la plus
bruyante. Elle qui s'était souvent gelé les pieds en encourageant
Maurice de sa présence ne ratait pas une occasion de l'encourager
au Forum.

Pendant leur première année de mariage, ils se chamaillaient
beaucoup « mais ça n'a pas duré longtemps », raconta Lucille. Elle
considérait Maurice comme un « fichu de bon mari ». « Il a peut-
être l'air dur, mais il est d'une gentillesse et d'une bonté excessives
pour les enfants et pour moi. » Maurice devenait comme un loup en
cage lorsque Lucille ou les enfants étaient malades. Par contre, il
pouvait pleurer de joie quand son épouse accouchait. Si sa profession le lui permettait, il ne la quittait plus dans ces moments-là. Lucille le lui rendait bien et le gâtait beaucoup. Elle qui l'avait connu à

506

Sa plus loyale admiratrice. Studios David Bier

l'âge de treize ans savait que Maurice avait eu une enfance très difficile ; son père avait été deux ans sans travail pendant la dépression.
Lucille aimait profondément son Maurice et s'employait à le rendre
heureux : « Quand Maurice est heureux, je le suis aussi », faisait-elle
remarquer.

Lorsque Maurice devait disputer une partie au Forum, c'était
une journée bien particulière dans la vie des Richard. Maurice se levait à 8h30. Il déjeunait, puis se rendait au Forum où joueurs et instructeurs étudiaient le club à rencontrer et planifiaient leurs straté-
gies. Puis, c'était le retour à la maison. Lucille évitait alors de lui
parler. Maurice ne pensait plus qu'à la partie. À 15h30, c'était le
moment du traditionnel « steak » que Maurice accompagnait d'un
jus de tomate et de légumes et, comme dessert, il prenait invariablement une salade de fruit et de la crème glacée.

Après son repas, Maurice faisait une bonne promenade, puis il
se couchait. Mais il ne trouvait jamais le sommeil. Dans sa tête, passaient et repassaient tous les jeux possibles et imaginables. Puis au
fur et à mesure que l'heure de la joute approchait, Maurice devenait
de plus en plus nerveux. Il avait bien essayé de se débarrasser de ce
trac, mais peine perdue, « il s'évapore, disait-il, en un clin d'œil dès
que je touche la rondelle pour la première fois ; comme par miracle,
le calme me revient et je rentre en possession de tous mes moyens. »

Sur le chemin du retour, dans la voiture familiale, si les Canadiens avaient perdu, Maurice ne parlait pas. S'ils avaient gagné,
Maurice était heureux, mais pas plus exubérant qu'il ne le faut. Et
lorsqu'il avait marqué un ou plusieurs buts, il disait à Lucille : « J'ai
été chanceux. »

C'est ainsi que vivait le grand Maurice Richard et sa famille. Il

Studio Alain

Maurice Richard et ses parents.

vivait étroitement lié aux siens et c'était là, en grande partie, qu'il trouvait la motivation profonde, l'énergie pour poursuivre la tâche qu'il s'était fixée : apporter gloire et fierté aux Canadiens français par le biais de sa profession.

Cet esprit de famille dont Maurice faisait preuve ne se limitait pas à sa famille immédiate ; il s'étendait à tous les siens, à tous ses compatriotes ! Maurice connaissait viscéralement les conditions de vie des Québécois et, viscéralement, à travers le hockey, il leur venait en aide. Il manifestait envers ses compatriotes le même amour qu'il réservait aux enfants et à sa famille. La place au soleil qu'il ambitionnait, il la voulait pour chaque Canadien français.

On en a eu un exemple frappant lorsque M. Frank Selke demanda à Maurice de ne pas briser le record de Nels Stewart à Toronto. M. Selke lui avait dit : « Hé, Maurice, ne brise pas le record de Nels Stewart à Toronto. Garde-le pour la partie du samedi soir, ici au Forum contre les Rangers. » C'était effectivement ce qui s'était produit à un détail près. Maurice ne brisa pas le record le samedi suivant contre les Rangers, mais il marqua ce 325e but le samedi d'après, au Forum, devant ses compatriotes.

C'est sans doute pourquoi on l'a si souvent comparé à Jackie Robinson, l'étoile noire du baseball. Robinson avait fait pour les Noirs des États-Unis ce que Richard a fait pour les Canadiens français.

Dink Carroll, du journal *The Gazette,* avait fait remarquer que Maurice « *felt the wartime anti-French-Canadian sentiment of English Canadians there and thought this was especially directed against himself* (ressentait l'animosité du temps de guerre des Canadiens anglais à l'égard des Canadiens français, et il croyait que cette animosité était spécialement dirigée contre lui) ». M. Carroll avait raison en partie. Maurice croyait peut-être à tort que cette animosité le visait personnellement, mais l'animosité des Canadiens anglais envers les Canadiens français à laquelle faisait allusion M. Carroll lui faisait aussi mal que si elle avait été dirigée uniquement contre lui.

Maurice ne pouvait supporter qu'on insulte son peuple et lorsque les joueurs l'appelaient « Dirty French Pea Soup » ou « French Bastard », il sortait de ses gonds et, tôt ou tard, les coupables devaient l'affronter : « Quand on crache sur ma race, le sang me monte à la tête », disait Maurice. Les attaques malveillantes dont il était parfois la cible dans les journaux lui faisaient tout aussi mal. « Quand je lis dans les journaux des lettres qui me descendent, ça fait mal. Mais quand c'est un gars de ma race qui m'attaque, cela me brise le cœur », reconnut Maurice.

Ce perpétuel souci de Maurice Richard pour le respect et le bien-être des siens nous révèle toute l'humanité dont cet homme était imprégné. Sa personnalité attachante et sa valeur d'homme transparaissaient à travers le lustre de la grande vedette sportive. C'est ce qui en faisait un être si extraordinaire.

Depuis sa retraite, Maurice vit toujours dans le quartier Ahuntsic, dans le nord de Montréal, à un jet de pierre de la rivière des Prairies. Au rythme de cette rivière, la vie, chez les Richard, s'écoule heureuse, douce et paisible. Plusieurs de ses enfants ont, à leur tour, fondé un foyer. À la grande joie de Lucille et de Maurice, Huguette, Rocket Junior et Normand leur ont donné plusieurs petits-enfants.

Évidemment, la maison de grand-maman Lucille et de grand-papa Maurice est le lieu de rencontre de tout ce petit monde. Une joyeuse activité y règne sans cesse.

Homme d'affaire averti, grand-papa Richard vit à l'abri des soucis financiers. Il possède des intérêts dans plusieurs compagnies, mais celle qu'il préfère est la compagnie de lignes à pêche qu'il a montée de A à Z.

Son amour du hockey est toujours aussi intense. Une fois par semaine, Maurice chausse les patins en compagnie d'amis et d'autres joueurs, retraités comme lui. Il s'adonne toujours au tennis. L'été, il pratique le golf mais se consacre davantage à la pêche qu'il préfère par-dessus tout. À travers ces activités, Maurice et Lucille trouvent le temps de voyager et de se divertir. Ils rattrapent le temps perdu.

Ce qui étonne le plus dans le phénomène Richard, c'est qu'après plus de quinze ans d'absence en tant que joueur de hockey professionnel il est toujours aussi omniprésent sur la scène de l'actualité et dans la société canadienne. Il est toujours demandé par les associations les plus diverses. Ici, c'est pour parrainer un projet, là pour présider un tournoi ou un congrès, ou encore pour arbitrer une partie de hockey. En d'autres occasions, il jouera même une partie avec les « Old-Timers » au profit d'une organisation quelconque.

Maintenant âgé de 55 ans, Maurice Richard poursuit toujours la mission qu'il avait acceptée et assumée en 1946-1947 : porte-étendard des Canadiens français ! Il évolue maintenant sur une autre patinoire, toujours avec autant de ferveur. Immédiatement après sa retraite, Maurice a repris sa chronique dans *Samedi-Dimanche*. Depuis, il applaudit aux succès des siens, fustige les hypocrites et dénonce ce qu'il considère comme injuste. Par le biais de sa chronique, par sa présence constante dans la société, par son intégrité et sa dignité, Maurice garde l'épaule à la roue.

Son passage a marqué sa génération avec une telle profondeur et une telle force que le temps n'a pas encore altéré sa popularité. Il a su demeurer le symbole de grandeur qu'il est devenu. Il suffit de se rappeler les ovations étonnantes que lui ont accordées les spectateurs du Forum durant le tournoi de la coupe Canada en 1976, lorsque, accompagné de son frère Henri, il vint remettre les trophées aux meilleurs joueurs des équipes en lice, soit la Finlande lors de la pre-

Devant la résidence des Richard, la famille au grand complet, avant la venue de Jean. De gauche à droite. Normand, Huguette, Lucille et Suzanne, Maurice et Paulo, Maurice jr et André.

mière rencontre, et la Tchécoslovaquie, le soir de la conquête de la coupe par le Canada. Les Canadiens français sont fiers de Maurice Richard parce que son image n'a jamais été ternie et qu'il n'a jamais courbé l'échine. Maurice Richard, qui ne savait pas décevoir ses partisans, ne nous a pas encore déçus !

Faits saillants. Records. Bilan médical de la carrière du Rocket

FAITS SAILLANTS

1er but 8 novembre 1942, contre Steve Buzinski, des Rangers de New York, sans assistance, à Montréal, à sa troisième joute dans la Ligue nationale.

50e but 30 novembre 1944, contre Ken McAuley, des Rangers de New York, à Montréal.

100e but 29 décembre 1945, contre Mike Karakas, des Black Hawks de Chicago, à Montréal, à sa 134e joute.

200e but 15 janvier 1949, contre Jim Henry, des Black Hawks de Chicago, à Montréal, à sa 308e joute.

300e but 3 novembre 1951, contre Terry Sawchuck, des Red Wings de Détroit, à Montréal, à sa 481e joute.

325e but 8 novembre 1952, contre Al Rollins, des Black Hawks de Chicago, à Montréal, brisant le record de tous les temps détenu par Nels Stewart, à sa 527e joute.

400e but 18 décembre 1954, contre Al Rollins, des Black Hawks de Chicago, à sa 690e joute.

500e but 27 octobre 1957, contre Harry Lumley, des Maple Leafs de Toronto, à Montréal, à sa 863e partie.

544e but 20 mars 1960, contre Al Rollins, des Rangers de New York, à sa 978e partie.

Les cent premiers buts furent enregistrés en 134 parties. La deuxième série de cent buts le fut en 174, la troisième, en 173 ; la quatrième, en 209 ; la cinquième, en 173 parties.

RECORDS

Voici la liste des records détenus ou partagés par Maurice Richard, au moment où il prit sa retraite :

À VIE

Maximum de buts, saisons régulières	544
Maximum de buts, saisons régulières et séries éliminatoires	626
Total des points, saisons régulières	965
Total des points, saisons régulières et séries éliminatoires	1 091
* Maximum de buts, séries éliminatoires	82
Maximum de points, séries éliminatoires	126
Maximum de saisons consécutives de 20 buts	14
Maximum de saisons consécutives dans l'équipe d'étoiles	14
* Maximum de parties de trois buts, saisons régulières et séries éliminatoires	33
Plus longue série consécutive de buts	14 en 9 joutes

On aurait pu ajouter :

Maximum de buts victorieux	83
* Maximum de buts sans aide	61
* Maximum de « 2 buts » en une partie	117
Maximum de « 4 buts » en une partie	3
Maximum de « 5 buts » en une partie	1
Maximum de « premier but de la partie »	109

SAISON

* Maximum de buts en saison régulière — cinquante en cinquante joutes : 1944-1945

Maximum de buts dans une série éliminatoire — douze buts en neuf parties : 1943-1944 (record partagé avec Jean Béliveau)

* Maximum de buts marqués dans une joute des éliminatoires — 5 (contre Toronto, 22 mars 1944)

* Maximum d'assistances obtenues dans une joute des éliminatoires — 5 (record égalé par Toe Blake et Bert Olmstead des Canadiens)

Maximum de points dans une joute — 8 (5 buts et 3 assistances, record également partagé par Olmstead).

COUPE STANLEY

* Maximum de buts en supplémentaires	6

* Maximum de buts victorieux   18
* Maximum de buts sans aide   10
* Maximum de « 2 buts » en une partie   17
* Maximum de « 3 buts » en une partie   7
* Maximum de « 4 buts » en une partie   3
* Maximum de « 5 buts » en une partie   1
* Meilleure moyenne de but par partie   0.616
* Maximum de points en une période   4
* Maximum d'assistances en une période   5
* Plus longue série consécutive de parties avec buts
  (à deux reprises)   8
* Maximum de buts en supplémentaire   2

BILAN MÉDICAL

Canadien Senior : 1940-41 — fracture de la cheville gauche. 1941-42 — fracture du poignet gauche.

Après avoir consulté les statistiques de la Ligue nationale, on constate que Maurice Richard a manqué 169 joutes pour cause de blessure. Voici le bilan médical de la carrière du « Rocket » avec les Canadiens. Ce bilan ne tient pas compte des innombrables coupures et blessures secondaires de toutes sortes.

En 1942-1943, il s'est fracturé la cheville droite. Au cours des six saisons suivantes, il a manqué seulement douze joutes pour cause de blessure.

Au cours de la saison 1951-1952, il a été tenu inactif à cause d'une blessure à l'aîne.

En 1956-1957, il a été opéré au coude droit.

En 1957-1958, il s'est infligé une coupure au tendon d'Achille après s'être heurté à Marc Rhéaume, du Toronto.

En 1958-1959, il a été blessé à la cheville gauche quand il a été atteint par un lancer de Bernard Geoffrion.

À sa dernière saison dans la L.N.H., il s'est fracturé l'os de la joue gauche.

Ce bilan ne tient pas compte des innombrables coupures et blessures secondaires de toutes sortes.

---

* Ces records sont encore détenus par Maurice Richard.

* Ces records sont toujours détenus par Maurice Richard.

Table des matières

Achevé d'imprimer sur les presses de
L'IMPRIMERIE ELECTRA *
pour
LES EDITIONS DE L'HOMME LTÉE

* Division du groupe Sogides Ltée

Ouvrages parus chez les Éditeurs du groupe Sogides

Ouvrages parus aux ÉDITIONS DE L'HOMME

ART CULINAIRE

Art d'apprêter les restes (L'),
  S. Lapointe, 4.00
Art de la table (L'), M. du Coffre, $5.00
Art de vivre en bonne santé (L'),
  Dr W. Leblond, 3.00
Boîte à lunch (La), L. Lagacé, 4.00
101 omelettes, M. Claude, 3.00
Cocktails de Jacques Normand (Les),
  J. Normand, 4.00
Congélation (La), S. Lapointe, 4.00
Conserves (Les), Soeur Berthe, 5.00
Cuisine chinoise (La), L. Gervais, 4.00
Cuisine de maman Lapointe (La),
  S. Lapointe, 3.00
Cuisine de Pol Martin (La), Pol Martin, 4.00
Cuisine des 4 saisons (La),
  Mme Hélène Durand-LaRoche, 4.00
Cuisine en plein air, H. Doucet, 3.00
Cuisine française pour Canadiens,
  R. Montigny, 4.00
Cuisine italienne (La), Di Tomasso, 3.00
Diététique dans la vie quotidienne,
  L. Lagacé, 4.00
En cuisinant de 5 à 6, J. Huot, 3.00
Fondues et flambées de maman Lapointe,
  S. Lapointe, 4.00
Fruits (Les), J. Goode, 5.00

Grande Cuisine au Pernod (La),
  S. Lapointe, 3.00
Hors-d'oeuvre, salades et buffets froids,
  L. Dubois, 3.00
Légumes (Les), J. Goode, 5.00
Madame reçoit, H.D. LaRoche, 4.00
Mangez bien et rajeunissez, R. Barbeau, 3.00
Poissons et fruits de mer,
  Soeur Berthe, 4.00
Recettes à la bière des grandes cuisines
  Molson, M.L. Beaulieu, 4.00
Recettes au "blender", J. Huot, 4.00
Recettes de gibier, S. Lapointe, 4.00
Recettes de Juliette (Les), J. Huot, 4.00
Recettes de maman Lapointe,
  S. Lapointe, 3.00
Régimes pour maigrir, M.J. Beaudoin, 4.00
Tous les secrets de l'alimentation,
  M.J. Beaudoin, 2.50
Vin (Le), P. Petel, 3.00
Vins, cocktails et spiritueux,
  G. Cloutier, 3.00
Vos vedettes et leurs recettes,
  G. Dufour et G. Poirier, 3.00
Y'a du soleil dans votre assiette,
  Georget-Berval-Gignac, 3.00

DOCUMENTS, BIOGRAPHIE

Architecture traditionnelle au Québec (L'),
  Y. Laframboise, 10.00
Art traditionnel au Québec (L'),
  Lessard et Marquis, 10.00
Artisanat québécois 1. Les bois et les
  textiles, C. Simard, 12.00

Artisanat québécois 2. Les arts du feu,
  C. Simard, 12.00
Acadiens (Les), E. Leblanc, 2.00
Bien-pensants (Les), P. Berton, 2.50
Ce combat qui n'en finit plus,
  A. Stanké,-J.L. Morgan, 3.00

Charlebois, qui es-tu?, B. L'Herbier, **3.00**

Comité (Le), M. et P. Thyraud de Vosjoli, **8.00**

Des hommes qui bâtissent le Québec, collaboration, **3.00**

Drogues, J. Durocher, **3.00**

Epaves du Saint-Laurent (Les), J. Lafrance, **3.00**

Ermite (L'), L. Rampa, **4.00**

Fabuleux Onassis (Le), C. Cafarakis, **4.00**

Félix Leclerc, J.P. Sylvain, **2.50**

Filière canadienne (La), J.-P. Charbonneau, **12.95**

Francois Mauriac, F. Seguin, **1.00**

Greffes du coeur (Les), collaboration, **2.00**

Han Suyin, F. Seguin, **1.00**

Hippies (Les), Time-coll., **3.00**

Imprévisible M. Houde (L'), C. Renaud, **2.00**

Insolences du Frère Untel, F. Untel, **2.00**

J'aime encore mieux le jus de betteraves, A. Stanké, **2.50**

Jean Rostand, F. Seguin, **1.00**

Juliette Béliveau, D. Martineau, **3.00**

Lamia, P.T. de Vosjoli, **5.00**

Louis Aragon, F. Seguin, **1.00**

Magadan, M. Solomon, **7.00**

Maison traditionnelle au Québec (La), M. Lessard, G. Vilandré, **10.00**

Maîtresse (La), James et Kedgley, **4.00**

Mammifères de mon pays, Duchesnay-Dumais, **3.00**

Masques et visages du spiritualisme contemporain, J. Evola, **5.00**

Michel Simon, F. Seguin, **1.00**

Michèle Richard raconte Michèle Richard, M. Richard, **2.50**

Mon calvaire roumain, M. Solomon, **8.00**

Mozart, raconté en 50 chefs-d'oeuvre, P. Roussel, **5.00**

Nationalisation de l'électricité (La), P. Sauriol, **1.00**

Napoléon vu par Guillemin, H. Guillemin, **2.50**

Objets familiers de nos ancêtres, L. Vermette, N. Genêt, L. Décarie-Audet, **6.00**

On veut savoir, (4 t.), L. Trépanier, **1.00 ch.**

Option Québec, R. Lévesque, **2.00**

Pour entretenir la flamme, L. Rampa, **4.00**

Pour une radio civilisée, G. Proulx, **2.00**

Prague, l'été des tanks, collaboration, **3.00**

Premiers sur la lune, Armstrong-Aldrin-Collins, **6.00**

Prisonniers à l'Oflag 79, P. Vallée, **1.00**

Prostitution à Montréal (La), T. Limoges, **1.50**

Provencher, le dernier des coureurs des bois, P. Provencher, **6.00**

Québec 1800, W.H. Bartlett, **15.00**

Rage des goof-balls (La), A. Stanké, M.J. Beaudoin, **1.00**

Rescapée de l'enfer nazi, R. Charrier, **1.50**

Révolte contre le monde moderne, J. Evola, **6.00**

Riopelle, G. Robert, **3.50**

Struma (Le), M. Solomon, **7.00**

Terrorisme québécois (Le), Dr G. Morf, **3.00**

Ti-blanc, mouton noir, R. Laplante, **2.00**

Treizième chandelle (La), L. Rampa, **4.00**

Trois vies de Pearson (Les), Poliquin-Beal, **3.00**

Trudeau, le paradoxe, A. Westell, **5.00**

Un peuple oui, une peuplade jamais! J. Lévesque, **3.00**

Un Yankee au Canada, A. Thério, **1.00**

Une culture appelée québécoise, G. Turi, **2.00**

Vizzini, S. Vizzini, **5.00**

Vrai visage de Duplessis (Le), P. Laporte, **2.00**

ENCYCLOPEDIES

Encyclopédie de la maison québécoise, Lessard et Marquis, **8.00**

Encyclopédie des antiquités du Québec, Lessard et Marquis, **7.00**

Encyclopédie des oiseaux du Québec, W. Earl Godfrey, **8.00**

Encyclopédie du jardinier horticulteur, W.H. Perron, **8.00**

Encyclopédie du Québec, Vol. I et Vol. II, L. Landry, **6.00 ch.**

ESTHETIQUE ET VIE MODERNE

Cellulite (La), Dr G.J. Léonard, 4.00
Chirurgie plastique et esthétique (La),
    Dr A. Genest, 2.00
Embellissez votre corps, J. Ghedin, 2.00
Embellissez votre visage, J. Ghedin, 1.50
Etiquette du mariage, Fortin-Jacques,
    Farley, 4.00
Exercices pour rester jeune, T. Sekely, 3.00
Exercices pour toi et moi,
    J. Dussault-Corbeil, 5.00
Face-lifting par l'exercice (Le),
    S.M. Rungé, 4.00
Femme après 30 ans (La), N. Germain, 3.00

Femme émancipée (La), N. Germain et
    L. Desjardins, 2.00
Leçons de beauté, E. Serei, 2.50
Médecine esthétique (La),
    Dr G. Lanctôt, 5.00
Savoir se maquiller, J. Ghedin, 1.50
Savoir-vivre, N. Germain, 2.50
Savoir-vivre d'aujourd'hui (Le),
    M.F. Jacques, 3.00
Sein (Le), collaboration, 2.50
Soignez votre personnalité, messieurs,
    E. Serei, 2.00
Vos cheveux, J. Ghedin, 2.50
Vos dents, Archambault-Déom, 2.00

LINGUISTIQUE

Améliorez votre français, J. Laurin, 4.00
Anglais par la méthode choc (L'),
    J.L. Morgan, 3.00
Corrigeons nos anglicismes, J. Laurin, 4.00
Dictionnaire en 5 langues, L. Stanké, 2.00

Petit dictionnaire du joual au français,
    A. Turenne, 3.00
Savoir parler, R.S. Catta, 2.00
Verbes (Les), J. Laurin, 4.00

LITTERATURE

Amour, police et morgue, J.M. Laporte, 1.00
Bigaouette, R. Lévesque, 2.00
Bousille et les justes, G. Gélinas, 3.00
Berger (Les), M. Cabay-Marin, Ed. TM, 5.00
Candy, Southern & Hoffenberg, 3.00
Cent pas dans ma tête (Les), P. Dudan, 2.50
Commettants de Caridad (Les),
    Y. Thériault, 2.00
Des bois, des champs, des bêtes,
    J.C. Harvey, 2.00
Ecrits de la Taverne Royal, collaboration, 1.00
Exodus U.K., R. Rohmer, 8.00
Exxoneration, R. Rohmer, 7.00
Homme qui va (L'), J.C. Harvey, 2.00
J'parle tout seul quand j'en narrache,
    E. Coderre, 3.00
Malheur a pas des bons yeux (Le),
    R. Lévesque, 2.00
Marche ou crève Carignan, R. Hollier, 2.00
Mauvais bergers (Les), A.E. Caron, 1.00

Mes anges sont des diables,
    J. de Roussan, 1.00
Mon 29e meurtre, Joey, 8.00
Montréalités, A. Stanké, 1.50
Mort attendra (La), A. Malavoy, 1.00
Mort d'eau (La), Y. Thériault, 2.00
Ni queue, ni tête, M.C. Brault, 1.00
Pays voilés, existences, M.C. Blais, 1.50
Pomme de pin, L.P. Dlamini, 2.00
Printemps qui pleure (Le), A. Thério, 1.00
Propos du timide (Les), A. Brie, 1.00
Séjour à Moscou, Y. Thériault, 2.00
Tit-Coq, G. Gélinas, 4.00
Toges, bistouris, matraques et soutanes,
    collaboration, 1.00
Ultimatum, R. Rohmer, 6.00
Un simple soldat, M. Dubé, 4.00
Valérie, Y. Thériault, 2.00
Vertige du dégoût (Le), E.P. Morin, 1.00

LIVRES PRATIQUES – LOISIRS

Aérobix, Dr P. Gravel, 3.00
Alimentation pour futures mamans,
    T. Sekely et R. Gougeon, 4.00

Améliorons notre bridge, C. Durand, 6.00
Apprenez la photographie avec Antoine
    Desilets, A. Desilets, 5.00

Arbres, les arbustes, les haies (Les),
   P. Pouliot, **7.00**
Armes de chasse (Les), Y. Jarrettie, **3.00**
Astrologie et l'amour (L'), T. King, **6.00**
Bougies (Les), W. Schutz, **4.00**
Bricolage (Le), J.M. Doré, **4.00**
Bricolage au féminin (Le), J.-M. Doré, **3.00**
Bridge (Le), V. Beaulieu, **4.00**
Camping et caravaning, J. Vic et
   R. Savoie, **2.50**
Caractères par l'interprétation des visages,
   (Les), L. Stanké, **4.00**
Ciné-guide, A. Lafrance, **3.95**
Chaînes stéréophoniques (Les),
   G. Poirier, **6.00**
Cinquante et une chansons à répondre,
   P. Daigneault, **3.00**
Comment amuser nos enfants,
   L. Stanké, **4.00**
Comment tirer le maximum d'une mini-
   calculatrice, H. Mullish, **4.00**
Conseils à ceux qui veulent bâtir,
   A. Poulin, **2.00**
Conseils aux inventeurs, R.A. Robic, **3.00**
Couture et tricot, M.H. Berthouin, **2.00**
Dictionnaire des mots croisés,
   noms propres, collaboration, **6.00**
Dictionnaire des mots croisés,
   noms communs, P. Lasnier, **5.00**
Fins de partie aux dames,
   H. Tranquille, G. Lefebvre, **4.00**
Fléché (Le), L. Lavigne et F. Bourret, **4.00**
Fourrure (La), C. Labelle, **4.00**
Guide complet de la couture (Le),
   L. Chartier, **4.00**
Guide de la secrétaire, M. G. Simpson, **6.00**
Hatha-yoga pour tous, S. Piuze, **4.00**
8/Super 8/16, A. Lafrance, **5.00**
Hypnotisme (L'), J. Manolesco, **3.00**
Information Voyage, R. Viau et J. Daunais,
   Ed. TM, **6.00**
Interprétez vos rêves, L. Stanké, **4.00**

J'installe mon équipement stéréo, T. I et II,
   J.M. Doré, **3.00 ch.**
Jardinage (Le), P. Pouliot, **4.00**
Je décore avec des fleurs, M. Bassili, **4.00**
Je développe mes photos, A. Desilets, **6.00**
Je prends des photos, A. Desilets, **6.00**
Jeux de cartes, G. F. Hervey, **10.00**
Jeux de société, L. Stanké, **3.00**
Lignes de la main (Les), L. Stanké, **4.00**
Magie et tours de passe-passe,
   I. Adair, **4.00**
Massage (Le), B. Scott, **4.00**
Météo (La), A. Ouellet, **3.00**
Nature et l'artisanat (La), P. Roy, **4.00**
Noeuds (Les), G.R. Shaw, **4.00**
Origami I, R. Harbin, **3.00**
Origami II, R. Harbin, **3.00**
Ouverture aux échecs (L'), C. Coudari, **4.00**
Parties courtes aux échecs,
   H. Tranquille, **5.00**
Petit manuel de la femme au travail,
   L. Cardinal, **4.00**
Photo-guide, A. Desilets, **3.95**
Plantes d'intérieur (Les), P. Pouliot, **7.00**
Poids et mesures, calcul rapide,
   L. Stanké, **3.00**
Tapisserie (La), T.-M. Perrier,
   N.-B. Langlois, **5.00**
Taxidermie (La), J. Labrie, **4.00**
Technique de la photo, A. Desilets, **6.00**
Techniques du jardinage (Les),
   P. Pouliot, **6.00**
Tenir maison, F.G. Smet, **3.00**
Tricot (Le), F. Vandelac, **4.00**
Vive la compagnie, P. Daigneault, **3.00**
Vivre, c'est vendre, J.M. Chaput, **4.00**
Voir clair aux dames, H. Tranquille, **3.00**
Voir clair aux échecs, H. Tranquille et
   G. Lefebvre, **1.00**
Votre avenir par les cartes, L. Stanké, **4.00**
Votre discothèque, P. Roussel, **4.00**
Votre pelouse, P. Pouliot, **5.00**

LE MONDE DES AFFAIRES ET LA LOI

ABC du marketing (L'), A. Dahamni, **3.00**
Bourse (La), A. Lambert, **3.00**
Budget (Le), collaboration, **4.00**
Ce qu'en pense le notaire, Me A. Senay, **2.00**
Connaissez-vous la loi? R. Millet, **3.00**
Dactylographie (La), W. Lebel, **2.00**
Dictionnaire de la loi (Le), R. Millet, **2.50**
Dictionnaire des affaires (Le), W. Lebel, **3.00**
Dictionnaire économique et financier,
   E. Lafond, **4.00**

Divorce (Le), M. Champagne et Léger, **3.00**
Guide de la finance (Le), B. Pharand, **2.50**
Initiation au système métrique,
   L. Stanké, **5.00**
Loi et vos droits (La),
   Me P.A. Marchand, **5.00**
Savoir organiser, savoir décider,
   G. Lefebvre, **4.00**
Secrétaire (Le/La) bilingue, W. Lebel, **2.50**

PATOF

Cuisinons avec Patof, J. Desrosiers, **1.29**

Patof raconte, J. Desrosiers, **0.89**
Patofun, J. Desrosiers, **0.89**

SANTE, PSYCHOLOGIE, EDUCATION

Activité émotionnelle (L'), P. Fletcher, **3.00**
Allergies (Les), Dr P. Delorme, **4.00**
Apprenez à connaître vos médicaments,
   R. Poitevin, **3.00**
Caractères et tempéraments,
   C.-G. Sarrazin, **3.00**
Comment animer un groupe,
   collaboration, **4.00**
Comment nourrir son enfant,
   L. Lambert-Lagacé, **4.00**
Comment vaincre la gêne et la timidité,
   R.S. Catta, **3.00**
Communication et épanouissement
   personnel, L. Auger, **4.00**
Complexes et psychanalyse,
   P. Valinieff, **4.00**
Contact, L. et N. Zunin, **6.00**
Contraception (La), Dr L. Gendron, **3.00**
Cours de psychologie populaire,
   F. Cantin, **4.00**
Dépression nerveuse (La), collaboration, **4.00**
Développez votre personnalité,
   vous réussirez, S. Brind'Amour, **3.00**
Douze premiers mois de mon enfant (Les),
   F. Caplan, **10.00**
Dynamique des groupes,
   Aubry-Saint-Arnaud, **3.00**
En attendant mon enfant,
   Y.P. Marchessault, **4.00**
Femme enceinte (La), Dr R. Bradley, **4.00**
Guérir sans risques, Dr E. Plisnier, **3.00**
Guide des premiers soins, Dr J. Hartley, **4.00**

Guide médical de mon médecin de famille,
   Dr M. Lauzon, **3.00**
Langage de votre enfant (Le),
   C. Langevin, **3.00**
Maladies psychosomatiques (Les),
   Dr R. Foisy, **3.00**
Maman et son nouveau-né (La),
   T. Sekely, **3.00**
Mathématiques modernes pour tous,
   G. Bourbonnais, **4.00**
Méditation transcendantale (La),
   J. Forem, **6.00**
Mieux vivre avec son enfant, D. Calvet, **4.00**
Parents face à l'année scolaire (Les),
   collaboration, **2.00**
Personne humaine (La), Y. Saint-Arnaud, **4.00**
Pour bébé, le sein ou le biberon,
   Y. Pratte-Marchessault, **4.00**
Pour vous future maman, T. Sekely, **3.00**
15/20 ans, F. Tournier et P. Vincent, **4.00**
Relaxation sensorielle (La), Dr P. Gravel, **3.00**
S'aider soi-même, L. Auger, **4.00**
Soignez-vous par le vin, Dr E. A. Maury, **4.00**
Volonté (La), l'attention, la mémoire,
   R. Tocquet, **4.00**
Vos mains, miroir de la personnalité,
   P. Maby, **3.00**
Votre personnalité, votre caractère,
   Y. Benoist-Morin, **3.00**
Yoga, corps et pensée, B. Leclerq, **3.00**
Yoga, santé totale pour tous,
   G. Lescouflar, **3.00**

SEXOLOGIE

Adolescent veut savoir (L'),
   Dr L. Gendron, **3.00**
Adolescente veut savoir (L'),
   Dr L. Gendron, **3.00**
Amour après 50 ans (L'), Dr L. Gendron, **3.00**
Couple sensuel (Le), Dr L. Gendron, **3.00**
Déviations sexuelles (Les), Dr Y. Léger, **4.00**
Femme et le sexe (La), Dr L. Gendron, **3.00**
Helga, E. Bender, **6.00**
Homme et l'art érotique (L'),
   Dr L. Gendron, **3.00**
Madame est servie, Dr L. Gendron, **2.00**

Maladies transmises par relations
   sexuelles, Dr L. Gendron, **2.00**
Mariée veut savoir (La), Dr L. Gendron, **3.00**
Ménopause (La), Dr L. Gendron, **3.00**
Merveilleuse histoire de la naissance (La),
   Dr L. Gendron, **4.50**
Qu'est-ce qu'un homme, Dr L. Gendron, **3.00**
Qu'est-ce qu'une femme, Dr L. Gendron, **4.00**
Quel est votre quotient psycho-sexuel?
   Dr L. Gendron, **3.00**
Sexualité (La), Dr L. Gendron, **3.00**
Teach-in sur la sexualité,
   Université de Montréal, **2.50**
Yoga sexe, Dr L. Gendron et S. Piuze, **4.00**

SPORTS (collection dirigée par Louis Arpin)

ABC du hockey (L'), H. Meeker, **4.00**
Aikido, au-delà de l'agressivité,
   M. Di Villadorata, **4.00**
Bicyclette (La), J. Blish, **4.00**

Comment se sortir du trou au golf,
   Brien et Barrette, **4.00**
Courses de chevaux (Les), Y. Leclerc, **3.00**

Devant le filet, J. Plante, **4.00**
   D. Brodeur, **4.00**
Entraînement par les poids et haltères,
   F. Ryan, **3.00**
Expos, cinq ans après,
   D. Brodeur, J.-P. Sarrault, **3.00**
Football (Le), collaboration, **2.50**
Football professionnel, J. Séguin, **3.00**
Guide de l'auto (Le) (1967), J. Duval, **2.00**
   (1968-69-70-71), **3.00** chacun
Guy Lafleur, Y. Pedneault et D. Brodeur, **4.00**
Guide du judo, au sol (Le), L. Arpin, **4.00**
Guide du judo, debout (Le), L. Arpin, **4.00**
Guide du self-defense (Le), L. Arpin, **4.00**
Guide du trappeur,
   P. Provencher, **4.00**
Initiation à la plongée sous-marine,
   R. Goblot, **5.00**
J'apprends à nager, R. Lacoursière, **4.00**
Jocelyne Bourassa,
   J. Barrette et D. Brodeur, **3.00**
Jogging (Le), R. Chevalier, **5.00**
Karaté (Le), Y. Nanbu, **4.00**
Kung-fu, R. Lesourd, **5.00**
Livre des règlements, LNH, **1.50**
Lutte olympique (La), M. Sauvé, **4.00**
Match du siècle: Canada-URSS,
   D. Brodeur, G. Terroux, **3.00**
Mon coup de patin, le secret du hockey,
   J. Wild, **3.00**
Moto (La), Duhamel et Balsam, **4.00**

Natation (La), M. Mann, **2.50**
Natation de compétition (La),
   R. Lacoursière, **3.00**
Parachutisme (Le), C. Bédard, **5.00**
Pêche au Québec (La), M. Chamberland, **5.00**
Petit guide des Jeux olympiques,
   J. About, M. Duplat, **2.00**
Puissance au centre, Jean Béliveau,
   H. Hood, **3.00**
Raquette (La), Osgood et Hurley, **4.00**
Ski (Le), W. Schaffler-E. Bowen, **3.00**
Ski de fond (Le), J. Caldwell, **4.00**
Soccer, G. Schwartz, **3.50**
Stratégie au hockey (La), J.W. Meagher, **3.00**
Surhommes du sport, M. Desjardins, **3.00**
Techniques du golf,
   L. Brien et J. Barrette, **4.00**
Techniques du tennis, Ellwanger, **4.00**
Tennis (Le), W.F. Talbert, **3.00**
Tous les secrets de la chasse,
   M. Chamberland, **3.00**
Tous les secrets de la pêche,
   M. Chamberland, **3.00**
36-24-36, A. Coutu, **3.00**
Troisième retrait (Le), C. Raymond,
   M. Gaudette, **3.00**
Vivre en forêt, P. Provencher, **4.00**
Vivre en plein air, P. Gingras, **4.00**
Voie du guerrier (La), M. di Villadorata, **4.00**
Voile (La), Nik Kebedgy, **5.00**

Ouvrages parus à
L'ACTUELLE
JEUNESSE

Echec au réseau meurtrier, R. White, **1.00**
Engrenage (L'), C. Numainville, **1.00**
Feuilles de thym et fleurs d'amour,
   M. Jacob, **1.00**
Lady Sylvana, L. Morin, **1.00**
Moi ou la planète, C. Montpetit, **1.00**

Porte sur l'enfer, M. Vézina, **1.00**
Silences de la croix du Sud (Les),
   D. Pilon, **1.00**
Terreur bleue (La), L. Gingras, **1.00**
Trou (Le), S. Chapdelaine, **1.00**
Une chance sur trois, S. Beauchamp, **1.00**
22,222 milles à l'heure, G. Gagnon, **1.00**

Ouvrages parus à
L'ACTUELLE

Aaron, Y. Thériault, **3.00**

Agaguk, Y. Thériault, **4.00**

Allocutaire (L'), G. Langlois, 2.50
Bois pourri (Le), A. Maillet, 2.50
Carnivores (Les), F. Moreau, 2.50
Carré Saint-Louis, J.J. Richard, 3.00
Centre-ville, J.-J. Richard, 3.00
Chez les termites,
   M. Ouellette-Michalska, 3.00
Cul-de-sac, Y. Thériault, 3.00
D'un mur à l'autre, P.A. Bibeau, 2.50
Danka, M. Godin, 3.00
Débarque (La), R. Plante, 3.00
Demi-civilisés (Les), J.C. Harvey, 3.00
Dernier havre (Le), Y. Thériault, 3.00
Domaine de Cassaubon (Le),
   G. Langlois, 3.00
Dompteur d'ours (Le), Y. Thériault, 3.00
Doux Mal (Le), A. Maillet, 3.00
En hommage aux araignées, E. Rochon, 3.00
Et puis tout est silence, C. Jasmin, 3.00
Faites de beaux rêves, J. Poulin, 3.00
Fille laide (La), Y. Thériault, 4.00
Fréquences interdites, P.-A. Bibeau, 3.00
Fuite immobile (La), G. Archambault, 3.00

Jeu des saisons (Le),
   M. Ouellette-Michalska, 2.50
Marche des grands cocus (La),
   R. Fournier, 3.00
Monsieur Isaac, N. de Bellefeuille et
   G. Racette, 3.00
Mourir en automne, C. de Cotret, 2.50
N'Tsuk, Y. Thériault 3.00
Neuf jours de haine, J.J. Richard, 3.00
New Medea, M. Bosco, 3.00
Ossature (L'), R. Morency, 3.00
Outaragasipi (L'), C. Jasmin, 3.00
Petite fleur du Vietnam (La),
   C. Gaumont, 3.00
Pièges, J.J. Richard, 3.00
Porte Silence, P.A. Bibeau, 2.50
Requiem pour un père, F. Moreau, 2.50
Scouine (La), A. Laberge, 3.00
Tayaout, fils d'Agaguk, Y. Thériault, 3.00
Tours de Babylone (Les), M. Gagnon, 3.00
Vendeurs du Temple (Les), Y. Thériault, 3.00
Visages de l'enfance (Les), D. Blondeau, 3.00
Vogue (La), P. Jeancard, 3.00

Ouvrages parus aux
PRESSES
LIBRES

Amour (L'), collaboration 7.00
Amour humain (L'), R. Fournier, 2.00
Anik, Gilan, 3.00
Ariâme . . .Plage nue, P. Dudan, 3.00
Assimilation pourquoi pas? (L'),
   L. Landry, 2.00
Aventures sans retour, C.J. Gauvin, 3.00
Bateau ivre (Le), M. Metthé, 2.50
Cent Positions de l'amour (Les),
   H. Benson, 4.00
Comment devenir vedette, J. Beaulne, 3.00
Couple sensuel (Le), Dr L. Gendron, 3.00
Démesure des Rois (La),
   P. Raymond-Pichette, 4.00
Des Zéroquois aux Québécois,
   C. Falardeau, 2.00
Emmanuelle à Rome, 5.00
Exploits du Colonel Pipe (Les),
   R. Pradel, 3.00
Femme au Québec (La),
   M. Barthe et M. Dolment, 3.00
Franco-Fun Kébecwa, F. Letendre, 2.50
Guide des caresses, P. Valinieff, 4.00
Incommunicants (Les), L. Leblanc, 2.50
Initiation à Menke Katz, A. Amprimoz, 1.50
Joyeux Troubadours (Les), A. Rufiange, 2.00
Ma cage de verre, M. Metthé, 2.50

Maria de l'hospice, M. Grandbois, 2.00
Menues, dodues, Gilan, 3.00
Mes expériences autour du monde,
   R. Boisclair, 3.00
Mine de rien, G. Lefebvre, 3.00
Monde agricole (Le), J.C. Magnan, 3.50
Négresse blonde aux yeux bridés (La),
   C. Falardeau, 2.00
Niska, G. Robert, 12.00
Paradis sexuel des aphrodisiaques (Le),
   M. Rouet, 4.00
Plaidoyer pour la grève et la contestation,
   A. Beaudet, 2.00
Positions +, J. Ray, 4.00
Pour une éducation de qualité au Québec,
   C.H. Rondeau, 2.00
Québec français ou Québec québécois,
   L. Landry, 3.00
Rêve séparatiste (Le), L. Rochette, 2.00
Sans soleil, M. D'Allaire, 3.00
Séparatiste, non, 100 fois non!
   Comité Canada, 2.00
Terre a une taille de guêpe (La),
   P. Dudan, 3.00
Tocap, P. de Chevigny, 2.00
Virilité et puissance sexuelle, M. Rouet, 4.00
Voix de mes pensées (La), E. Limet, 2.50

Books published by HABITEX

Aikido, M. di Villadorata, **3.95**
Blender recipes, J. Huot, **3.95**
Caring for your lawn, P. Pouliot, **4.95**
Cellulite, G .Léonard, **3.95**
Complete guide to judo (The), L. Arpin, **4.95**
Complete Woodsman (The),
P. Provencher, **3.95**
Developping your photographs,
A. Desilets, **4.95**
8/Super 8/16, A. Lafrance, **4.95**
Feeding your child, L. Lambert-Lagacé, **3.95**
Fondues and Flambes,
S. and L. Lapointe, **2.50**
Gardening, P. Pouliot, **5.95**
Guide to Home Canning (A),
Sister Berthe, **4.95**
Guide to Home Freezing (A),
S. Lapointe, **3.95**
Guide to self-defense (A), L. Arpin, **3.95**
Help Yourself, L. Auger, **3.95**

Interpreting your Dreams, L. Stanké, **2.95**
Living is Selling, J.-M. Chaput, **3.95**
Mozart seen through 50 Masterpieces,
P. Roussel, **6.95**
Music in Canada 1600-1800,
B. Amtmann, **10.00**
Photo Guide, A. Desilets, **3.95**
Sailing, N. Kebedgy, **4.95**
Sansukai Karate, Y. Nanbu, **3.95**
"Social" Diseases, L. Gendron, **2.50**
Super 8 Cine Guide, A. Lafrance, **3.95**
Taking Photographs, A. Desilets, **4.95**
Techniques in Photography, A. Desilets, **5.95**
Understanding Medications, R. Poitevin, **2.95**
Visual Chess, H. Tranquille, **2.95**
Waiting for your child,
Y. Pratte-Marchessault, **3.95**
Wine: A practical Guide for Canadians,
P. Petel, **2.95**
Yoga and your Sexuality, S. Piuze and
Dr. L. Gendron, **3.95**

Diffusion Europe

Belgique: 21, rue Defacqz — 1050 Bruxelles
France: 4, rue de Fleurus — 75006 Paris

CANADA	BELGIQUE	FRANCE
$ 2.00	100 FB	13 F
$ 2.50	125 FB	16,25 F
$ 3.00	150 FB	19,50 F
$ 3.50	175 FB	22,75 F
$ 4.00	200 FB	26 F
$ 5.00	250 FB	32,50 F
$ 6.00	300 FB	39 F
$ 7.00	350 FB	45,50 F
$ 8.00	400 FB	52 F
$ 9.00	450 FB	58,50 F
$10.00	500 FB	65 F